R. MINNERATH

LES CHRÉTIENS

ET

LE MONDE

(Ier ET IIe SIÈCLES)

GABALDA

LES CHRÉTIENS

ET

LE MONDE

Iᵉ et IIᵉ SIÈCLES

R. MINNERATH

LES CHRÉTIENS

ET

LE MONDE

(Ier ET IIe SIÈCLES)

PRÉFACE DU CARDINAL JEAN DANIÉLOU

Ouvrage publié avec le concours de la C.N.L.

PARIS
LIBRAIRIE LECOFFRE
J. GABALDA et Cie, Éditeurs
RUE BONAPARTE, 90
—
1973

DULCI MEMORIAE MATRIS

PRÉFACE

C'est une des difficultés du langage théologique chrétien que les mots qu'il emploie sont pour une bonne part des vocables qui appartiennent également au langage profane. Il en est ainsi de mots comme esprit, justice, etc., d'où souvent des ambiguïtés qui tiennent aux mots eux-mêmes. La difficulté ne date pas d'aujourd'hui. Elle est apparue avec les premiers débuts de la pensée chrétienne. Les premiers écrivains chrétiens avaient utilisé pour exprimer le contenu propre de la foi des termes qui appartenaient aussi au langage philosophique de leur temps. C'est ce qui fait l'utilité de travaux qui démêlent ces interférences en les prenant à leur origine même.

Le travail que nous préfaçons ici appartient à cet ordre de recherche en ce qui concerne une catégorie particulièrement importante, celle de monde. Certes, le sens du mot chez les premiers chrétiens a déjà été étudié. Mais le travail présent marque un grand progrès sur trois points. En premier lieu, les travaux antérieurs portent, surtout sur le Nouveau Testament, où κόσμος joue un rôle important chez Jean et chez Paul. Notre auteur étend cette recherche à la première littérature chrétienne non-canonique, judéo-chrétienne ou hellénistique.

En second lieu, les travaux antérieurs portaient généralement sur un des aspects de la notion de monde. Celle-ci, en effet, peut avoir un sens cosmologique. Mais elle peut aussi désigner la société. C'est encore le cas aujourd'hui. Ce qui fait le prix de notre ouvrage, c'est qu'il ouvre tous les domaines que la notion de monde concerne. La première partie traite des représentations cosmologiques et de la conception chrétienne de l'univers ; la seconde des conceptions sociologiques et de l'attitude du chrétien à l'égard de la société. De plus, dans ces deux domaines, le monde peut être considéré sous son aspect positif, comme étant une part de la création de Dieu, ou sous son aspect négatif, comme ensemble des forces qui s'opposent à Dieu.

Enfin, les travaux antérieurs portent principalement sur le vocabulaire. C'est en particulier le cas du beau livre de A. P. Orban : Les dénominations du monde chez les premiers auteurs chrétiens, Nimègue, 1970. Mais le point de vue de notre auteur est plus large. Tout en donnant une part impor-

tante à la question des mots, il examine d'une façon plus générale la manière dont les premiers auteurs chrétiens ont envisagé le monde *sous ses différents aspects. Ceci est particulièrement important pour la seconde partie, où le problème de la position du chrétien vis-à-vis de la société politique et du milieu social est étudié.*

On aimera le discernement avec lequel le livre procède dans un domaine où tant de confusions existent. Ainsi, il montre très bien la manière dont les écrivains chrétiens ont utilisé les représentations cosmologiques hellénistiques ou sémitiques, mais sans se lier aucunement à elles. Il en est de même en ce qui concerne l'anthropologie. Peut-être ici notre auteur reste-t-il influencé par la thèse qui privilégie les représentations sémitiques et voit dans l'usage des représentations grecques un danger de déformation (pp. 139-149). Les Pères ont rejeté à juste titre l'idée que l'âme serait d'essence divine, et le corps principe du mal. Mais ils n'avaient aucune raison de ne pas utiliser les catégories de l'anthropologie grecque, — et en particulier la claire distinction de l'âme et du corps — de préférence aux catégories sémitiques. Et on ne peut pas dire que leur usage ait faussé la conception de la résurrection.

L'ouvrage est essentiellement historique. Ce sont les conceptions des deux premiers siècles que l'auteur étudie. Mais le problème est toujours actuel. La question des rapports des chrétiens et du monde aux différents sens du mot est sans cesse discutée aujourd'hui. Or, les principes de discernement des anciens auteurs chrétiens restent étonnamment valables. Il s'agit essentiellement d'unir une attitude positive à l'égard du monde comme création de Dieu et une attitude négative à l'égard du monde comme volonté de se constituer en dehors de Dieu. C'est dire que le livre, qui intéressera les spécialistes par sa qualité scientifique, mérite aussi d'avoir l'audience de tous ceux qui se sentent touchés par ces problèmes si actuels.

JEAN CARDINAL DANIÉLOU.

AVANT-PROPOS

ὅπερ ἐστὶν ἐν σώματι ψυχὴ, τοῦτ᾿
εἰσὶν ἐν κόσμῳ Χριστιανοί.

A Diogn. 6, 1.

Cet ouvrage constitue une tentative de synthèse visant à établir comment le Christianisme primitif a appréhendé et ordonné l'une à l'autre les réalités multiples qu'évoque pour lui le terme de « monde ». Une synthèse suppose naturellement une analyse préalable. Sur ce point, de nombreux travaux avaient déjà ouvert la voie, consacrés la plupart du temps à mettre en lumière l'une ou l'autre des diverses facettes de l'idée de monde. Le sujet se prêtait d'ailleurs parfaitement à ce genre de recherches. Le concept de monde est apte, en effet, à se différencier en un faisceau de thèmes complémentaires : monde considéré comme réalité physique et spatiale, comme durée temporelle, comme sphère de l'humanité et scène de l'histoire, comme société humaine, environnement lointain ou proche de l'individu qui perçoit la relation le situant dans un lieu et un moment de l'espace et du temps qui le dépassent.

Ce qui manquait encore, c'était une étude qui intégrerait les différentes composantes de cette même notion dans la perspective où elles se nouent en une saisie unique et reçoivent une interprétation globale. Or, la vision chrétienne du monde, parce que Dieu y intervient d'une manière décisive, embrasse dans un même coup d'œil l'histoire des initiatives divines dans le monde et l'image de l'univers tel qu'il est compris des hommes. Sur le même objet — le monde — la Révélation exprime le point de vue de Dieu, l'expérience historique le point de vue des hommes. La nouveauté chrétienne naissant dans le flux de l'histoire par l'action salvifique du Christ, se tient à la croisée de ces deux jugements, unit les deux points de vue, en devient elle-même la synthèse.

Ainsi le monde n'est pas un concept idéalisé, ni un pur domaine de contingence livré à notre perception. Il est le livre ouvert où le Créateur et Rédempteur révèle le sens caché de sa destinée, le lieu où cette même destinée s'accomplit, et où le chrétien prend conscience de la mission spécifique qu'il doit y remplir pour qu'elle s'accomplisse.

Monde révélé, monde historique, monde rénové, la division même de l'ouvrage rend compte des pôles autour desquels s'articule la vision chrétienne du monde.

Le monde est d'abord saisi dans la lumière que la Révélation divine projette sur lui. Elle en dévoile l'origine, le sens et la finalité en éclairant le projet qui est à sa source. Mais elle ne porte pas sur la constitution physique du cosmos. Rien de comparable en cela avec les cosmogonies des mythologies orientales ou les cosmologies de la première philosophie grecque. Les représentations de l'univers matériel et de sa durée, empruntées aux milieux du judaïsme et de l'hellénisme, servent à exprimer l'action de Dieu dans la création sous forme de catégories spatiales et temporelles. Pour les premiers chrétiens, c'est l'œuvre rédemptrice du Christ qui permet de comprendre rétrospectivement le projet divin qui est à l'origine de la première création, et d'espérer prospectivement l'accomplissement définitif de ce même dessein par l'irruption de la nouvelle création future, le Royaume de Dieu. Dans ces temps du salut, le monde apparaît dès lors comme un grand être vivant solidaire des hommes qui ont été maintenant appelés à se prononcer pour ou contre le Christ. Parmi eux, ceux qui croient en lui ne sont plus du monde, ils forment déjà la nouvelle création, inaugurée au cœur même de l'ancienne. Le « monde », devant cette alternative, se confond alors avec ceux qui refusent encore le salut ; il devient, par rapport à cette nouvelle création qui prend forme, synonyme de monde désormais ancien, resté enfermé dans le refus de la vie incorruptible, vaincu d'avance par le Christ, et connaissant encore un répit avant la manifestation plénière et finale du « monde à venir », du « siècle futur », le Royaume de Dieu.

Le monde qui est ainsi révélé n'est pas une entité abstraite, un archétype idéel, c'est l'univers historique réel connu sous la forme concrète qu'il revêt dans la civilisation du monde romain à son apogée. Ici, la conscience chrétienne connaît l'épreuve des réalités temporelles, y prend la mesure de sa spécificité et de son aptitude à les interpréter dans la perspective nouvelle de l'économie du salut se réalisant dans l'histoire de l'humanité. Le « monde » resté hostile à Dieu apparaît alors clairement sous les traits non de la civilisation païenne en tant que telle, mais dans ce qu'elle comporte d'inacceptable, d'incompatible ou de contraire à la foi : quand les les usages, les préjugés, les normes de la vie sociale, les exigences de l'état, les contraintes idéologiques et culturelles veulent s'ériger en absolu, se supplanter à la foi sur son propre terrain, et réclamer l'idolâtrie inconditionnelle des hommes.

Le Christianisme fait continuellement l'expérience du monde dans ses manifestations historiques, pour le rénover selon les normes du monde à venir qu'il anticipe. La contemplation du dessein de Dieu sur le monde à travers l'épreuve des réalités de ce monde est ainsi inséparable de l'action qui vise à transformer ce monde en conséquence. La hiérarchie des anciennes valeurs est par là même bouleversée dans l'existence individuelle comme dans l'existence communautaire. En même temps se précise le critère selon lequel les réalisations de ce monde sont à encourager ou à rejeter par l'homme nouveau dans la lutte qu'il mène, sur la scène de l'histoire, contre les puissances restées hostiles au salut de Dieu.

Certains auront raison de convenir que le sujet est d'actualité, d'une actualité d'ailleurs permanente dans la recherche difficile du chrétien de toujours pour se définir par rapport au monde, s'il sait reconnaître le paradoxe fondamental de sa situation.

Aussi le choix de la période qui peut, mieux que toute autre, servir de référence, se justifie-t-il de lui-même. Les deux premiers siècles du Christianisme présentent une grande homogénéité, précisément dans la question des rapports avec le monde. En revanche, le début du troisième siècle marque déjà un tournant. C'est en 202 qu'est ordonnée la première persécution systématique des chrétiens par le pouvoir romain. A partir de cette époque, l'Église, devenue numériquement plus considérable, opère une modification dans sa conception même. Jusque-là, elle se définissait comme une communauté de « saints »; maintenant on y entrait pour tâcher de le devenir. Vers 200, Tertullien et Hippolyte de Rome représentent la tendance ancienne, tandis que Clément d'Alexandrie est l'indice d'un changement d'esprit. Le Christianisme, pénétrant progressivement tous les secteurs de la vie antique, perdant de vue la tension eschatologique des origines, commence alors à aménager une morale de la vie en ce monde qui n'ira pas sans gauchir les motivations primitives, en attendant, au IVe siècle, que les moines venant relayer les martyrs, l'attitude du Christianisme face au monde n'entre dans une problématique assez différente.

Ce livre, pour finir, doit beaucoup à l'enseignement et aux encouragements constants de deux grands maîtres : O. Cullmann, Membre de l'Institut, Directeur à l'École des Hautes Études, et H.-I. Marrou, Membre de l'Institut, Professeur à la Sorbonne. Qu'il me soit permis, sans oublier tous ceux qui par leurs conseils ou leur disponibilité m'ont facilité ce travail, de leur exprimer plus que de simples remerciements, la joie que j'ai eue de travailler à leurs côtés à l'exploration de « l'insondable richesse du Christ » (*Ep. 3, 8*).

PREMIÈRE PARTIE

LE MONDE RÉVÉLÉ

CHAPITRE PREMIER

LE COSMOS

Aucun peuple dans l'Antiquité ne s'est donné une image aussi complète du cosmos que les Grecs[1]. La structure de l'univers est le premier thème sur lequel se penche la pensée rationnelle naissante. Non que cette pensée soit exempte des schèmes mythologiques des vieilles cosmogonies, mais elle est, chez les philosophes de l'Ionie, une première tentative de saisie objective de l'univers, comme un tout, τὸ πᾶν, se présentant à l'investigation rationnelle. D'après Plutarque, c'est Pythagore qui, le premier, aurait donné le nom de κόσμος « au système de l'univers, à cause de l'ordre qui y règnait »[2]. Dès lors, la notion de *cosmos* devient le concept directeur des grandes synthèses philosophiques et sa longue élaboration demeure l'indice des efforts et des cheminements de la rationalité hellénique. Aux Grecs, l'univers apparaît d'abord comme une unité indissociable, dont tous les éléments sont parfaitement agencés, comme un « ordre » parfait dont l'intelligence peut saisir les lois. Le cosmos est, à l'image de l'antique cité, une organisation harmonieuse et cohérente, gouverné comme elle, par des lois. Si les astronomes pré-socratiques avaient souvent été taxés d'athéisme pour avoir désacralisé le cosmos, depuis Platon les considérations sur le divin avaient été réintroduites dans les spéculations cosmologiques. Les lois naturelles que découvre la raison sont subordonnées à des principes divins[3]. Le cosmos est pour les Grecs un être éternel.

---

1. Sur la cosmologie grecque : P. Duhem, *Le système du monde*, t. 1 et 2, Paris, 1913 ; R. Lenoble, *Esquisse d'une histoire de l'idée de nature*, Paris, 1969 (1re partie, p. 35-213), et surtout J. Pépin, *Théologie cosmique et théologie chrétienne*, Paris, 1964.

2. De plac. philos., II, 1.

3. Cf. Platon, Lois, 820-822.

En tant que tel, il est la divinité même en dehors de laquelle rien n'existe. Aristote disait qu'il est inengendré et incorruptible. Il n'a pas eu de commencement et n'aura pas de fin. Il n'est pas une créature, mais une nature. Il est l'absolu et, comme tel, il est intelligible à l'esprit grec qui objective en lui son exigence de rationalité.

Au Iᵉʳ siècle, un texte du Ps.-Aristote, teinté de stoïcisme, exprime l'opinion commune. Il définit le cosmos comme « l'assemblage que fournit le ciel et la terre avec toutes les espèces d'êtres qu'ils contiennent. *Cosmos* se dit aussi, en un autre sens, de l'ordre et de l'agencement de la nature universelle »[1]. Pythagore avait le premier émis l'hypothèse du mouvement circulaire et uniforme des planètes, parce que des êtres divins ne peuvent exister que dans un ordre parfait. Cette image restera la représentation fondamentale qu'adoptera la pensée grecque ultérieure. Le cosmos a la forme d'un globe parce que la raison voit dans la forme circulaire la forme parfaite[2]. Il est animé d'un mouvement éternel et régulier. Les êtres qu'il renferme concourent chacun à leur place à l'harmonie du tout[3]. Êtres planétaires, dieux et hommes, le cosmos, d'après les stoïciens, est une seule cité commune aux dieux et aux hommes[4]. Parce qu'il a une forme parfaite, l'intelligence ne peut le concevoir que limité. La divinité serait incompréhensible si elle était infinie, c'est-à-dire sans forme. Limité spatialement, le cosmos n'a cependant pas de commencement dans le temps[5]. Ce qui est, est éternellement et immuablement parfait. Le cosmos est un être vivant : éternel et parfait, c'est ce qu'on appelle Dieu. « Le monde, dit Pline, qui se fait aussi l'écho des idées courantes, ou ce que l'on est convenu d'appeler d'un autre nom, le ciel, qui embrasse tout dans ses replis, doit être considéré comme une divinité éternelle, immense, sans commencement et sans fin »[6].

L'intuition rationnelle du cosmos s'était tellement imposée à l'esprit grec que l'Antiquité la reçut comme un dogme. Elle s'accompagnait de la théorie du géocentrisme. La terre, au centre du cosmos, est, de toutes les planètes, la seule immobile[7], autour de laquelle les autres pivotent selon le rythme de leur mouvement permanent. A un moment, au IIIᵉ siècle avant J.-C., les Alexandrins Philolaüs et Aristarque avaient soutenu la

---

1. Ps.-Aristote, De mundo, 2.
2. Cf. Aristote, De coelo II, 3, 286 *a* ; Pline, Nat. Hist., II, 2.
3. Cf. Platon, Gorg. 507 *e*-508 *a*.
4. Cf. Cicéron, De Nat. deor. II, 62, 154.
5. Cf. Déjà Héraclite, fr. 30 : « Ce cosmos est le même pour tous les êtres, ce n'est ni un dieu ni un homme qui l'a fait, mais il était éternellement, et il est et il sera... » Cf. Aristote, De coelo II, 1, 283 *b*.
6. Nat. Hist. II, 1.
7. Pline, Nat. Hist., I, 4.

thèse de l'héliocentrisme. Elle fut immédiatement rejetée faute de preuves. Un siècle plus tard, l'astronome Hipparque revenait au géocentrisme en le complétant par une savante théorie de la rotation des astres en cercles et épicycles. Ce système s'imposa — et pour longtemps — perfectionné encore au IIe siècle de notre ère par Ptolémée. La place de la terre au centre de la sphère cosmique ainsi reconnue, les autres considérations sur l'agencement et le rôle des différents astres pouvaient varier à l'infini. Entre la sphère des étoiles fixes qui marque la limite du cosmos et son centre, la terre se placent toujours les « sept planètes » dans lequelles on inclut le soleil et la lune. Pline résume ces conceptions. Il place le soleil, « principale divinité de la nature » au milieu des sept planètes. Au-dessus de lui se trouvent Mars, Jupiter, et Saturne à l'extrémité du monde. En dessous, Vénus, Mercure et la Lune[1]. On opposait généralement le monde sublunaire, ou royaume de l'air, aux espaces situés au-delà de la sphère lunaire dans lequel les astres baignaient dans l'éther. Aristote affirmait que la substance des corps célestes divins était différente de celle des êtres sublunaires formés par les combinaisons des quatre éléments (terre, eau, feu et air). Tandis qu'au-dessus de la lune les corps célestes tournent immuablement sous le contrôle d'une intelligence divine, en dessous d'elle les changements sont possibles parce que les quatre éléments ne cessent de s'y combiner différemment. La pensée grecque se donnait ainsi une image du monde foncièrement une dans ses données essentielles.

Il n'y a eu, pour proposer une vision du monde qui aurait pu être radicalement différente, que les tenants de l'atomisme, Démocrite, Leucippe, Épicure et leur porte-parole à la fin du Ier siècle avant J.-C., Lucrèce. Rejetant vigoureusement l'idée de l'unité et de la divinité du cosmos, ils prétendaient que l'univers était composé d'atomes et de vide. L'univers visible non seulement est infini et sans limite, mais il est le résultat d'un agencement hasardeux d'atomes qui font et défont leurs combinaisons sans aucune finalité. Pour Épicure, était éternel l'univers infini, mais non notre cosmos qui n'en est qu' « une portion déterminée » et qui se dissoudra aussi subitement qu'il s'est constitué. Lucrèce lui-même veut libérer ses contemporains des lois et des contraintes que l'on suppose à la nature. Mais s'il insiste sur l'idée que notre univers n'est que l'effet de combinaisons hasardeuses, il est cependant obligé, comme l'a bien montré Lenoble[2], de reconnaître qu'à l'échelle de l'infini il y a un certain ordre qui se manifeste par des lois constantes. L'univers anarchique de l'atomisme disparut avec l'anarchie de la Rome républicaine, et il fut loisible, sous l'Empire, au stoïcisme triomphant de repenser la place de l'homme dans un cosmos bien ordonné, immuable et parfait.

1. Nat. Hist. II, 4.
2. R. Lenoble, *op. cit.*, p. 122 sq.

L'HOMME MICROCOSME

Dans l'idéalisme hellénique, la conception du monde est toujours
primordiale, car elle englobe et se subordonne tous les autres aspects
de la connaissance qui n'en sont, à bien des égards, que des déductions.
Elle détermine, en particulier, une vision de l'homme. Le cosmos grec
est le reflet d'une exigence de rationalité qui est d'abord un effort par lequel
l'homme cherche à se rendre compte de lui-même. L'existence individuelle
paraît intelligible dans la mesure où elle est un chaînon d'un ensemble
cohérent, insérée dans un tout objectif qui est le cosmos. En saisissant la
loi qui préside à l'ordonnancement du tout, l'homme reconnaît que cette
loi est aussi celle de sa pensée. Il n'y a pas de mystère dans l'existence.
Ce qui paraît subjectivement un mal ne peut être qu'une illusion, car
chaque chose individuelle concourt au bien de l'ensemble du cosmos qui
seul existe véritablement. A l'époque de Marc-Aurèle, le platonicien Celse
pouvait encore dire : « La nature de l'univers est une et identique, et l'origine des maux est toujours la même... Il n'est pas certain que ce qui vous
paraît un mal le soit en effet, car vous ne savez pas si ce n'est point une
chose utile à vous, à quelque autre personne ou à l'ensemble de l'univers »[1].

L'homme, pour être heureux, doit donc faire sienne la loi du cosmos, lui,
microcosme dans le macrocosme, se mettre au même rythme que l'univers
qui, de toute manière, indépendamment de son adhésion ou de son refus,
continuera sa course. Cette attitude est parfaitement illustrée par l'idéal
du sage stoïcien, le plus populaire sous l'Empire et rival du christianisme.
Dans cette morale qu'illustrèrent Sénèque, Épictète et Marc-Aurèle,
le bonheur individuel est à chercher dans la communion au rythme de la
vie cosmique. Connaître les lois qui font régner l'ordre et l'harmonie
dans l'univers, se conformer à elles en observant scrupuleusement les
devoirs attachés à la place qu'on y occupe et parvenir ainsi à être libre,
c'est-à-dire à ne rien désirer d'autre que ce qu'impose l'ordre du monde
qui est nécessité et contrainte. Comme le dit bien Plutarque, pour les
stoïciens, « le monde est un corps parfait, mais ses parties ne sont pas
parfaites, parce que ayant toutes une certaine relation au tout, elles
n'existent pas par elles-mêmes »[2].

Pour les Anciens, la vision du cosmos sous-tend tout effort d'explication
métaphysique de l'univers. Elle entraîne une anthropologie. Elle est le
cadre rationnel dans lequel les problèmes essentiels de la vie et de la survie,
du mal et de la mort trouvent leur solution. La pensée grecque est dominée
par un monisme panthéistique. Elle n'est jamais parvenue à l'idée que le

---

1. Origène, C. Cels. IV, 62 et 69.
2. De stoïc. rep. 44.

cosmos puisse être une création d'un Dieu transcendant par rapport à lui, ni que l'âme ou l'esprit de l'homme puisse être autre chose qu'une parcelle de cette Intelligence et de cette Ame du Tout qui informe le cosmos. Platon voyait dans l'âme une essence divine, inengendrée et impérissable, préexistante au corps, issue du monde des Idées ayant avec Dieu une affinité de nature [1]. Mais précisément ce Dieu, c'est le « *cosmos noêtos* », le monde intelligible, modèle du monde sensible et visible, qui n'est pas situé hors de cet univers, mais qui est cet univers même en tant qu'il est informé par une Intelligence inhérente à lui. L'âme humaine, dans sa partie raisonnable, est elle-même composée comme l'Ame du monde et participe à son immortalité. Les âmes, suivant le rythme du cosmos, renaissent de corps en corps [2], jusqu'à ce que, purifiées de leur contamination avec le monde des apparences par la contemplation des idées dont elles participent, elles retournent se fondre en elles [3]. « L'âme de l'homme est immortelle... tantôt elle sort de la vie, ce qu'on appelle mourir, tantôt elle y rentre de nouveau, mais... elle n'est jamais détruite » [4]. Pour Aristote, ce qui est premier, c'est l'Acte pur ou Premier Moteur, c'est-à-dire le mouvement parfait et éternel des cinq sphères planétaires hyperlunaires. Cette intelligence vivante est Dieu. Elle ne crée rien, parce qu'elle est sans besoin [5]. L'homme aussi, à la cîme de son âme, possède l'intellect actif par lequel il est en acte de connaître la vérité. Cet intellect ne meurt pas parce qu'il est une participation de l'Intellect pur de Dieu qui pense en lui [6].

Le même schème fondamental inspire le stoïcisme pour qui l'âme humaine est logos, fragment détaché de la divinité qu'est le cosmos vivant, Logos éternel. La mort ne doit pas être considérée comme tragique. Elle est un processus régulier du rythme cosmique auquel la raison de l'homme, parce qu'elle a sa source dans la Raison universelle doit donner son adhésion. Il n'y a donc d'être véritable que le cosmos éternellement vivant dans la structure rationnelle duquel il s'agit d'insérer les existences particulières. La pensée grecque aboutit ainsi à jeter dans un quasi-néant le monde de l'expérience sensible, du devenir, du changement et de la mort. Celui-ci ne peut plus être considéré que comme une illusion, dans la mesure où notre perception sensible ne nous permet pas d'en saisir tous les éléments dans leur rapport nécessaire avec le Tout, seul parfait et intelligible. Pour l'homme, le monde n'est pas à transformer, mais à contempler. Il ne lui reste qu'à se conformer, par l'éducation, au modèle de l'ordre

---

1. Cf. Rép. VI, 508 a.
2. Pol., 272 d-e.
3. Cratyle, 400 c, cf. Phédon 66 b sq.
4. Ménon, 81, a-b.
5. De coelo II, 12.
6. Cf. De anim. II, 2-413b 25 ; Méta X, 3, 1070a 24.

cosmique dont il sait qu'il possède en lui-même le principe à la cîme immortelle de son être. Parvenu à ce stade du développement de la pensée grecque, l'homme hellénistique professe ce que A. J. Festugière appelle « la religion philosophique du Monde et du Dieu Cosmique »[1].

MYSTÈRE COSMIQUE ET DUALISME

A l'époque des débuts du Christianisme et sous tout le Haut-Empire, ces catégories de pensée persistent encore fortement, propagées et expliquées par les différentes écoles philosophiques. Aux abords de notre ère cependant, de nouvelles tendances se manifestent déjà qui tendent à modifier radicalement l'image du monde. Depuis l'éclatement de la cité antique, la formation et la dislocation du grand empire d'Alexandre, le monde civilisé traversait une histoire où rien ne le prédisposait à la reconnaissance de cet ordre admirable et permanent dont les lois informent aussi bien la vie du cosmos que celle de la communauté des hommes. Les guerres que se livraient les royaumes hellénistiques, celles de la conquête romaine et des luttes civiles du dernier siècle de la République entretenaient le sentiment qu'un destin tout-puissant règlait le cours du monde dans l'économie duquel l'individu ne peut plus s'intégrer. Il n'est plus possible de reconnaître sa place et sa raison d'être en ce monde. Le monde a un visage hostile. La vraie patrie est à chercher ailleurs. Devant l'angoisse d'être livrées à des forces aveugles, les explications rationnelles ne satisfont plus les consciences. Plus l'univers se désagrège, plus l'individu se sent seul. Plus il se sent victime du *Destin*, plus il a soif d'un salut personnel. On assiste partout à un sens grandissant du mystère. Partout on voit maintenant triompher l'irrationalité. De cette crise est sortie ce que l'on appelle une « nouvelle religiosité » qui s'épanouira pleinement à partir du IIe siècle.

Les religions orientales pénètrent dans le paganisme gréco-romain[2]. L'astrologie venue de Chaldée cherche à scruter la vie du monde céleste au mouvement fatal duquel le destin des individus comme des empires est suspendu. Partout règne la hantise du Destin. C'est l'époque où l'horoscope est le guide le plus sollicité dans toute entreprise humaine. Avant d'agir, l'empereur, comme le dernier de ses sujets, s'inquiète si les astres sont favorables, si quelque mystérieuse fatalité ne viendra pas bouleverser ses projets. Pline reconnaît que « dans le monde entier, en tous lieux, à toute heure, par toutes voix, seule est invoquée et nommée la Fortune. Elle seule est incriminée et accusée, à elle seule vont les louanges, à elle seule la condamnation... Et nous sommes tellement liés au destin que pour nous,

---

1. *Épicure et ses dieux*, Paris, 1946, p. 23.
2. Cf. F. CUMONT, *Les religions orientales dans le paganisme romain*, 4e éd., Paris, 1929.

le destin lui-même est dieu, car dieu est nécessairement incertain »[1].
Pratiques magiques et théurgiques se retrouvent d'ailleurs dans toute
une série de traités philosophico-religieux, sous l'invocation d'Hermès
Trismégiste ou d'origine prétenduement babylonienne comme les *Oracles
Chaldaïques* des deux Julien[2]. Ces écrits révèlent des tendances communes
avec les interprétations de plus en plus religieuses et mystiques que les
écoles philosophiques font de leurs anciens maîtres. C'est en particulier
le cas du néo-platonisme.

La conséquence de cette mutation radicale de l'esprit hellénique est
une nouvelle conception du monde et donc de l'homme, caractérisée
par une vision dualiste de l'univers. Le monde sensible tend à se confondre
avec le principe du mal. La divinité, dans un même mouvement, est reculée
dans les sphères inaccessibles de la transcendance et n'a plus aucun rapport,
du moins direct, avec le monde terrestre et mauvais. Les croyances astrales,
radicalisant une représentation déjà ancienne, opposaient le monde inférieur sublunaire au monde des astres divins dont la volonté détermine
absolument tous les événements d'ici-bas[3]. La divinité devient plus transcendante au monde en ce qu'elle se coupe de lui et se réfugie dans la sphère
éthérée, soit qu'elle resplendisse à travers l'ensemble des astres, soit qu'elle
se concentre principalement dans l'un d'eux : le soleil. Elle reçoit des attributs à la mesure de sa promotion céleste : « Très-Haut », « Trois fois très
grand » (Hermès Trismégiste), « tout-puissant », etc.

L'ancienne unité du cosmos se scindant en deux domaines opposés,
le schème *ici-bas — au-delà* s'impose plus encore qu'auparavant
pour définir le rapport du monde périssable à l'éternité. Du coup, la chute
du monde terrestre au rang de domaine du mal offre un terrain accueillant
pour l'éclosion d'une démonologie foisonnante[4]. Le monde terrestre
semble de plus en plus au pouvoir de puissances mauvaises contre lesquelles
il s'agit de lutter, en unissant l'âme par la contemplation des astres, l'ini-
tiation aux mystères, l'extase ou même la transe rituelle, à la divinité dont
elle sait qu'elle est issue. Car ce que ces religions et ces philosophies ont
toutes en commun, c'est la croyance à l'origine céleste de l'âme tombée,
soit par nécessité, soit par un choix délibéré, dans un corps comme dans
une prison. Le salut consiste alors à s'affranchir de cette enveloppe charnelle,
de connaître l'essence divine de son âme pour retourner après la libération

---

1. Nat. Hist., II, 22.
2. L'étude fondamentale sur ces nouveaux courants de l'hellénisme est celle consacrée à
la littérature hermétique par A. J. FESTUGIÈRE, *La révélation d'Hermès Trimégiste*, 4 tomes,
Paris, 1944-1954, complétée par la publication des textes par A.-D. NOCK et A.-J. FESTUGIÈRE,
Corpus hermeticum, 4 tomes, Paris, 1945-1954.
3. Cf. Sénèque, Ad Marc. 18, 2 sq.
4. Voir par exemple G. SOURY, *La démonologie de Plutarque*, Paris, 1942.

de la mort vers la vraie patrie. Tel est le schéma fondamental de la gnose hellénistique, phénomène connexe à la « nouvelle religiosité », qui se retrouve aussi bien dans le paganisme que sur les marges du judaïsme et du christianisme où il était appelé à de si grands développements.

L'APOCALYPTIQUE

Directement héritier du judaïsme[1], le christianisme devait naturellement lui emprunter, en les adaptant à ses propres fins, la plupart de ses représentations cosmologiques, comme les autres catégories de son univers mental[2]. Or, l'un des traits fondamentaux du judaïsme, depuis l'époque séleucide, est d'être largement dominé, au moins en Palestine, par la pensée apocalyptique. Par rapport au prophétisme traditionnel, ce mouvement apparaît comme une radicalisation, quelquefois exacerbée, de l'espérance messianique. Israël traverse des temps d'épreuve. Depuis le retour de l'Exil, il est asservi aux dominations étrangères. Après les Perses, les Macédoniens, les Séleucides et les Lagides, il connaît sa dernière période d'indépendance nationale sous les Macchabées, pour tomber jusqu'au jour de sa destruction sous l'hégémonie romaine. Dans les persécutions et les humiliations sans nombre du présent se fait jour la croyance que ce temps d'épreuves ne peut que précéder une action divine imminente en faveur de son peuple. Plus les temps sont difficiles, plus proche paraît devoir être la fin. Cette conviction primordiale ne s'exprime pas seulement dans les apocalypses proprement dites, venues à la suite du *Livre de Daniel,* tels que le *Livre d'Henoch,* le *IVe Livre d'Esdras* ou le *IIe de Baruch,* mais encore dans toute une littérature poétique (les *Psaumes de Salomon*), ou parénétique (le *Livre des Jubilés,* le *Livre des Antiquités*), dans des livres exégétiques ou des règlements de communautés (comme le *Document de Damas,* ou la *Règle de Qûmran*). Tous ces écrits traitent à leur manière, mais toujours en accordant la priorité à cette question, des futures et proches destinées d'Israël. Le fond de cette espérance est toujours l'attente d'une restauration nationale par le rétablissement de la royauté davidique sous un Roi consacré, ou « oint », c'est-à-dire un « Messie ». Il subjuguera les ennemis d'Israël et il dominera le monde[3]. Or, depuis les Macchabées, les espoirs d'indépendance nationale avaient été successivement et cruellement déçus. Les divers soulèvements s'étaient tous soldés

---

1. Se reporter par exemple à J. BONSIRVEN, *Le judaïsme palestinien au temps de J.-C.*, 2 vol., 2e éd., Paris, 1950.
2. Voir FREY, *Dieu et le monde d'après les conceptions juives au temps du Christ,* R.B. 1916, p. 50 sq.; J. HEINEMANN, *Die griechische Weltanschauungslehre bei Juden und Römern,* Berlin, 1952, J. DANIÉLOU, *Théologie du judéo-christianisme,* Tournai, 1958.
3. Cf. Déjà Ez 40-47 ; Is 54-60.

par un échec. En 6, Judas le Galiléen fonde le parti zélote, en incitant les masses à s'opposer au recensement de Quirinus[1]. Le zélotisme fanatise les foules et les jette dans la terrible guerre de 66 à 70 où le Temple est détruit.

Mais la foi apocalyptique survit encore à cette catastrophe, comme en témoignent les *Apocalypses* du Ier siècle et les *Oracles sibyllins*. Elle se cristallise en un dernier sursaut d'espoir dans la révolte de Simon Bar Koseba en 135 sous Hadrien, mais la défaite entraîne cette fois la liquidation définitive de l'ancien Israël, confondu désormais dans l'anonyme province de Palestine. Devant le spectacle incompréhensible de pareilles humiliations, on comprend que la pensée juive aux abords de l'ère chrétienne baigne dans un climat général de pessimisme. Cette atmosphère était particulièrement sensible dans le judaïsme des sectes. Depuis les compromissions du sacerdoce asmonéen avec l'hellénisme sous Antiochus Épiphane, une fraction du judaïsme s'était détournée de l'Israël officiel dont ils jugeaient qu'il s'était égaré loin de Dieu. C'est le mouvement sadocite que nous connaissons surtout par Communauté essénienne de Qûmran. Mis à part de la masse infidèle, ils constituaient le « petit reste » avec lequel Dieu avait conclu une « nouvelle alliance ». Sous la direction du Maître de Justice, ils formaient la véritable communauté eschatologique des « fils de lumière », luttant contre les « fils des ténèbres » et destinés à avoir part au triomphe du Messie au jour de sa venue. Eux aussi furent décimés par Vespasien après avoir résisté héroïquement[2]. Ce sont précisément ces milieux qui nous ont livré la plupart des écrits apocalyptiques que nous avons évoqués.

INFLUENCES DUALISTES

Les malheurs du temps, le scandale incompréhensible du sort réservé au peuple élu avaient conduit le judaïsme à accueillir de plus en plus favorablement les influences dualistes de la religion iranienne. Ainsi l'apocalyptique s'assimile un certain nombre d'éléments étrangers à l'Ancien Testament tels que l'angélologie, la démonologie, diverses représentations cosmologiques, une vision de l'histoire, toutes marquées par une appréhension dualiste et pessimiste du monde[3]. Ce qui se généralise alors fortement dans le judaïsme, c'est une vision dualiste du temps du monde. Le parsisme distinguait entre le temps du monde qui va de la création à la fin (temps créé et limité), et le temps infini, qui est l'éternité de Dieu. Cet enseignement s'était confondu avec le mythe babylonien de la succession indéfinie des

1. Cf. L'étude de M. HENGEL, *Die Zeloten, Untersuchungen zur jüdischer Freiheitsbewegung in der Zeit von Herodes I, bis* 70 n. Chr., Leyde, 1961.

2. Josèphe, Bell. Jud. II, 152-153.

3. Sur le mot *aiôn* dans l'hellénisme et le judaïsme : SASSE, *Aiôn*, RLACh I, 193-204.

périodes du monde et de l'éternel retour. Zrvan Akarana, ou Temps infini, devient la divinité suprême. Mais au lieu de rester, comme précédemment en dehors du temps du monde, elle est maintenant la personnification de l'espace et du temps cosmiques éternels. Cette doctrine est accueillie dans le monde hellénistique et à Rome où le dieu Αἰών[1] et Janus[2] reçoivent les prédicats de l'Éternité, considérée comme la succession régulière des mêmes périodes (αἰῶνες, saecula) cosmiques. Bref, le dieu Éternité symbolise l'éternité du monde se renouvelant cycliquement. Dans l'apocalyptique juive, cette doctrine reçoit un cachet différent. D'abord l'affirmation de la création du monde dans le temps exclut l'idée d'un éternel retour. Mais la terminologie de la doctrine de l'éternel retour est conservée pour désigner le temps du monde qui va de la création à la fin (l'aiôn présent ou ôlam hazze) par rapport à ce qui viendra après le monde (l'aiôn à venir ou ôlam habba)[3]. Ainsi le monde actuel est-il opposé au monde à venir. La conviction des auteurs apocalyptiques est que le passage d'un aiôn dans l'autre est proche.

A ce dualisme temporel se superpose aussi un certain dualisme spatial, particulièrement patent dans le IVe Livre d'Esdras. La terre où se déroule la destinée douloureuse du petit reste d'Israël est vue comme un lieu de détresse et un monde de mal, dominé par des esprits mauvais. Plus le monde d'ici-bas s'enfonce dans le mal, plus Dieu est reculé dans les sphères de la transcendance. Entre lui et les hommes les intermédiaires célestes sont multipliés. Il trône au-delà des sphères angéliques dans l'éternité bienheureuse. Le judaïsme apocalyptique accueille ainsi l'image babylonienne des sphères célestes multiples tout en lui trouvant des fondements bibliques. Selon les écrits, il y a de deux[4] à dix cieux[5]. Le chiffre le plus courant est trois[6] ou sept. Dans tous les cas, Dieu occupe le ciel le plus éloigné. C'est là que se trouve son Trône et que rayonne une Gloire inaccessible. Les anges occupent le second ciel, en-dessous duquel s'étend le firmament qui les sépare du monde des hommes. Les anges, par myriades, sont occupés à une liturgie céleste ininterrompue[7]. Les firmaments qui forment les cieux successifs sont séparés par des distances incommen-

---

1. Confondu quelquefois avec Isis et Osiris; cf. Diod., 1, 11, 5; Apulée, Met. 11, 5, etc.
2. Cf. Macrobe, Sat. I, 9, 5-8; cf. Pline, Nat. Hist. 34, 33.
3. Cette évolution a été favorisée par la Septante. Le terme Aiôn, traduisant l'hébreu ôlam avait généralement le sens d'éternité divine. Mais, dans les livres judéo-hellénistiques, tels que Sir. ou Sap., il désignait aussi parfois le temps du monde et avait glissé vers une acception spatiale, devenant synonyme de cosmos, l'univers créé.
4. Cf. Hen. 1, 3; 71, 5-10.
5. Hen. sl. 20, 8; 22 s.
6. Test. Lévi 2, 9; 3, 1-4; Hen. sl. 8.
7. Hén. 29, 12-13; 61, 12.

surables. Dieu est de plus en plus lointain. Aussi délègue-t-il certains de ses anges à l'administration du cosmos. Il en propose au soleil, à la lune, aux étoiles[1], d'autres au règlement des phénomènes atmosphériques : à l'éclair, au tonnerre, à la mer[2], ou aux vents, aux eaux, aux rosées[3].

Certes, les anges sont des créatures[4]. Ils forment la cour de Dieu et sont des messagers de sa volonté. Ainsi, plus le monde céleste est idéalisé, plus l'univers terrestre est déprécié. Il est au pouvoir des démons et de leur chef appelé tantôt Mastema[5], Béliar ou Bélial[6], tantôt Satan[7] c'est-à-dire l'Adversaire. Dieu n'a pas créé les démons, il n'a pu faire que des œuvres bonnes. Les démons sont des anges déchus. Les explications de cette chute varient d'ailleurs. Ou bien on les fait naître de l'union des fils de Dieu avec les filles des hommes dont parle *Gn VI, 1-5* ; ils seraient alors les âmes de ces monstres qui ont été anéantis par le déluge[8]. Ou bien Satan et les siens, après avoir été créés anges par Dieu, ont refusé de l'adorer et pour cette raison ont été expulsés du ciel divin[9]. Ce dualisme a été poussé le plus loin par les Esséniens[10]. Pour eux, l'opposition qui existe avant la création de l'homme entre les bons et les mauvais anges se prolonge dans l'histoire entre les « fils de lumière » et les « fils de ténèbres ». Le conflit des deux puissances qui constitue la trame de l'histoire existe aussi au cœur de chaque homme par la présence de deux « yesers ». Mais la caractéristique du dualisme essénien et du dualisme apocalyptique en général est d'être ramené à un dualisme temporel. A la différence du parsisme, il n'y a pas deux principes coéternels, un dieu du bien et un dieu du mal qui entrent en conflit. Le dualisme fournit surtout une explication de l'origine du mal et de la permanence de ses ravages. Mais le dernier mot reste toujours à Dieu : il anéantira les puissances démoniaques et restaurera pour toujours un monde de Justice où le petit reste des fidèles dominera avec lui. Ce dualisme est donc aussi eschatologique en ce qu'il oppose le monde à venir au monde présent, et éthique en ce qu'il sépare dès à présent les fidèles de Dieu du reste du monde au pouvoir de Satan.

---

1. Hen. 43, 2.

2. Hen. 60, 12.

3. Id., 60, 21.

4. Les anges sont eux-mêmes hiérarchisés en différentes catégories que l'on retrouvera dans le Nouveau Testament : les « puissances » (Test. L. 3, 3) ; les « principautés » (Hen. 61, 10) ; les « vertus » (Hen. 61, 10) ; les « trônes » (Test. L. 3, 8), etc.

5. Cf. Jub. 17, 6 ; 49, 2 ; 48, 8.

6. Jub. 8, 20 ; 15, 33.

7. Jub. 10, 11 ; Test. Aser. 6, 4, etc.

8. Hén. 6, 1-7 sq. ; 7, 2-3 ; 15, 8-11 ; cf. Jub. 10, 4, etc.

9. Cf. Vie d'Adam et d'Ève, 13-17.

10. Sur le dualisme des textes de Qûmran, voir l'étude de H. W. HUPPENHAUER, *Der Mensch zwischen zwei Welten,* Zürich, 1959.

Ainsi, pour l'apocalyptique, l'opposition dans laquelle se trouve le monde terrestre par rapport au monde céleste, se ramène à une opposition temporelle entre l'*aiôn présent* et l'*aiôn à venir*. Dans cet univers mental, le monde actuel doit déboucher sur une fin où sera détruit tout le mal qu'il renferme depuis les origines. Aussi l'histoire est-elle foncièrement une dans la pensée de Dieu qui en détermine à l'avance le cours[1]. Les Voyants apocalyptiques reçoivent la révélation de l'avenir parce que la succession des temps a été fixée à l'avance comme un tout. Le corollaire de ce schème mental est la croyance à la préexistence en Dieu des réalités eschatologiques. Les événements et les choses manifestés dans les derniers temps existent de tout temps dans le conseil de Dieu avant de prendre leur place dans le déroulement du temps. Or le lieu où préexistent les réalités salvifiques est le ciel. Avant d'être révélées sur la terre, toutes choses à venir préexistent dans le ciel. C'est pourquoi tout visionnaire est ravi jusqu'au ciel divin, au-delà des sphères angéliques, où il est admis à contempler le dessein éternel de Dieu, c'est-à-dire l'histoire dans sa globalité. Cette histoire est souvent présentée comme inscrite « sur les tablettes du ciel »[2]. Le monde céleste possède donc cette supériorité supplémentaire sur le monde terrestre qu'il est en quelque sorte le domaine de l'éternité par rapport au domaine du temps encore inachevé.

Puisque la fin de ce temps-ci est proche, l'enseignement des apocalypses est un enseignement sur les temps de la fin. Il présente un ensemble de schèmes fondamentaux. L'adoption des catégories de pensées iraniennes a ici pour conséquence essentielle de mêler les éléments de l'espérance nationale primitive à une eschatologie de caractère cosmique. La fin sera précédée par des signes avant-coureurs. En particulier l'iniquité sera à son comble et les justes seront persécutés. Il y aura des perturbations cosmiques : le soleil et la lune s'obscurciront, étoiles tomberont du ciel[3] ; les nations se dresseront les unes contre les autres[4] ; Satan se soulèvera une dernière fois pour tenter de détrôner Dieu[5]. Ces descriptions, on le sait, seront reprises dans les apocalypses synoptiques[6]. L'heure de la fin elle-même sonnera quand paraîtra la figure céleste et eschatologique

---

1. Cf. Josèphe, Ant. jud., 13, 5, 3 au sujet des Esséniens.
2. Hen. 81, 1-3 ; 103, 1-5 ; Jub. 3, 10 ; 4, 5 ; 23, 1-3 ; Test. Aser 7, 5 : l'apostasie d'Israël y est inscrite à l'avance. Cf. en particulier G. WIDENGREEN, *The ascension of the Apostles and the heavenly book*, 1950.
3. Cf. IV Esd. I, 13, 4 sq ; V, 4, 12.
4. Cf. IV Esd. VI, 7, 5.
5. Cf. Hen. sl. 29, 4 s ; Is 14, 13 ; Ez 28, 2-6...
6. Voir M. A. GUY, *The New Testament doctrine of the last things*, Oxford, 1948.

de l' « Homme » ou du « Fils de l'Homme » mentionnée pour la première fois en *Daniel* [1]. C'est lui qui présidera à la résurrection des morts [2] et au Jugement [3] qui suivra. L'idée d'une résurrection générale des morts ne s'était acclimatée que tardivement dans l'Ancien Testament [4]. Le judaïsme postérieur était resté divisé à son sujet. Au temps du Christ les sadducéens traditionnalistes n'y croyaient toujours pas [5]. Le Jugement séparera les justes d'avec les pécheurs. Il s'étendra sur tous les hommes de tous les temps qui seront alors ressuscités. La félicité des justes sera inouïe. Les auteurs se plaisent à la décrire avec un luxe foisonnant de détails [6]. Quant aux méchants, ils seront précipités dans la « géhenne » [7] pour y souffrir des tourments éternels. Cette représentation de l'Enfer est une innovation par rapport au Shéol, ou Hadès, de l'Ancien Testament conçu comme le lieu souterrain du séjour des morts [8]. « Alors viendra la période qui demeurera éternellement, le monde nouveau » [9]. La corruption y est abolie [10], « la mort oubliée, l'Hadès banni, la caducité oubliée, les souffrances passées » [11]. L'ancien monde sera tantôt complètement anéanti [12], tantôt seulement transformé [13]. Cette eschatologie cosmologique se combine d'ailleurs avec le messianisme politique. Dans la Jérusalem céleste descendue sur la terre, le Roi-Messie, plus ou moins confondu avec le Fils de l'Homme, établira un règne temporel auquel seront associés les justes avant que ne commence véritablement le nouvel aiôn. Ainsi se réalisera sur la terre la félicité de l'ère messianique annoncée par les prophètes. Pour le *IVᵉ Livre d'Esdras*, ce règne durera quatre cents ans [14]. Mais la plupart lui attribuent une durée de mille années [15], selon une exégèse typologique du récit de la création où le septième jour préfigure

1. Dn 7, 13.

2. Cf. I Hén. 22, 3 ; II Bar. 50, 1 ; IV Esd. 7, 32 ; Or. Syb. II, 233-235.

3. Cf. Dn 7 ; IV Esd. 7, 33-36.

4. Is 26, 19 ; Dn 12, 2.13 ; Ez 37, 1-14 ; 2 M 7, 9 s ; Cf. I Hén. 1-36 ; 72-104.

5. Cf. Ac 23, 8 ; 24, 15.

6. Hén. 10, 16 ; 24, 4-78 ; IV Esd. 8 ; Test. Lévi 18, 11 ; Ez 47, 12...

7. Mot dérivé de « Gê Hinnom » du nom d'une vallée au sud de Jérusalem où les Israélites avaient autrefois célébré des sacrifices à Moloch. Les prophètes avaient appelé le Jugement divin sur ce lieu d'idolâtrie (cf. Jer 32, etc.). Au temps de l'apocalyptique, ce nom avait fini par être synonyme de l'enfer de feu à la fin des temps.

8. Sur les représentations du monde souterrain : J. JEREMIAS, *Hadès*, TWNT 1, 146-150 ; *Gehenna*, TWNT 1, 655-656.

9. Bar. syr. 44, 11-12.

10. IV Esd. 6,28 ; 7, 113 s

11. Id., 8, 54.

12. Hen. 91, 16.

13. Jub. 1, 29 ; Hen. 45, 1.

14. IV Esd. 7, 28.

15. II Hén. 32,3-33, 3.

le millénaire du repos. Telle est l'image du monde que le judaïsme apocalyptique a largement léguée au Christianisme primitif.

L'ERREUR DE LA CRÉATION MATÉRIELLE

Un autre point d'appui de notre approche de la conception chrétienne du monde doit être une rapide évocation parallèle de la pensée gnostique. On verra que ce qui distingue essentiellement la gnose du Christianisme, c'est sa vision du monde en tant qu'espace et que temps. Si la comparaison s'impose, c'est que le gnosticisme chrétien a prétendu un moment, au second siècle, représenter la véritable interprétation du salut. En fait, les récents travaux ont assigné à ce phénomène de l'histoire des religions des racines bien antérieures au Christianisme et indépendantes de sa sphère d'influence[1]. Il a sa place dans le grand courant des religions de salut syncrétistes qui se renforce au début de notre ère, trouvant un terrain d'accueil non seulement dans l'hellénisme de la seconde religiosité ou dans le judaïsme hellénisé du platonicien Philon, mais même dans le judaïsme apocalyptique dont nous venons de souligner la part qu'il faisait au dualisme temporel et même spatial par ses spéculations cosmologiques sur les sphères angéliques et les puissances planétaires. La plus ancienne explication de l'origine de la branche chrétienne du mouvement gnostique celle de l'hérésiologue Hégésippe, vers 170, la considère comme issue de l'hétérodoxie juive[2]. Les Pères y ont tous vu une hérésie chrétienne dont ils attribuaient la paternité à Simon le Magicien[3]. Cette explication a été reprise par R.M. Grant qui pense que le gnosticisme à coloration chrétienne est issu de la faillite des espoirs apocalyptiques particulièrement ressentie dans certaines sectes marginales du judaïsme, après les chutes de Jérusalem de 70 et de 135[4]. Nous avons vu comment les Apocalypses, même celles qui furent composées après 70, continuaient à entretenir ardemment, moyennant quelques révisions, l'espoir d'une intervention divine imminente. Mais d'autres secteurs du judaïsme, devant ces échecs réitérés, avaient abandonné leur foi en l'Alliance et s'affranchissaient

1. En particulier : R. BULTMANN, Gignosko, Gnosis, TWNT 1, 688-719 ; H. LEISEGANG, La gnose, Paris, 1955 ; G. QUISPEL, Gnosis als Weltreligion, Zürich, 1951 ; F. M. SAGNARD, La gnose valentinienne et le témoignage de S. Irénée, Paris, 1947 ; H. JONAS, The gnostic religion, Boston, 1958 ; R. Mcl. WILSON, The gnostic Problem, Londres, 1958 ; La gnose et le Nouveau Testament, Paris, 1969 ; Le origini dello gnosticismo. Colloquio di Messina, 13-18 Aprile 1966, Leiden, 1967 ; H-Ch. PUECH. La gnose et le temps, Eranos-Jahrbuch, XX (1951), p. 57-113 ; Annuaire Collège de France, Rés. des cours, 1962-1963, et sq.
2. Hégésippe, in Eusèbe, H. E. IV, 22, 4-7 ; cf. Justin, Dial. 80, 4.
3. Cf. Ac 8, 4-25 ; Justin, I Ap. 26 ; 56 ; Irénée, Adv. Haer. I, 23, 1.
4. La gnose et les origines chrétiennes, Paris, 1964, p. 36. Aussi G. QUISPEL, Christliche Gnosis und jüdische Heterodoxie, Ev. Th. 14 (1954), p. 1-11.

de la Loi[1]. Ils finirent par penser que le monde hostile dans lequel ils souf-fraient ne pouvait être l'œuvre du Dieu bon et tout-puissant dont ils étaient les élus. Le monde visible, ce lieu de souffrance et de mal ne pouvait avoir pour auteur le Dieu suprême. Telle sera en effet la thèse fondamentale de tous les systèmes gnostiques qui conditionne, nuancés à l'infini, leur vision de l'univers fondée sur la distinction nette entre le Dieu suprême et bon et le médiocre créateur de cet univers.

A partir de là, les explications sur l'origine et la formation du cosmos sont aussi nombreuses que les systèmes eux-mêmes. Elles sont en général des cosmogonies de type émanationiste. Seul Marcion — mais il n'était pas à proprement parler gnostique — semble avoir soutenu la coexistence originelle des deux principes opposés du Bien et du Mal, ce dernier étant l'auteur de ce monde-ci. Avant le temps et hors de l'espace, dans une exis-tence pré-cosmique éternelle, il y a le Plérôme divin. La divinité suprême n'a jamais eu l'idée de créer le monde. Si le monde est venu à l'existence, c'est qu'il est l'œuvre des entités divines émanées du Père inconnu qui sont quelquefois appelées anges, mais elles sont le plus souvent désignées par le même mot qui signifie dans le judaïsme et le christianisme le temps du monde : Aiônes ou Eons. Dans l'école valentinienne, la cosmogonie vient à la suite d'un drame survenu dans le Plérôme des éons. La subs-tance du monde est tirée des passions du triste avorton qu'engendra Sophia, le dernier des éons, en voulant s'égaler à la grandeur du Père. « Notre monde corporel, lit-on dans un texte de Ptolémée, est né du désespoir et de la perplexité ; la terre correspond à l'état de désespoir, l'eau au mou-vement des larmes nées de la crainte, l'air à la coagulation de la tristesse, le feu est contenu en eux tous comme la mort et la corruption, de même que l'ignorance est cachées dans les trois autres affections »[2]. Le monde est donc le résultat d'un drame, d'un malentendu, d'une erreur regrettable survenus au sein du Plérôme. Sa condition, on le voit, est la mort, la cor-ruption et l'ignorance. Car l'homme est fait de la même matière que le monde généralement séparé du Plérôme par une limite infranchissable. Seulement, par quelque autre subterfuge, des semences spirituelles issues du Plérôme divin ont été déposées en lui.

SCHÈMES COSMOLOGIQUES ET SALUT GNOSTIQUE

Le salut consiste alors à connaître ce germe « pneumatique » qui cons-titue le vrai moi, à savoir que son origine est dans le Plérôme et, possédant la « gnose » de son être véritable, à le faire sortir de ce monde où il est retenu prisonnier pour ressusciter à la vie spirituelle. Le gnostique, dit

---

1. Cf. Bar. syr. 41, 3.
2. Irénée, Adv. Haer. I, 5, 4.

Valentin « connaît d'où il est venu et où il va. Il sait, comme quelqu'un qui, ayant été ivre, s'est désenivré et qui, revenu à lui-même, a rétabli ce qui lui est propre »[1]. Le gnostique se sent vraiment aliéné dans la matière qui fait la substance de son corps et du monde. Le monde, pour Valentin, est « la forme de la déficience », un ouvrage du mensonge élaboré dans le vide[2]. Il n'est pas autre chose qu'une illusion, car il n'a pas d'existence véritable[3]. Pour les Mandéens, le monde est un boulet qu'ils traînent au pied[4]. Les Naasètes y voient « un labyrinthe de souffrances », où l'âme du vrai moi erre loin de Dieu, dans un chaos amer[5]. Le cosmos s'oppose ainsi au Plérôme appelé encore Eon impérissable, comme l'ombre à la lumière, une réalité négative en creux par rapport à une plénitude d'être. Ce qui existe, c'est le Plérôme pré-cosmique et atemporel qui se situe au-delà de ce monde et hors du temps déficient de ce monde. C'est là que le gnostique reconnaît sa véritable patrie, le lieu où il vivra vraiment. Il sait que c'est de là qu'il est venu et que c'est là qu'il doit retourner. Car la semence pneumatique, à l'œuvre dans un monde de mort, en prenant conscience de soi, transcende de plus en plus la mort par la résurrection qui est la remontée actuelle dans le Plérôme de la vie divine.

La pensée gnostique résout ainsi le problème du mal qui l'obsède par un dualisme ontologique radical. Le monde matériel et visible, tout ce qui existe et qui a une forme, est une œuvre mauvaise et s'oppose à Dieu. Dieu et ce monde sont totalement étrangers l'un à l'autre. Le démiurge inférieur qui est à son origine, que certains appellent Jahwé — le dieu de l'Ancien Testament — en produisant la matière et le temps qui en est la trâme a créé une œuvre mensongère dont le propre est de rendre opaque et inaccessible la réalité suprême. Le monde avec son histoire est un avatar malheureux non voulu par Dieu, qui n'est pas essentiel, qui aurait pu aussi bien ne pas être et dont le gnostique ne pense qu'à s'affranchir. A la différence du judaïsme et du christianisme, le monde n'est pas une œuvre de Dieu qui en dirige l'histoire vers une fin. Il n'est pas non plus comme chez les Grecs une nature, cité commune des dieux et des hommes, animée d'un mouvement éternel. Le monde est essentiellement une déficience, un manque, un vide destiné d'ailleurs à être englouti dans la victoire que les gnostiques remportent sur lui en passant, par l'acte de gnose, de ce cosmos irréel à l'Éon éternel et impérissable.

Cette conception dualiste s'accompagne volontiers d'une représentation de type spatial. Le Plérôme se situe « au-delà » du cosmos. *Ici-bas — au-*

---

1. Évangile de Vérité, p. 22, 17-19 ; cf. p. 42, 11s.
2. *Id.*, p. 24, 9-28 ; p. 17, 10-25.
3. *Id.*, p. 28, 24-30, 12 ; cf. Irénée, Adv. Haer. I, 13, 6.
4. Ginza, trad. LIDZBARZKI, p. 570-13.
5. Hippolyte, Philos., V, 10, 2.

delà constitue la relation des deux univers antagonistes. Mais l'univers divin ne se situe pas seulement au-delà de ce monde par sa localisation dans l'espace, mais encore par son appartenance au temps. Il est précosmique, l'existence terrestre n'étant qu'une parenthèse qui doit se refermer elle aussi hors du temps. La plupart des systèmes gnostiques s'accommodent de l'image hellénistique des sphères planétaires. Valentin compte sept cieux[1], son disciple Marcus dix[2] ; Basilide trois cent soixante cinq, autant que de jours dans l'année[3]. Ce qui est nouveau, c'est que le cosmos tout entier, le domaine de l'air comme celui de l'éther, est maintenant livré aux esprits mauvais. La limite qui sépare le monde du Plérôme est quelquefois confondue avec le cercle du zodiaque qui est l'ultime sphère céleste et la frontière du cosmos. En revanche les dieux planétaires qui chez les Grecs étaient l'image de la perfection et de l'éternité par opposition au monde sublunaire sont devenus eux aussi des démons.

Ils gouvernent les astres en agents du destin qui mène le cosmos et détermine chaque être dès sa naissance. Or, la gnose libère de l'emprise des puissances hostiles, car le gnostique qui se sait appartenir à l'au-delà se dépouille de son corps qui le rattache à la terre pour retourner vers le Plérôme sans être inquiété par les puissances planétaires qui ne le reconnaissent pas. Ces schèmes se retrouvent aussi dans l'hermétisme ou dans les mystères de Mithra. Ce qui nous intéresse ici, c'est de noter à quel point la sotériologie et l'anthropologie gnostiques découlent de ces spéculations cosmologiques. Parce que la matière du monde est synonyme du mal, il a fallu par des spéculations extrêmement compliquées expliquer son origine indépendamment de la volonté du Dieu suprême inconnu. La conception gnostique du monde se situe aux antipodes de la conception grecque antique, mais on peut dire que ces deux jugements inverses dérivent d'un même effort de saisir le cosmos comme un tout pour rendre compte et de son existence et de sa finalité. A la différence de la conception juive et chrétienne, ce n'est pas Dieu qui se révèle dans le cosmos comme en son œuvre. Mais c'est l'image qu'on se fait du cosmos qui doit mener à la connaissance de Dieu : soit que le monde se confonde avec la divinité immuable, soit qu'au contraire il se dresse devant elle comme un voile opaque et un obstacle infranchissable.

LA COSMOLOGIE DANS LE CHRISTIANISME

On peut dire que ce qui distingue le christianisme primitif de cet autre christianisme que prétendait être la gnose, c'est qu'il se désintéresse tota-

---

1. Cf. Irénée, Adv. Haer. I, 5, 2.
2. Id., I, 17, 1.
3. Id., I, 24, 3.7 ; II, 35, 1.

lement de toute spéculation cosmologique. Les premiers auteurs chrétiens ne s'interrogent jamais sur le cosmos en lui-même. Ils ne développent aucun enseignement cosmologique propre, pas plus qu'ils n'attestent un ensemble de représentations originales ou simplement cohérentes. Mais la vision chrétienne de la création matérielle est cependant absolument spécifique par rapport aux conceptions environnantes auxquelles elle emprunte ses schèmes. Pour elle, le monde est saisi dans une relation qui le met sous la dépendance de Dieu Créateur et Sauveur. Ce qui est premier dans la pensée chrétienne, c'est l'événement du salut qui jette une lumière décisive et nouvelle sur le rapport entre le monde et Dieu, et entre le monde et l'homme. Le cosmos ne se prête à aucune spéculation d'ordre religieux parce qu'il n'est ni divin, comme chez les Grecs, ni un obstacle sur le chemin de Dieu comme dans la gnose. Il n'est saisi qu'en tant qu'il est l'œuvre de Dieu tout-puissant qui l'a tiré du néant et qui le conduit vers une fin. Créé et racheté, le monde atteste un dessein de Dieu. Domaine où s'exerce sa souveraine puissance, le monde et son destin ne sont intelligibles que parce qu'ils sont la marque d'une volonté et d'une intention divines, une œuvre qui mène à la connaissance de Celui qui seul est véritablement. Comme on va le voir, le christianisme n'a pas éprouvé le besoin de se donner un ensemble de représentations cosmologiques qui lui soit personnel, parce que sa prédication ne portait pas sur le monde. Lorsqu'il est obligé d'exprimer les nouveaux rapports qui existent entre le monde et son Sauveur, il se sert des éléments cosmologiques que lui fournissent les cultures dans lesquelles il baigne, mais toujours comme d'un cadre propre à exprimer, non à constituer, l'objet de la foi.

Si la pensée chrétienne ne s'est pas absorbée d'abord dans la méditation sur l'univers matériel, elle a cependant trouvé très rapidement l'occasion de se préciser sa conception du monde en réaction précisément, contre les Weltanschauungen environnantes, spécialement gnostiques et hellénistiques. La conséquence de ces premiers efforts de pensée systématique a été, au contact avec l'hellénisme, de développer peu à peu une vision chrétienne du monde — et donc aussi une anthropologie — d'une facture absolument originale.

Pour désigner l'univers spatial dans son ensemble le terme de κόσμος est employé le plus fréquemment[1]. Il s'était imposé au Ier siècle avant

---

1. Voir Sasse, *Kosmos*, TWNT 3, 867-896 ; R. Löwe, *Kosmos und Aiôn*, Gütersloh, 1935.
La parution récente du livre de A. P. Orban, *Les dénominations du monde chez les premiers auteurs chrétiens*. Nimègue, 1970, 243 p., fournira au lecteur un bon instrument de travail. L'auteur s'y livre à une analyse sémantique de κόσμος, αἰών, *mundus, saeculum* et de leurs dérivées chez les Anciens, dans la Septante, le N.T., les Pères grecs jusqu'à Clément d'Alexandrie et les Latins jusqu'à Cyprien. Cependant ses recensions ne sont pas complètes. Elles

J.-C., même dans le judaïsme araméen. Il est cependant remarquable que les premiers auteurs chrétiens décrivent encore l'univers à la façon sémite par l'énumération de ses composantes. Le monde, c'est « le ciel et la terre »[1], « le ciel, la terre et la mer », « le ciel, la terre, la mer et tout ce qui s'y trouve[2]. Comme dans l'Ancien Testament, le monde ne se présente pas comme une nature, saisie dans son unité constitutive. Le monde tel qu'il apparaît à l'expérience, est formé de l'ensemble des parties créées par Dieu. Dieu pose ensemble le ciel et la terre : ils sont séparément l'œuvre du même Créateur[3]. Le concept de κόσμος implique une unité ordonnée englobant tout ce qui existe. Il reste ainsi chargé d'une résonance philosophique qui lui donne un sens spécifique. Aussi le Nouveau Testament ne l'emploie-t-il qu'avec réticence. Sinon, c'est toujours comme synonyme de l'expression hébraïque. Les deux expressions sont quelquefois juxtaposées comme dans le discours de Paul aux Athéniens : « Le Dieu qui a fait le cosmos et tout ce qui s'y trouve, lui, le Seigneur du ciel et de la terre... »[4]. Le κόσμος chrétien, c'est l'ensemble de la création de Dieu. Il renferme, et il est synonyme de, τὰ πάντα, « toutes choses »[5] qui le composent, chacune existant par la volonté directe de Dieu. Ce n'est qu'avec les Apologistes grecs que l'on verra réapparaître dans la notion de monde, le sens d'unité structurée harmonieusement et de rythme parfait cher aux Anciens. Mais toujours le monde est présenté non comme une nature, mais comme une créature, semblable en cela à tous les êtres particuliers qu'il renferme.

LA CRÉATION EX NIHILO

Que les chrétiens aient cru en la création du monde, la chose paraît évidente. Nous avons vu cependant que certaines sectes gnostiques — juives ou chrétiennes — dissociaient totalement le Dieu suprême de ce monde mauvais, œuvre d'un démiurge inférieur. En milieu hellénique

---

laissent de côté les textes gnostiques, ignorent Irénée, Théophile d'Antioche, les Actes des martyrs en grec, et Hippolyte de Rome. Ce travail a l'avantage de dégager différentes conceptions du monde qui se traduisent chez les chrétiens par les différents sens donnés aux mêmes mots. Nous croyons que l'originalité de notre travail est de montrer, au-delà du vocabulaire, le contenu idéel certes, mais aussi vécu, des concepts, qui dépasse l'usage des mots et leur donne leur pleine signification.

1. Lc 12, 56 ; Ac 2, 19 ; 1 Co 8, 5 ; Col 1, 16.20 ; Ep 1, 10 ; 3, 15 ; He 12, 26 ; Mc 13, 31 ; Lc 16, 17 ; He 1, 10s ; 2P 3, 7.10 ; Ap 21, 1.

2. Ac 14, 15.

3. Cf. Ac 4, 24 ; 14, 15 ; 17, 24 ; Ap 14, 7 ; 10, 6 ; He 1, 10. Voir surtout SASSE, Gê; Epigeios, TWNT 2, 676-680 ; von RAD et TRAUB, Ouranos, TWNT 5, 496-543 ; FOERSTER, Aster, TWNT 1, 501-502 ; Aer, TWNT 1, 165 sq. ; BUCHSEL, Ano, TWNT 1, 376-378.

4. Ac 17, 24.

5. 1 Co 8, 6 ; 15, 27s ; Ph 3, 21 ; Col 1, 16s. 20 ; Ep 1, 10 ; He 1, 2s ; 2, 8, 10 ; 1 P 4.7.

d'autre part, la prédication chrétienne se heurtait à la difficulté insurmontable de faire admettre que Dieu fût en dehors du monde et qu'il l'ait créé à partir de rien. Le problème occupe bientôt le premier plan dans les écrits adressés aux païens[1]. Déjà le judaïsme tardif était parvenu à formuler le rapport de Dieu et de la création, d'une façon plus abstraite que les récits de la *Genèse*. Dieu, affirme-t-on, a tiré toutes choses du néant, ἐκ τοῦ μὴ ὄντος[2], non d'un quelconque chaos primitif, mais il a tout appelé à l'être à partir de rien. Cette formule est reprise et expliquée par les premiers chrétiens[3]. Pour Justin, Dieu ne se confond pas avec le monde comme chez les stoïciens. « Nous pensons que le Dieu qui a tout créé est supérieur à cette nature changeante »[4]. Sa doctrine de la création *ex nihilo* n'est cependant pas encore très précise. A deux reprises, il dit que Dieu fit sortir l'univers « d'une matière informe »[5]. C'était suivre à la lettre le récit yahwiste d'autant plus qu'il cherchait à montrer que Platon dépendait de Moïse lorsqu'il enseignait la préexistence éternelle de la matière. Son disciple Tatien a une doctrine beaucoup plus cohérente : « Dieu est esprit ; il n'est pas immanent à la matière, mais il est le créateur des esprits, de la matière, et des formes qui sont en elle »[6].

Il n'y a pas de matière préexistante. Tatien concilie assez bien le souvenir d'une matière primordiale avec la création *ex nihilo*. Il est vrai que tout a été fait à partir de la matière, mais elle a été elle-même produite par Dieu, avant d'être distinguée et ordonnée en ses divers éléments : « c'est ainsi que le ciel et les astres du ciel sont sortis de la matière, la terre avec tout ce qui vit en elle a la même constitution »[7]. Athénagore s'élève énergiquement contre l'accusation d'athéisme qui était faite aux chrétiens parce qu'ils distinguaient entre Dieu et la matière. La transcendance absolue de Dieu selon les chrétiens restait incompréhensible au panthéisme naturaliste grec. Dieu et la matière sont aussi différents que « l'artisan et les ressources dont il dispose pour son art ». « Le divin est incréé, éternel, visible uniquement à l'esprit et à la raison, tandis que la matière est créée et corruptible »[8]. Théophile expose longuement le récit de la création où l'on voit que les prophètes hébreux « ont été d'accord pour nous

---

1. Pour les Pères Apostoliques, il n'y a aucun problème : cf. Clem., Cor. 27, 4. Barn., 15, 3.
2. II Macc. 7, 28 ; cf. Jub. 12, 4.
3. Déjà Hermas, Vis. I, 1, 6 ; Mand. I, 1 ; Aristide, Apol. 3 ; Irénée, Adv. Haer., IV, 20, 2 ; I, 22, 1 ; II, 10, 2 ; Dém. 4.
4. I Ap. 20, 2.
5. I Ap. 10, 2.5 ; 59, 1.5.
6. Disc. 4.
7. Disc. 12. Cf. Hippolyte, Philos., X, 32, 2-3, dira de même que Dieu créa d'abord les quatre éléments et qu'à partir d'eux, « il fit sa création ».
8. Suppl. 15 et 4.

enseigner que Dieu, du néant, ἐξ οὐκ ὄντων, a tiré toutes choses »[1]. Il s'élève contre l'anthropomorphisme platonicien qui voudrait que Dieu ait agi sur une matière préexistante, comme un potier qui a besoin d'argile. Il n'y aurait rien d'extraordinaire à ce que Dieu forme le monde à partir d'un matériau lui aussi éternel, « tandis que la puissance de Dieu se montre précisément en ce qu'il part du néant pour faire tout ce qu'il veut »[2].

On pourrait citer nombre de textes analogues par lesquels les Apologistes réagissent contre les doctrines courantes qui se ramènent toutes à affirmer la divinité et l'éternité du monde[3]. Tertullien consacrera tout un traité pour combattre la gnose d'Hermogène qui, tout en se prétendant chrétien, soutenait que la matière était incréée, et il l'assimilait à Dieu. Tertullien reconnaît justement qu'Hermogène par là même a abandonné le christianisme pour aller rejoindre les philosophes, car en niant que Dieu a créé toutes choses « ex nihilo », il méconnait ce qui fait que Dieu est Dieu[4]. Ainsi Irénée en vient-il à affirmer que le premier article de la foi des chrétiens, « le fondement de l'édifice »[5], c'est de croire « qu'il y a un Dieu, le Père, qui a créé et organisé l'ensemble des choses et a fait exister ce qui n'était pas et qui, contenant l'ensemble des choses, est seul à ne pouvoir être contenu »[6].

LA MÉDIATION DU LOGOS

Dieu a manifesté sa puissance en tirant tous les êtres du néant, mais il les a créés par son Verbe. L'affirmation de la médiation du Logos dans la création est absolument constante dans toute la littérature chrétienne dirigée contre la gnose ou le paganisme. Elle s'appuie presque toujours sur le Prologue du *Quatrième Évangile*. « Au commencement était le Verbe, et le Verbe était auprès de Dieu, et le Verbe était Dieu... Tout a été fait par lui, et en dehors de lui rien de ce qui existe n'a été fait »[7]. Tels qu'ils se présentent à nous, ces premiers versets sont une réplique au récit biblique de la création (*Gn 1, 1*). Ils en constituent aussi une interprétation nouvelle. Une des tendances du judaïsme après l'Exil avait été de personnifier et d'hypostasier les attributs ou les fonctions divines et à en faire des réalités préexistantes. Tel était le cas de la *Sagesse* de Dieu,

1. Ad. Aut. II, 10.
2. Id., II, 4, cf. aussi III, 9. De même : Irénée, Adv. Haer. II, 10, 4.
3. Cf. Hippolyte, Réf. I, 26, 3 : « Frappés par la grandeur de la création, (les philosophes) ont pensé qu'elle était le divin. Ils ont donné la préférence, celui-ci à telle partie de la création, celui-là à telle autre, mais ils n'ont pas reconnu le Père de ces créatures et leur démiurge » ; cf. aussi Clément, Protr. IV, 63 ; V, 66, 4.
4. Adv. Hermog. I, 3.
5. Dém. 6.
6. Id., 4.
7. Jn 1, 1.3 ; cf. 1, 10. Sur le titre de Logos appliqué au Christ voir O. CULLMANN, *Christologie du Nouveau Testament*, Neuchâtel-Paris, 1958, p. 224-233.

créée avant toute chose et activement associée à l'œuvre de la création [1].
Il en allait de même de la *Parole* créatrice par l'émission de laquelle Dieu
avait créé l'univers [2]. Dans une perspective semblable, mais beaucoup
plus influencée par la philosophie grecque, Philon d'Alexandrie avait
élaboré une théorie complexe du Logos, hypostase intermédiaire entre
Dieu et son cosmos platonicien. Cette tendance de placer un intermédiaire
entre Dieu et le monde répondait à un sens plus aigu de sa transcendance,
et elle paraissait de nature à rendre le Dieu de la Bible plus intelligible
à un esprit grec. Les Apologistes en feront leur profit.

Le Prologue se situe dans la tradition juive. Mais il marque avec elle
une rupture totale en ce qu'il reconnaît, dans une perspective où la création
s'unit à la rédemption, que le Verbe éternel de Dieu par lequel a été créé
le monde (*v. 1-3*), s'est fait chair dans la personne de Jésus (*v. 14*). La
Parole créatrice qui est à l'origine du monde, se donne maintenant au
monde pour lui apporter le salut. L'histoire du Verbe venu dans la chair
s'intègre à l'histoire éternelle du salut. Le monde est considéré comme
un dessein de Dieu, dont le Verbe créateur et sauveur, manifesté maintenant en Jésus-Christ, révèle toute la trame. Il est remarquable que Jean
ne fait pas de spéculations sur la nature du Verbe. Il se contente de dire
qu'il est Dieu. Le Verbe, c'est Dieu en tant qu'il crée. Et ce Verbe s'est
fait homme en Jésus de Nazareth. Ailleurs, c'est Paul qui présente le Christ
indissociablement comme le médiateur de Dieu dans la création et dans
la réalisation du salut, c'est-à-dire de la nouvelle création. Le Christ préexistant par qui « tout a été créé » est aussi dans la personne historique
de Jésus, qui est « premier né d'entre les morts » par sa résurrection, le
« principe » de la nouvelle création rachetée [3]. En voyant dans le Christ
sauveur le Verbe par lequel Dieu a créé toutes choses, les premiers chrétiens comprenaient la création du monde en un sens tout nouveau. Le
Christ, Verbe fait chair, devient le point culminant d'une même révélation
divine, à la lumière duquel le premier acte que fut la création est compris
à son tour. Le monde créé, c'est donc d'abord une histoire, et une histoire
orientée vers le Christ.

Tournés vers leur public païen, les Apologistes du IIe siècle s'intéressent
peu à la personne de Jésus. Pour eux, il est avant tout le Verbe ou Logos
de Dieu. Par le biais du Logos, ils espéraient parler un langage commun
avec les Hellènes de toute religion et de toute philosophie [4]. Par le fait

---

1. Prov 8-9 ; Si 4, 11-19 ; 14, 20-15, 10 ; 24, 1-29 ; Sag 7, 22 - 8, 1.

2. Si 42, 15 ; 43, 26 ; Ps 33, 6 ; Sag. 9, 1.

3. Col 1, 16-18 ; cf. 1Co 8, 6 ; He 1, 2 ; Ap 3, 14.

4. La notion de Logos dans la philosophie grecque et le christianisme a été étudiée par
J. LEBRETON, *Les théories du Logos au début de l'ère chrétienne*, Paris, 1906 ; O. CULLMANN,
op. cit., p. 216-233 ; KITTEL, *Lego* ; *logos*, TWNT 4, 69-147.

même, ils allaient poser les premiers jalons d'une théologie trinitaire. Ils devaient, dans cet effort de rationalisation se poser des problèmes que le Nouveau Testament ignorait. Si le Logos est préexistant, quelle était son activité avant la création et puisqu'il est personnifié, dans quelle relation se situe-t-il exactement avec le Père ? Il fallait éviter un double danger : faire du Logos une sorte de démiurge platonicien, une de ces émanations gnostiques ou encore un dieu inférieur, auteur de la création. Mais toujours le Verbe est considéré comme créateur.

Le premier point qui est progressivement éclairci est celui de la filialité du Verbe par rapport au Père. Les textes de Justin, Tatien et Athénagore sont très prudents. Ils mettent l'accent sur le rôle du Père dans la création. Le Logos est désigné comme « premier-né »[1], « premier-rejeton »[2] du Père, ce qui semble en faire une créature. Cependant, il n'a pas été créé, mais « engendré »[3]. Justin a bien soin de dire qu'il n'est pas non plus une puissance émanée du Père[4]. Son vocabulaire est encore imprécis. Il n'est pas gêné de le définir comme « un autre Dieu et Seigneur au-dessous du créateur de l'univers »[5]. L'idée qui se dégage est que le Verbe avant la création est immanent en Dieu. « Dès le commencement, dit Athénagore, Dieu, qui est un esprit éternel, avait lui-même en lui le Verbe »[6]. Il est engendré par Dieu au moment qui précède la création. Théophile a trouvé l'expression la plus heureuse de cette doctrine en utilisant les catégories que le stoïcisme appliquait au logos humain, *logos endiathêtos*, « parole intérieure » et délibérante confondue avec la raison, et *logos prophorikos*, « parole proférée », lorsqu'elle se communique en acte. Ainsi le Logos avant la création est-il confondu avec la raison divine ; engendré et « proféré », il devient une personne. « Avant que rien ne fût, il (le Père) tenait conseil avec lui (le Verbe) qui est son intelligence et son sentiment. Et quand Dieu décida de faire tout ce qu'il avait délibéré, il engendra ce Verbe au-dehors, premier-né de toute créature... »[7]. Le même raisonnement se trouve chez Tertullien qui insiste bien sur l'ambivalence du mot logos : « Bien que Dieu n'eût pas encore envoyé sa parole, dès lors, il la détenait avec la raison, à l'intérieur de lui-même, pensant en silence et arrangeant avec lui-même ce qu'il allait bientôt dire par sa parole »[8]. La distinction est maintenant acquise. Elle est reprise par

---

1. Justin, I Ap. 53, 2 ; 46, 2 ; 23, 2 ; 33, 6 ; 63, 15 ; Dial. 116, 3 ; 125, 3 ; 138, 2 ; Tatien, Disc. 5.
2. Athénagore, Suppl. 10 ; Justin, I Ap. 21, 1 ; Dial. 62, 4.
3. Justin I Ap. 12, 7 ; Dial. 61, 3 ; 128, 4.
4. Dial. 128, 2-4.
5. Dial. 56, 4.
6. Suppl. 10.
7. Ad Aut. II, 22 ; cf. II, 10.
8. Adv. Prax. 5.

Hippolyte[1]. C'est par la médiation de son Logos que Dieu a créé l'univers. Le Logos divin, c'est Dieu en activité de créer. Pour les auteurs chrétiens, il reste entendu que ce Logos préexistant dans le sein de Dieu et engendré en vue de la création, c'est le Christ. Ainsi se trouve écartée toute forme de dithéisme. Le Créateur c'est bien le Père, par sa Parole efficace hypostasiée et personnifiée. La création n'est pas l'œuvre d'un dieu secondaire. Le Logos, dès qu'il est engendré, devient l'instrument de la création. Il est Dieu lui-même en tant qu'il passe de l'intention à l'acte.

DIEU SE RÉVÈLE DANS SES ŒUVRES

Le Verbe est ainsi le principe du monde[2]. « Tout a été fait selon lui et par son intermédiaire »[3]. La règle de la foi plus complète au sujet de la création est désormais « qu'il n'y a qu'un seul Dieu qui n'est autre que le créateur du monde ; que c'est lui qui a tiré l'univers du néant par son Verbe émis avant toutes choses »[4]. Le Verbe venu dans la chair pour le salut du monde est bien le même que celui par qui tout a été créé. Ce n'est pas quelque ange ou quelque créature[5], mais, dit l'écrit A Diognète, c'est bien « l'Artisan et l'Organisateur de l'univers. C'est par lui que Dieu a créé les cieux, par lui qu'Il a enfermé la mer dans ses limites, c'est lui dont tous les éléments cosmiques observent fidèlement les lois mystérieuses ;... c'est de lui que toutes choses ont reçu disposition, limite et hiérarchie : ... le monde d'en haut, celui d'en bas, les régions intermédiaires : c'est lui que Dieu a envoyé aux hommes »[6].

Dans la controverse avec le paganisme et la réaction contre la gnose, les premiers auteurs chrétiens ont donc été amenés à réfléchir sur l'être même et la structure interne de Dieu. Mais, comme nous l'avons vu, ces réflexions sont encore assez frustes. Elles n'ont pas d'intérêt en elles-mêmes ; elles ne cherchent qu'à rendre compte de la préexistence du Logos, et à montrer que la création n'est pas l'œuvre d'un autre Dieu ou le fruit de la déchéance de quelque substance divine hors d'un Plérôme pré-temporel. Les chrétiens, Irénée en particulier, se gardent bien de spéculer sur la vie de la divinité elle-même. Ils se contentent d'affirmer hautement qu'il n'y a qu'un seul Dieu créateur qui est aussi le Père de Jésus-Christ. L'être même de Dieu est insondable. Dieu n'est connaissable qu'en tant qu'il

---

1. Philos. X, 33, 1 ; Noet. X-XI.
2. Tatien, Disc. 4 ; Théophile, Ad Aut. II, 10.
3. Ad Aut. II, 10.
4. Tertullien, De praesc. haer. 13 ; cf. Irénée, Adv. Haer. I, 28, 11 ; Dém. 5.
5. Cf. Irénée, Adv. Haer. IV, 20, 1.
6. A Diogn. 7, 2.

se révèle[1], et il se révèle par son Verbe dans la création d'abord, puis dans l'histoire d'un peuple choisi et enfin par sa venue dans la chair de l'homme[2]. En dehors de cette révélation de grâce, il n'y a rien à savoir : ni ce que Dieu faisait avant de créer le monde, ni comment le Fils a été proféré par le Père, ni d'où, ni comment Dieu a émis la matière. Il n'y a pas à conjecturer ce qu'aucune révélation n'enseigne[3]. Les théologiens gnostiques, en coupant Dieu de ce monde et en attribuant la création à un démiurge mauvais tombé de la sphère divine à la suite d'un drame précosmique, ne s'appuient sur aucune révélation positive. La conséquence en est que pour eux, le monde existant n'est pas voulu par Dieu, qu'il n'est qu'un manque, que le Sauveur ne s'est pas vraiment fait homme, qu'il n'a pu ni souffrir, ni mourir, ni ressusciter. Pour les chrétiens au contraire, dit Tertullien à Marcion, « il n'y a pas d'autre Dieu connaissable que celui qui s'est manifesté par sa création »[4]. Le monde est l'œuvre du Dieu unique, parce que, pour les chrétiens, au début comme au centre de l'histoire, c'est le même Dieu qui, par son Verbe créateur, révélateur et sauveur, se manifeste aux hommes. Dieu est unique comme créateur et Père de Jésus-Christ ; le Verbe est unique dans sa préexistence comme dans son incarnation[5]. La création, c'est-à-dire « le monde tel qu'il est fait », « ce monde-ci qui nous concerne »[6], est son œuvre unique, par laquelle il se révèle et dont il fait don aux hommes.

LE MONDE EST CRÉÉ POUR L'HOMME

Car le monde n'est pas plus venu à l'existence à la suite d'un accident tragique survenu dans la sphère du Plérôme. Il n'est pas davantage une nécessité comme pour les stoïciens. Dieu l'a créé en toute liberté, sans aucune espèce de contrainte extérieure à lui. Dieu n'a pas eu besoin de produire des êtres pour prendre conscience de lui. S'il crée, c'est pour faire un don. Cette idée était aussi étrangère à la mentalité hellénique que celle de création *ex nihilo*. Avant la création, nous l'avons vu, Dieu n'était pas seul, il avait en lui son Logos. Si Dieu créa le monde et l'homme, ce n'est pas, dit Irénée, parce qu'il en avait besoin, « mais pour avoir quelqu'un à qui communiquer ses dons »[7]. Il a fait toutes choses « de lui-

---

1. Adv. Haer. IV, 20, 1.5.7 ; II, 28, 2.
2. Adv. Haer. IV, 6, 3 : « Personne ne peut connaître le Père, sinon par le Verbe de Dieu, c'est-à-dire si le Fils ne le révèle, ni le Fils, sinon par le bon plaisir du Père », cf. IV, 6, 6-7.
3. Adv. Haer. II, 28, 3-7.
4. Adv. Marc. I, 10.
5. Adv. Haer. II, 30, 9 ; I, 16, 3 ; IV, 5, 1 ; I, 12, 1 ; II, 1, 1 ; II, 2, 4 ; II, 9, 1 ; III, 3, 3.
6. Adv. Haer. II, 20, 2 ; Dém. 4.
7. Adv. Haer. IV, 14, 1 ; cf. II, 1, 1 ; IV, 17, 1 ; IV, 16, 4 ; cf. Athénagore, Suppl. 16 ; De res. mort. 12.

même, librement et par sa propre puissance » [1]. Par la création, Dieu s'est fait connaître. Dieu « lui-même est son lieu, il ne connaît pas le besoin, il est antérieur aux siècles ; mais il a créé l'homme pour qu'il le connût, pour lui donc, il a d'abord préparé le monde » [2]. La finalité de l'acte de la création, apparaît ainsi clairement : c'est pour l'homme que le cosmos et tout ce qu'il contient ont été créés. Le dessein de Dieu devient plus explicite. Il crée pour se faire connaître et pour communiquer ses dons aux hommes. Tel est l'enseignement du récit de la *Genèse* [3]. L'homme, créé après le monde et les autres êtres « à l'image et à la ressemblance » de Dieu est placé dans la création comme dans son domaine avec charge de se la soumettre. Nulle part, cette idée n'a été accueillie avec plus d'unanimité que chez les premiers chrétiens. Elle était d'ailleurs, également courante dans le judaïsme tardif [4]. Elle indique, par les conséquences que les chrétiens en ont tirées, dans quelle relation ils se situaient vis-à-vis des autres créatures. Une pareille conception anthropocentrique de l'univers se trouve aussi répandue dans le stoïcisme [5].

Le stoïcien, dans un contexte bien précis, peut avoir le sentiment que le cosmos a été ordonné pour la joie de l'homme parce que seul de tous les êtres vivants, il peut, par la raison qu'il a en lui, saisir les lois de la raison du monde dont le jeu harmonieux et le rythme parfait sont une image de la beauté. Les êtres individuels se structurent comme en un corps ; chacun remplissant une fonction au profit de l'ensemble, chaque chose étant adaptée et ordonnée aux besoins du tout. S'il sait lui-même trouver la place exacte qui lui revient dans le monde, l'homme peut en effet se considérer comme le centre de cet universel agencement. Mais ces conceptions étaient loin d'être admises partout. Les Platoniciens se sentaient surtout à l'aise dans leur monde des Idées. Les Épicuriens n'admettaient aucune providence. Celse, en raillant les chrétiens pour leur anthropomorphisme se faisait l'écho de ces tendances : « Ce n'est pas à l'homme, dit-il, qu'a été donné le monde visible. Toutes choses naissent et périssent pour le salut de l'ensemble de l'univers » [6]. Il est puéril de prétendre que les phénomènes atmosphériques, la croissance des plantes, l'alternance du jour et de la nuit ont été faits exprès pour l'homme plutôt que pour les bêtes sauvages sans raison. D'ailleurs, il est probable que l'homme qui se proclame le roi des animaux, avant qu'il ait bâti des villes et inventé des armes se faisait plus souvent manger par les fauves qu'il ne les domi-

---

1. Adv. Haer., II, 30, 9.

2. Théophile, Ad Aut. II, 10 ; cf. Tertullien, Adv. Marc. I, 10 ; cf. Rm 1, 20, etc.

3. Gn 1, 26-29 ; cf. aussi Ps 8, 7 ; Ps 145, 15-16 ; 147, 8-9 ; 104, 14-15.

4. Bar. syr. 14, 18-19 ; IV Esd. 6, 55.59.

5. Par exemple Cicéron, De nat. deor., II, 130-133 ; Épictète I, 6, 19.

6. Origène, C. Cels. IV, 69.

nait ! « Pour qui regarderait du haut du ciel sur la terre, quelle différence offriraient nos actions et celles des fourmis ou des abeilles ? »[1]. Le monde n'a pas été ajusté à la mesure expresse de l'une de ses parties. Dieu « ne s'irrite pas plus au sujet des hommes qu'au sujet des singes et des rats »[2].

Cette vision du monde restait courante au IIe siècle. On voit qu'elle se situe à l'extrême opposé de l'univers anthropocentrique des premiers chrétiens. Dans les textes, on trouve mêlées les affirmations qui s'appuient sur la *Genèse* à des considérations plus naïves sur l'adaptation de la nature aux besoins de l'homme, qui étaient des lieux communs du stoïcisme populaire. Souvent Dieu paraît extrêmement prévenant. Il crée les astres pour fournir les mesures temporelles, les jours, les années et les saisons[3]. Il a soin, avant de lancer le fracas du tonnerre, de prévenir les hommes au moyen de l'éclair, « afin que l'âme n'éprouve pas une émotion trop subtile qui la laisserait inanimée ». Il sait aussi limiter la puissance de l'éclair pour éviter d'incendier la terre[4]. Il glisse entre les saisons extrêmes de l'hiver et de l'été ce « composé moyen » qu'est le printemps ou l'automne pour que les ardeurs du froid et de la chaleur se passent en des « transitions insensibles et inoffensives »[5]. Aussi, pense Minucius Félix, si « la Bretagne manque de soleil, elle est régénérée par la tiédeur de la mer qui l'entoure »[6]. Et les animaux, s'ils ont reçu l'instinct de reproduction et de conservation, ce n'est pas « pour leur propre utilité, mais pour que l'homme en jouisse ». Ce qui frappe surtout Théophile, dans cette complaisance du Créateur, c'est qu'il a prescrit à tout l'univers « de se soumettre à l'humanité »[7].

En d'autres passages, la conviction des chrétiens s'exprime en des termes qui ont une autre résonance. D'abord l'homme est le but de la création : « Notre doctrine, dit Justin, nous enseigne que Dieu n'a pas fait le monde sans but, mais pour le genre humain : il aime ceux qui cherchent à imiter ses perfections »[8]. C'est à cause des hommes qu'à l'origine il a fait sortir d'univers de la matière informe[9]. Pour l'homme « il a créé le monde avec tout ce qu'il renferme[10]. Comme Athénagore[11], Irénée explique que l'homme n'a pu être fait à

---

1. C. Cels. IV, 85 ; cf. IV, 73-79.
2. *Id.,* IV, 99.
3. Théophile, Ad Aut. I, 4 ; cf. Justin, I Ap. 5, 2 ; Minucius, Oct. 17, 5-6.
4. Ad Aut. I, 6.
5. Minucius, Oct. 17, 8.
6. Oct. 18, 3.
7. Ad Aut. I, 6 ; cf. II, 18 ; II, 10.11.14.16.19.
8. II Ap. 4, 2.
9. I Ap. 10, 2.
10. Dial. 41, 1.
11. Res. 12.

cause de la création, mais que la création a été faite à cause de l'homme[1]. C'est encore ce que dit Clément : l'homme est au premier rang, car d'abord Dieu « s'occupe du cosmos et du ciel, des rotations du soleil et des cours des autres astres et cela en fonction de l'homme... »[2]. Le cosmos est ainsi soumis à l'homme qui en est le possesseur et le maître. Le *Pasteur* d'Hermas dit très fortement de Dieu « qu'il a créé le monde pour l'homme, qu'il a soumis toute la création à l'homme, qu'il lui a donné un empire absolu sur tout ce qui est sous le ciel ». L'homme est « maître de toutes les créatures de Dieu »[3]. Cette relation d'assujettissement des choses créées par rapport aux hommes est de même constamment rappelée : « Dieu leur soumit tout en esclavage »[4]. L'homme est « seigneur de tout ce qui meurt et qui renaît »[5] dans le processus de la nature. Le monde est sa propriété. On voit comment cette position, avec toutes ses implications, se situe aux antipodes de la pensée païenne. Tatien pouvait dire : « Je ne veux pas adorer sa création, qu'il (Dieu) a faite pour nous. C'est pour nous que le soleil et la lune ont été créés, comment donc pourrais-je adorer ceux qui sont mes serviteurs... »[6].

CHRISTIANOCENTRISME DE L'UNIVERS

Mais l'idée est poussée plus loin encore. Si Dieu a destiné le monde à être placé au service de l'humanité, cette destination se justifie particulièrement lorsqu'il s'agit de l'humanité nouvelle et définitive, celle de la nouvelle création rachetée par le Christ. Dieu a voulu le monde pour l'homme. Il a voulu le monde nouveau pour l'homme nouveau, les chrétiens se proclamant la nouvelle humanité destinée à résorber toute l'ancienne[7]. Puisque la création comme la rédemption constituent deux actes révélateurs d'un même dessein de Dieu, le second éclairant le premier, la finalité de la création devient maintenant pleinement intelligible. De même que la première création, en puissance de sa propre rédemption, était ordonnée à l'homme charnel (Adam, pour reprendre les catégories pauliniennes), ainsi la nouvelle création déjà inaugurée par l'effusion de l'Esprit est maintenant ordonnée à l'homme nouveau, recréé selon l'Esprit. Non que la possession matérielle du cosmos fût maintenant exclusivement réservée aux chrétiens, mais c'est en vue de cette « race » des chrétiens qui est le

---

1. Adv. Haer. V, 29, 1 ; cf. III, 12, 14 ; IV, 14, 1-2 ; V, 14, 2.
2. Péd. I, 6, 5 ; cf. I, 7, 30 ; II, 39, 1.
3. Mand. XII, 4, 2-3.
4. Aristide, Apol. I, 3 ; cf. IV, 4 ; Justin I Ap. 5, 2 ; A Diogn. 4, 2 ; 10, 2 ; Clément, Protr. V 65, 4.
5. Tertullien, Apol. 48, 9.
6. Disc. 4.
7. Cf. *infra*, p 171 sq.

germe de l'humanité nouvelle que le monde a été créé. Ainsi la vision chrétienne de la finalité de la création n'est pas simplement anthropocentrique, mais si l'on entend par homme, l'homme définitif renouvelé dans le Christ, elle est, si l'on peut dire, *christianocentrique*.

Cette idée apparaît sous plusieurs formes. Déjà dans le judaïsme tardif, on trouve l'affirmation que le monde a été fait pour Israël, le peuple élu. « C'est à cause de son peuple, dit l'*Assomption de Moïse*, qu'il (Dieu) a créé l'univers »[1]. Et le Voyant de l'*Apocalypse d'Esdras* se lamente encore après la chute de Jérusalem : « Si c'est à cause de nous que tu as créé le monde, pourquoi n'avons-nous notre héritage? »[2]. Dans le *Pasteur* d'Hermas, nous est rapportée la vision suivante : « Dieu qui habite dans les cieux..., du néant a créé les êtres, les a multipliés et les a fait croître en vue de sa sainte Église »[3]. Plus loin, l'Église lui apparaît sous les traits d'une femme âgée : « Pourquoi est-elle si âgée? Parce que, dit-il, elle fut créée avant toutes choses. Voilà pourquoi elle est âgée, c'est pour elle que le monde a été formé »[4]. L'idée que le destinataire de la création est l'Église est combinée ici avec celle de sa préexistence. L'épître du Ps-Clément dit de même qu'il y eut une « première Église spirituelle, qui fut créée avant le soleil et la lune », et que l'Église « n'est pas d'à présent, mais de l'origine »[5]. Ces catégories de pensée, qui appelleront quelques explications[6] sont celles du judaïsme apocalyptique. Elles affirment que les réalités eschatologiques qui ne seront manifestées qu'à la fin des temps existent de toute éternité dans le conseil de Dieu. « Seulement, le réalisme de la pensée sémite désigne ce mode d'existence comme une première création »[7]. L'Église, parce qu'elle est une réalité de la fin des temps, a été voulue de toujours dans la pensée du Père. C'est pourquoi elle existait, selon ces auteurs, avant même la création. C'est donc pour elle, qui devait se manifester dans les derniers temps, que l'univers a été appelé à l'existence.

LES CHRÉTIENS MAINTIENNENT LE MONDE

Si le monde a été fait pour les chrétiens, il faut encore que ce soit eux qui le conservent et en assurent la stabilité aussi longtemps qu'il doit durer. C'est la conséquence que les chrétiens ont tirée de leur conviction première. Ils avaient pour cela les passages de Matthieu où il est dit : « Vous êtes le

1. Asc. Mos. 1, 12.
2. IV Esdr. III, 2, 23 ; cf. III, 3, 11 : « C'est à cause d'Israël que je créais le monde » ; *id.*, VI, 55 ; VII, 11. cf. II Bar. syr. III, 7 ; XIV, 18-19 ; XV, 7.
3. Vis. I, 6.
4. Vis. II, 4, 1.
5. II Clem. 14, 1-2.
6. Voir *infra*, p 42 sq.
7. J. DANIÉLOU, *Théologie du judéo-christianisme*, Tournai, 1958, p 323.

sel de la terre » ; « Vous êtes la lumière du monde » [1]. Il est clair que
Matthieu a groupé ici des paroles de Jésus prononcées en d'autres occasions [2]. Il est seul à appliquer aux disciples l'image du sel et de la lumière,
dans le Discours sur la Montagne où est définie la condition du disciple.
L'Église primitive n'a pas tardé à comprendre de façon conséquente l'enseignement de ces paraboles. Le sel était dans l'Antiquité le seul moyen de
conserver les aliments. Il fait durer et en même temps donne de la saveur
à ce qui est fade. En Israël, il était mêlé aux offrandes des sacrifices et il
était sensé avoir une valeur purificatrice [3]. Il est le contraire de la pour-
riture et de la décomposition. Le rôle des disciples est d'être comme le
sel : conserver le monde, éviter qu'il ne se décompose complètement,
et, en même temps, en faire une offrande pure. Leur responsabilité est
grande, car si ce sel-là se corrompt et devient inutile, il ne se trouvera plus
rien pour saler le monde. Plus suggestive est encore la métaphore de la
lumière. « Lumière du cosmos » en dehors de laquelle il n'y a que ténèbre :
c'est pourquoi les disciples ne devront pas l'éteindre, mais la faire res-
plendir aux yeux des hommes. Lorsqu'il porte témoignage, le chrétien
assume cette charge d'être lumière du monde et porteur du salut. Paul
s'adressait aux Philippiens, en citant d'abord *Dt 32, 5*, comme « aux enfants
de Dieu sans tâche au sein d'une génération dévoyée et perverse, d'un
monde où vous brillez comme des flambeaux, en lui présentant la Parole
de vie » [4].

En faisant l'exégèse de ces passages, Clément et Origène ont combiné
l'idée biblique avec la doctrine très stoïcienne du *pneuma* qui pénètre
le monde dans toutes ses parties et le maintient dans sa cohésion et sa
stabilité. Le rôle que les stoïciens prêtent au souffle divin pour maintenir
le monde, Clément l'attribue à une élite de saints, « ceux que le Verbe
appelle « lumière du monde » et « sel de la terre ». Pour eux ont
été créés tous les êtres du monde, visibles et invisibles, les uns pour les
servir, les autres pour les exercer, les autres pour les instruire. Aussi longtemps que cette semence demeure ici-bas, toutes choses sont maintenues,
et lorsqu'elle aura été rassemblée, toutes choses seront dissoutes » [5].
Origène est plus précis encore dans l'interprétation de la parabole : « Les
hommes de Dieu sont le sel qui conserve le monde terrestre, et les choses

---

1. Mt 5, 13.14.
2. Cf. Leur parallèle et le contexte diffèrent pour le sel : Mc 9, 50 ; Lc 14, 34-35 ; pour la lumière
Mc 4, 21 ; Lc 11, 33.
3. Lv 2, 13 ; Ex 30, 35 ; cf. Jb 5, 6 ; Ez 16, 4.
4. Ph 2, 15. Origène, C. Cels. III, 29 reprend la même image en l'appliquant aux églises chrétiennes : « Les églises de Dieu, instruites par le Christ, si on les compare aux assemblées du
peuple (*ecclesiai*) avec qui elles avoisinent sont comme des flambeaux dans le monde ».
5. Quis dives salv., 36, 1-3.

de la terre ne se maintiennent qu'autant que ce sel ne se dénature pas... » [1].
Et encore dans son *Commentaire sur Matthieu* : « Aussi longtemps que
ceux à qui le Seigneur a dit : « Vous êtes le sel de la terre » demeurent « sel
de la terre » l'univers subsiste, maintenu cohérent par le sel, mais quand
le sel lui-même se sera affadi, alors, pour parler comme l'Écriture, ce
qu'il salait deviendra fade, comme les aliments sans sel, se corrompra,
pourrira, se désagrégera. Aussi longtemps que subsiste la « lumière du
monde » l'univers est soumis à la direction de cette clarté lumineuse, mais
quand cette lumière elle-même aura été amoindrie dans l'esprit des hommes..., alors l'univers sera recouvert par les ténèbres et plongé dans la
tristesse et les calamités » [2]. Ainsi l'existence des chrétiens a-t-elle une
répercussion et un rôle cosmiques. Ils sont la clef de voûte qui assure la
vie et la cohésion de l'édifice tout entier de la création. Dans la mesure
où ils sont plus ou moins fidèles à eux-mêmes, le monde reçoit la lumière
de la vérité ou il pourrit faute de sel. C'est déjà ce que pensait l'apologiste
Aristide : « Pour moi, disait-il, il n'y a aucun doute : c'est à cause de l'intercession des chrétiens que le monde subsiste » [3]. Car, c'est « à cause d'eux
que se répandent les splendeurs qui existent dans le monde » [4]. Dans
la même logique, les chrétiens soutiendront que c'est grâce à eux que la
fin est retardée et que l'univers connaît encore un bref répit [5].

Là où cette conception christianocentrique de l'univers apparaît dans son
exposé le plus pur, c'est dans le petit écrit *A Diognète*. Aucune allusion
n'y est faite aux expressions évangéliques que nous avons rencontrées
plus haut, mais, pour exposer sa thèse, l'auteur se sert de la théorie stoïcienne de l'Ame du monde dont nous avons vu à quel point elle était devenue
courante dans la pensée hellénistique. Il a su l'exploiter à fond en ces pages
où la relation complexe des chrétiens au monde est évoquée sous toutes
ses faces. « En un mot, dit-il, ce que l'âme est dans le corps, les chrétiens
le sont dans le monde... L'âme est enfermée dans le corps : c'est elle qui
maintient le corps » ; de même les chrétiens au sein du monde sont « ceux
qui maintiennent le monde ». Et il ajoute que « le poste que Dieu leur a
assigné est si important, qu'il ne leur est pas permis de déserter » [6]. De
même que l'âme est la vie du corps sans se confondre avec lui, de même
l'existence des chrétiens à qui la création entière a été destinée est le principe vital nouveau qui anime le monde. Puisqu'ils ont reçu la charge de

1. C. Cels. VIII, 70.
2. Comm. in Matth., 37.
3. Apol. 16, 6.
4. *Id.*, 16, 1.
5. Cf. *infra*, p. 177 sq.
6. A Diogn. 6, 1.7.10. Sur ce texte, ainsi que sur les références qui précèdent, voir le beau
commentaire de H. I. MARROU, *A Diognète*, Paris, 1951, p. 137 à 176.

répandre le principe nouveau de la vie selon l'Esprit, la création matérielle
tout entière est solidaire de leur action. Le sort du monde a été lié au leur
parce qu'ils ont reconnu dans le Christ le principe de la nouvelle création,
où le mal et la mort ont été vaincus définitivement, selon l'unique dessein
de Dieu créateur et sauveur. « Tout est à vous, dit Paul, ... soit le cosmos,
soit la vie, soit la mort, soit le présent, soit l'avenir. Tout est à vous, mais
vous êtes au Christ, et le Christ est à Dieu »[1].

SOLIDARITÉ COSMIQUE. L'HOMME ET L'ORIGINE DU MAL

La création est solidaire des chrétiens depuis la venue des derniers
temps parce que de toujours elle a été solidaire des hommes. Si les chrétiens
la considèrent comme participant tout entière au salut réalisé par le Christ,
c'est parce que tout entière aussi elle a été entraînée dans le péché par
la faute d'Adam, prototype de l'ancienne humanité. A l'universalité du
salut apporté par le Christ correspond aussi la réalité négative de l'universalité de la chute comme conséquence du péché. Le monde entier a
été enveloppé dans la faute[2]. Tout entier il sera jugé[3] ; mais Dieu
lui a envoyé son propre Fils pour le sauver, parce qu'il l'aime[4]. Au type
d'Adam, premier homme, s'oppose le type du Christ, second Adam et
homme nouveau[5]. De même que par le premier homme le péché est
entré dans le monde, « et par le péché la mort », de même avec le Christ,
prototype de l'humanité nouvelle selon l'Esprit, la grâce et la vie éternelle
ont surgi pour toujours[6]. Comme avant le Christ régnait l'esclavage
du péché, maintenant règne « la loi de l'Esprit qui donne la vie dans le
Christ Jésus »[7]. Mais c'est le nouvel Adam qui dévoile le sens du premier, car le péché n'a été révélé que pour que fût connue la grâce. La première création n'est devenue la proie du mal qu'au regard de la nouvelle
qui est parfaite et éternelle. La nouvelle création, c'est celle que Dieu de
tout temps destinait au genre humain, et que dans les derniers temps le
Christ est venu restaurer dans la conformité au dessein originel de Dieu.
C'est dans ce contexte qu'il faut comprendre l'explication que les premiers
chrétiens donnent de l'origine et de la présence du mal. Le mal, c'est le
fruit du péché des hommes. Il est symboliquement résumé dans le péché
d'Adam, type de l'homme de la première création charnelle.

Le mal n'est ni une nature ni une création, il n'est pas lié à l'œuvre de

1. 1 Co 3, 21-23.
2. Cf. Jn 1, 29 ; 4, 42 ; 1 Jn 2, 12 ; 4, 14.
3. Rm 3, 6 ; 1 Co 6, 2 ; 11, 32.
4. Jn 3, 16 s. ; 12, 47.
5. Rm 5, 12-21.
6. Rm 5, 12.
7. Rm 8, 2.

Dieu. Le monde que Dieu a destiné aux hommes était sans vice ni manque. Le mal est le choix que fait l'homme créé libre, Sur ce point, les auteurs chrétiens ont été unanimes. Ils ont tous affirmé que la condition de l'homme est le don redoutable de la liberté. Tertullien a bien dégagé la signification de cette liberté dans le dessein de Dieu. Par elle, l'homme est au plus haut degré l'image de son Créateur, souverainement libre : « L'homme a été créé par Dieu, libre, remis à son propre arbitre et à sa propre puissance et il n'y a rien en l'homme qui soit davantage image et ressemblance de Dieu que cette condition »[1]. Irénée dit de même : « L'homme est raisonnable et en cela il est semblable à Dieu : créé libre avec pouvoir de choisir et maître de soi »[2]. Les anges aussi ont été créés libres. Par leur défection, ils ont donné naissance aux mauvais démons[3]. Les hommes, comme les anges, ont choisi le mal lorsqu'ils se sont détournés de Dieu : « Avant de fabriquer l'homme, commente Tatien, le Logos crée les anges ; et ces deux ordres de créatures ont été faites libres, ne possédant pas naturellement le bien qui n'est essentiel qu'à Dieu et qui chez les hommes est réalisé par leur libre volonté »[4]. Anges et hommes, comme créatures douées de raison, ont été constitués « maîtres d'eux-mêmes »[5], c'est-à-dire capables de bien comme de mal[6]. Dieu a voulu ses créatures telles, car il ne pouvait recevoir d'hommage que de volontés libres. Les hommes ne pouvaient être contraints de reconnaître Dieu, car Dieu « n'use pas de violence »[7]. Ainsi remarque encore Irénée, puisque le propre du chrétien est de vivre dans le régime de la foi, « la foi est l'acte propre de l'homme car l'homme est maître de sa propre décision »[8]. Le mal ne fait donc pas partie de la création elle-même, telle que Dieu la destinait au genre humain. Il n'est pas non plus lié à la matière comme principe déchu et œuvre d'un dieu mauvais et antithèse de l'esprit issu d'un monde supérieur. Tout ce qui existe a été créé bon. Même Tatien qui semble par endroit pencher vers le dualisme[9] exprime fermement la réaction chrétienne contre les systèmes gnostiques : « Nul mal n'est l'œuvre de Dieu ; c'est nous qui avons produit le mal, et nous qui l'avons produit, nous pouvons y renoncer »[10]. « Si les créatures ont quelque chose de mauvais, c'est notre

1. Adv. Marc. II, 5, 3.
2. Adv. Haer. IV, 4, 3.
3. Cf. infra, p. 105.
4. Disc. 7.
5. Cf. Justin, II, Ap. 7, 5 ; Irénée, Ad Haer. IV, 37, 1 ; V, praef.
6. Athénagore, Suppl. 24 ; Théophile, Ad Aut. II, 27 ; Irénée, Adv. Haer. IV, 37, 2 ; Justin, II Ap. 7, 6.
7. Irénée, Adv. Haer. IV, 37, 1 ; V, praef. ; A Diogn. 7, 4.
8. Adv. Haer., IV, 37, 5.
9. Disc. 16 ; 20.
10. Disc. 10.

péché qui est en cause » [1], car « Dieu n'a rien créé qui ne soit bon » [2]. Hippolyte de Rome dissocie aussi clairement le mal de l'ordre de la création : « Ce qu'on appelle « mal » consiste à vouloir et à penser quelque chose de mal ; il n'existait pas au début, mais il survint » [3].

Le mal est bien réel, il n'est pas comme le pensaient les stoïciens une erreur de jugement toute subjective qu'il faut corriger en s'intégrant dans la vision du cosmos où chaque élément concourt à la beauté du tout [4]. Le mal n'est pas non plus l'œuvre d'un destin aveugle [5]. Les Apologistes ont eu soin de ne pas confondre la toute-puissance de Dieu avec le règne d'une inexorable fatalité. S'ils reconnaissent qu'il y a un certain déterminisme inhérent à l'ordre du monde, tel que les lois de la génération, de la croissance, de la mort [6], ils écartaient l'idée que les astres pouvaient déterminer le cours des évènements : « Si tout était l'œuvre du destin, remarque Justin, il n'y aurait plus de libre arbitre » [7]. Il n'y a pas de loi du destin que fixe à l'avance ce que l'homme fera ou subira, mais « chacun fait librement le bien ou le mal » [8]. La morale chrétienne ne s'autorise d'aucune excuse extrinsèque pour justifier que le mal arrive : « Qu'on n'aille pas chercher dans le destin une consolation ou une excuse au fait accompli : la condition de chacun peut bien dépendre du hasard, l'esprit n'en est pas moins libre ». Et Minucius Félix ajoute plus loin que ce qu'on appelle communément le destin, ce n'est pas autre chose que ce que nous destine la volonté de Dieu [9]. Le monde est donc placé sous la domination absolue de Dieu qui poursuit dans le déploiement de son œuvre un unique dessein. Il reste le « Seigneur du ciel et de la terre » [10]. L'univers n'est pas une réalité statique. Lié au sort des hommes libres, il atteste dans la trame de son existence, la permanence d'une intention de Dieu qui agit avec puissance.

L'ENFANTEMENT D'UN COSMOS NOUVEAU

De même que le cosmos entier a été et reste solidaire des hommes qui ont péché, de même il est maintenant solidaire de la victoire du nouvel homme, le Christ, sur la mort. A l'universalité du péché répond maintenant

---

1. Disc. 19.
2. *Id.*, 17.
3. Philos., 10, 33.
4. Cf. Justin, I Ap. 43, 6.
5. Justin, I Ap. 43, 1.2.7 ; 44, 11 ; II Ap. 7, 4.9. Tatien, Disc. 8 ; 9.
6. Cf. Justin, I Ap. 61, 10 ; Tatien, Disc. 26, Athénagore, Suppl. 25.
7. I Ap. 43, 2.
8. II Ap. 7, 3.
9. Oct. 36, 1-2.
10. Cf. Mt 5, 34 ; 11, 25 ; Ac 7, 49.

l'universalité du salut. Le Christ enlève « le péché du monde »[1] et même les Samaritains reconnaissent que « c'est vraiment lui le sauveur du monde »[2]. La création, toujours corruptible parce que l'ancien monde connait encore un répit, participera elle-même totalement à la régénérescence spirituelle, le jour où le mal, définitivement anéanti, s'effacera devant l'Esprit transformant la matière elle-même. Cette espérance que le cosmos partage avec les chrétiens dont il est solidaire, a été remarquablement orchestrée dans un passage de Paul aux *Romains*. « Les souffrances du temps présent ne sont pas à comparer à la gloire qui doit se révéler en nous. Car la création en attente aspire à la révélation des fils de Dieu : si elle fut assujettie à la vanité — non qu'elle l'eût voulu, mais à cause de celui qui l'y a soumise — c'est avec l'espérance d'être elle aussi libérée de la servitude de la corruption pour entrer dans la liberté de la gloire des enfants de Dieu. Nous le savons en effet, toute la création jusqu'à ce jour gémit en travail d'enfantement. Et non pas elle seule, nous-mêmes qui possédons les prémices de l'Esprit, nous gémissons nous aussi intérieurement dans l'attente de la rédemption de notre corps »[3]. Ainsi se trouve résumée la condition présente du cosmos. Elle est tout entière dépendante de la condition des chrétiens dans le temps présent. Or, cette condition est celle de l'espérance : « Notre salut est objet d'espérance »[4].

L'ancien monde corruptible encore soumis au pouvoir de la mort traverse maintenant les douleurs de l'enfantement, en attendant qu'au terme choisi par Dieu, la semence de l'Esprit, recueillie par les chrétiens, porte enfin son fruit. La nouvelle création qui existe de tout temps dans le plan de Dieu, se manifestera alors définitivement quand le « premier ciel et la première terre »[5] auront disparu. Nulle part plus que dans ce texte le sens chrétien du monde matériel n'est explicité aussi clairement. De même que le cosmos avait été donné aux hommes à l'origine, dans la personne du premier Adam, de même, maintenant, il leur est redonné, transfiguré et racheté, dans la race des chrétiens. Bref, les chrétiens n'ont pas considéré le monde comme une réalité autonome, un être intelligible en lui-même. Ils y voient l'œuvre unique et palpable d'un unique plan de Dieu. Le monde, œuvre de Dieu, création corruptible en puissance d'incorruptibilité, leur apparaît avant tout comme une *histoire*, une histoire dont Dieu est le maître, qui pivote autour du Christ et dont les chrétiens sont maintenant devenus les principaux acteurs.

---

1. Jn 1, 29.
2. Jn 4, 42.
3. Rm 8, 18-23.
4. Rm 8, 24.
5. Ap 21, 1.

LES REPRÉSENTATIONS SÉMITIQUES TRADITIONNELLES

Posé de cette manière, le problème des représentations cosmologiques et de leur importance dans le message chrétien est mis à sa véritable place. Puisque le cosmos n'a pas de signification en lui-même, mais qu'il est l'œuvre où se révéle la volonté salvifique de Dieu, la connaissance de sa structure propre est secondaire par rapport à l'évènement du salut qui est le cœur de la prédication chrétienne. La preuve en est que l'on ne trouve pas dans les premiers écrits un ensemble de représentations parfaitement cohérent, comme dans les divers systèmes gnostiques où la connaissance de la composition mystérieuse du cosmos est au contraire une condition du salut. On ne sera donc pas étonné de rencontrer des images du monde assez différentes selon que les auteurs puisent à des sources vétérotestamentaires, judaïques, helléniques et même quelquefois gnostiques. Cette relative disparité est en elle-même révélatrice de l'attitude du Christianisme face aux connaissances positives. La révélation chrétienne n'est pas liée à telle ou telle doctrine cosmologique comme à une partie intégrante d'elle-même, pas plus qu'elle ne s'est confondue avec un univers mental particulier. Elle est avant tout une révélation par l'action. Elle s'inscrit par des faits dans la trame de l'histoire. Pour exprimer sa conviction de la toute-puissance de Dieu créant l'univers et le restaurant par la mission de son Verbe, le croyant ne peut que se servir de son équipement mental, c'est-à-dire des représentations scientifiques ou mythiques qu'il partage avec son milieu. Dans le Christianisme, le contenu même de la foi qui est la reconnaissance du Sauveur dans la personne historique de Jésus ne peut être altéré par l'image que le croyant a du monde, parce que celle-ci ne concerne pas la foi. L'univers des représentations mentales, indispensable pour l'esprit humain, qui ne peut penser en dehors des catégories d'espace et de temps, reste dans le Christianisme, contrairement à la gnose, subordonné à la foi. Il ne la constitue pas.

On ne s'étonnera pas de trouver dans le Nouveau Testament et chez les auteurs les plus familiers de la Bible une image du monde empruntée à la tradition hébraïque. Nous avons vu comment l'expression « le ciel et la terre » était employée comme synonyme de « cosmos ». Elle reprend l'image héritée des cosmologies babyloniennes de la terre plate reposant sur les eaux, au-dessus de laquelle s'étire le firmament où sont suspendues les étoiles. Le ciel, s'étend au-delà du firmament : Dieu y habite. Dans ce contexte, la terre semble former un carré. Elle a quatre coins. Ainsi au Jugement dernier, les anges iront sonner de la trompette pour rassembler les élus « des quatre coins de l'horizon, d'un bout des cieux à l'autre »[1].

---

1. Mt 24, 31.

Marc dit : « de l'extrémité de la terre à l'extrémité du ciel »[1]. Dans cette représentation, l'extrémité de la terre se confond avec l'extrémité du monde. Des quatre coins de la terre partent les quatre vents du monde[2]. Ils signifient chacun une région du monde. Ainsi Luc dira : « On viendra du Levant et du Couchant, du Nord et du Midi, prendre place au festin dans le Royaume de Dieu »[3]. Au-dessus du firmament sont les réserves pour la pluie, la neige. Lorsque les vannes s'ouvrent, c'est l'orage. En *Luc 4, 25*, Jésus rappelle les jours de sécheresse au temps d'Élie où « pendant trois ans et six mois le ciel demeura fermé »[4]. Dans cette division bipartite, le ciel est le « trône de Dieu », et la terre l' « escabeau de ses pieds[5]. Au IIe siècle, Théophile d'Antioche est le meilleur représentant de la permanence de ce schème biblique : « C'est ce Dieu seul qui a... constitué le dépôt du vent, établi les réserves de l'abîme et fixé les limites des mers ; il a mis de côté la neige et la grêle, il rassemble les eaux dans les réserves abyssales, il serre l'obscurité dans ses réserves, il sort la lumière de ses réserves... Il a tendu le ciel à lui seul, établi toute la largeur de la terre subcéleste..., il a fondé la terre au-dessus des eaux, lui a donné le souffle qui la nourrit... »[6].

Ailleurs, le cosmos est divisé en trois parties : céleste, terrestre, souterraine. Le Voyant de l'*Apocalypse* entend le cri de « toute créature, dans le ciel et sur la terre et sous la terre, et dans la mer »[7]. La terre y tient le milieu du cosmos. « Au sein de la terre »[8], à l'extrême profondeur, se trouve l'Hadès[9]. C'est le shéol de l'Ancien Testament, royaume où les âmes des morts attendent le Jugement. Il renferme tantôt toutes les âmes[10], tantôt seulement celles des condamnés[11]. Différent de lui, ou confondu avec lui[12], la terre renferme encore en dehors de l'Hadès, l'Abîme. Il est la prison des esprits mauvais qui attendent d'en être relâchés pendant la période d'épreuves qui précèdera la fin[13]. Une description de l'Hadès est donnée dans la parabole du riche et de Lazare. On voit

---

1. Mc 13, 27 ; cf. Ap 7, 1.

2. Ap 7, 1 ; Irénée, Adv. Haer. III, 11, 8 ; Hippolyte, Sur Dan., IV, 2, 2.

3. Lc 13, 29.

4. Allusion à I R 17, 1 ; 18, 1.

5. Mt 5, 34-35 ; cf. Is 66, 1.

6. Ad Aut. I, 6.7 ; cf. I, 4.

7. Ap 5, 13 ; cf. 5, 3 ; Mt 11, 23, Lc 10, 15 ; Ph 2, 9-11.

8. Mt 12, 40 ; cf. Mt 11, 23 ; Lc 10, 15 : Rm 10, 7.

9. Encore appelé *Tartare*, cf. Hippolyte, Sur Dan., II, 29, 11.

10. Ac 2, 27.31 ; Lc 16, 23.

11. I P 3, 19 : Ap 20, 7.13s.

12. Rm 10, 7.

13. Cf. Lc 8, 31 : Ap 9, 3s. 11 ; 11, 7 ; 17, 8 ; 2 P 2, 4-5.

qu'il comprend le juste Abraham comme le méchant riche, mais ils sont séparés par un grand gouffre qui les empêche de communiquer[1]. Cette division tripartite de l'univers jouera un grand rôle dans la doctrine de la rédemption, le Christ ressuscité allant apporter la délivrance aux justes morts avant lui. Les dimensions de l'univers, le judéo-christianisme les voyait aussi symbolisées par la forme de la croix. La rédemption, pour Irénée, s'étend, comme la croix, dans toutes les directions du monde : « A savoir que c'est lui (le Christ) qui illumine la hauteur, c'est-à-dire ce qui est dans les cieux, qui contient la profondeur, ce qui est dans les régions souterraines, qui étend la longueur du Levant jusqu'au Couchant et qui gouverne comme un pilote la région d'Arcturus (le Nord) et la largeur du Midi... »[2].

LES SCHÈMES APOCALYPTIQUES

Toujours dans le Nouveau Testament, apparaissent encore des conceptions héritées du judaïsme rabbinique qui lui-même, nous l'avons vu, avait subi l'influence de l'hellénisme et de l'Iran. On y trouve la représentation des sphères célestes, en nombre variable. Paul déclare avoir été, dans une vision, ravi « au troisième ciel », « au paradis » où il entendit des « paroles ineffables »[3]. Il s'agit de la demeure de Dieu, comme dans certains écrits juifs[4]. Ailleurs, ce sont sept cieux. Irénée adopte cette théorie courante, en expliquant qu'à chacun correspond une des sept formes de l'Esprit de Dieu[5] : « Quant à ce monde, il est entouré de sept cieux dans lesquels habitent des puissances innombrables, des anges et des archanges, qui assurent un culte au Dieu tout-puissant et créateur de toutes choses... ». Il ajoute, comme Philon, que le chandelier à sept branches donné à Moïse est le type des sept cieux[6]. Hippolyte de même, paraphrasant l'hymne de *Dn 3, 52-90*, trouve moyen d'y lire une allusion aux « sept cieux », eux aussi remplis d'anges et de puissances[7]. C'est dans ce contexte qu'il faut comprendre le passage où est rapportée la parole de Jésus : « Je voyais Satan tomber du ciel comme l'éclair »[8], après que les soixante-douze disciples vinrent lui annoncer que les démons se

---

1. Lc 16, 23-31.

2. Dém. 34.

3. 2 Co 12, 2-4.

4. Cf. Test. Lévi 2, 9 ; 3, 1-4 ; Hen. sl 8, etc.

5. Reprenant Is 11, 2.

6. Dém. 9.

7. Sur Dan. II, 29, 5.

8. Lc 10, 18 est à rapprocher de Ap 12, 7-12 : Satan vaincu par Michel dans le ciel est jeté sur la terre. Les cieux en sont libérés, mais il va poursuivre ses ravages sur la terre.

soumettaient en son nom. Satan vaincu est expulsé de son domaine : vraisemblablement l'espace aérien en-deçà du firmament ou de la première sphère céleste. Dans le sillon des représentations communes du judaïsme tardif, l'auteur de l'*Épître aux Hébreux* connaît aussi des cieux nombreux remplis de liturgies angéliques.

LE MODÈLE GREC

A côté des représentations cosmologiques de type vétérotestamentaire ou judaïque, il y a l'importante proportion des Pères chez qui ressurgit l'image héllénique du monde. C'est le cas de presque tous les Apologistes de culture grecque, en particulier Athénagore[1]. Il a été le plus explicite pour nous faire comprendre qu'il partage entièrement les représentations couramment admises dans l'Empire. « Le cosmos est beau, dit-il ; il embrasse tout par la grandeur et par la disposition des astres qui sont dans le cercle de l'écliptique et de ceux qui sont au septentrion, et encore par sa forme sphérique... »[2]. Et ailleurs : « Le cosmos constitué en forme de sphère, a pour limites les cercles du ciel »[3]. Tatien rappelle une vérité bien grecque : « Le ciel n'est pas infini, ô homme ; il est fini et a des limites », mais il ajoute en faisant appel aux schèmes gnostiques : « au-dessus de lui, ce sont les éons supérieurs, qui ne connaissent pas les changements des saisons — causes des diverses maladies — et qui, jouissant d'un climat heureusement tempéré, voient sans discontinuer durer le jour, et une splendeur inaccessible aux hommes »[4]. Il s'agit évidemment d'une réminiscence du monde éthéré qui s'étend au-dessus de la lune dans lequel l'Antiquité projetait sa nostalgie de la perfection. Mais même là où il n'y a pas de description aussi explicite, les caractères fondamentaux de l'image du cosmos grec réapparaissent. D'abord on rappelle que le cosmos est composé par les quatre éléments. Même le judéo-chrétien Hermas en fait état : « Le cosmos est soutenu par quatre éléments »[5]. On peut bien reconnaître qu'il y a quatre éléments, mais il n'y a pas à les assimiler aux dieux de la mythologie[6]. Ce sont les éléments qui ont été créés d'abord et de leur combinaison ont été faits tous les êtres[7]. Le monde devient synonyme d'ordre. Il est beauté et harmonie. Devenus chrétiens, les hommes de culture hellénistique n'ont pas eu de mal à voir dans le bel ordonnan-

---

1. Voir les analyses de M. SPANNEUT, *Le stoïcisme des Pères de l'Église de Clément de Rome à Clément d'Alexandrie*, 2ᵉ éd., Paris, 1968.

2. Suppl. 16.

3. *Id.*, 8.

4. Disc. 20.

5. Vis. III, 13, 3.

6. Athénagore, Suppl. 22 ; cf. Clément, Protr. V 64, 2.

7. Hippolyte, Réf. X, 32, 2-3 ; X, 33, 4 ; cf. Clément, Strom. II, 31, 3 ; II, 51, 1 ; V, 32, 3.

cement de la création la première voie qui doit mener à la connaissance de Dieu[1]. Cet ordre atteste une cause unique, intelligente et providente, extérieure à lui. Même au latin Tertullien s'est imposé le sens spécifique du concept grec, mais comme tous les chrétiens, il ne peut le concevoir qu'en rapport avec Dieu : « Ce que nous adorons, c'est un Dieu unique qui... a tiré du néant tout cet édifice gigantesque avec tout l'appareil des éléments, des esprits, pour servir d'ornement à sa majesté. C'est pourquoi les Grecs ont appliqué au monde le nom de *cosmos* »[2].

Avec une surprenante unanimité les chrétiens hellénisés ont chanté la splendeur du cosmos, la régularité du mouvement des astres, le retour des saisons, l'heureuse harmonie universelle. Même chez le judéo-chrétien Clément de Rome apparaissent les termes techniques du stoïcisme dans son hymne de l'univers. Le soleil, la lune et les astres parcourent dans la « concorde »[3] les orbites que Dieu leur a assignées. Toutes choses sont disposées dans la concorde et l'harmonie. Ou encore, le cosmos est beau par son agencement. Aristide s'écrie : « J'ai contemplé le ciel, la terre et la mer, la lune et les autres astres ; j'en ai admiré la disposition. J'ai vu le cosmos et tout ce qu'il contient, mû selon une loi immuable et j'ai compris que celui qui le commande est un Dieu »[4]. Dans cet ordre, tout est bien réglé et suit un rythme préétabli. Personne ne peut contester, observe Justin, que « le soleil, la lune et les autres astres suivent toujours la même route et opèrent la révolution des saisons »[5]. Théophile lui-même sait puiser à l'arsenal des lieux communs du stoïcisme : qu'on regarde « les saisons qui périodiquement changent et les variations du ciel, la course bien réglée des éléments, le défilé bien ordonné des jours et des nuits, des mois et des années... »[6]. Le monde est comme un « instrument harmonieux »[7] ; les êtres créés s'y meuvent selon un rythme qui fait que leur mouvement constitue « une seule mélodie »[8]. Clément d'Alexandrie atteste tous les sens profanes de « cosmos ». Il trouve la création si bien régie, qu'il est heureux de s'y savoir intégré[9] : « Le tout,

1. Cf. Athénagore, Suppl. 4 ; Tatien, Disc. 4 ; Irénée, Adv. Haer. II, 8, 1 ; III, 25 ; IV, 11, 4 ; Minucius, Oct. 17, 14 ; 19, 1 ; 18, 11, etc.
2. Apol. 17, 1 ; cf. Adv. Marc. I, 13 ; cf. Aristide : « Tout cosmos est construction d'un maître d'œuvre » (Apol. 4, 2).
3. *En hômonoia* : Ad Cor. 20, 3 ; cf. 20, 10, 11 ; 9, 4 ; 11, 2 ; 21, 1 ; 30, 3 ; 34, 7 ; 49, 5 ; 60, 4 ; 61, 1, etc.
4. Apol. 1, 1-2.
5. Dial. 85, 5.
6. Ad Aut. I, 6.
7. Athénagore, Suppl. 16.
8. Irénée, Adv. Haer. II, 25, 2 ; cf. A Diogn. 12, 9.
9. Strom. IV, 148, 2.

il (Dieu) l'a ordonné avec mesure, et il a soumis la dissonance des éléments à la discipline de l'accord pour faire du cosmos tout entier une seule harmonie » [1]. Dans ces représentations de type grec, surgissent même des expressions qui rappellent le monisme stoïcien. Tertullien lui-même parle de « ce vaste corps du monde » [2]. Pour comprendre la présence du mal, Tatien estime qu'il ne faut pas le dissocier du tout, et qu'il faut « voir toute l'organisation du monde et la création dans son ensemble » [3]. Comme nous l'avons vu plus haut, le cadre des représentations cosmologiques que les Apologistes grecs partagent avec leurs contemporains n'affecte en rien le contenu de leur foi qui ne lui est, en aucun cas, subordonné. Ils attestent avec les auteurs qui conservent des schèmes plus bibliques un même jugement sur le monde.

LE LANGAGE COSMOLOGIQUE DE LA FOI
LA NOUVELLE RELATION CIEL-TERRE

L'hétérogénéité même des images du monde, dont les premiers chrétiens ont été amenés à se servir pour exprimer leur vision du cosmos, montrerait à elle seule que les représentations cosmologiques qu'ils adoptent restent tout à fait étrangères au contenu de leur foi. Ce n'est pas la connaissance de la structure du cosmos qui est déterminante pour la connaissance de Dieu, mais c'est Dieu qui révèle dans le monde la finalité en vue de laquelle il a été fait. Le monde n'est jamais un écran entre l'homme et Dieu qui se laisse connaître d'abord en son œuvre. Le cosmos en lui-même ne peut donc être l'objet d'un intérêt religieux. Par rapport à la pensée hellénique et même gnostique, il est, en ce sens, totalement désacralisé. La conviction des premiers chrétiens est que la rédemption réalisée dans la personne historique de Jésus éclaire rétrospectivement le sens du premier acte de l'histoire du salut que fut la création. Entre ces deux actes distincts dans le temps, le monde ne vient pas s'intercaler comme un obstacle, car il n'est jamais saisi en soi, comme un être autonome, mais en absolue dépendance d'une unique volonté qui se dévoile en des étapes successives. La foi que Jésus est le Verbe fait chair inclut aussi qu'il est le même Verbe par la médiation de qui Dieu a créé le monde. La foi concentrée sur le Christ se déploie à partir de lui aux dimensions réelles de son œuvre salvifique, c'est-à-dire à la création tout entière, des origines à la fin. Or, pour exprimer cette foi dans le caractère cosmique et universel du salut, le

---

1. Protr. I 5, 1
2. Apol. 11, 5 ; cf. 48, 7.
3. Tatien, Disc. 12.

Nouveau Testament ne peut que recourir à des représentations de structure mythique telles qu'il les trouve dans les différents milieux qui l'environnent. Mais le langage qu'il emprunte aux vieux mythes cosmologiques — et qui est le seul dont dispose l'esprit humain cherchant à exprimer l'inexprimable — est par là même vidé de sa substance proprement mythique. Ce qu'il veut saisir, c'est la relation entre le Christ venu dans la chair, son rôle de Verbe préexistant, et celui de son Corps ressuscité et glorieux dans l'univers.

Dans le Christianisme, l'emploi des catégories cosmologiques pour exprimer les dimensions ou les répercussions des réalités salvifiques ne peut être interprété que comme une nécessité de langage. La preuve en est que la foi n'est jamais liée aux représentations disparates auxquelles elle peut faire appel, en sorte qu'elle se dissoudrait dans les structures mêmes des schèmes qui s'imposent à l'esprit du croyant. La pensée humaine ne peut se soustraire aux catégories spatiales et temporelles. Mais ces catégories peuvent fort bien exprimer des réalités qui les transcendent. Nous avons vu dans quelle relation le judaïsme apocalyptique avait placé le ciel et la terre. Le ciel, dans le réalisme sémitique, a cette supériorité sur la terre où se déroule l'histoire du salut en ce qu'il contient le trône de Dieu et renferme sous forme de préexistants les initiatives salvifiques de Dieu destinées à être manifestées à la fin des temps. Cette relation de dépendance est encore accentuée dans le Nouveau Testament. On trouve surtout dans Paul et Jean des expressions relevant du dualisme spatial. Ce « monde-ci » est celui d' « en-bas » par rapport à ce qui est « en-haut » et qui est la demeure du Père[1]. Paul exhorte à désirer les choses d' « en-haut », là où se trouve le Christ, assis à la droite du Père, et « non celles de la terre »[2]. Ces expressions n'ont rien de commun avec les mythes gnostiques ou hellénistiques séparant rigoureusement le monde supérieur de Dieu du monde inférieur de la matière. Elles sont devenues courantes déjà dans le judaïsme pour opposer Dieu et sa révélation par rapport au monde de sa création. Cette opposition n'est pas ontologique, mais théologique. Lorsqu'il est dit que le ciel est le Trône de Dieu et qu'il est sa demeure[3], ces affirmations ne signifient pas que Dieu est localisé dans un espace quelconque, séparé de la terre. Ces images veulent exprimer l'absolue seigneurie de Dieu sur la création, y compris le ciel à partir duquel elle s'exerce. Ce qui distingue essentiellement le ciel et la terre, c'est que dans le ciel la volonté de Dieu s'exerce déjà sans obstacle, tandis que sur terre, il faut prier pour qu'elle s'accomplisse aussi de la même façon[4].

---

1. Cf. Jn 8, 23 et 13, 1.
2. Cf. Col 3, 1-2 ; Ph 3, 14.
3. Cf. Mt 5, 34 ; 23, 22 ; Ac 7, 49 ; He 8, 1.
4. Cf. Mt 6, 10.

Le ciel est déjà placé sous le régime du Royaume de Dieu qui reste encore à venir sur la terre. Aussi est-ce du ciel que partent les révélations qui se font encore dans l'histoire[1]. Au baptême de Jésus, les cieux se sont ouverts, car en lui les événements eschatologiques qu'ils renfermaient, ont fait leur irruption sur la terre[2]. En ce sens, ce qui est céleste est synonyme de divin et d'eschatologique. Jean dit que « nul, à moins de naître d'en-haut, ne peut voir le Royaume de Dieu »[3], ce qui a encore pour synonyme : naître « de Dieu »[4] ou « de l'Esprit », « de l'eau et de l'Esprit »[5], c'est-à-dire de la vie éternelle donnée dans la foi au Christ. Le ciel renferme aussi les réalités du salut qui doivent encore se manifester. C'est ainsi qu'il faut interpréter la mention de la Jérusalem céleste, qui est, par excellence, la figure eschatologique du Royaume de Dieu. Paul oppose la Jérusalem actuelle, celle qui a interprété l'alliance selon la chair et qui représente le peuple juif, à la Jérusalem « d'en haut » qui a enfanté les enfants de l'alliance selon l'Esprit et, dans laquelle les chrétiens voient leur mère. Ceux qui sont entrés dans cette nouvelle alliance se sont approchés, selon l'*Épître aux Hébreux*, « de la montagne de Sion, de la cité du Dieu vivant, de la Jérusalem céleste... »[6]. Pour montrer que ces réalités eschatologiques n'appartiennent pas à un monde supérieur opposé à un monde dégradé selon un dualisme spatial, il suffit de rapprocher ce dernier texte de quelques versets plus loin où le même auteur précise que la cité recherchée, et qui n'est pas « ici », ne se trouve pas non plus dans quelque « au-delà », mais qu'il s'agit d'une « cité à venir »[7]. A quoi Paul fait écho en disant : « Notre cité se trouve dans les cieux, d'où nous attendons ardemment comme sauveur, le Seigneur Jésus-Christ »[8]. C'est cette même réalité eschatologique que l'auteur de l'*Apocalypse* voit descendre du ciel, d'auprès de Dieu dans sa vision anticipée de la fin[9]. Dans le même contexte de représentation, Paul, en parlant du corps « spirituel » et glorieux qui sera celui des ressuscités à la fin des temps, peut dire, en l'opposant au corps actuel qu'il appelle sa « demeure terrestre » : « Nous avons une maison qui est l'œuvre de Dieu, une demeure éternelle qui n'est pas faite de main d'homme et qui est dans les cieux »[10]. Le propre de ces catégories mentales est moins d'opposer le ciel à la terre, que d'ex-

---

1. Cf. Mc 1, 11 ; 2 P 1, 18 ; Ap 10, 4.8 ; 14, 13, etc.
2. Cf. Mt 3, 16 ; Jn 1, 51 ; Ap 19, 11.
3. Jn 3, 3.7.
4. Jn 1, 13 ; 1 Jn 2, 29 ; 3, 9 ; 4, 7 ; 5, 18.
5. Jn 3, 5.6.
6. He 12, 22-23.
7. He 13, 14.
8. Ph 3, 20.
9. Ap 21, 1-2.
10. 2 Co 5, 1.

primer le rapport entre la volonté éternelle de Dieu et le stade actuel de
son accomplissement dans le temps. Il n'est jamais question, comme
dans la gnose, de l'opposition de deux univers hostiles et impénétrables.
Dans le cas présent, les expressions renvoyant à un schème spatial sont
relativisées par rapport à l'objet qu'ils veulent exprimer, c'est-à-dire
les réalités du salut dont la spécifité est de se déployer dans le temps. Ce
que la mentalité orientale désigne par le ciel, c'est la conscience que le
Royaume de Dieu à venir existe déjà et que, à mesure que sont manifestées
les initiatives ultimes de Dieu, ce Royaume se rapproche. Pour représenter l'eschatologie, les auteurs apocalyptiques voient se rejoindre ces
deux grandeurs que le temps séparait. Tantôt c'est la Jérusalem céleste
qui descend du ciel sur la terre[1], tantôt c'est la création terrestre qui est
élevée jusqu'au ciel. Lors de la parousie, selon Paul, en effet, les élus seront
« emportés sur des nuées pour rencontrer le Seigneur dans les airs »[2].

L'EXPRESSION COSMIQUE DE LA RÉDEMPTION

1. *La descente du ciel*

Ce langage cosmologique devient particulièrement significatif lorsqu'il est employé pour exprimer les dimensions cosmiques de l'œuvre
du Sauveur. Rattachées au Christ historique, ces représentations de la
descente du ciel, puis du retour au Père prennent leur véritable sens. Mais
ces schèmes n'ont point de signification indépendamment de la foi dans
la réalité concrète qu'ils veulent expliciter. Si ces schèmes mentaux, pris
en eux-mêmes, devaient représenter la substance de la foi, on pourrait
à juste titre parler de mythologie. Dans le Christianisme primitif, l'œuvre
du Christ qui va de l'incarnation par la rédemption à l'ascension a été
parfois décrite selon un schème apparenté au mythe gnostique du Sauveur
céleste, venant du ciel divin et traversant les sphères planétaires pour venir
apporter le salut et remonter par tous les espaces pour retourner d'où
il est venu. Cette représentation est particulièrement nette dans l'évangile
johannique. Le Christ préexiste en Dieu[3], il est envoyé dans le monde
par le Père[4]; sa venue dans le monde[5] a pour objet d'enseigner les
« choses célestes »[6] et d'accomplir la volonté du Père[7]; après quoi

---

1. Cf. Ap 21, 1-2.
2. 1 Th 4, 17.
3. Jn 1, 2 ; 8, 26 ; 10, 30.
4. Jn 3, 17-34 ; 5, 36-43 ; 6, 29 ; 7, 29 ; 8, 42 ; 9, 7 ; 10, 36 ; 11, 42 ; 17, 3.25.
5. Cf. Jn 1, 8-14 ; 3, 19 ; 9, 39 ; 12, 46.
6. Jn 3, 12.
7. Jn 4, 34.

il doit retourner vers le Père[1]. Jésus sait d'où il est venu et où il va[2] ; il sait qu'il est « d'en-haut » ; là où il va, personne ne peut venir[3]. Il n'est pas « du monde », mais c'est « de Dieu » qu'il est issu[4]. Ce voyage cosmique est décrit en des termes plus précis encore dans le judéo-christianisme pour qui l'incarnation du Christ et la glorification du ressuscité sont exprimés par des catégories cosmologiques. L'Incarnation est décrite comme une descente du ciel sur la terre. Or, le ciel, nous l'avons vu, est à la fois la demeure de Dieu et le lieu d'où partent les révélations. Cette descente comporte la traversée des sphères célestes, chacune contrôlée par un ordre angélique selon une image du cosmos devenue courante dans le judaïsme. L'*Ascension d'Isaïe* présente le Seigneur recevant du Père l'ordre de sortir du septième ciel, de traverser tous les cieux et de descendre jusqu'à la terre. Mais la traversée du Fils doit rester cachée aux Anges. C'est pourquoi le Père lui dit : « Tu te transformeras selon la forme de tous ceux qui sont dans les cinq cieux et tu veilleras à te transformer selon la forme des anges du firmament »[5]. Le Fils, pour ne pas être reconnu prend donc l'aspect des anges qui président à chaque ciel. Arrivé au firmament, il donne le mot de passe au prince de ce monde et prend aussi la forme des anges déchus. De même, sur terre, il se fait homme pour ne pas être reconnu des hommes[6]. Selon la cosmologie judaïque courante, les sphères célestes au-dessus du firmament sont gouvernées par des anges bons, les démons se réservant le domaine du monde. En revanche, dans d'autres textes, s'impose une représentation plus nettement gnostique. Pour Jean, le ciel est « au-dessus » de tout, coupé de la terre. Il est la patrie du Fils de l'Homme qui n'appartient pas au cosmos de la création. Or, parlant de son ascension, Jésus dit : « Nul n'est monté au ciel hormis celui qui est descendu du ciel, le Fils de l'Homme qui est au ciel »[7]. Après son Incarnation, le Fils ne continue pas moins de vivre dans le ciel. Son image céleste y demeure et il s'y réunira à nouveau à son retour. En descendant sur la terre, le Sauveur a rompu l'isolement dans lequel cette dernière était placée par rapport au ciel divin.

Dans la même foulée de la descente du Fils, le judéo-christianisme a forgé la doctrine selon laquelle le Christ, après sa mort, est descendu dans

---

1. Jn 7, 33 ; 8, 21 ; 12, 35 ; 13, 3 ; 16, 5 ; 17, 11.13 ; 20, 17.
2. Jn 8, 14.
3. Jn 8, 22-23.
4. Cf. Jn 8, 42.
5. Asc. Is. 10, 9-10.
6. *Id.*, 10, 29 et 11, 17. Cf. Ep. Apôtres 24 ; Ignace, Eph. 19, 1 ; Irénée, Dém. 34.
7. Jn 3, 13.

le shéol pour y annoncer le salut aux âmes des morts[1]. Cette doctrine qui ne figure pas dans le Nouveau Testament et qui n'apparaît qu'au IIe siècle, veut exprimer l'universalité du salut dans le Christ s'étendant aussi bien à l'humanité déjà morte qu'à celle qui doit encore voir le jour[2]. Cette représentation présuppose la croyance dans le shéol comme royaume des morts souterrain déjà courante dans l'Ancien Testament. Cette descente est aussi quelquefois l'occasion de la victoire sur les puissances mauvaises localisées dans les enfers[3]. Les catégories de la cosmologie judéo-chrétienne servent ici à mesurer toute l'ampleur de l'œuvre salvifique du Christ, dont les effets s'étendent à toutes les parties de l'univers spatialement, mais aussi dans sa profondeur temporelle, aux hommes morts depuis les origines et qui ont attendu jusqu'au Christ l'instant de leur délivrance.

2. L'ascension céleste

Le schème cosmologique de l'ascension est encore appliqué par le judéo-christianisme au Christ glorifié après sa mort. En ce sens, il est synonyme de l'idée de résurrection. Ascension et résurrection apparaissent ainsi intimement liées. La résurrection du Christ d'entre les morts est toujours annoncée dans le kérygme primitif comme une « exaltation » à la droite du Père[4]. Le Christ ressuscité des morts devient un être céleste. La victoire qu'il a remportée sur la mort fait de lui, par opposition au premier homme issu de la terre, « le second homme (qui), lui, vient du ciel »[5]. Les textes les plus anciens ne distinguaient pas la résurrection de l'exaltation céleste. Dans l'*Évangile de Pierre*, on lit encore cette annonce des anges aux femmes près du tombeau de Jésus : « Il n'y est pas, car il est ressuscité et il est parti vers le lieu d'où il avait été envoyé »[6]. Dans la première épître de Paul, le Christ ressuscité d'entre les morts est celui que l'on attend maintenant « du ciel » de la parousie[7]. Plus tard, résurrection et ascension sont distinguées, mais ont encore lieu le même jour de Pâques[8]. Enfin, l'ascension du Glorifié est liée à son retour définitif

---

1. Cf. Asc. X, 8-10 ; Ep. Apôtres, 38 ; Ignace, Magn. 9, 2 ; Justin, Dial. 72, 7. L'étude des origines de cette croyance a été faite par W. BIEDER, *Die Vorstellung von der Höllenfahrt Jesu Christi*, Zürich, 1949.
2. Cf. Ev. de Pierre, 41-42 ; Irénée, Adv. Haer. IV, 27-2.
3. Cf. Test. Lévi 4, 1 ; Dn 5, 10-11, etc.
4. Ac 2, 33 ; 7, 55-56 ; Rm 8, 34 ; Ep 1, 20 ; Col 3, 1 ; 1 Th 4, 16 ; He 8, 1 ; 10, 12.
5. 1 Co 15, 47.
6. Ev. Pierre 56 ; cf. Test. Benj. 9, 5.
7. 1 Th 1, 10.
8. Cf. Ps.-Barnabé, 15, 9 ; Aristide, Apol. 15.

après une période de temps variable[1]. Cette élévation est elle-même décrite dans le cadre des théophanies bibliques avec la présence de la nuée qui caractérisera aussi le retour du Fils de l'Homme à la parousie[2].

Or, cette remontée vers le ciel donne elle-même lieu à une imagerie cosmologique. L'*Épître aux Hébreux* voit le Christ traversant les cieux qu'il appelle une « tente.. non faite de mains d'hommes (et) qui n'est pas de cette création », pour se rendre une fois pour toutes dans le sanctuaire, devant la face de Dieu[3]. Ces cieux remplis d'anges sont le domaine des réalisations eschatologiques; ils ne passeront plus[4]. L'exaltation du Ressuscité est le signal que l'ère des accomplissements a commencé. Pour Paul, la montée à travers les cieux est l'occasion de la victoire du Christ sur les puissances célestes mauvaises qui tenaient le monde isolé de Dieu. « Et celui qui est descendu, c'est le même qui est aussi monté au-dessus de tous les cieux, afin de remplir toutes choses »[5]. Cette imagerie est gnostique. Les cieux ne sont pas le but, mais le lieu de passage du Glorifié. En traversant les sphères célestes, le Christ déploie sa victoire sur les puissances hostiles, « les donnant en spectacle à la face du monde, en les traînant dans son cortège triomphal »[6].

Or, la descente et l'ascension du Sauveur ne sont dans tous les cas que l'expression cosmologique de la foi en la résurrection réelle du Christ. Le Christ ressuscité est le principe de la création nouvelle et définitive qui préexiste déjà dans le ciel. Le corps « spirituel » ressuscité appartient à l'ordre du salut que le ciel renferme. La résurrection est une exaltation céleste. Avec elle le Royaume de Dieu, accompli dans le ciel, est inauguré sur la terre. En elle, Jésus fait éclater la puissance de sa condition divine, ce qui est la preuve qu'il est une révélation qui vient du ciel. A partir de ce point central de sa manifestation, l'incarnation et l'ascension, c'est-à-dire son entrée et sa sortie de la scène de l'histoire terrestre, apparaissent à leur tour en relation avec le ciel. C'est en tant qu'exalté à la droite « du Père » qu'il confirme sa qualité de Verbe préexistant déjà descendu du ciel à l'incarnation. Traub fait très justement remarquer que c'est parce que le Christ est attendu au ciel comme corps glorieux que l'on croit qu'il vient du ciel pour l'incarnation, et non le contraire[7]. C'est enfin en tant que ressuscité qu'il est attendu dans la figure eschatologique

---

1. Mc 16, 19; Lc 24, 51; Ac 1, 2.9.11. Après 545 jours selon Asc. Is. 9, 16-19; dix-huit mois selon le gnostique Ptolémée (Irénée, I, 3, 2) et les Ophites (*Id.* I, 30, 14).

2. Mt 24, 30; 1 Th 4, 17; Ap 14, 14-16.

3. He 9, 11-12; cf. 4, 14; 9, 23-24.

4. He 12, 26; cf. 1, 10-12.

5. Ep 4, 10.

6. Col 2, 15.

7. TWNT 5, p. 512, 543.

du Fils de l'Homme venant du ciel au jour de sa parousie glorieuse [1]. P. Benoît affirme de même que dans la question de l'ascension, le point essentiel est l'accession invisible du Christ au monde divin, le départ de cette terre n'en représentant que l' « aspect secondaire » [2]. Par là même on voit que les considérations cosmologiques relatives à l'œuvre salvifique du Christ, si elles sont de structure mythique, n'en sont pas moins étroitement subordonnées à la réalité de l'existence de Jésus et, en l'occurrence, à la foi dans la réalité de sa résurrection. Les schèmes cosmologiques renvoient ici à des structures mentales bien définies où dominent les représentations judaïques du cosmos, elles-mêmes déjà plus ou moins teintées d'influences gnostiques. Dans le Nouveau Testament, ils constituent un langage apte à exprimer la conscience de l'universalité du salut étendu par le Christ à l'ensemble du cosmos. Ils n'affectent pas le contenu de la foi, dont l'objet reste le Jésus historique. Ils tentent seulement d'en cerner les conséquences les plus inexprimables.

Ces remarques confirment la manière générale dont les premiers chrétiens ont élaboré leur conception du cosmos en tant que création matérielle et spatiale. Le cosmos n'est jamais l'objet d'un intérêt religieux pour lui-même. Sur sa forme, sur sa structure, sa disposition, les chrétiens puisent dans le fonds des représentations diverses et même contradictoires de leurs contemporains. Le cosmos ne les intéresse qu'en tant qu'il contient un enseignement sur Dieu. Jamais il n'est un obstacle entre les hommes et Dieu pour cette raison qu'il n'existe que dans une relation de dépendance par rapport à Lui. Or, l'événement du salut a jeté sur cette relation une lumière tout à fait nouvelle. La finalité de la création s'éclaire dans l'acte de la rédemption qui, lui-même, est l'annonce d'une régénération cosmique. Le cosmos révèle la toute-puissance continuellement agissante de son Créateur. Avec le Christ, dont témoigne la race des chrétiens, il est entré tout entier dans l'ère du salut, création désormais ancienne en puissance de sa propre résurrection.

---

1. Cf. 1 Th 1, 10 ; Ph 3, 20 ; Tt 2, 13 ; 1 Co 1, 7 ; Col 3, 2.
2. *L'Ascension*, R.B. 5, 1949, p. 195.

CHAPITRE II

LE SIÈCLE PRÉSENT

LA SIGNIFICATION NOUVELLE DES DEUX AIÔNES

Dans le Christianisme, comme dans le Judaïsme, la représentation du monde comme *cosmos* spatial est inséparable de la notion de temps. Le cosmos qui a eu un commencement, connaîtra aussi une fin. Il n'est point éternel ; le temps, dans la trame duquel il est tissé, constitue sa substance même. Chez les Synoptiques, le temps du monde est simplement appelé l'αἰών[1]. Il s'étend de la création à la fin du monde, ou encore, selon deux expressions qui leur sont chères, depuis « la fondation du *cosmos* »[2] jusqu'à « la consommation de l'*aiôn* »[3]. Ainsi *cosmos* et *aiôn*, lorsqu'il s'agit de désigner l'univers, sont-ils synonymes, le premier terme recouvrant une représentation spatiale, le second sa durée temporelle. Le Nouveau Testament, à l'exception de Jean, reprend la terminologie apocalyptique des *deux aiônes*. Pour distinguer le monde actuel du monde à venir, on l'appelle alors « cet aiôn-ci, οὗτος ὁ αἰών »[4], « l'aiôn présent, ὁ νῦν αἰών »[5], « l'aiôn actuel, ὁ ἐνεστὼς αἰών »[6], ou encore « le temps présent, ὁ νῦν καιρός »[7], « ce temps-ci, ὁ καιρός οὗτος »[8]. Chez Jean le temps présent n'est jamais

---

1. Sur l'emploi de ce mot dans le N.T. : SASSE, *Aiôn*, TWNT 1, 197-208 ; *Aiôn*, RLACh 1, 193-204 ; A. P. ORBAN, *op. cit.*

2. Mt 25, 34 ; Lc 11, 50 ; cf. Jn 17, 24. Ou « depuis le commencement du monde » : Mt 24, 21 ; cf. Rm 1, 20.

3. Mt 13, 39.40.49 ; 24, 3 ; 28, 20.

4. Mt 12, 32 ; Lc 16, 8 ; 20, 34 ; Rm 12, 2 ; 1 Co 1, 20 ; 2, 6.8 ; 3, 18 ; 2 Co 4, 4 ; Ep 1, 21.

5. 1 Tm 6, 17 ; 2 Tm 4, 10 ; Tt 2, 12.

6. Ga 1, 4.

7. Rm 3, 26 ; 8, 18 ; 11, 5 ; 2 Co 8, 14.

8. Mc 10, 30 ; Lc 18, 30.

désigné par *aiôn*, mais par l'expression « οὗτος ὁ κόσμος, ce cosmos-ci »[1], qui lui est synonyme. Paul connaît aussi, parallèlement à l'emploi de *aiôn*, l'expression préférée de Jean. Il parle même de l'αἰών τού κόσμου τοῦτου [2]. Les termes de *cosmos* ou de *kairos* ne sont jamais employés, en revanche, pour désigner le monde à venir [3]. Il est toujours « l'aiôn à venir, ὁ αἰών ὁ ἐρχόμενος »[4], « l'aiôn futur, ὁ αἰών μέλλων »[5], « cet aiôn-là, ὁ αἰών ἐκείνος »[6].

Lorsque cet *aiôn-ci* sera consommé, et avec lui le *cosmos*, viendra un *aiôn* nouveau dont on sait qu'il n'aura pas de fin. On remarquera au passage le caractère linéaire et irréversible du temps du monde ainsi conçu[7]. Rien ne lui serait plus opposé que la conception grecque du temps cyclique traçant par un éternel retour sur lui-même la forme parfaite de l'éternité. Mais il faut surtout souligner que si le Christianisme a retenu du Judaïsme apocalyptique la notion des *deux aiônes*, il a définit leur contenu respectif et surtout leurs rapports mutuels selon des données entièrement nouvelles. Dans l'apocalyptique, le point culminant de l'histoire du salut se situait à la *fin* du présent aiôn. Que ce soit sous la forme de la restauration nationale où à la suite de bouleversements cosmiques, l'aiôn à venir, bien que proche, gisait toujours entièrement dans le futur. Or, dans le Christianisme, le paroxysme de l'histoire du salut n'est plus lié à la consommation de l'aiôn présent, mais il se déplace de la fin vers le *centre* même du temps de cet aiôn, pour atteindre sa plénitude dans les événements historiques de la vie du Christ, entre l'Incarnation et l'Ascension. Le temps du monde présent connaît donc un *pôle* à partir duquel le temps qui remonte dans le passé jusqu'à la création, et qui s'étire dans le futur jusqu'à la consommation, s'ordonne et se définit. Or, le propre de la venue du Christ dans le temps du monde est de signifier que la « plénitude des temps » est *déjà* là, et de permettre à ceux qui croient en lui, de vivre *dès maintenant* de la ζωὴ αἰώνιος, la vie incorruptible de l'aiôn à venir.

Ceci soulève le problème de l'*eschatologie* chrétienne telle qu'elle apparaît dans le Nouveau Testament. Il a donné lieu à un long débat exégétique depuis les trente dernières années dont O. Cullmann a fait le point[8]. Comme

---

1. Jn 8, 23 ; 9, 39 ; 11, 9 ; 12, 25.31 ; 13, 1 ; 16, 11 ; 18, 36 ; 1 Jn 4, 17. Cf. chez Paul : 1 Co 3, 19 ; 5, 10 ; 7, 31 ; Ep 2, 2.

2. Ep 2, 2.

3. Barn. 15, 8 semble avoir été le seul à dire que le huitième et dernier millénaire marquera « le commencement d'un autre *cosmos* ».

4. Mc 10, 30 ; Lc 18, 30 ; cf. au pluriel : Ep 2, 7.

5. Mt 12, 32 ; Ep 1, 21 ; He 6, 5.

6. Lc 20,35.

7. Sur la conception biblique du temps, l'ouvrage fondamental est celui d'O. CULLMANN, *Christ et le temps*, Paris-Neuchâtel, 2ᵉ éd., 1957.

8. *Le salut dans l'histoire*, Neuchâtel-Paris, 1966, p. 23-58.

il l'a bien montré, on arrive à des conclusions très différentes selon que l'on fait porter l'accent exclusivement sur tel ou tel aspect de l'eschatologie néotestamentaire, ou que l'on cède à des *a priori* exégétiques ou même philosophiques. On en vient alors inéluctablement à dissocier l'espérance eschatologique de l'Église primitive de la prédication de Jésus en y voyant un développement parasitaire étranger à sa pensée et à ne considérer que l'un ou l'autre aspect de son enseignement sur les deux « aiônes ». La meilleure méthode reste encore de tenir compte de tous les logia dont il n'y a pas de raison de douter qu'ils nous transmettent l'enseignement authentique de Jésus. Dans les Évangiles, il n'y a pas à proprement parler d'enseignement du Christ sur les deux aiônes en tant que tels. L'objet de sa prédication est le Royaume de Dieu. Or, dans sa prédication, le Royaume de Dieu est présenté *à la fois* comme une réalité *eschatologique* et comme une réalité *présente*. La pensée chrétienne sur le temps du monde serait totalement incompréhensible si on ne la reliait à la fois aux deux termes indissociables par lesquels le Royaume de Dieu, objet d'espérance future et inséparablement réalité inaugurée dans le temps de l'histoire, est présenté dans l'enseignement de Jésus[1].

LE ROYAUME DE DIEU DANS LA PRÉDICATION DE JÉSUS

1. *Son aspect présent*

Selon Marc, Jésus inaugure sa mission messianique en Galilée, « prêchant l'Évangile de Dieu » et disant « que le temps est accompli et que le Royaume de Dieu s'est approché »[2]. Dans ce logion le présent et le futur apparaissent déjà comme les deux termes inséparables servant à désigner le même objet de la prédication de Jésus. Pour lui, la plénitude des temps du salut est venue dans le monde avec sa personne. Par l'exercice de son ministère messianique, il a donné le point de départ à la venue du Royaume qui reste en même temps une réalité future. Pour Jésus, dans sa conscience d'être le Messie, le Royaume de Dieu futur commence à s'instaurer par ses œuvres. Par son ministère, qui inaugure l'ère eschatologique, le Royaume est déjà en train de s'accomplir. Ses œuvres sont la réalisation des annonces prophétiques concernant les temps messianiques. A la question des disciples de Jean, lui demandant s'il est bien « celui qui doit venir », Jésus se contente de répondre par le rappel de ses œuvres dans lesquelles tous reconnaissent les signes prédits pour les temps messianiques[3]. Il se présente lui-même comme celui qui vient accomplir sur ce point les Écri-

---

1. K. L. SCHMIDT, *Basileia*, TWNT 1, 579-595.
2. Mc 1, 14-15.
3. Cf. Is 35, 5-6 ; 26, 19 ; 29, 18, etc.

tures [1]. Avec lui, le salut est là dans sa plénitude. Cette vérité est sous-jacente à tout son enseignement eschatologique. J. Jérémias pense qu'il s'agit là de l'une des « idées maîtresses » des paraboles de Jésus [2]. Elle s'exprime par la multiplication des images du temps du salut invétérées dans la tradition juive. C'est le temps des noces où l'époux est présent [3] ; où les pêcheurs, pour lesquels le Messie est venu comme médecin [4], sont convoqués au repas messianique [5].

C'est le temps où coule le vin nouveau qui fait éclater les vieilles outres, où il ne s'agit plus de raccommoder un vieux manteau avec la pièce de drap neuve [6]. C'est le temps où les disciples ont à communiquer au monde la lumière qu'ils ont eux-mêmes reçue, comme une lampe qui brille du haut du chandelier [7]. C'est encore le temps de la moisson où le blé sera séparé de ses bales sur l'aire à vanner [8]. Et enfin, conformément à l'espérance davidique, c'est le Messie qui fait son entrée royale à Jérusalem [9]. Entre autres dons du salut, les péchés sont maintenant pardonnés [10] ; les esprits impurs sont chassés [11] ; les possédés sont délivrés de leurs démons [12]. Jésus voit le Royaume de Dieu s'accomplir au fur et à mesure qu'il porte des coups décisifs à l'Empire que Satan exerce sur le monde [13]. En réalité, le Royaume est déjà là puisque la victoire sur Satan est déjà acquise. Aux soixante-douze disciples revenant d'une mission d'évangé-lisation, Jésus dit : « Je voyais Satan tomber du ciel comme l'éclair » [14]. Plus loin il dit clairement : « Si c'est par les doigts de Dieu que j'expulse les démons, c'est qu'alors le Royaume de Dieu est arrivé pour vous » [15].

Parce qu'il réalise déjà la victoire sur Satan, Jésus rend présent le Royaume de Dieu ; mais parce que cette victoire ne sera consommée qu'à la fin, ce Royaume anticipé dans son œuvre, reste en même temps placé dans l'avenir. Ce qui est clair, c'est que le Royaume de Dieu qui sera établi dans sa plénitude après la « consommation de l'aiôn », n'est pas seule-

---

1. Lc 4, 17-21. Cf. Is. 61, 1-2.
2. J. JEREMIAS. *Les Paraboles de Jésus,* Lyon, 1962, p. 120-127.
3. Mc 2, 19.
4. Mc 2, 17 ; Mt 9, 12 ; Lc 5, 31.
5. Mc 2, 15 s ; Mt 9, 10 s ; Lc 5, 29 s.
6. Mc 2, 21-22.
7. Mc 4, 21 ; Mt 5, 15 ; Lc 8, 16.
8. Mt 3, 12 ; Lc 3, 17.
9. Mc 11, 1-10 ; Mt 21, 1-11 ; Lc 19, 28-38 ; Jn 12, 12-16.
10. Mc 2, 5-7.
11. Mt 12, 28, etc.
12. Lc 13, 16, etc.
13. Cf. *infra,* p 119 sq.
14. Lc 10, 18.
15. Lc 11, 20.

ment lié à la durée sans fin du siècle à venir. Il commence avec l'œuvre messianique du Christ. Jésus peut regarder comme déjà accomplie dans son œuvre la totalité du dessein salvifique de Dieu dont la consommation gît cependant encore dans l'avenir. Il est lui-même le Royaume de Dieu inauguré dans le siècle présent qui continue à suivre son cours. C'est ainsi que, d'après Luc, Jésus peut donner aux Pharisiens l'interrogeant insidieusement sur le « moment » où arriverait le Royaume, cette réponse : « La venue du Royaume de Dieu ne se laisse pas observer, et on ne saurait dire : Le Voici ! Le voilà ! car, sachez-le, le Royaume de Dieu est parmi vous »[1].

2. Son aspect futur

Le caractère futur du Royaume est parallèlement affirmé dans un grand nombre de logia. Il explicite le second aspect de la prédication eschatologique de Jésus, inséparable du premier. Nous avons vu que par son œuvre, Jésus rendait le Royaume « plus proche »[2]. Il n'en reste pas moins que le siècle à venir n'est pas encore là et que l'établissement du Royaume dans sa plénitude est encore à attendre. Les *logia* ne manquent pas où il est parlé du Royaume au futur. La prière même du Pater invoque le règne de Dieu comme une réalité à venir que l'on supplie Dieu de rendre présente[3]. Dans les Synoptiques, cette venue du Royaume de Dieu définitif est liée à celle du « Fils de l'Homme » : « Alors on verra le Fils de l'Homme venir dans des nuées avec grande puissance et gloire »[4]. Comme l'apocalyptique juive, Jésus annonce qu'à la fin de cet aiôn-ci, le « Fils de l'Homme » descendra du ciel pour juger les hommes. Pour un premier groupe de logia néotestamentaires, le Fils de l'homme est une figure purement eschatologique et céleste. Dans la tradition apocalyptique, il a pour rôle de venir à la fin des temps restaurer le règne de Dieu sur l'humanité, en exerçant le jugement. La « puissance », la « gloire » et la « royauté » lui appartiennent en propre[5]. Jésus annonce sa venue à la fin du temps présent et son rôle de juge[6]. Cette venue sera aussi éblouissante que l'éclair[7] ; aussi imprévue que le déluge aux jours de Noé[8]. Elle surpren-

---

1. Lc 17, 20-21 (ἐντὸς ὑμῶν : dans ce contexte polémique, le sens ne peut pas être « à l'intérieur de vous » : il parle aux Pharisiens ; mais se ramène bien à la présence de Jésus parmi les hommes).
2. Cf. Mc 1, 15 ; Mt 3, 2 ; 4, 17 ; 10, 7 ; Lc 10, 9-11 ; Mc 9, 1, etc.
3. Mt 6, 10.
4. Mc 13, 26 ; cf. Mt 24, 30 ; Lc 21, 27, etc.
5. Cf. Dn 7, 13-14.
6. Cf. Mc 8, 38 ; Mt 10, 32-33 ; Lc 12, 8.
7. Mt 24, 27 ; Lc 17, 24.
8. Mt 24, 37-39 ; Lc 17, 26s

dra les fidèles eux-mêmes comme un voleur la nuit [1]. Or, le titre apocalyptique de Fils de l'Homme, Jésus se l'applique à lui-même [2], soit en se référant à l'œuvre eschatologique future, soit en pensant à sa mission terrestre actuelle. Le Fils de l'Homme à venir, c'est lui. C'est une méthode aléatoire que d'attribuer l'identification du Fils de l'Homme eschatologique avec Jésus à une création de la communauté primitive. Il est vrai cependant que la notion de parousie du Christ liée à celle de la venue du Fils de l'Homme a connu un grand développement dans la communauté palestinienne ultérieure : Matthieu en est témoin. Il marque une préférence particulière pour ce titre christologique. Mais le même lien existe déjà chez Marc [3]. Ainsi, Jésus, qui, par son œuvre, a déjà rendu le Royaume de Dieu présent dans le monde, est le même qui reviendra à la fin des temps pour consommer son œuvre par le Jugement et l'établissement du Royaume en plénitude, « aux jours du Fils de l'Homme » [4]. Inversement, on peut dire que c'est parce qu'il a conscience d'être le Fils de l'Homme eschatologique qu'il peut présenter son œuvre messianique comme la restauration déjà actuelle du règne de Dieu sur l'humanité. Dans la pensée de Jésus le Jugement qui marquera le passage de cet aiôn-ci dans l'autre est donc attendu dans le futur [5]. Le Royaume de Dieu sera, par opposition au temps présent, le temps de la vie éternelle [6], de la résurrection [7], de la nouvelle naissance [8]. Il est comparé par le palestinien Matthieu au festin qui réunit Abraham, Isaac et Jacob [9]. On n'y prendra plus ni mari ni femme [10].

3. Son caractère proche

Non seulement Jésus affirme le caractère futur du Royaume de Dieu, mais ce futur est même un futur très rapproché. Sa venue est, en fait, tout-à-fait imminente. Nous avons vu que l'avènement du Fils de l'Homme sera une irruption soudaine. Cependant des signes la prépareront. Lorsque les signes prédécesseurs de la fin rapportés dans le Discours eschatologique [11] se seront manifestés, alors les disciples pourront se rendre compte

---

1. Mt 24, 43-44 ; Lc 12, 39-40.
2. Cf. Mt 8, 20 ; 11, 19 ; 17, 22-23 ; Lc 9, 44 ; Mt 17, 9, 20, 28 ; 24, 30 ; 25, 31, etc. Sur les problèmes soulevés par le titre de « Fils de l'Homme », voir O. CULLMANN, Christologie du N.T., p. 118-166.
3. Mc 13, 21.26.
4. Lc 17, 26.
5. Cf. Mc 8, 38 par ; Mt 7, 2 ; 10, 15 ; 11, 22 ; 12, 41 ; 19, 28, 24-40.
6. Mc 10, 30 ; Lc 18, 30.
7. Lc 20, 34.
8. Mt 19, 28.
9. Mt 8, 11.
10. Mc 12, 25 ; Mt 22, 30 ; Lc 20, 35.
11. Mc 13 ; Mt 24-25 ; Lc 21, 5-36.

que le « Royaume de Dieu est proche »[1]. Les cinq paraboles de la parousie expriment l'imminence de la catastrophe finale : le Fils de l'Homme viendra comme un cambrioleur nocturne[2], comme l'Époux qui surgit au milieu de la nuit prenant au dépourvu les cinq Vierges folles[3]. Il s'agit alors d'être prêt et de veiller, comme le portier chargé d'attendre le retour de son maître[4] et de rendre compte brusquement de sa vie comme le majordome de la gestion des biens de son seigneur[5], ou comme les serviteurs à qui furent confiés d'importantes sommes d'argent à faire fructifier[6]. La leçon de toutes ces paraboles est qu'il faut se tenir prêt et rester vigilant, « car c'est à l'heure que vous ne pensez pas que le Fils de l'Homme viendra »[7]. Troix textes donnent même à penser que Jésus attendait la venue du Royaume avant que ne passe sa propre génération. « Il en est d'ici présents qui ne goûteront pas la mort avant d'avoir vu le Royaume de Dieu venu avec puissance »[8]. Parlant des événements apocalyptiques, il dit plus loin : « Cette génération ne passera pas avant que tout cela ne soit arrivé »[9]. Mais il y a surtout le *logion* de Matthieu où la fin est liée à la mission que les disciples auront à faire en Palestine. « Vous n'achèverez pas le tour des villes d'Israël avant que ne vienne le Fils de l'Homme »[10]. O. Cullmann en conclut que Jésus pensait que quelques-uns de ses contemporains pourraient encore être témoins des événements de la fin[11]. Quant au point de savoir à quel moment précis ces choses arriveront, Jésus exclut formellement toute spéculation chronologique comme c'était devenu de tradition dans l'apocalyptique juive : « Quant à la date de ce jour, ou à l'heure, personne ne les connaît, ni les anges dans le ciel, ni le Fils, personne que le Père »[12]. Jésus pouvait donc prêcher un Royaume à la fois présent et futur. Bien qu'il songeait à une fin imminente, sa prédication fait état d'un délai temporel entre l'inauguration du Royaume en sa personne et sa consommation lors de sa parousie glorieuse. Ce temps très court est celui où les disciples ont à exercer une mission. « Car il faut d'abord que l'Évangile soit proclamé à toutes les nations »[13], c'est-à-dire « dans

---

1. Lc 21, 31 ; cf. Mc 13, 29 ; 24-33 portent « Il est proche », c'est-à-dire le Fils de l'Homme.
2. Mt 24, 43-44 ; Lc 12, 39 s.
3. Mt 25, 1-13.
4. Mc 13, 33-37, Lc 12, 35-38.
5. Mt 24, 45-51 ; Lc 12, 41-46.
6. Mt 25-14-30 ; Lc 19, 12-27.
7. Mt 24, 44.
8. Mc 9, 1.
9. Mc 13, 30.
10. Mt 10, 23.
11. Cf. *Le Salut dans l'Histoire*, p. 210-221.
12. Mc 13, 32 ; Mt 24, 36.
13. Mc 13, 10.

le monde entier, en témoignage à la face des peuples. Et alors viendra la fin »[1]. L'aiôn présent est lui-même saisi par la tension eschatologique, car c'est dans ce laps de temps que les hommes sont appelés à se décider pour ou contre le Christ en reconnaissant ou en refusant de voir dans Jésus le Messie en qui est donné le salut. C'est sur ces traits de l'enseignement de Jésus que se greffe l'eschatologie chrétienne primitive.

LE PROBLÈME DU TEMPS INTERMÉDIAIRE

A vrai dire, on ne trouve pas dans les premiers textes chrétiens un enseignement eschatologique unifié ni complet. Mais de tous ces témoignages se dégagent des constantes qu'il faut repérer. Ainsi ne sera-t-on pas surpris de trouver des différences de conceptions assez notoires chez les auteurs du Nouveau Testament. Selon le degré d'élaboration de leur réflexion théologique, selon les sources dont ils dépendent, selon l'angle de perspective qu'ils adoptent, ils sont amenés à accentuer plus particulièrement tel ou tel aspect de l'enseignement eschatologique de Jésus. Aussi l'eschatologie chrétienne ne nous est-elle accessible que dans le faisceau des éclairages particuliers que projette sur elle les différentes traditions primitives. On y voit la pensée des premiers chrétiens aux prises avec les deux termes inséparables dans lesquels nous avons vu Jésus annoncer le Royaume : une réalité rendue déjà actuelle par l'œuvre rédemptrice du Christ, mais aussi une réalité dont l'accomplissement plénier ne sera donné qu'à la fin du siècle présent. L'élément nouveau qui caractérise la pensée eschatologique de l'Église primitive par rapport à la prédication de Jésus est que le temps intermédiaire qui avait été annoncé comme très bref semble devoir se prolonger. C'est sur la prolongation du délai de la parousie que se porte la réflexion du christianisme primitif. Des exégètes modernes ont vu dans ce retard de la parousie et dans la prétendue crise qu'il aurait provoquée la cause de la déformation totale que la communauté aurait fait subir à l'enseignement de Jésus. En fait la perspective d'une plus longue durée de temps intermédiaire n'a rien modifié d'essentiel. Les chrétiens ont continué à comprendre le temps qui les séparait de la fin dans la même tension où il apparaît dans les logia de Jésus. Il n'y a que deux passages dans le Nouveau Testament où apparaît une certaine déception devant le retard de la fin, mais c'est pour la dissiper. Dans l'Appendice du *Quatrième Évangile*, l'auteur rectifie une tradition qui courait au sujet de Pierre à qui Jésus aurait dit qu'il ne verrait pas la mort avant son retour[2]. D'autre part, on voit d'après la *Secunda Petri*[3] que l'attente toujours

---

1. Mt 24, 14.
2. Jn 21, 23.
3. 2 P 3, 3-13.

déçue de la fin était un sujet de raillerie pour certains chrétiens eux-mêmes accusant Dieu de retarder l'accomplissement de ses promesses. Or ces deux passages appartiennent aux écrits les plus tardifs du Nouveau Testament. Dans les évangiles et les écrits de Paul, il n'y a trace d'aucune crise grave. Le retard de la parousie, certes, est senti[1] ; il a même pu avoir une influence sur la formation de certains logia de Jésus dans un sens parénétique[2], mais il n'entraîne pas cette révision déchirante que les écoles de A. Schweitzer, de A. Dodd, ou de R. Bultmann lui ont supposée.

LA TENSION VERS L'ACHÈVEMENT

Malgré la dilatation du temps intermédiaire, l'eschatologie apocalyptique, caractérisée par la croyance en l'imminence de la fin, est loin d'être abandonnée[3]. Sur ce problème, l'évolution de la pensée de Paul est particulièrement révélatrice. Dans sa première épître (la *Première aux Thessaloniciens*, qui est aussi notre premier document chrétien, vers 51), il estime qu'il sera lui-même encore en vie lorsque le Seigneur reviendra. Les fidèles que la mort a surpris avant le retour glorieux du Christ et qui se sont endormis « en Jésus », y explique-t-il, ressusciteront les premiers. Mais lui-même se range au nombre de ceux que la parousie trouvera encore vivants : « Nous, les vivants, nous qui seront encore là pour l'Avènement du Seigneur, nous ne devancerons pas ceux qui seront endormis... »[4]. Quelques six années plus tard, il écrit encore aux Corinthiens que tous ceux de sa génération n'auront pas à passer par la mort avant d'accéder à la vie incorruptible : « Je vais vous dire un mystère : nous ne mourrons pas tous, mais tous nous seront transformés »[5]. Mais dans la *Seconde Épître aux Corinthiens*, postérieure à la première de quelques mois seulement, il laisse déjà entendre qu'il pourrait bien lui-même n'être plus là au dernier jour. Il espère toujours ardemment pouvoir revêtir directement sur ce corps mortel ou « psychique » le corps incorruptible ou « spirituel »[6] de la résurrection ; mais il ajoute, un peu désabusé, « si toutefois nous devons être trouvés vêtus, et non pas nus »[7], c'est-à-dire non pas comme les morts privés de leur corps terrestre, mais dans la condition des vivants.

---

1. Cf. Mt 24, 48 ; Lc 12, 41-46 : « Mon maître tarde », dit le mauvais serviteur dans la parabole du majordome. Mt 25, 5 : « L'époux attendu « tarde » à venir. Ailleurs le maître de maison ne rentre qu' « après un long délai » (Mt 25, 19). Cf. Ap 6, 10.

2. J. JEREMIAS pense que les cinq paraboles de la Parousie ont ainsi connu un glissement d'accent par rapport à leur sens primitif. *Les Paraboles de Jésus*, p. 57-72.

3. Sur l'ensemble de ce problème : O. CULLMANN, *Le retour du Christ, espérance de l'Église primitive selon le N.T.*, Neuchâtel, 1948.

4. 1 Th 4, 15 ; cf. 4, 17.

5. 1 Co 15, 51 ; cf. 15, 52.

6. Cf. 1 Co 15, 44.53-54.

7. 2 Co 5, 1-3.

Mais ce n'est pas parce qu'il a le sentiment que le temps semble devoir se prolonger que Paul abandonne sa foi apocalyptique. Qu'il doive assister à la Parousie de son vivant ou non, il reste convaincu que cet aiôn est sur le point de s'achever et que la fin est imminente. D'un côté il réagit contre les fausses interprétations que les Thessaloniciens avaient données à sa première lettre. Il ne leur a jamais dit « que le Jour du Seigneur est déjà là »[1]. Bien des signes le précéderont. Nul ne peut connaître ce jour[2]. Il viendra « comme un voleur en pleine nuit »[3]. Pourtant toujours, « le Seigneur est proche »[4], « le Seigneur vient : *Maran atha* »[5], et « le temps se fait court »[6]. « Vous savez en quel moment nous vivons... Le salut est maintenant plus près de nous qu'au temps où nous avons cru. La nuit est avancée, le jour s'est rapproché... »[7]. Le moment présent reste celui de l'attente ardente du Christ devant accomplir pleinement son œuvre salvifique déjà réalisée par sa mort et sa résurrection, c'est-à-dire enfin « transfigurer notre corps de misère en son corps de gloire »[8].

Cette tension impatiente vers l'achèvement définitif se retrouve chez d'autres auteurs du Nouveau Testament. Jacques recommande de patienter, « car l'Avènement du Seigneur est proche... Voyez : le Juge se tient aux portes »[9]. Pour la *Prima Petri*, « la fin de toutes choses est proche »[10]. L'*Épître aux Hébreux* voit aussi « s'approcher le Jour »[11]. Et l'auteur de l'*Apocalypse* lance ces cris d'avertissement : « Henreux le lecteur et les auditeurs de ces paroles prophétiques s'ils en retiennent le contenu, car le temps est proche ! »[12]. « Oui, mon retour est proche, tiens ferme ce que tu as », déclare la vision du Fils de l'Homme apocalyptique à l'Église de Philadelphie[13] ; et à celle de Laodicée : « Voici que je me tiens à la porte et que je frappe »[14]. La consommation du « mystère de Dieu » est imminente : « Plus de délai ! »[15]. Le verbe qui est le plus souvent employé dans

---

1. 2 Th 2, 2.

2. Cf. 1 Th 5, 1 s.

3. 1 Th 5, 2.4 ; cf. 2 P 3, 10 ; Ap 3, 3 ; 16-15.

4. Ph 4, 5.

5. 1 Co 16, 22.

6. 1 Co 7, 29.

7. Rm 13, 11-12.

8. Ph 3, 21.

9. Jc 5, 8-9.

10. 1 P 4, 7.

11. He 10, 25 ; cf. 10, 37.

12. Ap 1, 3.

13. Ap 3, 11.

14. Ap 3, 20.

15. Ap 10, 7.

le Nouveau Testament pour exprimer l'action des événements de la fin est ἐγγίζω, se rapprocher; devenir de plus en plus proche, ἐγγύς.

Le Royaume comme grandeur eschatologique est incessamment désiré comme l'accomplissement, la confirmation, la juste récompense de la foi actuelle des disciples. C'est parce qu'il vit déjà maintenant selon la loi du Royaume à venir que le disciple est convaincu de l'imminence absolue de son irruption définitive. C'est pourquoi il règle sa conduite comme quelqu'un qui s'y tient toujours prêt. Il n'y a pas d'eschatologie chrétienne qui ne tende impatiemment vers le futur qui verra la consommation de ce temps-ci. Mais cette attente ne doit jamais être un prétexte pour percer le secret de Dieu qui seul en connaît le terme. Ce serait la dénaturer. Elle est au contraire convaincue de la proximité et de la soudaineté de la venue du Fils de l'Homme comme d'une réalité qui confère sa vraie valeur eschatologique au temps présent. Cependant l'espérance eschatologique, toute tournée qu'elle soit vers l'avenir, n'est jamais pour le Nouveau Testament un prétexte pour exclure l'autre aspect de sa conception du Royaume de Dieu, qui est son caractère déjà présent.

LA CROISSANCE DU ROYAUME

Loin d'annuler l'espérance dans l'avènement futur du Royaume, la prolongation du délai de la Parousie stimule la réflexion chrétienne primitive et la conduit à donner au temps actuel de l'histoire un statut théologique qui n'était qu'esquissé dans la prédication du Christ. Tel est le véritable développement du message eschatologique de Jésus que l'Église primitive transmet aux générations à venir. Dans la conscience chrétienne, s'est développée peu à peu une nouvelle représentation de l'histoire du monde. Le point culminant de l'histoire n'est plus seulement, comme dans l'espérance apocalyptique juive, situé à la fin du temps quand Dieu jugera cet aiôn mauvais et étendra son Royaume, mais il se centre sur la personne du Christ en qui les desseins salvifiques de Dieu ont été réalisés et seront consommées. C'est le Christ déjà venu, et qui doit revenir au dernier jour, qui est le couronnement de l'histoire humaine selon Dieu, c'est-à-dire de l'histoire du salut. Avant Luc, cette conscience que le temps présent à sa place spécifique dans toute une histoire du salut voulue par Dieu n'est pas encore très claire. C'est elle pourtant qui déterminera la conception chrétienne du temps du monde. Elle est cependant déjà implicite. Marc, qui reste le plus proche du kérygme primitif, maintient les deux termes temporels dans lesquels Jésus prêchait le Royaume.

Pour lui, le Royaume de Dieu est une réalité mystérieuse, pour qui le temps présent est celui de la croissance, et de la croissance dans le secret[1].

---

1. Mc 4, 26-27.

Ce Royaume s'inscrit dès à présent dans l'histoire. Avec la prédication de Jésus, il « s'est approché »[1], et se manifeste toujours davantage dans les œuvres du Messie. Sa manifestation sera bientôt complète lorsque certains hommes de sa génération le verront « venir avec puissance »[2]. D'un terme à l'autre, l'eschatologie se réalise dans un développement continu. Chez Matthieu où l'accent est le plus fortement placé sur le caractère futur du Royaume de Dieu, et dont l'évangile culmine dans le Discours Apocalyptique, le Royaume est aussi à l'œuvre dès maintenant dans la mesure où il est inauguré par la fondation de l'Église[3] qui a reçu mission de faire « des disciples de toutes les nations »[4]. En réplique à la communauté théocratique fondée par Moïse à la descente du Sinaï[5], Jésus fonde la communauté eschatologique définitive « en l'alliance de son sang »[6]. C'est sur la foi de Pierre confessant la messianité de Jésus que le Christ édifie l'Église messianique définitive : « Sur cette pierre, je bâtirai mon Église » dans laquelle l'œuvre salvifique sur le point d'être réalisée (la Confession de Pierre est immédiatement suivie de l'annonce de la Passion : *Mt 16, 21-22*) est déjà en voie de s'actualiser. C'est pourquoi il ajoute : « Je te donnerai les clefs du Royaume des Cieux »[7]. La mission de la nouvelle communauté eschatologique dans ce temps qui précède la consommation finale sera d'ailleurs de courte durée[8] car la parousie, même si elle tarde, est prochaine.

L'HISTOIRE DU SALUT SELON PAUL

Paul a été le premier à interpréter toute l'histoire du monde dans la lumière des événements du salut. Le développement de l'aiôn présent du monde est compris tout entier en termes d'histoire du salut. Nous savons que dans la conviction de Paul le délai qui sépare la venue du Christ dans la chair de son retour glorieux est court, mais qu'il a aussi une signification redoutable : c'est le temps où l'Évangile doit être prêché au monde. Cette conviction, Paul l'a illustrée mieux que tout autre « apôtre » en parcourant inlassablement le monde romain, y suscitant des églises, y prêchant aussi bien dans les synagogues des Juifs que sur les places des grandes cités païennes, dirigeant par ses visites ou ses lettres les jeunes commu-

---

1. Mc 1, 15.
2. Mc 1,9.
3. Mt 13,53-17, 27.
4. Mt 28, 19.
5. Ex 34, 29.
6. Mt 26, 28.
7. Mt 16, 18-19.
8. Cf. Mt 10, 23.

nautés : « Annoncer l'Évangile est une nécessité qui m'incombe »[1]. Le premier, il porte l'Évangile hors des frontières du monde juif[2]. Si le délai se prolonge, c'est que la Bonne Nouvelle doit encore être annoncée aux païens. Cette mission, à mesure qu'il la réalise, apparaît à Paul comme voulue par Dieu dans sa volonté salvifique même : elle vient prendre sa place dans la trame des *kairoi* et des actes que Dieu a disposés dans le temps de l'histoire pour y accomplir le salut des hommes. Le moment présent de cet aiôn, qui vient s'intercaler entre la venue du Christ et son retour ardemment attendu n'est pas un neutre insignifiant : c'est proprement le temps eschatologique pendant lequel le salut réalisé une fois pour toutes est maintenant annoncé dans le monde entier. Paul considère sa mission d'évangélisation comme une οἰκονομία, une « disposition » qui entre dans un plan divin du salut[3]. Lui-même se définit comme « ministre » de l'Église « selon l'oikonomia de Dieu qui m'a chargé d'accomplir auprès de vous la parole de Dieu, ce mystère caché depuis les siècles »[4]. Ce mot connaîtra une grande fortune dans la réflexion postérieure sur l'histoire du salut. L' « économie » particulière pour laquelle Paul croit qu'il a été réservé est toujours en relation avec le dessein salvifique éternel de Dieu. Pour lui, elle consiste à annoncer aux païens le « mystère du salut » qui était caché depuis toujours en Dieu mais qui vient de se révéler pleinement, une fois pour toutes, « dans ce dessein éternel qu'il (Dieu) a conçu dans le Christ Jésus notre Seigneur »[5]. Par l'évangélisation qui est l'annonce du salut, est dévoilée « l'économie du mystère »[6] qui culmine dans le Christ. Le Christ apparaît comme le point central et l'aboutissement d'une économie salvifique qui englobe toute l'histoire depuis la création jusqu'à la consommation du monde. En lui s'éclaire et se réalise un projet de salut que Dieu avait conçu pour les hommes de toute éternité. Le passé (l'ancienne Alliance) et le futur (le temps de l'évangélisation) se révèlent l'un et l'autre à la lumière de cet événement central comme des phases distinctes de la même « économie du mystère ».

1. *Le centre de l'histoire*

Quand vint la plénitude des temps, Dieu envoya son Fils, né d'une femme, né sujet de la loi, afin de racheter les sujets de la loi, et nous conférer l'adop-

---

1. 1 Co 9, 16.
2. Cf. Ga 1, 16 ; 2, 2.8.9 ; Rm 1, 5 ; 11, 13 ; 15, 16-18 ; Ep 3, 8 ; Col 1, 27 ; Ac 9, 15, etc.
3. Cf. Ep 3, 2.
4. Col 1, 25-26.
5. Ep 3, 3-12.
6. Ep 3, 9.

tion filiale[1]. Tel est l'acte central de la rédemption : le Fils de Dieu se manifestant dans la chair[2], « une chair semblable à celle du péché et en vue du péché, a condamné le péché dans la chair »[3], pour restaurer l'humanité dans sa condition filiale par rapport au Père[4]. Or, le Fils est venu accomplir le mystère de la rédemption conformément à la volonté éternelle du Père à qui seul appartient l'initiative du salut, « selon le plan préétabli de Celui qui mène toutes choses au gré de sa volonté »[5]. Ce Fils lui-même préexiste aux siècles[6], « étant de condition divine »[7] « premier-né de toute créature »[8]. « C'est par lui que tout a été créé »[9]. C'est à lui que la création rachetée doit maintenant être soumise[10] pour qu'il la remette, création nouvelle, entre les mains du Père[11]. Par la mort et la résurrection du Christ, l'œuvre de la rédemption est accomplie : le fruit du péché, la mort, est anéantie[12], et la vie est rendue en plénitude à ceux qui croient : « Sa mort fut une mort au péché une fois pour toutes, mais sa vie est une vie à Dieu »[13]. Maintenant la Loi, destinée à conserver Israël dans le souvenir de la foi qu'Abraham avait jadis donnée à Dieu et pour laquelle il avait été justifié, doit le céder à la foi au Christ, objet et terme de la promesse divine[14].

2. Le passé d'Israël. La pédagogie de la Loi

Le passé religieux d'Israël est donc compris comme une étape d'un même plan de salut qui vient culminer dans le Christ. A partir de lui, ce passé est réinterprété : la Loi, dans cet éclairage nouveau, n'a eu d'autre but, que de préparer à la foi au Christ. C'est la conversion au Christ qui fait tomber le voile qui cachait la signification ultime de l'Ancien Testament[15]. L'erreur des Juifs qui ont refusé de croire que Jésus était le Messie est d'avoir voulu rester fidèles à la lettre de la Loi en tuant l'esprit[16]. Or l'esprit

---

1. Ga 4, 4-5 ; cf. Ep 1, 10 ; 1 Co 10, 11.
2. 1 Tm 3, 16.
3. Rm 8, 3.
4. Cf. Rm 8, 15.
5. Cf. Ep 1, 9-11.
6. Col 1, 18-20 ; Ep 1, 21-23 ; Ph 2, 9-11.
7. Ph 2, 6.
8. Col 1, 15.
9. Col 1, 16.
10. Ep 1, 10, etc.
11. Cf. 1 Co 15, 24-26.
12. 1 Co 15, 55-56.
13. Rm 6, 10.
14. Cf. Rm 4 ; Ga 3, 6-18.
15. 2 Co 3, 14-16.
16. 2 Co 3, 6.

de la Loi devait la conduire à agir selon « la justice de la foi »[1], et non à se retrancher derrière l'observance des formes extérieures d'un contrat. La conséquence qui en résulta fut que, sous le couvert de la Loi qui était bonne en elle-même, le péché s'introduisit dans leur cœur. En désobéissant à l'esprit de la Loi, ils l'ont interprétée selon leurs propres désirs, d'une manière « charnelle »[2]. Car la fidélité à l'esprit de la Loi incluait la foi au Christ, comme à son véritable fondement « car la fin de la Loi, c'est le Christ pour la justification de tout croyant »[3]. Le Christ Sauveur, objet de la promesse, a été pour l'Israël aveuglé, jugeant « selon la chair », une « pierre d'achoppement » et l'occasion de son « faux pas »[4]. Dans l'étape pré-chistique de l'économie divine, la Loi ne devait être qu'un moyen de maintenir vive et pure la foi en Dieu. Seul le « petit reste » d'Israël l'a compris en croyant pleinement que Jésus est le Messie attendu au terme de la Loi dont les prescriptions ne devaient être que l' « ombre des choses à venir »[5]. Demeuré fidèle à la « justice de la foi », il comprend que le régime de la Loi ne fut qu'une étape préparatoire à la révélation plénière du mystère du salut en Jésus. « Avant la venue de la foi, dit Paul en parlant des chrétiens, nous étions enfermés sous la garde de la Loi, réservés à la foi qui devait se révéler. Ainsi la Loi nous serait-elle de pédagogue jusqu'au Christ, pour que nous obtenions de la foi notre justification »[6].

Le passé d'avant le Christ est donc d'une part caractérisé par le règne universel du péché et de son fruit, la mort, et d'autre part, il est déjà une étape du salut, celle d'une préparation par la pédagogie de la Loi à la foi en l'acteur du salut lui-même, venu quand les temps furent « pleins », quand la préparation fut achevée. L'Écriture est adoptée comme un Ancien Testament. La nouveauté de la foi au Christ qui seule justifie devant Dieu se greffe sur un passé religieux qui acquiert une signification propédeutique. A la lumière du Christ, l'Ancien Testament subit une relecture et une réinterprétation : il contient en figure le type des réalités que le Christ a accomplies. C'est la rédemption opérée par le Christ qui authentifie maintenant les actes salvifiques de Dieu dans le passé : l'élection, la promesse, parce qu'il les accomplit en sa personne. Le rattachement du christianisme à l'Ancien Testament est le critère le plus irréfutable de sa conscience du salut non seulement comme œuvre du Christ, mais aussi comme volonté éternelle de Dieu agissant à travers toute l'histoire.

---

1. Rm 4, 13.
2. Cf. Rm 8 ; 10, 3.
3. Rm 10, 4.
4. Rm 11, 12.
5. Col 2, 17.
6. Ga 3, 23-26.

3. *L'Eglise dans l'ère eschatologique*

Après le Christ, le temps de l'histoire se prolonge jusqu'à son retour dans la gloire, au jour de la consommation de son œuvre rédemptrice. Ce temps, avons-nous dit, est un temps eschatologique, temps de la prédication de l'Évangile, de la lutte contre les puissances encore hostiles au règne du Christ ; temps surtout de l'Église, cet être eschatologique que Paul appelle le Corps du Christ, destiné à grandir jusqu'à devenir la nouvelle humanité en qui à la fin des temps sera rendue comble la mesure du salut. Par rapport à la période qui précède le Christ, l'Église se trouve dans une condition eschatologique ultime. Elle vit déjà de la vie du Royaume de Dieu inaugurée en elle par la présence et l'action de l'Esprit. Par rapport à l'aiôn à venir, elle n'est déjà plus de ce monde, encore sous la domination du péché, mais elle ne jouit pas encore de la claire vision, ne voyant que « confusément comme dans un miroir », alors que là ce sera « face à face »[1]. Sa condition est de croire et d'espérer en l'accomplissement prochain de sa foi. Le temps de l'Église existe donc dans une tension. Il est caractérisé par un processus de croissance vers la perfection qui marquera sa fin en même temps que la fin de l'histoire.

Paul a le mieux insisté sur cet aspect de la durée qui sépare encore l'Église de la fin. Le Christ ressuscité, par les dons divers qu'il communique aux ministères de l'Église, est à l'œuvre dans ce dernier *kairos* de l'histoire du salut. Cette œuvre, c'est la croissance de l'Église « qui est son corps »[2], et dont il est la tête[3]. S'il dispense maintenant sa grâce, c'est « en vue de la construction du Corps du Christ, au terme de laquelle nous devons parvenir, tous ensemble, à ne faire plus qu'un dans la foi et la connaissance du Fils de Dieu, et à constituer cet Homme parfait, dans la force de l'âge qui réalise la plénitude du Christ »[4]. Pour Paul la condition salvifique plénière se situe dans l'aiôn à venir. Plus l'Église grandit vers sa fin, plus son caractère eschatologique s'accentue, mais le second terme, celui de l'espérance, ne supprime pas le premier, celui de la foi. Aussi pour comprendre sa pensée ne faut-il pas faire abstraction de l'aspect « actualisé » de son eschatologie qui sera examiné plus loin. Dès maintenant, l'Esprit Saint, qui est le principe du monde à venir est répandu dans le cœur des croyants, ils en possèdent les « arrhes » ou les « prémices »[5], devant les faire fructifier jusqu'à la mesure pleine conforme au plan divin,

---

1. 1 Co 13, 12.
2. Ep 1, 22 ; cf. Col 1, 24.
3. Col 1, 18.
4. Ep 4, 12-13 ; cf. Col 2, 19.
5. 2 Co 1, 22 ; 5, 5 ; Rm 8, 23.

mission pour laquelle ils ont été élus et prédestinés « dès avant la création du monde »[1].

L'HISTOIRE DU SALUT SELON LUC

C'est Luc, le disciple de Paul, qui a mis en forme de la manière la plus explicite la conception primitive d'une histoire du salut[2]. Dans sa pensée, les étapes de l'histoire du salut sont nettement précisées. Le Christ en est le centre et la révélation : il accomplit le passé et anticipe l'avenir. Conzelmann[3] a mis en lumière ces divisions. Le but de Luc est de décrire un tableau complet de l'histoire du salut. Son Évangile en constitue l'élément central : celui où le Christ réalise la rédemption. Il est précédé de l'Ancien Testament qui n'était plus à écrire mais qu'il reçoit lui aussi comme une annonce et une préparation à l'accueil de l'Auteur du salut. Par rapport aux temps des réalisations, c'est celui des promesses[4]. Le troisième volet de l'histoire du salut est formé par le livre des Actes où sont relatés les débuts de l'Église, depuis l'Ascension de Jésus jusqu'à la prédication de Paul à Rome, le centre du monde[5]. La fin du *Troisième Évangile* et le début des *Actes* s'enchaînent logiquement. A l'origine, les codices les présentaient à la suite. Ce n'est que lorsque le *Quatrième Évangile* a été admis dans le canon qu'il a été intercalé entre les deux, coupant ainsi la continuité intentionnelle des deux récits. De même que le centre de l'histoire salvifique est marqué par l'œuvre du Christ, de même on peut dire que l'étape qui la suit est placée sous la mouvance de l'Esprit. Le retour du Christ auprès du Père est le signal du départ de la mission de l'Esprit-Saint, lui-même objet de la promesse du Père[6]. Dès lors on le voit constamment à l'œuvre dans la croissance de l'Église primitive. Luc est aussi le premier à repousser la parousie dans un avenir indéterminé. Ce qui ne l'empêche pas d'ailleurs d'être un témoin des représentations apocalyptiques[7]. Mais le moment de la fin n'est pas tout proche : Il y aura encore des guerres et des bouleversements, « mais ce ne sera pas de sitôt la fin ». Il ne faudra pas écouter les Pseudo-Christs qui diront : « Le temps est tout proche »[8]. On note ici une nette prise de position à l'égard de cer-

---

1. Cf. Ep 1, 4.11 ; 1 Co 2, 7 ; Rm 8, 29-30 ; Ep 5, 5-11.

2. L'étude la plus complète sur la théologie de l'histoire chez Luc est celle de H. FLENDER, *Heil und Geschichte in der Theologie des Lukas*, Münich, 1965.

3. *Die Mitte der Zeit*, Tübingen, 4e éd., 1964.

4. Ac 2, 33-39 ; 7, 17 ; 13, 23.32 ; 23, 21 ; 26, 6.

5. Les préoccupations théologiques de l'auteur des Actes montrant le dessein de Dieu se réalisant dans l'histoire ont été mises en lumière par E. TROCMÉ, *Le Livre des Actes et l'histoire*, Paris, 1957, p. 38-75.

6. Lc 24, 49 ; Ac 1, 4.

7. Cf. Lc 17, 22-37 ; 21, 5-38.

8. Lc 21, 8-9.

tains excés de l'eschatologie apocalyptique. Dans la perspective de Luc,
le dessein salvifique de Dieu se réalisant par étapes dans le temps, s'insère
plus organiquement dans le tissu de leur histoire. Il n'a pas une vision
aussi grandiose que Paul ou Jean pour qui l'action du Christ est rattachée à
un dessein de Dieu pré-cosmique en son Verbe préexistant. Luc veut s'en
tenir à l'histoire proprement dite, celle qui se déroule dans l'aiôn présent
où le salut divin agit constamment sous ses diverses formes. C'est pourquoi Luc manifeste aussi des dons d'historien [1] recueillant soigneusement
toutes les traditions dont il pouvait disposer. Son insistance sur la prolongation du temps de la fin lui permet de mieux le définir comme temps
de l'Église ou temps du témoignage, où l'action de l'Esprit fait déjà participer les croyants à la plénitude de l'aiôn à venir. A la question des disciples lui demandant quand il restaurerait la royauté en Israël, le Ressuscité
répond : « Il ne vous appartient pas de connaître les temps que le Père
a fixés de sa seule autorité », et il enchaîne immédiatement : « mais vous
allez recevoir une force, celle de l'Esprit-Saint qui descendra sur vous.
Vous serez alors mes témoins à Jérusalem, dans toute la Judée et la Sama-
rie, et jusqu'aux confins de la terre »[2].

L'HISTOIRE DU SALUT SELON JEAN

Nous avons déjà dit un mot de la forme sous laquelle l'histoire du salut
apparaît chez Jean. Sa vision excède les cadres propres du temps et saisit
dans un seul mouvement l'intention salvifique de Dieu manifestée par
étapes dans la création, la rédemption par le Christ et la consommation
finale[3]. Au lieu de distinguer comme Luc les étapes de ce plan divin,
il mêle dans un même récit l'action du Verbe préexistant, son œuvre de
rédempteur incarné dans la personne de Jésus et sa vie actuelle dans l'Église.
Comme dans les Synoptiques, la venue de Jésus a été annoncée. Le *Qua-*
trième Évangile souligne l'activité de Jean-Baptiste comme précurseur
et témoin du Messie[4]. De même, bien qu'il mette l'accent sur l'aspect
déjà réalisé de l'eschatologie chrétienne, il n'exclut pas l'attente temporelle. L'ampleur même du point de vue d'où il contemple la scène du salut
lui fait encore mieux mettre en lumière le caractère de la mission du Fils.
Jésus parle souvent du Père comme de « Celui qui m'a envoyé »[5] et
auquel il doit retourner. L'action du Fils se déroule bien dans le temps

---

1. Cf. L'étude de R. MORGENTHALER, *Die lukanische Geschichtsschreibung als Zeugnis*, 2 vol.,
Zürich, 1948.
2. Ac 1, 7-8.
3. Cf. *supra*, p. 22.
4. Jn 1, 19-37.
5. Jn 4, 34 ; 5, 23-24.30.37 ; 6, 38.39.44 ; 7, 16.18.28.33, etc.

de l'histoire conformément au plan arrêté par Dieu. A ses frères qui le pressaient de se révéler lors de la fête des Tentes, il donne cette réponse : « Mon temps n'est pas encore venu, tandis que pour vous le temps est toujours bon »[1]. Plus fréquemment, il parle de son « heure ». Cette heure vient au temps fixé par le Père, car pour Jésus, il faut accomplir « les œuvres de Celui qui m'a envoyé tant qu'il fait jour »[2]. A Cana, au début de son ministère, Jésus peut dire : « Mon heure n'est pas encore venue »[3] ; mais en annonçant la proximité de sa mort il déclare : « La voici venue l'heure où le Fils de l'Homme doit être glorifié »[4]. Or, cette heure est aussi celle du jugement et de la condamnation du « prince de ce monde »[5], celle où lui-même sera élevé de terre et repartira vers le Père. Le Ressuscité enverra alors aux disciples le Paraclet, l'Esprit-Saint qui leur fera pleinement comprendre les paroles et les actes qu'il accomplissait au milieu d'eux, en son heure[6]. Le contenu du message de l'Évangile de Jean est une suite d'événements historiques compris comme déroulement d'un unique plan de salut arrêté par Dieu, même si le cadre dans lequel il les présente est nécessairement, à cause de ses dimensions mêmes, de structure mythique. Les principaux auteurs du Nouveau Testament témoignent donc chacun avec des accentuations propres d'une compréhension de l'eschatologie liée à la notion d'une histoire du salut. L'approfondissement de cette catégorie fondamentale de la pensée chrétienne sur le temps s'est faite à la faveur de la dilatation du temps intermédiaire dont on continue cependant de souligner qu'il sera court. Mais on ne saurait dire qu'elle s'inscrit en faux contre l'enseignement de Jésus sur les deux aiônes. Elle développe au contraire trois aspects centraux de sa prédication : le Christ est l'accomplissement définitif et plénier de la Loi et des prophètes ; en sa personne le Royaume à venir est déjà rendu présent ; enfin ce temps – d'avant-la-fin est celui où l'Église, communauté eschatologique doit annoncer l'Évangile au monde entier.

PAUL. LA « CHAIR » ET L' « ESPRIT »

Le troisième aspect de l'eschatologie néo-testamentaire qui complète donc sans les contredire les notions de venue prochaine du Royaume et d'histoire du salut est indispensable à la compréhension de la conception chrétienne du monde. Dans le monde actuel encore au pouvoir du péché

1. Jn 7, 6.
2. Jn 9, 4 ; cf. 11, 9.
3. Jn 2, 4.
4. Jn 12, 23 ; cf. 12, 27 ; 13, 1 ; 16, 2.4.21.25, 32, etc.
5. Jn 12, 31 ; 16, 11.
6. Jn 14, 16-17.26 ; 16, 7.

celui qui croit au Christ est déjà délivré de la condition mortelle, il est déjà passé de la mort à la vie, il est déjà une créature nouvelle. Pour Paul, le baptême est par excellence le passage de l'ancien monde dans le nouveau, la mort au péché et la résurrection à la vie de Dieu. Par le baptême, les fruits du salut sont actualisés dans le croyant. Le baptême est une descente avec le Christ dans la mort au péché et une remontée à la vie selon Dieu dont le principe est éternel. « Nous avons donc été ensevelis avec lui par le baptême dans la mort, afin que, comme le Christ est ressuscité des morts par la gloire du Père, nous vivions nous aussi dans une vie nouvelle... Notre vieil homme a été crucifié avec lui, pour que fût détruit ce corps de péché, afin que nous cessions d'être asservis au péché »[1]. La résurrection d'entre les morts est déjà acquise à ceux qui croient, car le Christ a tué la mort dans sa racine. La véritable mort, aux yeux de Dieu, c'est le péché, dont la mort corporelle n'est que le signe, tandis que la foi au Christ justifie aux yeux de Dieu. « Alors que nous étions morts par suite de nos fautes, (Dieu) nous a fait revivre avec le Christ... Avec lui, Il nous a ressuscité et fait asseoir aux cieux dans le Christ Jésus »[2].

Par rapport à cette condition eschatologique déjà réalisée, le jour de la Parousie n'apportera rien d'essentiellement nouveau; il ne fera que révéler dans l'éclat de la pleine lumière la condition présente du disciple dont le propre est d'être encore cachée au monde, « car vous êtes morts (au péché) et votre vie est désormais cachée avec le Christ en Dieu : quand le Christ sera manifesté, lui qui est votre vie, alors vous aussi vous serez manifestés avec lui plein de gloire »[3]. Les chrétiens sont ressuscités d'entre les hommes que le péché a entraînés dans la mort parce qu'ils ont « cru en la puissance de Dieu qui l'(le Christ) a ressuscité des morts »[4]. Accepter de devenir conforme au Christ dans sa mort, c'est-à-dire en refusant désormais la logique du péché, c'est ainsi participer à son triomphe sur la mort qui a été le salaire du péché. Dès maintenant donc, il est donné au croyant de vivre selon le principe du monde à venir par l'Esprit-Saint qui est l'antithèse de la « chair ».

La condition eschatologique faite actuellement au chrétien éclaire le sens de l'antithèse paulinienne σάρξ-πνεῦμα. L'esprit, don eschatologique suprême et principe de la nouvelle création rachetée anime désormais la vie des chrétiens. Cet Esprit n'est autre que l'Esprit du Christ[5] une puissance de vie nouvelle qui supplante le principe de l'ancienne création

1. Rm 6, 4-6.
2. Ep 2, 5-6.
3. Col 3, 1.
4. Col 2, 12.
5. Rm 8, 9 ; Ph 1, 19 ; Ga 4, 6 ; etc.

mortelle et qui s'appelle la « chair »[1]. « Vous n'êtes pas dans la chair mais dans l'Esprit, puisque l' « Esprit de Dieu habite en vous. Qui n'a pas l'Esprit du Christ ne lui appartient pas »[2]. Devant l'irruption de cette puissance eschatologique de vie éternelle, la « chair » caractérise maintenant l'ancien monde, celui qui, ne reconnaissant pas encore le Christ, continue de vivre sous la domination du péché et le régime de la mort éternelle[3]. Ainsi le chrétien n'agit plus « selon la chair »[4], c'est-à-dire selon la logique du monde coupé de Dieu et du salut. Il a abandonné les « œuvres de chair »[5] pour vivre « selon l'Esprit » en recherchant les « choses d'en haut non celles de la terre »[6], c'est-à-dire dans la condition de la création nouvelle qui triomphera lors de la venue du Royaume de Dieu. « Si donc quelqu'un est dans le Christ, c'est une création nouvelle, l'être ancien a disparu, un être nouveau est là »[7]. L'homme créé originellement à l'image de Dieu est devenu étranger au Créateur à cause du péché, et c'est pourquoi il a trouvé la mort. L'œuvre restauratrice du Christ a été au contraire de recréer l'homme par le principe de l'Esprit, pour en faire l'homme nouveau par opposition au vieil homme de la condition charnelle : « Vous vous êtes dépouillés du vieil homme avec ses agissements, dit Paul aux Colossiens, et vous avez revêtu le nouveau, celui qui s'achemine vers la vraie connaissance en se renouvelant à l'image de son créateur »[8]. Ou encore : « Il faut dépouiller le vieil homme... pour vous renouveler pour une transformation spirituelle de votre jugement et revêtir l'homme nouveau, qui a été créé selon Dieu, dans la justice et la sainteté de la vérité »[9]. Les croyants entrent pour toujours par la foi dans cette « nouveauté de vie »[10] vie éternelle à Dieu et non plus apparence de vie engloutie dans la mort. Dès maintenant cette recréation anthropologique devient effective, faisant passer les croyants de leur condition d'êtres « charnels » à une condition réelle et cachée d'êtres « spirituels ». Ce qui donne d'autant plus de force à cette insistance de Paul sur l'aspect déjà réalisé de l'eschatologie, c'est précisément qu'elle s'insère dans la tension d'une histoire du salut qui continue d'attendre impatiemment le temps où cette condition réelle du disciple se manifestera, associée

1. Cf. Rm 7, 5.
2. Rm 8, 9 ; Cf. 5, 5 ; Ga 4, 4-6.
3. Cf. Rm 9, 8 ; Ga 3, 3 ; 6, 12 s ; Ph 3, 3 s ; Ep 2, 11.
4. Cf. 1 Co 10, 18 ; 2 Co 11, 18 ; Ga 4, 23.29.
5. Cf. Col 3, 5-9, etc.
6. Col 3, 1.
7. 2 Co 5, 17.
8. Col 3, 9-10.
9. Ep 4, 22-24.
10. Cf. Rm 6, 5 ; Ga 2, 16-20 ; Rm 8, 11 s ; 1 Co 5, 7-8 ; 2C0 5, 17s ; Ep. 2, 6.15.

au triomphe terminal du Christ. Pour l'instant, selon Paul, la situation eschatologique du disciple n'est pas encore parfaite en raison même du complément indispensable que la parousie y apportera ouvertement. Alors que le baptême lui a procuré la ζωή, vie selon l'Esprit, qui est «la vie de maintenant», il connaîtra, dans le monde à venir, ce qui reste encore pour lui « la vie future », la ζωὴ αἰώνιος. Aussi sa vie présente se déroule-t-elle ἐν Χριστῷ, c'est-à-dire dans la sphère du salut opéré par le Christ et non plus dans *cet aiôn actuel et mauvais*[1] qui n'accepte pas encore le salut ; tandis qu'alors le disciple vivra σὺν Χριστῷ, avec le Christ, « face à face » avec le Père [2].

JEAN. LA « VIE ÉTERNELLE » EST DÉJÀ DONNÉE

Chez Jean, l'impatience de l'accomplissement comme complément de la conviction que la création nouvelle est déjà là est beaucoup moins évidente. En revanche la certitude d'être déjà entré dans la vie du monde à venir éclate partout avec une force qui n'a pas d'égale ailleurs dans le Nouveau Testament. Réagissant peut-être contre certaines tendances propres à l'eschatologie futuriste, il fait porter l'accent sur ce que la rédemption a « déjà » acquis au chrétien en fait de salut. L'intérêt du *Quatrième Évangile* se porte sur le Christ et les dimensions sotériologiques de son œuvre. Il s'agit de motiver la foi que « Jésus est le Christ, le Fils de Dieu ». La parousie n'est mentionnée que dans sa première *Épître* [3]. Et c'est pour dire, comme Paul, qu'elle ne fera que rendre manifeste et éclatante la situation actuelle du disciple : « Dès maintenant, nous sommes des enfants de Dieu et ce que nous serons à ce moment-là n'a pas encore été manifesté »[4]. Si l'Évangile a été écrit dans le but de fonder la foi en la divinité du Messie, l'effet immédiat de cette foi est de procurer dès maintenant la « vie », c'est-à-dire la vie éternelle du monde à venir, don eschatologique suprême du Père en son Christ : « et pour qu'en croyant vous ayez la vie en son nom »[5]. Dans le dualisme johannique, cette ζωή ou ζωὴ αἰώνιος s'oppose à la mort éternelle comme la condition du siècle futur à la condition du monde présent qui n'a pas « reçu » la lumière du salut.

La question de la vie ou de la mort éternelles est tranchée dans l'existence présente par la décision de la foi. Croire, c'est accueillir

1. Ga 1, 4.
2. L'expression ἐν Χριστῷ est employée 164 fois dans les Épîtres pauliniennes; σὺν Χριστῷ : 4 fois. Cf. *infra*, p. 135 sq.
3. 1 Jn 2, 28 ; cf. 3, 2 ; 4, 17.
4. 1 Jn 3, 2.
5. Jn 20, 31.

le don de la vie éternelle ; refuser de croire, c'est se soumettre au jugement[1]. Cette vie est donnée dans le Christ : « Dieu nous a donné la
vie éternelle et cette vie est dans son Fils. Qui a le Fils a la vie ; qui n'a pas
le Fils n'a pas la vie »[2]. La résurrection finale des morts n'est pas écartée
pour autant. Au contraire, elle viendra manifester visiblement la condition
d'éternel vivant faite dès à présent au croyant. « C'est la volonté de mon
Père, que quiconque voit le Fils et croît en lui ait la vie éternelle et que je
le ressuscite au dernier jour »[3]. Par opposition au principe de vie naturel
qui fut celui de l'ancienne création qui a sombré dans la mort, la vie telle
qu'elle est restaurée par le sacrifice du Christ a pour fondement, comme
chez Paul, un principe spirituel.

Au soir de la Résurrection, le Christ glorifié, à l'imitation du Père qui
crée le premier homme en lui communiquant une souffle de vie naturelle,
fonde la création eschatologique nouvelle sur ces disciples en leur communiquant un principe de vie spirituel. « Il souffla sur eux et leur dit : Recevez
l'Esprit-Saint »[4]. La vie selon l'Esprit-Saint est une vie incorruptible.
Elle n'est ni arrêtée, ni interrompue par la mort corporelle. La vie qui
est communiquée dans la foi est proprement celle de l'aiôn à venir qui
n'aura pas de fin. Jésus dit à la sœur de Lazare mort : « Je suis la Résurrection et la Vie. Qui croit en moi, fût-il mort, vivra ; et quiconque vit
et croit en moi ne mourra jamais. Crois-tu cela ? »[5]. Or, parce que Marthe
a cru que celui qui lui disait ces paroles est « le Christ, le Fils de Dieu,
celui qui devait venir en ce monde »[6], Jésus donne ce signe de sa puissance, dans un passage central du *Quatrième Évangile*, en ressuscitant
Lazare d'entre les morts. Dans le même mouvement, Jean dépouille l'eschatologie de toutes ses représentations apocalyptiques. Il n'est pas question
d'un Jugement général suivant un bouleversement cosmique comme dans
les Synoptiques. Mais l'acte final de l'histoire du salut n'est pas évacué
pour autant. Il est compris dans sa signification propre hors de son cadre
apocalyptique habituel. Pour Jean, le Jugement ne gît pas seulement dans
le futur, mais il s'exerce actuellement, ou plutôt, le Jugement qui aura
lieu à la Parousie c'est le même que celui qui s'exerce dès maintenant
sur ceux qui refusent de croire : « L'heure vient — et nous y sommes — »[7].
L'heure de son triomphe sur la mort devient aussi celle du jugement de
toutes les puissances de mort. « C'est maintenant que le prince de ce monde

1. Jn 5, 24 ; 1 Jn 3, 14.
2. 1 Jn 5, 11-12 ; cf. Jn 4, 14, etc.
3. Jn 6, 40 ; etc.
4. Jn 20, 22 ; cf. Gn 2, 7.
5. Jn 11, 25-26.
6. Jn 11, 27 ; cf. 11, 40.
7. Jn 5, 25.

va être jeté dehors »[1]. Celui qui croit n'aura plus à être jugé et au dernier jour il sera appelé « pour une résurrection de vie ». Quant à ceux qui ne croient pas, leur décision contre le Christ les a déjà jugé à jamais, et au jour de la fin, ils « ressusciteront en vue du jugement »[2] qui ne fera que révéler au grand jour quelle fut, dès leur existence présente, la conséquence de leur choix.

Dans d'autres récits du Nouveau testament, particulièrement l'*Épître aux Hébreux*, on peut trouver, bien que moins amplement exprimée, cette insistance sur le caractère déjà réalisé de l'*eschaton*, où la nouvelle création germe déjà au milieu de l'ancienne. Les baptisés sont comme ceux « qui ont savouré la belle parole de Dieu et les forces de l'*aiôn à venir* »[3], qui par la foi, se sont approchés de la cité du Dieu vivant dont ils partagent déjà la vie[4]. Dans la *Prima Petri*, l'Évangile est défini comme l'annonce d'une Parole qui contient en elle ce principe de vie spirituel propre à la nouvelle création. Les chrétiens, y lit-on, sont « engendrés de nouveau d'un germe non point corruptible, mais incorruptible : la Parole du Dieu vivant et éternel »[5].

LA CONSCIENCE ESCHATOLOGIQUE PRIMITIVE

Cet accent mis sur le « déjà » n'exclut nullement, dans la perspective des représentants d'une eschatologie anticipée ou actualisée, le lien avec l'accomplissement définitif qui gît toujours dans un avenir temporel. Il atteste au contraire une prise de conscience très aiguë de la valeur unique et irréversible du temps présent dans une histoire du salut qui s'insère dans la trame même du temps du monde qui se prolonge. En offrant ces exemples d'accentuation différente des caractères de l'eschatologie chrétienne, le Nouveau Testament, à notre avis, ne se contredit pas, mais explicite la notion temporellement ambivalente du Royaume de Dieu qui était l'objet de la prédication de Jésus : Royaume à venir prochainement et que la prédication de l'Évangile fait s'approcher ; Royaume déjà présent, inauguré dans la promesse du Messie et l'envoi de l'Esprit, don eschatologique suprême. Une juste interprétation de l'eschatologie primitive est indispensable pour comprendre la notion

---

1. Jn 12, 31.

2. Jn 5, 29.

3. He 6, 5. A. P. ORBAN, *op. cit.*, p. 120, reproche à SASSE, *op. cit.*, d'avoir exagéré en disant que selon le N.T., le nouvel aiôn a déjà commencé. Seul He 6, 5 appuierait cette hypothèse. Il nous semble que tout ce qui précède montre que l'étude de l'eschatologie néotestamentaire ne peut se ramener à la sémantique du seul terme d'*aiôn*.

4. Cf. He 11, 1 et 12, 22-23.

5. 1 P 1, 23 ; cf. Jn 6, 63.

de « monde » dans l'esprit des premiers chrétiens. C'est de la conscience qu'ils avaient du temps de l'histoire après le Christ et avant son retour que découle leur conviction de la place centrale qu'ils sont appelés à y occuper. Selon que l'on ne veut retenir de l'eschatologie primitive que l'une de ses composantes constitutives, on s'expose à ne pas percevoir quel fut le ressort intime de leur conscience du monde et de leur action dans le monde. Aussi croyons-nous que l'étude des motivations profondes de la vie chrétienne dans ses rapports avec le monde de l'expérience historique et concrète fournira la meilleure illustration de cette conscience du temps-d'avant-la-fin, temps eschatologique où les chrétiens sont appelés à être les acteurs d'une histoire du salut entrée dans sa dernière phase.

Il n'y a donc pas à opérer de tri entre les éléments du Nouveau Testament pour ne retenir que ceux qui sont favorables à une thèse *a priori*. On ne peut pas suivre l'exégèse d'A. Schweitzer[1] voyant dans le Royaume une réalité exclusivement future. Pour lui, Jésus aurait lui-même été victime d'une grave déception en pensant que ce Royaume viendrait de son vivant. Il aurait alors lui-même révisé ses convictions en allongeant le délai et en le fixant à la date de sa mort. Les disciples en mettant l'accent sur le présent et créant l'idée d'une histoire du salut n'auraient fait que l'imiter sur ce point. A l'autre extrême, A. Dodd[1] parle d'un Royaume exclusivement présent, entièrement donné dans le ministère de Jésus. Jésus n'aurait jamais émis l'idée d'une parousie. En ce sens, le *Quatrième Évangile* est pour lui le plus fidèle à la pensée de Jésus, ainsi que Paul, l'*Épître aux Hébreux* et la *Prima Petri*. Jésus n'aurait jamais temporellement séparé la réalisation de l'accomplissement de son œuvre. La parousie glorieuse du Christ devait compléter l'acte unique de la rédemption peu de temps après sa mort et sa résurrection. La communauté déçue serait alors retombée dans l'apocalyptisme juif et aurait axé l'eschatologie primitive sur le futur. R. Bultmann[1] oppose enfin la conscience de la première génération d'être une communauté *eschatologique* à la conscience d'être devenue *historique* après la neutralisation de l'eschatologie. L'idée d'une histoire du salut serait une excroissance de l'eschatologie de Jésus dont le propre serait qu'elle exclut tout élément de temporalité. Car par conscience eschatologique, R. Bultmann entend toujours la conviction que doit avoir le disciple que le temps actuel est celui où l'individu doit se décider pour ou contre le Christ. Le temps de la fin est là chaque fois qu'il décide de connaître la volonté de Dieu et de la proclamer. L'eschatologie est « ponctuelle » en ce sens qu'elle relie les consciences à Dieu, sans être en rapport avec le temps de l'histoire. Ces trois écoles ne retien-

---

1. Pour la discussion des thèses respectives de ces auteurs, se reporter à O. CULLMANN, *Le salut dans l'histoire*, p. 23 à 58.

nent chacune qu'un des éléments de l'eschatologie chrétienne dont nous avons dit qu'ils étaient tous contenus dans la prédication de Jésus. Selon le Nouveau Testament, l'eschatologie ne doit pas être tournée exclusivement vers le temps de la fin, dans une attente fiévreuse qui met au second plan la vie actuelle dans l'Église. C'est le cas des parasites de Thessalonique qui prenaient prétexte de la venue imminente du Royaume pour ne plus travailler[1]. La fièvre eschatologique provoque les calculs de date. Elle est absolument étrangère à l'enseignement du Nouveau Testament pour qui la vie actuelle doit être vécue selon la plénitude de grâce du Royaume à venir. L'eschatologie n'est pas non plus exclusivement acquise, privée de l'attente de la parousie finale, c'est-à-dire de sa dimension historique et temporelle. A cet égard la pensée de Jean n'a rien de commun avec les eschatologies gnostiques. Dans les systèmes gnostiques, le temps n'a pas d'être réel, il est une déficience et un manque ; il ne saurait y avoir de salut dans le temps. Pour eux, le salut est a-temporel. Le monde nouveau est déjà entièrement actuel. La thèse du *De Resurrectione* de Valentin est de dire que la résurrection est déjà acquise pleinement dans la gnose : avoir la gnose, découvrir la partie pneumatique de son propre moi, c'est accomplir cette régénération spirituelle qui est le propre du ressuscité[2]. La différence par rapport à Jean et à Paul est que cette actualité de la nouvelle création spirituelle n'est pas conçue comme le fruit d'une œuvre salvifique réelle accomplie dans l'histoire réelle. Or, ces tendances gnostiques se sont faites jour assez tôt dans le Christianisme. L'*Évangile de Thomas* tout entier considère le Royaume comme une réalité totalement actuelle. Déjà dans la *Seconde à Timothée*, il est question de deux membres de la communauté qui « se sont écartés loin de la vérité en prétendant que la résurrection a déjà eu lieu, renversant ainsi la foi de plusieurs »[3].

Si l'on veut saisir les contours de l'eschatologie du Nouveau Testament dans son ensemble on dira, avec O. Cullmann[4], qu'elle est une tension entre un *Déjà* et un *Pas encore*, tension coextensive à une histoire du salut qui court de sa réalisation à son accomplissement. Réalisation et accomplissement sont compris comme deux phases d'un même acte salvifique de Dieu, l'une étant révélée dans l'autre par cette catégorie fondamentale de l'agir de Dieu dans le monde des hommes qu'est le temps. On comprendra ainsi que les approches différentes de cette réalité par les auteurs du Nouveau Testament sont autant d'éclairages complémen-

---

1. Cf. 1 Th 5, 14 ; 2 Th 3, 6-12.
2. Cf. De Ressurectione, p. 45, 14-46, 2 ; 49, 9-16, éd. et trad. Malinine, Puech, Quispel, Till ; Zurich, 1963.
3. 2 Tm 2, 18.
4. *Le Salut dans l'Histoire*, p. 167-188.

taires aptes à la présenter dans toute sa richesse et sa complexité. Le rôle de l'exégète doit être ici non de simplifier son objet en le réduisant à l'une de ses composantes, mais de mettre en évidence son unité sous la multiciplité des points de vue à partir desquels il est saisi. Aussi ne dira-t-on pas que l'eschatologie néotestamentaire est simplement « futuriste » comme le souligne Matthieu, ni simplement « anticipée » comme chez Paul, ou « actualisée » comme pour Jean ou l'*Épître aux Hébreux*. On retiendra que pour Marc, elle se présente surtout « en voie de réalisation »[1], et que Luc en souligne le caractère « historique », ainsi que son insertion dans la durée temporelle. On pourra l'appeler eschatologie *inchoative*[2], mais ce terme suggère peut-être trop l'idée d'un développement qui serait un processus régulier portant d'un moins pour aboutir progressivement à un plus qui serait la plénitude finale. Car le propre de l'eschatologie chrétienne est de croire que la totalité des dons du salut qui seront manifestés à la fin est la même que celle qui est déjà donnée présentement dans la foi. La plénitude de la condition de créature nouvelle a été acquise une fois pour toute par le Christ[3]. Lorsque le Royaume viendra « avec puissance », cette manifestation glorieuse n'ajoutera rien à la condition des rachetés. Elle ne fera que révéler comme une évidence alors éblouissante que la seule vie éternelle destinée par Dieu à l'homme — la vie selon l'Esprit — était celle dont les élus vivaient déjà dans le monde, mais d'une manière cachée.

Du point de vue des hommes, engagés dans la temporalité, la durée historique qui sépare le moment de la réalisation de celui de l'accomplissement n'est cependant pas un vide. Elle est l'occasion pour eux de se décider pour ou contre le Christ par la foi et de collaborer ainsi ou non à l'actualisation du Royaume de Dieu au milieu même des réalisations de ce siècle-ci, en tant que création nouvelle destinée à s'élever sur les ruines de l'ancienne. Ce temps de la conversion et du choix n'est autre que le temps de l'histoire du monde qui poursuit son cours. L'histoire du salut n'est pas pour autant identique à l'histoire du monde. Elle exprime le rapport entre la volonté éternelle de salut de Dieu et le moment présent de son accomplissement dans le temps. Elle peut être considérée comme une suite de *kairoi* qui culminent dans celui du Christ. Mais ces interventions de l'économie divine dans le temps n'enlèvent pas à l'histoire du monde comme tel son caractère d'autonomie. L'histoire du salut est l'explication devant la conscience du croyant du dessein d'amour de Dieu qui s'étend à toute sa création. Mais elle n'est pas immanente à l'histoire humaine prise dans sa

---

1. J. Jeremias, *op. cit.,* 4e partie.
2. Cf. H. I. Marrou, *Théologie de l'Histoire,* Paris, 1968, p. 88-94.
3. Cf. He 9, 26.

globalité. Si l'histoire profane en elle-même était une histoire salvifique, ce que nous appelons l'histoire du salut n'aurait pas été nécessaire. Le monde des hommes continue sa course selon sa logique propre, ses membres restant libres d'accueillir ou non les signes que Dieu a adressés d'abord par les prophètes, maintenant par l'Église, et en la plénitude des temps par le Christ.

L'histoire du salut dans son déroulement n'annule pas l'histoire tout court qui reste autonome. Mais elle est, pour ceux qui acceptent de la voir, la seule interprétation de l'histoire du monde selon le plan de Dieu. Elle est ce plan d'amour pleinement révélé et virtuellement réalisé en Jésus-Christ, auquel les hommes sont appelés à collaborer pour leur propre bonheur. Ce qui la caractérise dans son moment actuel, c'est d'exprimer en terme de présence et de proximité du Règne de Dieu l'histoire présente du monde. L'eschatologie chrétienne renferme la certitude que l'ancien monde corrompu par le péché et qui continue encore d'étaler son existence mensongère, en réalité, n'existe plus ; et que la vie véritable est celle dont vivent les hommes qui ont cru dans le Christ et qui forment déjà la création nouvelle. Cette certitude a pour corollaire la conviction que le propre de cette vie selon l'Esprit est d'être encore cachée, que son efficacité demeure secrète et que le monde qui poursuit sa course hors de la mouvance du Christ, ne la perçoit pas. L'esprit de l'eschatologie, c'est d'interpréter l'histoire du monde non plus selon la logique du monde qui s'est coupé de Dieu, mais dans la foi en la mystérieuse efficacité des événements du salut dont les effets les plus retentissants sont parfois les plus invisibles, et de vivre l'histoire telle que Dieu l'a aménagée pour les hommes selon sa logique à Lui.

C'est pourquoi, on soulignera que l'eschatologie chrétienne engendre une *conscience* particulière d'être au monde et au cœur de l'histoire. Une conscience qui contient d'abord l'idée que le dessein éternel de Dieu sur l'humanité a été accompli en plénitude par Jésus-Christ. Découlant de cette conviction primordiale, l'idée que la création nouvelle, fruit de son œuvre, a été semée par lui dans le temps encore inachevé de l'ancienne pour qu'elle y poursuive une croissance mystérieuse et invisible, et dont les membres, qui forment l'Église, appartiennent à l'humanité véritable que Dieu désirait depuis le commencement du monde. Les chrétiens vivent cette conscience, mêlés au monde qui n'a pas encore accepté d'entrer dans la logique de Dieu. Leur efficacité réelle — celle de la vie conforme à l'Esprit — n'est point apparente parce que le monde n'a pas d'yeux pour elle. Aussi attendent-ils avec impatience le Jour où leur « vie cachée avec le Christ en Dieu »[1] sera révélée pour toujours. Alors, le *monde*

_1._ Col 3, 3.

qui a proclamé la suffisance de sa propre vie, tandis que l'Évangile lui
était annoncé, sera jugé et anéanti.

LES DÉFORMATIONS JUDÉO-CHRÉTIENNES

Il reste à se demander si cette conscience eschatologique est demeurée
celle des générations ultérieures jusqu'à la fin du second siècle. Disons
tout de suite que l'essentiel des convictions eschatologiques du Nouveau
Testament est conservé, mais que la vigueur de l'espérance primitive
fait généralement défaut. Ce qui devient beaucoup moins perceptible,
c'est la tension entre le Royaume déjà présent et encore à venir. D'autre
part, il y a, dans le judéo-christianisme surtout, un retour aux représentations de l'apocalyptique juive, avec une eschatologie surtout orientée
vers le futur et ses déviations inhérentes, les calculs de date. Mais par
ailleurs, dans la ligne du nouveau Testament se développe et se renforce
une conception de l'histoire du salut qui est l'apport le plus positif de
cette période. Au IIe siècle, ce n'est pas tant l'intensité de l'attente qui
diminue que sa relation avec la condition présente de l'Église. On ne saurait
cependant en conclure que l'accent mis sur le futur exclut totalement
la considération du « déjà » de la foi eschatologique. Mais, formellement,
cette idée force de Jean et de Paul n'est guère plus explicitée que par Ignace
d'Antioche[1]. A côté de lui, d'autres auteurs attestent encore la doctrine
des *deux aiônes*, ainsi Polycarpe[2], le Pseudo-Barnabé[3], l'Homélie du
Pseudo-Clément[4], et surtout Hermas[5]; mais la nature de leurs rapports
n'est plus très bien perçue.

Dans ces milieux, l'attention semble se concentrer, plus encore que dans
l'Évangile de Matthieu, sur la parousie. On répète qu'elle est imminente.
Les Pères Apostoliques témoignent d'une spiritualité assez fruste du
Maran Atha. On rappelle quels sont les signes qui doivent précéder la fin,
et l'on s'attache à repérer ces signes. L'*Ascension d'Isaïe*, qui est un écrit
judéo-chrétien de la fin du premier siècle, dit que la fin est proche et décrit
l'Antichrist sous les traits de Néron réincarné[6]. Pour la *Didaché*, comme
pour le *Ps.-Barnabé*, c'est le moment de veiller, car les derniers temps
approchent. Les progrès de l'iniquité sont visibles, le Séducteur du monde
n'est plus loin[7]. Il s'agit de scruter les temps et de voir si les promesses

1. Eph. 11, 1.
2. Phil. 5, 2 ; 9, 2.
3. Ps.-Barn. 10, 11.
4. II Clem. 6, 3.5.6.
5. Hermas, Vis. I, 1 ; III, 6 ; Mand. X, 1 ; XII, 1.6 ; Sim. VI, 1.2.3, etc.
6. Asc. Is. 6-11 ; cf. Or. syb. 4, 12 ; cf. Ap 13, 3 ; 17, 8.
7. Did. 16, 1-8 ; Ps.-Barn. 4, 3.

du Seigneur ne sont pas déjà en train de se réaliser. « Le Seigneur nous a révélé par les prophètes les choses passées et présentes, et nous a donné de goûter par avance aux choses futures... Même l'avenir ne nous est pas tout à fait obscur. » En vertu de quoi, « il nous faut donc examiner à fond les circonstances présentes et chercher ce qui peut nous sauver »[1]. On insiste beaucoup dans ces écrits parénétiques sur la nécessité d'être sans péché en ce jour prochain « car tout le temps de votre foi ne nous servira de rien, si dans le dernier moment vous n'êtes devenus parfaits »[2]. Le dernier jour apparaît surtout sous l'aspect du Jugement où la colère de Dieu éclatera sur les pécheurs. Ce sera le moment de la récompense des justes qui ont su haïr « l'égarement du temps présent afin d'être aimé dans le temps à venir »[3]. Cette attente de la fin prochaine transparaît encore dans les prières liturgiques, ainsi la prière eucharistique de la *Didachè* : « Souviens-toi, Seigneur, de délivrer ton Église de tout mal, et de la rendre parfaite dans ton amour. Rassemble-la des quatre vents, cette Église sanctifiée, dans ton Royaume que tu lui as préparé. Vienne la grâce et que ce monde passe !... Maran atha, Amen ! »[4]. Elle est tout aussi vive chez Hermas. Dans une de ses *Visions*, la tour en construction, c'est l'Église. « Dès qu'elle sera achevée, ce sera la fin, et elle sera vite achevée »[5].

Chez les Apologistes grecs du second siècle, l'eschatologie est pratiquement absente. Elle n'est qu'indirectement abordée par le biais du problème de la résurrection, difficilement assimilable par un esprit hellénique. A l'exception d'un seul passage d'Aristide[6], aucun Apologiste ne fera plus allusion à la doctrine des deux *aiônes*.. Le mot *eschaton* n'apparaît jamais sous leur plume. Celui de *parousia* ne se trouve que chez Justin. Il est l'un des rares à parler de la proximité de cette figure eschatologique qu'est l'Homme de l'Iniquité, car, comme dit le *Psaume* 110, le Seigneur achève de faire de ses ennemis l'escabeau de ses pieds, et maintenant, « les temps sont remplis, il est déjà près de la porte »[7].

LA DATE DE LA PAROUSIE

Ce qui caractérise davantage la période, et qui révèle la dégradation du sens de l'eschatologie selon le Nouveau Testament, ce sont les tentatives de connaître la date de la fin du monde. Ces spéculations sont nées

1. Ps.-Barn. 1, 7 ; 5, 3 ; 4, 1.
2. Did. 16, 2.
3. Ps.-Barn. 4, 1.
4. Did. 10, 5-6.
5. Vis. III, 8, 9.
6. Aristide, Apol. 15, 3.
7. Dial. 32, 3.

dans les milieux judéo-chrétiens. Elles ne font que reprendre sans autrement s'émouvoir les méthodes chères au judaïsme apocalyptique. Leur lieu d'éclosion semble avoir été l'Asie Mineure, le même que celui des premières attaches des croyances millénaristes. Millénarisme et spéculations chronologiques sont la marque de l'eschatologie judéo-chrétienne coulant l'espérance chrétienne dans les schèmes propres aux courants apocalyptiques juifs qui l'ont précédée ou qui lui sont contemporains. Le millénarisme qui remonte à *l'Apocalypse* sera étudié plus loin comme une forme primitive et très répandue de l'espérance chrétienne qui s'accompagne d'une tentative de représentation de bonheur des élus dans l'aiôn à venir[1]. Mais la spéculation sur les millénaires est aussi l'une des formes par lesquelles le judaïsme hellénisé se représentait la totalité de l'histoire humaine par l'interprétation typologique de la semaine d'après le récit de la *Genèse*[2]. Le *Ps.-Barnabé* est le premier auteur chrétien à reprendre cette exégèse rabbinique selon laquelle le récit de la création contient en figure toute l'histoire ultérieure du monde. Dieu a créé le monde en six jours. Or, il est écrit par ailleurs qu' « un jour du Seigneur est comme mille années »[3]. L'auteur en conclut que « Dieu accomplit son œuvre en six jours. Cela signifie que Dieu, en six jours, amènera toutes choses à leur fin... Donc, mes enfants, poursuit-il, en six jours, c'est-à-dire en six mille ans, l'univers sera consommé »[4]. Le septième jour qui fut celui où Dieu se reposa de son œuvre est la figure du règne millénaire du Christ après la parousie, après quoi il inaugurera le huitième, c'est-à-dire le nouvel aiôn. Logiquement le retour du Christ à la parousie inaugurera le septième millénaire de l'âge cosmique. Ce retour mettra fin au temps de l'histoire dont la durée aura été de six mille ans. Mais l'auteur ne va pas plus loin. Il ne se demande pas à quelle époque lui-même se situe dans ce calendrier cosmique. Il ne se préoccupe donc pas encore de calculer le nombre d'années qui le séparent de la fin. Irénée qui a lui-même transmis les traditions millénaristes avec beaucoup de vénération reste aussi à ce sujet dans une expectative prudente. Mais il affirme lui aussi que le monde s'achèvera au bout de six mille ans. Pour lui, il est clair que le début de la *Genèse* est « à la fois récit des choses passées et prophétie des choses à venir »[5].

Mais un pas décisif est franchi par Théophile d'Antioche. Son souci n'est pas directement inspiré par la curiosité de connaître la date de la fin. Il

1. Cf. *infra*, p. 143 sq.
2. Voir J. DANIÉLOU, *La typologie millénariste de la semaine*, V.C. 2, 1958, p. 1-13.
3. Ps 89, 4. Même allusion dans 2 P 3, 8.
4. Ps-Barn. 15, 4.
5. Adv. Haer. V, 28, 3.

veut montrer, par une chronologie comparée[1], l'antériorité de la révélation biblique par rapport à la sagesse grecque. Tatien l'avait précédé
dans cette voie, mais il s'était arrêté à Moïse et n'avait pas apporté de
chiffres aussi précis[2]. Dans un autre livre perdu, Théophile nous apprend
qu'il avait déjà traité de généalogies bibliques[3]. Théophile se veut historien. Sa chronologie de l'histoire universelle ne s'appuie pas sur une
exégèse allégorique et typologique de la semaine, mais elle se veut objective, basée sur les chronologies bibliques et païennes. Ainsi est-il en mesure
de préciser que de la création du monde à la mort de Marc-Aurèle (en
l'an 180), « le total des années, sans compter les mois et les jours est de
5 695 ans »[4] ! Dans cette chronologie qui s'adresse à des païens, la naissance du Christ n'est pas mentionnée. Il n'est pas non plus question de
parler de la date de la fin, car il n'y a pas ici à spéculer. Du moins sait-on
maintenant à quelle époque de l'histoire universelle on se situe. Il devait
revenir à Hippolyte de Rome de faire la synthèse entre la spéculation
judéo-chrétienne sur la typologie de la semaine et les tentatives de chronologie historique.

HIPPOLYTE ET L'AVENTURE MONTANISTE

Hippolyte écrivit son *Commentaire sur Daniel* à la fin de la période
qui nous intéresse (203), c'est-à-dire à un moment où le Christianisme
était encore secoué par le courant eschatologiste prophétique que fut le Montanisme[5]. Ce courant, né en Phrygie vers 172, avait ravivé puissamment
les espérances en l'imminence de la fin, à un point bien plus excessif que
certains cercles de la première génération elle-même. A bien des égards
ce mouvement peut être interprété comme une réaction contre un certain
relâchement de l'attente de la fin, dans ce même milieu asiate où le millénarisme était demeuré très vivant. On veut revenir à ce que l'on pense
avoir été la ferveur eschatologique originelle. Le montanisme se dresse
contre la grande Église. Il est avant tout un phophétisme charismatique
qui veut se soumettre directement sous les impulsions de l'Esprit-Saint.
Son fondateur Montan se fait passer lui-même pour le Paraclet. D'après
Eusèbe, il avait donné à la ville phrygienne de Pépuze le nom de Jérusalem,

---

1. Genre également en faveur dans le judaïsme. Josèphe assigne à l'histoire du peuple juif
selon la Bible 5 000 ans (Ant. Jud., prooem; C. Apion I, 1). De la création au règne de Titus,
il compte 4 223 ans (Ant. Jud. X, 8, 5).

2. Infra, p. 246 sq.

3. Ad Aut. II, 30.

4. Ad Aut. III, 28 ; cf. 24-28.

5. P. de LABRIOLLE, *La crise montaniste*, Paris, 1913 ; *Les sources de l'histoire du montanisme*,
Paris, 1913.

y attendant la descente de la Jérusalem céleste[1]. Devant le Jugement proche, le « Paraclet » était venu porter à sa plénitude l'enseignement du Christ. Il est venu, selon Tertullien qui se fit lui-même montaniste, accomplir l'économie du salut en enseignant des prescriptions qu'au temps du Christ les hommes n'auraient pas encore pu supporter. Il est « survenu après les Apôtres pour conduire graduellement la discipline à toute sa vérité »[2]. Cet enseignement consiste surtout à imposer des œuvres surérogatoires à ceux qui veulent être parfaits quand viendra la fin. Ainsi prescrit-il le mariage unique, tout en recommandant à ceux qui en ont la force, la continence absolue[3]. Il surenchérissait aussi sur les pratiques ascétiques : multiplication des jeûnes, des stations ; observation de la xérophagie ; on ne mange que des viandes desséchées ; on s'abstient de vin et de tout aliment juteux ; on renonce même au bain[4]. Il recommandait aussi de ne pas fuir le martyre lorsqu'il se présentait, sans que l'on puisse dire qu'il poussait à le rechercher volontairement. Il aurait dit lui-même : « N'allez point souhaiter de mourir dans votre lit, dans les avortements, ou dans les langueurs des fièvres, mais bien dans le martyre, afin que soit glorifié Celui qui a souffert pour vous »[5]. Pratiquer la justice tout le long de sa vie est bien, disait-il, mais combien plus glorieux sera celui qui se conforme à cette discipline d'élite surtout s'il passe par le martyre ! L'influence du montanisme fut immense, car tout en étant un mouvement prophétique, il se constitua en Église rivale avec un sens de l'organisation financière et administrative qui fera école. Ces églises furent les premières à communiquer régulièrement entre elles au moyen de synodes[6]. Répandues partout, on peut dire qu'à la fin du second siècle, elles entretenaient encore dans le Christianisme une véritable hantise de l'approche des derniers temps. Les pronostics sur l'échéance finale se faisaient de plus en plus nombreux d'autant plus que la persécution de Septime-Sévère, déclenchée en 202, paraissait confirmer par des signes non équivoques que cette fois, c'était vraiment la fin. Tertullien nous apprend que le chronographe Judas avait annoncé l'arrivée de l'Antichrist pour 202, d'après les soixante-dix semaines de *Daniel*[7]. Mais c'est Hippolyte qui nous rapporte deux anecdotes significatives. Un chef d'église prophétisait dans le Pont que le jugement devait avoir lieu dans un an et que le Jour du Seigneur était là. En conséquence, ses

---

1. H.E., V, 16 sq.
2. De monog. 3 ; cf. De virg. vel. 1 ; De jej. 13.
3. De monog. 1-3 : De pudic. 1 ; Adv. Marc. 1, 29.
4. De jej, 1.
5. De fuga 9 ; De anima 55.
6. Eusèbe, H.E., V, 16, 10.
7. Adv. Valent. 5.

fidèles « priaient le Seigneur jour et nuit, avec larmes et gémissements, car ils avaient devant les yeux l'imminence du jugement. Cet homme avait provoqué en eux une si grande crainte, une si grande épouvante qu'ils laissaient leurs campagnes en friche, n'allaient plus à leurs champs et presque tous vendaient leurs biens »[1]. Un autre chef d'église, en Syrie, pensait que l'Évangile ayant déjà été annoncé dans le monde entier, la fin devait venir incessamment. Il se mit à la tête de sa communauté pour aller à la rencontre du Christ dans le désert. « Ils erraient et s'égaraient sur les montagnes et sur les chemins, à l'aventure, et il s'en fallut de peu que le gouverneur ne les arrêtât et les fît tous périr, comme brigands » .[2]

On voit quelles tournures pouvait prendre une fièvre eschatologique de ce genre. Dans tout eschatologisme fébril, on trouve toujours indissociablement liés une attention exclusive et angoissée portée sur l'avènement du dernier jour, une tentative d'en connaître la date et, comme conséquence, l'abandon de tout souci de la vie présente et de sa signification dans l'histoire du salut. Ces traits sont le plus souvent dus à une surenchère de prescriptions morales de tous ordres, de caractère judaïque et même quelquefois dualiste. L'influence du montanisme avait gagné non seulement l'Asie, l'Afrique, mais aussi Rome. La grande Église, dès le début, avait rejeté ces excès qui dénaturaient le sens de l'eschatologie primitive. Aussi Hippolyte ne cite-t-il ces histoires que pour les fustiger. Son souci est d'apaiser les esprits : la fin n'est pas pour demain. D'abord le Seigneur a tenu à cacher ce jour à ses disciples « pour les tenir en éveil, eux et tous, tendus vers l'avenir, dans une attente anxieuse et quotidienne de l'Époux céleste, et pour que la durée de cette attente ne les incite pas à négliger les commandements tant qu'il tardera et ne les fasse pas sommeiller » [3].
Dans ces conditions, « à quoi bon cette étude indiscrète des temps et cette enquête du jour (du Seigneur), quand le Sauveur lui-même nous l'a caché? »[4]. D'ailleurs personne ne devrait souhaiter assister à un tel évènement de peur de n'être pas assez fort pour résister aux épreuves qui le précéderont[5]. Il faut prendre patience et croire que cela arrivera. En revanche, le Seigneur a révélé les signes qui précéderont la fin. Il faut tâcher de les discerner, « réfléchir sur chaque événement qui arrive, et malgré toute notre science, nous taire... »[6]. Et de citer l'Écriture (*Mt 24, 14*) où il est dit que la fin ne viendra pas avant que l'Évangile ne soit

1. Sur Dan. IV, 19, 4-5.
2. *Id.*, IV, 18, 3.
3. *Id.*, IV, 16.
4. *Id.*, IV, 22, 1.
5. *Id.*, IV, 12, 7.
6. *Id.*, IV, 17.

annoncé dans le monde entier. Mais Hippolyte lui-même n'a pas eu la patience de se taire, ni de se méfier de sa propre science. C'est en cela qu'il est révélateur de la mentalité de son époque. Les chrétiens viennent de traverser un puissant courant eschatologiste. Rappeler les principes du Nouveau Testament ne suffit plus parce que la conscience eschatologique est comme hantée par l'idée de la proximité de la fin, avec les tribulations terribles qui doivent l'accompagner.

Aussi le meilleur argument qu'Hippolyte est heureux de produire contre les calculs sur l'imminence de la parousie est encore un autre calcul qu'il estime plus fondé. En ce domaine, nous avons vu qu'il n'innove pas. Son originalité est cependant de combiner deux ordres de démonstration qui jusque-là n'avaient pas interféré : les spéculations sur la typologie biblique et les chronologies comparées. Selon le même raisonnement que le Pseudo-Barnabé ou Irénée, il conclut que le temps du monde est six mille ans. Il y voit deux confirmations : l'*Apocalypse* (qui parle en réalité des sept empereurs romains qui ont régné depuis César jusqu'à Vespasien) dit : « Les cinq premiers sont tombés, l'un subsiste, l'autre n'est pas encore venu »[1]. Hippolyte traduit : les cinq premiers millénaires sont révolus, le sixième est en cours, le septième qui sera celui du repos n'est pas encore venu ! D'autre part, les dimensions de l'arche d'alliance sont pour lui une « image des mystères spirituels... Comme l'arche a cinq coudées et demie : ce sont là les cinq mille cinq cents ans au terme desquels le Seigneur est venu. A partir de sa naissance cinq cents ans doivent s'écouler pour l'achèvement des six mille ans »[2]. Ainsi on obtient enfin une idée du temps qui reste à l'histoire après la naissance du Christ. D'ailleurs l'Empire romain qui est contemporain du Christianisme et qui est symboliquement représenté dans *Daniel* par le quatrième bête doit avoir une domination de cinq cents ans étant plus puissant que l'Empire des Perses et celui des Macédoniens qui ont respectivement régné deux cent trente et trois cents ans. Mais ces approximations sommaires — et surprenantes — sont reprises d'une manière définitive par Hippolyte dans sa *Chronique* composée en 234. Il s'y inspire en particulier de Clément d'Alexandrie[3] et de la *Chronique* de Jules d'Africain. Maintenant l'histoire du monde depuis l'origine est clairement tracée. La date de la naissance du Christ est inserrée dans l'histoire universelle. Et l'auteur prouve de trois manières qu'au moment où il écrit, on est en l'an 5 738 du monde. Comme le monde doit durer 6 000 ans, les chrétiens n'ont pas à s'inquiéter outre mesure de la proximité de la parousie : elle ne viendra pas surprendre

---

1. Sur Dan. IV, 23, 6 ; cf. Ap 17, 10.
2. *Id.*, IV, 24, 2-4.
3. Strom. I, 109-136.

leur génération ! En réagissant contre les excès de l'attente fièvreuse de la fin, Hippolyte reste dans la ligne du Nouveau Testament, mais la manière dont il s'y prend, si elle a pu convaincre quelques-uns de ses contemporains, lui est totalement étrangère. En même temps, il inaugure un mouvement inverse, où l'attente deviendra aussi absente des préoccupations chrétiennes. Quant l'accent est mis exclusivement sur le futur de l'eschatologie, il engendre la méconnaissance de la valeur eschatologique actuelle de la vie chrétienne ; et quand ce futur lui-même ne semble plus proche, toute espèce de tension finit par être évacuée et la vigueur temporelle de l'eschatologie primitive n'est plus sentie du tout.

L' « ÉCONOMIE DU SALUT »

Mais la perspective de ces déformations doit être corrigée par la mention rapide d'une autre ligne de pensée du Christianisme au second siècle qui culmine dans la figure prestigieuse d'Irénée, et qui est l'histoire du salut [1]. Cette histoire du salut, comme chez Paul ou Luc, est toujours orientée vers son point d'intensité centrale : le Christ. On la désigne sous le terme global d'*oikonomia*. L' « économie » divine apparaît dans la perspective de Justin, d'Irénée, de Clément d'Alexandrie, et déjà d'Ignace d'Antioche comme l'ensemble des étapes successives, venant chacune en son temps, de l'unique plan du salut divin. C'est avec Justin que le mot est employé pour la première fois pour exprimer l'idée d'un plan de Dieu qui s'étend sur toute l'histoire. Cette économie est unique. Elle est toujours en ses réalisations successives, l'œuvre de la seule volonté du Père [2]. L'incarnation,[3] la passion et la résurrection [4] du Sauveur en sont les points culminants. Le passé de l'humanité juive ou païenne y sont une préparation ; et le temps de l'Église qui vient après en est l'annonce au monde. Telle est la vision triptique de l'histoire qui s'impose aux Pères, dans leur compréhension de l' « économie » divine.

Le même mot était aussi employé par différents systèmes gnostiques pour exprimer leur conception non des phases d'une intervention de Dieu dans l'histoire, puisqu'ils nient tout salut dans le temps, mais de l'organisation du retour au Plérôme des semences pneumatiques réparties dans

---

1. Voir en particulier G. Jossa, *La teologia della storia nel pensiere cristiano del 2. secolo*, Naples, 1965 ; A. Luneau, *L'histoire du salut chez les Pères de l'Église. La doctrine des âges du monde*, Paris, 1962, contient des développements intéressants sur le second siècle ; H.-I. Marrou, *Théologie de l'histoire*, Paris, 1968.
2. I Ap. 46, 5 ; II Ap. 6, 5 ; Dial. 48, 3 ; 87, 2 ; 111, 1.
3. Cf. Dial. 87, 5 ; 120, 1.
4. Dial. 30, 3 ; 103, 3 ; 135, 4.

la matière du monde. Le salut, nous l'avons dit, est pour eux entièrement donné dans l'acte de la gnose. Par la connaissance, le gnostique transcende immédiatement le monde spatial et temporel et rejoint déjà la demeure de son être pneumatique véritable, le Plérôme a-temporel et pré-cosmique de la divinité. L'histoire n'est pas une catégorie gnostique. Le temps, pas plus que la matière n'ont d'existence véritable[1]. Le gnostique n'a donc plus rien à attendre : il a ou il n'a pas la connaissance qui sauve. On trouve cependant dans la plupart des gnoses l'idée que le monde actuel sera détruit. D'après les Valentiniens, lorsque les semences pneumatiques disséminées dans le monde se seront toutes transformées en gnose, étant entièrement libérées de leur prison, elles seront rassemblées pour retourner dans leur demeure d'au-delà du monde. Cette croissance des semences, atteignant leur perfection se fait de par leur vertu propre et non par le fait d'une histoire personnelle[2]. Or la vigoureuse réaction d'Irénée a consisté précisément à mettre en lumière le caractère temporellement concret de l'économie salvifique. Le temps est donné avec le monde créé. Il est le mode humain de percevoir une volonté divine qui se révèle à travers des événements qu'elle suscite. Il est un vecteur du salut. Les Pères ont voulu montrer fermement que le salut que les chrétiens recevaient du Christ n'était pas une solution mythique qui les retirerait du temps et de l'espace, mais qu'il devait se réaliser selon un plan de Dieu dans le tissu même de leur existence historique.

LE CHRIST PIVOT DE L'HISTOIRE

Pour bien comprendre la pensée des Pères, il faut souligner le caractère christocentrique de leur vision de l'économie du salut. Comme pour Paul ou pour Luc, le Christ est l'événement central, à partir duquel s'éclaire rétrospectivement et prospectivement la signification de l'histoire qui le précède et qui le suit. Sans la référence à ce point central et décisif, il n'y a pas d'économie divine. Car en lui se réalise et s'opère la plénitude du salut, dont les effets parcourent la durée de l'histoire. L'unique économie divine est réellement révélée et une fois pour toutes accomplie dans l'unique Jésus-Christ. Otez cette clef de voûte, et toute la construction reposant sur elle s'écroule. C'est le centre de l'histoire du salut qui authentifie l'histoire qui y prépare, comme l'histoire qui en témoigne. Or, l'unité de l'économie est garantie parce que celui qui est venu dans la chair en

---

1. H.-C. PUECH, *La gnose et le temps*, Eranos-Jahrbuch, t. 20, Zürich, 1952, p. 57-113.
2. Cf. Irénée, Adv. Haer. I, 6, 4. C'est en ce sens que H.-I. MARROU reconnaît une valeur positive du temps chez certains gnostiques, in *La théologie de l'histoire dans la gnose valentinienne, Le origine delle gnosticismo*. Colloquio di Messina, Leiden, 1967, p. 215-226.

Jésus-Christ, est le même que celui qui a été à l'origine, et qui sera à la fin de l'histoire. La théologie du Logos, dont nous avons déjà vu l'application au problème de la création sert maintenant à exprimer la continuité et l'unicité du dessein de Dieu, se déroulant dans l'histoire. C'est par le Verbe que le monde a été créé, c'est par le Verbe incarné qu'il a été racheté. Mais les Apologistes ne se sont pas arrêtés à cette affirmation. L'histoire du monde qui va de la création au Christ a été marquée par diverses interventions de Dieu : c'est donc le Verbe qui se manifestait en elles. Justin insiste sur la fonction révélatrice du Verbe dans les théophanies de l'Ancien Testament[1].

Tous ces événements font partie de l'unique économie du Père qui la dirige[2]. Le propre de cette économie préparatoire, c'est d'annoncer et de contenir en figure les événements décisifs à venir. Ainsi les mariages de Jacob réalisent une économie divine. Ils sont le type de l'union du Christ et de l'Église[3]. Cette économie devient alors parfaitement évidente dans l'incarnation virginale. « (Le Verbe) se manifeste d'abord sous la forme du feu et sous une figure incorporelle à Moïse et aux autres prophètes, écrit-il aux empereurs, et maintenant, au temps de votre empire, il s'est fait homme, il est né d'une vierge »[4]. La passion est un autre moment de l'économie de la mission du Fils : elle laisse présager à son tour quelle sera la puissance de sa parousie glorieuse[5]. Déjà Ignace d'Antioche disait que les prophètes « ont vécu selon Jésus-Christ »[6], qu'ils « attendaient comme leur maître »[7], « car eux aussi ont annoncé l'Évangile, ils ont espéré en lui et l'ont attendu; croyant en lui, ils ont été sauvés, et demeurant dans l'unité de Jésus-Christ... ils ont été admis dans l'Évangile de notre commune espérance »[8]. Le Christ est l'objet réel des promesses de l'Ancien Testament comme il est l'objet de la foi du Nouveau. Par lui, les croyants du passé comme de l'avenir trouvent accès au Père : « Il est la porte du Père, par laquelle entrent Abraham, Isaac et Jacob, et les prophètes, et les apôtres, et l'Église. Tout cela (conduit) à l'unité de Dieu »[9]. L'écrit A Diognète a su remarquablement exprimer l'idée que dans la révélation centrale de Jésus-Christ s'éclaire le dessein total

---

1. Le Verbe se révèle aux Patriarches (Dial. 126, 5); appelle Noé, apparaît à Abraham dans le buisson ardent (Id., 127, 1, au jugement de Sodome, etc., 128, 1). Cf. Dial. 127, 4.
2. Cf. Dial. 125, 4.
3. Dial. 134, 2-4.
4. I Ap. 63, 10.
5. Dial. 31, 1.
6. Magn. 8, 1.
7. Id., 9, 2.
8. Philad. 5, 2.
9. Id., 9, 1.

de salut que Dieu avait projeté et exécutait dans le genre humain depuis le début de son histoire. « Ayant conçu un dessein d'une grandeur ineffable, dit-il, il ne l'a communiqué qu'à son Enfant. Tant qu'il maintenait dans le mystère et réservait son sage projet il paraissait nous négliger et ne pas se soucier de nous. Mais quand il eût dévoilé par son Enfant bien-aimé et manifesté ce qu'il avait préparé dès l'origine, il nous offrit tout à la fois : et de participer à ses bienfaits, et de voir, et de comprendre »[1]. Après avoir examiné les voies de l'économie que Dieu a suivies chez les Grecs, comme chez les Juifs pour les préparer au Christ, Clément conclut qu'il « n'y a, en fait, qu'un seul Testament : c'est celui qui, porteur du salut depuis le commencement du monde est parvenu jusqu'à nous, si l'on comprend qu'il est divers dans ses dons selon les générations et les temps divers. Car il est naturel qu'il n'y ait qu'un seul don irrévocable du salut, venant d'un Dieu unique par l'intermédiaire d'un Seigneur unique »[2].

L'économie divine qui s'étend sur la totalité du temps est ordonnée autour de cet axe stable et réel qu'est le Christ dans lequel elle se résume, et qui la fonde. Ailleurs, Clément compare le Logos à un chant pur qui pénètre toutes les parties de l'univers pour les rendre consonnantes à l'unique volonté du Père, « après avoir été distribué du centre jusqu'aux extrémités et des extrémités jusqu'au centre »[3]. Ce Logos venu dans la chair comme Sauveur, c'est le même qui est à l'origine, et qui se trouvera à la consommation du monde : « Il est apparu naguère celui qui préexistait comme sauveur ;... il est apparu le Logos par qui tout a été créé. Comme demiurge il donna la vie au commencement, en même temps qu'il créait ; puis étant apparu comme maître, il a enseigné à bien vivre, de façon à procurer plus tard, en tant que Dieu, l'éternelle vie »[4]. C'est dès le commencement que Dieu a pris pitié de l'égarement des hommes perdus par le péché, « et pourtant ce n'est qu'aujourd'hui qu'il est apparu pour nous sauver »[5].

Mais la vision christocentrique de l'économie divine est portée à son plus haut degré d'élaboration dans la doctrine de la *récapitulation* d'Irénée[6]. Elle contient une vision totale de l'histoire du salut. Le Verbe incarné « concentre » dans sa personne la totalité du genre humain qui le précède ou qui le suit dans le déroulement de l'histoire. « Lorsqu'il s'est incarné et qu'il est devenu homme, il a récapitulé en lui-même la

1. A Diogn. 8, 9-11.
2. Strom. VI, XIII 106, 3.
3. Protr. I 5, 2.
4. *Id.*, I 7, 3.
5. *Id.*, I 7, 4 ; Cf. I 7, 8.
6. Voir A. Benoit, *Saint-Irénée : Introduction à l'étude de sa théologie,* Paris, 1950.

longue série des hommes et nous a procuré le salut en raccourci, *in compendio,* (dans sa chair) »[1]. En lui l'ancienne création pécheresse est donc reprise comme en résumé. Or, cette création était tombée au pouvoir de Satan. En concentrant en lui la race d'Adam tombée au pouvoir de la mort, c'est en lui-même qu'il tue le principe de la mort, devenant le premier homme nouveau vivant de l'Esprit qui est principe de vie éternelle, « de sorte, poursuit Irénée, que ce que nous avions perdu en Adam, c'est-à-dire le fait d'être à l'image et la ressemblance de Dieu, nous puissions le recouvrer dans le Christ Jésus ». En cela il était vraiment Dieu, « récapitulant en Lui cette chair d'homme par lui jadis modelée, afin de tuer le péché, d'anéantir la mort et de vivifier l'homme »[2]. En devenant maître de la mort et en s'élevant à la vie selon Dieu, le Christ est constitué maintenant chef de la création nouvelle, récapitulant aussi en lui l'humanité véritable à venir, récréé par Dieu pour la vie éternelle : « Unissant l'homme à l'Esprit et mettant l'Esprit dans l'homme, lui-même est devenu chef de l'Esprit »[3]. Plus haut, nous avons déjà souligné la répercussion cosmique de l'œuvre salvifique du Christ. A la fin des temps, cette œuvre sera consommée dans le combat eschatologique dans lequel éclatera la victoire du Christ sur l'Antichrist. De même que le Christ sera le résumé de la création nouvelle inaugurée par la rédemption, de même l'Adversaire apparaîtra alors face à lui comme la récapitulation ou le raccourci de tout le mal qui a rempli l'histoire de l'ancienne création[4].

Irénée sait ainsi exploiter magistralement le principe paulinien de *substitution* et le met au cœur de sa théologie de l'histoire du salut. C'est ce principe qui guide la succession des étapes de l'économie divine. Jusqu'au Christ la révélation de la volonté de Dieu s'est faite successivement par l'élection, d'abord du genre humain tout entier en Adam, puis du peuple d'Israël dans Abraham le croyant, puis du petit reste d'Israël annoncé par les prophètes, et enfin dans l'unique Jésus-Christ, à chaque étape une minorité plus petite étant appelée pour que par elle soit donnée la rédemption à l'ensemble. A partir du Christ, la perspective repart en sens inverse, la nouvelle humanité acquise et représentée par lui devant s'élargir jusqu'à englober à nouveau le genre humain numérique tout entier, le restaurant dans la condition de fils de Dieu par une alliance nouvelle plus parfaite que l'ancienne. Dans le Christ, la totalité de l'économie divine est « récapitulée » parce que c'est aussi en lui qu'elle est réalisée. Par l'incarnation et la rédemption, dit Irénée, le Verbe « a consommé l'économie

---

1. Adv. Haer. III, 18, 1.
2. *Id.,* III, 18, 7 ; cf. V, 21, 1 ; V, 23, 2.
3. *Id.,* V, 20, 2.
4. *Id.,* V, 28, 2.

de notre salut »[1]. Cette économie de substitution apparaît ainsi comme un accomplissement de l'histoire du salut antérieure et une anticipation de celle à venir. En même temps, elle authentifie les substitutions du passé comme des étapes préparant aux dons du salut dans l'unique Jésus-Christ : « L'économie du Seigneur est quadruple. Et c'est pour cela que quatre alliances ont été données à la race humaine : une avant le déluge, sous Adam, la seconde après le déluge, sous Noé, la troisième est la Loi sous Moïse ; la quatrième renouvelle l'homme et récapitule tout en elle : c'est l'Évangile »[2].

LA PÉDAGOGIE DU VERBE

C'est à partir du centre efficace de l'économie salvifique que les effets du salut rayonnent sur l'histoire, en arrière vers le passé sous forme de préparation, en avant vers l'avenir sous forme d'accomplissement. Ici encore c'est Irénée qui a mis le mieux en lumière le caractère historique et même psychologique du développement temporel des desseins de Dieu. A chaque étape de son économie, Dieu proportionne sa révélation à la capacité de l'homme de la recevoir. Son action s'adapte aux possibilités de l'homme, de même qu'elle l'accoutume progressivement à ses révélations par le moyen d'une longue et patiente pédagogie. Cette pédagogie dont l'acte culminant est constitué par l'Incarnation s'étend en fait de la création à la consommation du monde, marquée par un développement continu et progressif de la connaissance de Dieu, mené de sa condition naturelle d'ignorance vers sa condition définitive de glorifié. L'histoire est « un temps de croissance »[3] dont la lenteur n'est pas due à quelque impuissance de Dieu, mais à la faiblesse et à la liberté de l'homme. Dieu ne pouvait créer l'homme parfait dès le début, explique Irénée, parce que les êtres créés sont nécessairement inférieurs à leur Créateur. L'homme a été créé à l'état de petit enfant encore incapable de recevoir une telle perfection[4]. Cet état d'enfance est lié à sa condition d'être libre. « Dans sa prescience, d'autre part, il a connu la faiblesse des hommes et ce qui devait en résulter »[5]. Les hommes ne connaissant pas encore le bon usage de la liberté (ils se sont crus libres, mais sont en fait tombés dans l'esclavage de Satan)[6], il a fallu progressivement les y éduquer. Cette pédagogie historique est naturellement l'œuvre du Verbe. Elle prend

1. Adv. Haer. III, 18, 2.
2. Id., III, 11, 8.
3. Id., IV, 38, 4.
4. Id., IV, 38, 1 ; cf. Théophile, Ad Aut., II, 25.
5. Adv. Haer., IV, 38, 4.
6. Cf. Id., V, 21, 1.

l'homme en son état d'enfance, lui parlant par allusions et symboles des réalités futures, accoutumant l'homme à porter son Esprit et à vivre en communion avec Dieu[1]. Le pas décisif est franchi à l'Incarnation. Mais dans la vision progressive d'Irénée, elle n'est elle-même qu'une étape de la pédagogie divine. Le Christ qui est la réalité du salut, en se faisant homme est venu « pour accoutumer l'homme à recevoir Dieu et accoutumer Dieu à habiter dans l'homme, selon le bon plaisir du Père »[2]. La révélation de Dieu se fait toujours plus précise, les hommes s'habituant de plus en plus à comprendre les manifestations de Dieu, et Dieu s'adaptant à ses capacités. Avec l'Esprit, la dernière phase de cette économie universelle est ouverte. Si le Seigneur l'a envoyé à son tour, c'est toujours « pour nous rendre plus aptes à recevoir Dieu »[3]. Ainsi l'unique économie de Dieu prend en charge le genre humain pour le conduire, par une pédagogie appropriée sur la voie ascendante et régulière qui mène à la nouvelle création rachetée. Irénée résume cette conception dans un passage admirable : « Tel est l'ordre, tel est le rythme, tel est le mouvement par lequel l'homme créé et modelé devient à l'image et à la ressemblance de Dieu incréé : le Père décide et commande, le Fils exécute et modèle, l'Esprit nourrit et accroît, et l'homme progresse peu à peu et s'élève vers la perfection, c'est-à-dire s'approche de l'Incréé, et celui-là est Dieu »[4].

Un peu plus tard, Clément d'Alexandrie reprendra, dans une synthèse non moins grandiose, l'idée de l'éducation progressive de l'humanité mais en l'axant avec plus de justesse sur l'unique révélation totale qu'est le Verbe incarné. Clément s'attache à montrer comment Dieu a préparé l'humanité juive et païenne à recevoir dans le Christ la révélation ultime et définitive de la vérité. C'est surtout sous l'aspect de la connaissance de la vérité que se place Clément. L'histoire spirituelle de l'humanité avant le Christ est pour lui une préparation à l'accueil de la pleine lumière de l'Évangile. Elle est aussi l'œuvre du Logos, s'adaptant aux hommes et les éduquant, les Juifs par la Loi et les prophètes, les Grecs par l'inspiration de quelques-uns de leurs philosophes, à recevoir la vérité totale dans le Christ. Nous aurons l'occasion de l'étudier plus en détail à propos du débat du Christianisme avec la sagesse grecque[5].

LE TEMPS DE L'ÉGLISE

On a vu que pour Irénée, le troisième volet du triptique de l'économie

---

1. Adv. Haer. IV, 14, 2.
2. Id., III, 20, 2.
3. Id., III, 17, 2.
4. Id., IV, 38, 3.
5. Infra, p. 239 sq.

divine était celui de l'Esprit, temps continu de croissance et de progrès
vers la condition glorieuse qu'il appelle la vision de Dieu. D'une façon
générale, le caractère spécifique du temps de l'Église, dans la phase terminale de l'histoire du salut est beaucoup moins vigoureusement défini
par les auteurs du second siècle. Chez Irénée même, l'idée d'une croissance spirituelle régulière de l'humanité depuis la création jusqu'à la fin
se superpose mal à sa doctrine de la récapitulation qui concentre au contraire dans le Christ l'intensité maxima des dons du salut[1]. Cet exemple
est révélateur. Le temps de l'Église n'est plus suffisamment distingué de
la période précédente de l'histoire du salut comme un temps eschatologique où la plénitude des effets du salut est déjà accordée dans la foi. En
revanche, les Pères ont une conscience très nette que depuis le Christ,
l'histoire humaine est rythmée par l'histoire de l'Église chrétienne. On
s'en rendra pleinement compte lorsque l'on examinera les dimensions
de leur conscience historique au sein du monde de la civilisation hellénistique et romaine. Désormais le temps qui reste au monde avant la fin
est déterminé en fonction de la prédication de l'Évangile et du recrutement
des saints. De même que l'économie divine a couvert toute l'histoire des
hommes depuis les origines, maintenant elle en subordonne la durée
à l'achèvement de sa phase ultime qui échoit à l'Église. Justin a fait le plus
abondamment écho à l'idée que les chrétiens sont aujourd'hui la cause
pour laquelle Dieu retient encore la fin du Monde. Reprenant l'expression
par laquelle l'*Apolalypse*[2] avait défini la durée du temps de l'Église, il
rappelle que le Christ retardera sa parousie et que Dieu attendra pour
envoyer son châtiment « jusqu'à ce que soit accompli le nombre des prédestinés, des bons et des saints à cause desquels il n'a pas encore détruit
le monde par le feu »[3], « sachant bien que chaque jour, il y a des hommes
qui, instruits au nom de son Christ, abandonnent la voie de l'erreur et
reçoivent ses dons »[4]. La conscience chrétienne du temps n'est qu'un
aspect de leur conscience du monde. De même que l'univers, en dernière
analyse, a été créé pour eux et qu'il est maintenu par Dieu à cause de leur
intercession, ce sont les chrétiens qui en retardent la fin puisque c'est à
leur existence dans le monde qu'est liée la phase présente de l'économie
divine. La doctrine de la solidarité cosmique qui aboutit à une vision
christianocentrique de l'univers est ici reprise sous son aspect temporel.
« Si Dieu, affirme Justin, retarde encore le bouleversement et la disso-

---

1. A. BENOIT, *op. cit.*, p. 231, pense que le thème du progrès procède chez Irénée d'une autre
source que celui, beaucoup plus développé, de l'*oikonomia* divine.
2. Ap 6, 11.
3. I Ap. 45, 1 ; cf. 28, 2.
4. Dial. 39, 2.

lution de l'univers qui anéantiront les méchants, anges, démons et hommes, c'est à cause de la race des chrétiens à qui il reconnaît le rôle de déterminer le sort de toute la nature »[1]. C'est ainsi que Tertullien peut rassurer les Romains que les chrétiens prient eux aussi « pour l'ajournement de la fin »[2]. Ce qui ne l'empêche pas, par ailleurs, d'affirmer que par cette même prière ils hâtent aussi la venue du Royaume[3]. Car de même qu'ils peuvent retarder la fin, il revient aussi aux chrétiens de « hâter l'avènement du Jour de Dieu »[4], ces deux actions sur le temps découlant, sans se contredire, de la même qualité causale qu'ils s'attribuent dans le cosmos.

1. II Ap. 7, 1.
2. Apol. 39, 2.
3. Cf. De orat. 5.
4. 2 P 3, 12.

CHAPITRE III

L'EMPIRE DE SATAN
ET LE RÈGNE DU CHRIST

LE MONDE SYNONYME DU REFUS DU CHRIST

Sorti des mains du Créateur pour être donné aux hommes, le monde est une réalité foncièrement bonne et belle. Si le mal était apparu, c'était par suite de la faute des hommes récapitulée dans celle du premier Adam. Par extension, la création tout entière, solidaire de l'humanité, était entraînée avec elle dans la corruption. C'est ici qu'il faut souligner l'originalité de la perspective chrétienne. Nous avons vu que tant du côté de la gnose hellénistique que de l'apocalyptique juive, le Christianisme baignait dans un environnement pour qui le monde était, à des degrés divers, déprécié. Dans le dualisme ontologique de la gnose, la création matérielle et temporelle était l'œuvre horrifiante du Principe du Mal. Dans l'apocalyptique, le dualisme était de caractère éthique et historique et opposait assez radicalement l'*aiôn* présent comblé de tous les maux à l'*aiôn* futur, parfait et éternel. Dans son jugement sur le monde, le Christianisme adopte une attitude différente. Pour lui, l'irruption des événements du salut a placé l'univers dans un éclairage nouveau. C'est par rapport au Christ, venu dans le cours de l'*aiôn* présent, que les hommes, et avec eux tout l'univers créé, doivent se redéfinir. Le jugement sur la création reste fondamentalement positif. Mais devant cet événement nouveau et déterminant, le monde est invité à prendre position. La décision pour ou contre le Christ, *hic et nunc*, a acculé le monde, comme univers des hommes et lieu de la révélation divine, à se redéfinir d'une manière entièrement nouvelle.

Ici, le Christianisme élabore un concept qui charge la notion de *monde* d'un contenu spécifique et original. Le péché qui reste le fait de l'homme, est maintenant révélé comme refus du salut offert dans le Christ. Alors que l'*aiôn à venir* englobe déjà dans sa sphère l'ensemble des croyants, le *cosmos* et l'*aiôn présent* tendent à devenir synonymes de la partie de l'humanité. et donc de la création, qui est restée étrangère au salut. Le *monde*, dans son acception péjorative est alors considéré comme le lieu du péché et de son fruit, la mort, le domaine où se déploie l'action des puissances hostiles à Dieu et qui forme, par opposition au règne du Christ victorieux, un empire antagoniste sous la conduite de Satan. Ce contenu qualitatif donné à l'humanité hostile à Dieu, et par extension au *cosmos* et à l'*aiôn présent* tout entiers, n'oblitère cependant pas le jugement positif porté sur la création en tant que telle. Le *monde* comme sphère de la création corrompue et hostile à Dieu n'est ni le cosmos ni l'humanité pris globalement, mais ce qui, en eux, se dresse librement contre la volonté de Dieu et a besoin de la rédemption. L'appartenance à la sphère de la volonté divine ou à la sphère du *monde* se décide dans le cœur de chaque homme, dans le choix pour ou contre le Christ.

Paul et Jean sont les premiers à développer cette conception proprement chrétienne, selon laquelle le *monde*, dans la phase actuelle de l'histoire du salut, est devenu synonyme de l'ensemble des créatures qui ne reconnaissent pas que Jésus est « le sauveur du monde »[1]. Pour Paul, « ce cosmos-ci » est pécheur[2], périssable[3], un domaine opposé à Dieu[4]. Il est « tout entier... coupable devant Dieu »[5]. C'est pourquoi, les « saints » le jugeront[6], car ils ne seront pas condamnés avec lui[7]. Le Christ est venu, dit encore Paul, nous arracher « à *cet aiôn actuel mauvais* »[8]. Jean lui fait écho en disant que « le *cosmos* tout entier gît au pouvoir du Mauvais »[9]. Il enjoint aux fidèles de ne pas aimer *ce monde* ni tous les vices qu'il contient[10]. Le monde a ainsi un « esprit » qui est l'adversaire de l'Esprit de Dieu[11]. Il a une « sagesse » à lui qui est folie aux yeux de Dieu[12]. Il a même sa « vie » qui est en réalité le masque de son existence de mort[13]. Chez Jean, « ce cosmos-ci » a des traits humains encore plus précis. Il « aime »

1. Jn 4, 42.
2. Cf. 1 Co 5, 10 ; Ep 2, 2.
3. Cf. 1 Co 7, 31.
4. Cf. 1 Co 1, 20 ; 3, 19.
5. Rm 3, 19 ; cf. Ga 3, 22.
6. 1 Co 6, 2.
7. 1 Co 11, 32.
8. Ga 1, 4.
9. 1 Jn 5, 19.
10. 1 Jn 2, 15.
11. 1 Co 2, 12.
12. 1 Co 1, 20 sq. ; 2, 6-8 ; 3, 19.
13. Col 2, 20.

ceux qui sont à lui, mais « hait » les disciples qui ne sont pas *du* monde[1]. Il « se réjouit »[2] lorsque les disciples sont affligés. Enfin, il ne « connaît » pas le Père[3]. Cet être collectif se veut autonome et indépendant de Dieu. Il constitue lui-même un principe de vie. Face à l'histoire du salut qui se déroule sur son propre terrain, il rassemble autour d'un autre programme, d'une autre vision de l'existence, l'ensemble de la création qui refuse d'entrer dans la logique de Dieu.

LE MONDE DANS LE DUALISME JOHANNIQUE

C'est dans les écrits johanniques que le monde est le plus vigoureusement décrit comme l'antithèse de Dieu[4]. *Dieu* et le « *cosmos* » sont les deux termes d'un dualisme lié à l'histoire du salut, sur lesquels viennent se greffer les antithèses secondaires qui l'illustrent : la lumière opposée aux ténèbres, la vérité au mensonge, la vie à la mort. Dès le Prologue du *Quatrième Évangile,* le sens historique de cette opposition devient très clair. Le monde a été fait par la médiation du Verbe qui était en même temps son principe de vie. « En lui était la vie, et la vie était la *lumière* des hommes »[5]. Mais par suite du péché, le monde n'a plus vécu selon la vie du Verbe et il est devenu *ténèbre*. A la plénitude des temps, le Verbe est venu dans le monde, se faisant chair[6], ce que l'évangéliste traduit : « La lumière brille dans les ténèbres ». Et il ajoute aussitôt : « Mais les ténèbres ne l'ont pas reçu »[7]. D'ailleurs les hommes ont continué de préférer les ténèbres à la lumière[8]. Le monde refuse de voir en Jésus le Verbe de Dieu venant lui redonner la vie véritable[9]. Au lieu de l'accueillir, il se complaît dans sa propre image, cherchant en lui-même sa propre vérité et sa propre fin. Pour Jean, ce *monde* n'est pas un mythe. Il revêt la forme très concrète des *hommes* parmi lesquels il a vécu et qui est aussi celui où le Verbe s'est fait chair. Ce sont surtout les « Juifs » qui sont à ses yeux le type de ce monde aveugle des ténèbres. Ils disent n'avoir que Dieu pour Père, et ne veulent pas voir dans Jésus l'envoyé du Père.

C'est pourquoi le *mensonge* est inhérent à ce monde. Le verbe, venu dans le monde, de même qu'il est la lumière et la vie, représente au contraire

1. Jn 15, 18.19 ; 17, 14.
2. Jn 16, 20.
3. Jn 17, 25.
4. Voir l'étude remarquable de H. SCHLIER, *Le Monde et l'Homme dans l'Évangile de S. Jean. Essais que le Nouveau Testament*, Paris, 1968, p. 171-185.
5. Jn 1, 4.
6. Jn 1, 14.
7. Jn 1, 5.
8. Jn 3, 19 ; cl 8, 12 ; 12, 35.46 ; 1 Jn 2, 6.9.11.
9. Jn 6, 33.

la *vérité*. Mais le monde hait la vérité. Il tient ferme à l'image qu'il s'est donnée de lui-même. En réalité le monde est la victime de son propre esprit, polarisé par le Diable, en qui « il n'y a pas de vérité », parce qu'il est Menteur et Père du mensonge[1]. L'esprit de mensonge a si totalement envahi le monde, qu'il l'entretient constamment dans l'illusion de son autonomie et de sa suffisance. Aussi, la conséquence la plus criante de ce règne du mensonge, c'est la *mort* dont la mort physique n'est que le signe visible. La vie a été donnée au commencement dans le Verbe créateur. Elle est redonnée maintenant « au monde » par ce même Verbe fait chair[2]. Le *monde* qui entend exister coupé de cette source de vie ne peut que se situer dans le domaine de la mort. Car une chose est d'*exister*, une autre est de *vivre*. Le monde est précisément la sphère de la création qui existe sans vivre, tout en entretenant l'illusion que lui aussi possède la vie. Dans le dualisme johannique, il n'y a pas de moyen terme entre la *vie* et la *mort*. Croire, c'est posséder la vraie vie, qui est « vie éternelle ». Vivre selon le monde, c'est proprement mener une existence de mort. L'œuvre du Christ a été de donner la vie à ceux qui étaient morts : « L'heure vient, dit-il..., où les morts entendront la voix du Fils de Dieu, et ceux qui l'auront entendu vivront »[3]. L'entendre, c'est abandonner le monde, c'est le reconnaître pour le principe de la vie réelle, c'est « passer de la mort à la vie »[4].

Le monde est donc l'ensemble de la création actuelle qui a été le témoin de la révélation du Fils, mais ne l'a pas « reçue ». Ce qui le montre le mieux, c'est l'opposition dans laquelle il se tient par rapport aux fidèles. Les chrétiens, qui ont cru que le Christ était la vie véritable, eux, ne font plus partie du monde. Ceci est souligné par Paul, comme par Jean. Avec le Christ, les chrétiens sont morts au monde. Ils n'agissent plus comme « ceux qui ont leur vie dans le monde »[5]. Ils se trouvent toujours dans le monde qui leur fournit le cadre de leur existence[6], mais ils ne lui appartiennent plus. Ils adhèrent à un nouveau principe de vie. « Pour moi, vivre, c'est le Christ », dit Paul aux Philippiens[7]. Mieux encore, Jean distingue les hommes dans la période actuelle de l'histoire du salut, en deux filialités. D'une part, ceux qui se réclament de la foi au Christ. Ceux-là sont « *nés de Dieu* »[8]. D'autre part, les hommes qui continuent à préférer les ténèbres : ceux-là sont « *nés du monde* ». Les fidèles se sont radicalement coupés du

1. Jn 8, 44.
2. Jn 6, 33.
3. Jn 5, 25.
4. Jn 5, 24 ; cf. 1 Jn 3, 14.
5. Col 3, 20 ; cf. 1 Co, 11, 32.
6. Cf. 1 Co 5, 10 ; 7, 31 sq. ; Ph 2.15.
7. Ph 1, 21.
8. Cf. Jn 1, 13 ; 3, 3.6-7.

monde, comme esprit et comme principe de vie. Ils continuent, certes, de vivre « *dans* le monde » comme sur la scène commune de l'histoire, où tous les hommes se côtoient en ces temps eschatologiques[1]. Mais ils ont renié le monde en ce qu'il prétendait leur présenter une alternative avec le Christ. Entre le monde et le Christ, ils se sont décidés pour le Christ, et ce choix les retire à l'emprise du monde[2]. C'est pourquoi, dans le monde, les disciples auront le même sort que le Maître. « Le monde les a pris en haine, parce qu'ils ne sont pas du monde, comme moi, je ne suis pas du monde »[3]. Ce détachement radical du monde doit cependant être vécu dans ce monde même qui, précisément parce qu'il est le rival de Dieu, doit encore entendre l'Évangile du salut.

C'est ainsi que Jésus demande au Père « non pas de retirer (ses disciples) du monde, mais de les *garder du Mauvais*[4] ». Dans l'ancien monde même qui continue de vivre selon sa logique propre, détourné de Dieu et plongé dans la mort, les chrétiens vivent la logique de Dieu qui triomphera dans le monde à venir. Ce faisant, ils n'appartiennent plus au monde, mais au Royaume du Christ[5]. La ligne de démarcation entre le monde et Dieu, comme deux principes d'interprétation de l'existence, se situe donc dans la décision que les hommes ont à prendre pour ou contre le Christ. Le *monde* n'est pas une grandeur statique. Il est coextensif à l'humanité. Il ne s'oppose pas à Dieu, nous l'avons vu, comme un Principe du Mal coéternel. C'est par le péché des hommes qu'il s'est constitué en une réalité hostile au Créateur. C'est par la foi qu'il est maintenant résorbé. L'opposition entre Dieu et le monde n'était pas destinée à durer. C'est pour la briser définitivement que le Christ, au sommet de l'histoire salvifique, est venu accomplir son œuvre de réconciliateur. C'est lui qui a réconcilié les deux contraires, en acceptant d'être la victime du monde ténébreux du péché, pour anéantir son œuvre — la mort — dans sa propre mort, et remettre la création renouvelée sous l'unique seigneurie du Père. C'est pourquoi Paul peut dire : « C'était Dieu qui, dans le Christ, *se reconciliait le monde*, ne tenant plus compte des fautes des hommes, et mettant sur nos lèvres la parole de réconciliation »[6]. Le monde, en tant que puissance opposée au règne du Christ a été vaincu une fois pour toutes[7]. Mais sa victoire ne sera manifestée qu'à la fin des temps. C'est pourquoi, aux yeux des chrétiens,

---

1. Cf. Jn 9, 5 ; cf. 13, 1 ; 17, 11.
2. Cf. Jn 17, 6.
3. Jn 17, 14 ; cf. 17, 17 ; 15, 19-19, 16, 33.
4. Jn 17, 15.
5. Col 1, 13-14.
6. 2 Co 5, 19 ; cf. Rm 5, 10.
7. Cf. *infra,* p 119 sq.

ce temps-ci qui est le temps de l'Église, reste marqué par la lutte que cet adversaire mène contre Dieu[1].

SATAN, PERSONNIFICATION DU MONDE

Or, cet adversaire collectif qu'est le *monde*, les premiers chrétiens ont eu conscience qu'il est plus qu'une force anonyme. Ils le voient personnifié en *Satan*. La relation de Satan avec le « monde » est évidente. Jean l'appelle « *le prince de ce cosmos* »[2]. Et Paul va jusqu'à dire qu'il est le « *dieu de cet aiôn* » qui voile aux yeux des incrédules l'Évangile du Christ[3]. Ailleurs, il est désigné sous d'autres noms. Il est « le Mauvais »[4], « Celui qui est dans le monde »[5] et qui le tient en son pouvoir. Il est le Diable[6], l'Ennemi[7], le Tentateur des serviteurs de Dieu[8], le « Séducteur du monde entier »[9]. Son nom est Satan[10] ou Béliar[11] ou même Béelzeboul, le prince des

---

1. A la suite de Paul et de Jean, l'emploi de *cosmos* et d'*aiôn* dans le sens péjoratif de *monde* hostile à Dieu se retrouve chez ceux des Pères apostoliques qui attestent par ailleurs la doctrine des deux aiônes : II Clem. 6, 3.4.5.6 ; Ignace, Eph. 17, 1 ; 19, 1 ; Magn. 1, 2 ; Trall. 4, 2 ; Rom. 7, 1 ; Phil. 6, 2 ; Polycarpe, Phil. 9, 2 ; Hermas, Vis. I, 1 ; III, 6 ; Mand. IX ; X, 1 ; XI ; XII, 1.6 ; Sim. III ; V, 3 ; VI, 1.2.3 ; VII ; VIII, 11. Ces mêmes auteurs emploient aussi l'expression « *ce cosmos-ci* » : II Clem. 5, 1.2.5 ; 19, 3 quoique d'une manière assez positive ; Ignace, Rom. 2, 2 ; 3, 3 ; 7, 1 ; Magn. 5, 2 ; Polycarpe, Phil. 5, 3 ont par contre le sens johannique ; et Hermas, Vis. IV, 3. Cf. aussi Did. 10, 6 et Barn. 10, 11. Parmi les Apologistes grecs, seul Tatien emploie parfois *cosmos* dans le sens péjoratif, ainsi que Justin dans son Dialogue avec Tryphon : 113, 6 ; 119, 6. Il n'est jamais question d'*aiôn* dans ce même sens. Clément d'Alexandrie semble seulement l'attester dans ses citations du N.T. Ces auteurs, pour autant n'ignorent pas la notion de *monde* hostile à Dieu et l'expriment le plus souvent sous la forme de leur démonologie. L'épître A Diognète réalise la synthèse la plus originale entre le sens classique de *cosmos*, univers spatial et terre des hommes et le sens johannique. L'auteur de l'épître a vu le plus concrètement le *monde*, ennemi de Dieu et des chrétiens, sous les traits du monde romain environnant. Cf. 1 ; 6, 3.5.7 ; 10, 7. De leur côté, les Latins ont été fortement marqués par la notion johannique de *monde* et l'ont presque exclusivement traduite par *saeculum*, et non par *mundus*. Ceci est particulièrement frappant dans la traduction latine de la Ia Clementis, dans les premiers Actes des martyrs africains et les ouvrages ascétiques de Tertullien. ORBAN remarque d'ailleurs que *saeculum* avait déjà reçu un sens péjoratif chez certains auteurs profanes. Voir A. P. ORBAN, *op. cit.*, pp. 47-88 ; 123-145 ; 165-187 ; 204-221.

2. Cf. Jn 12, 31 ; 14, 30 ; 16, 11.

3. 2 Co 4, 4 ; Ep 2, 2.

4. 1 Jn 5, 18.19 ; 1 Th 3, 3 ; Ep. 6, 16.

5. 1 Jn 4, 4.

6. 34 fois nommé dans le N.T.

7. 1 P 5, 8.

8. Mt 4, 3 ; 1 Th 3, 5.

9. Ap 12, 9.

10. 36 fois nommé.

11. 2 Co 6, 15.

démons[1]. C'est le Dragon, l' « antique serpent » du Jardin d'Eden[2], qui s'est constitué en « accusateur de nos frères »[3]. Mais son nom le plus fréquent est Satan, terme hébreu qui signifie précisément adversaire, accusateur[4], et qui dans le judaïsme, était l'un des noms propres de l'Esprit du Mal[5]. Le monde qui reste étranger et hostile à Dieu apparaît donc aux yeux des chrétiens sous les traits de son prince. Satan n'est autre chose que ce monde quand il prend conscience de lui-même, dans une volonté d'indépendance par rapport à Dieu. Mais plus encore, il est l'esprit qui inspire et qui utilise ce monde dans son opposition et dans sa lutte contre Dieu. Cette représentation de Satan, agissant dans le monde, avec son cortège d'esprits mauvais, en adversaire de Dieu, renvoie à des schèmes mythiques extrêmement compliqués que les chrétiens avaient en commun avec leurs contemporains juifs et païens. Ils nous introduisent dans un univers mental complètement étranger au nôtre, mais qu'il faut comprendre si l'on veut juger du contenu exact que revêtait la notion de « monde » pour les premiers chrétiens.

On peut dire que la croyance à un monde des esprits — anges et démons — était, à l'époque qui nous occupe, universellement répandue, aussi bien du côté du judaïsme que du paganisme. Seulement, d'un milieu à l'autre, d'une tradition à l'autre, la signification et le rôle que l'on attribuait à cet univers supérieur à l'homme changeait totalement. Dans le Christianisme, le monde des puissances démoniaques tient également une très grande place. Mais il faut en dire ce que nous avons déjà conclu de toute représentation mythique chez les premiers auteurs chrétiens : le monde des anges ou des démons n'offre pas un intérêt en soi. Il n'est pas un objet de foi. Il sert au contraire de cadre à la foi, pour exprimer toutes les dimensions dans lesquelles s'est répercuté l'événement salvifique. Dans le cas présent, l'univers des puissances hostiles à Dieu constitue l'arrière-plan de ce que nous avons dit du *monde*. Leur rôle dans la phase actuelle de l'histoire du salut est capital. Mais il est impossible de les comprendre sans les rattacher à la réalité de ce « monde actuel et mauvais », avec lequel elles ont partie liée. Elles appartiennent à ce monde non encore racheté, et elles constituent en même temps le pôle objectivé de sa volonté d'indépendance et de son esprit de mensonge. Puisés à des sources différentes, les éléments de démonologie présentés par le christianisme primitif n'ont pas pour but la révélation de quelque monde mystérieux d'esprits mauvais, mais d'éclai-

---

1. Cf. Mc 3, 22 ; Mt 9, 34 ; 10, 25 ; 12, 24-27 ; Lc 11, 15-19.
2. Cf. Ap 12, 9.
3. Ap 12, 10 ; 1 P 5, 8.
4. Cf. Ps 109, 6 ; Zach. 2, 1-2.
5. Cf. I Chr. 21, 1.

rer les dimensions cosmiques et historiques tant du péché de l'homme que du salut donné en Jésus-Christ.

LA DÉMONOLOGIE PAIENNE. LE DUALISME

Les chrétiens pouvaient parler d'esprits bons ou mauvais : ce langage était compris de tous. La croyance aux esprits supérieurs était générale sous l'Empire. Elle connut même une vogue exceptionnelle en ce second siècle curieux et superstitieux. Les œuvres d'Apulée, de Plutarque, de Maxime de Tyr reflètent les caractères communs de la démonologie païenne. Tous s'accordent à penser depuis Platon que les démons sont des êtres intermédiaires entre les dieux immortels et les hommes mortels, composés d'un mélange de la substance des sphères éthérées et de la matière terrestre[1]. « Ni aussi grossiers que les êtres terrestres, ni aussi légers que les êtres éthérés », dit Apulée[2]. C'est pourquoi, étant d'un poids infime, ils occupent généralement la région de l'air[3], se déplaçant de la terre à la limite du monde sublunaire. Ces démons sont considérés comme bons. Ils remplissent un rôle de médiateur entre les dieux et les hommes. Ils sont préposés au gouvernement du cosmos ; ils ont toutes choses sous leur tutelle. Aussi faut-il se les rendre conciliants par des prières et des sacrifices. Celse, au IIe siècle, affirme qu'il n'est pas contradictoire d'adorer le Dieu suprême et de rendre un culte aux démons à qui il délègue sa puissance pour gouverner les choses d'ici-bas[4]. Maxime de Tyr pense qu'ils ont surtout été envoyés par les dieux, pour servir et conseiller les hommes. « Serviteurs des premiers, préposés aux seconds, étant apparentés aux uns et aux autres, ils constituent un lien entre la faiblesse humaine et la beauté divine »[5]. Mais depuis Xénocrate, on distinguait volontiers entre bons et mauvais démons. Les mauvais sont à l'origine des catastrophes, les bons envoient des oracles. De toutes manières, bons ou mauvais, ils exécutent des sentences divines et il faut se les rendre favorables.

Une autre tendance était plus marquée par le dualisme. On la rencontre surtout dans l'astrologie et l'hermétisme. Elle procède d'un durcissement de l'opposition entre les sphères célestes et le monde terrestre : d'un côté les dieux, de l'autre les mauvais démons de l'air. Le cosmos semble être le théâtre où s'affrontent les deux principes antagonistes. Plutarque observe que « rien de ce qui se produit dans la nature n'est exempt de mélange...

1. Cf. Platon, Banquet 202 e.
2. De deo Socr. 9, 140 s.
3. Cf. Platon, Epinomis 984 e-985 b.
4. Cf. Origène, C. Cels. VII, 68.
5. Dissert. XIV, 8.

Tout nous advient de deux principes opposés »[1]. Ce dualisme a aussi une composante astrologique. Les Chaldéens distinguaient parmi les planètes celles dont l'action était bienfaisante et celles qui étaient néfastes[2]. C'est ainsi que l'on reliait directement le rôle des démons aux croyances astrologiques. « Une fois que chacun de nous est venu à naître et a été animé, dit un écrit hermétiste, il est pris en charge par les démons qui sont de service au moment même de la naissance, c'est-à-dire par les démons qui ont été placés sous les ordres de chacun des astres »[3]. Plutarque connaît une autre source de ce dualisme cosmologique qui avait pris une si grande place dans la pensée hellénistique : c'est la religion iranienne qui, en particulier par le culte de Mithra, avait véhiculé dans le paganisme gréco-romain l'idée des deux principes absolus, étrangers l'un à l'autre, du bien et du mal. « Les uns pensent qu'il existe deux dieux, dont l'un est l'artisan du bien et l'autre du mal. Certains réservent le nom de Dieu au principe le meilleur et appellent l'autre démon »[4]. Avec cette conception dualiste qui donne aux démons un rôle exclusivement malfaisant dans le monde, nous sommes loin de la démonologie classique et de son jugement relativement optimiste. C'est précisément cette tendance qui a marqué certains courants du judaïsme.

ANGÉLOLOGIE ET DÉMONOLOGIE DANS LE JUDAISME

Nous avons déjà examiné les origines et le développement de l'angélologie et de la démonologie dans le judaïsme post-exilique[5]. Ce qui le caractérisait par rapport aux influences babyloniennes et iraniennes qui avaient pu le marquer, c'est qu'il affirmait que Dieu à l'origine n'avait créé que des anges bons, mais que, par une faute personnelle, ces êtres supérieurs avaient été chassés du Ciel, pour devenir des démons mauvais sous la conduite du premier d'entre eux : Satan, Béliar ou Mastema. Plus proche de la pensée iranienne est cependant la fameuse doctrine des deux esprits, enseignée par les Esséniens. Dieu, à l'origine, a créé deux esprits sur lesquels « il a fondé toute son œuvre »[6], le « Prince des lumières » et l' « Ange des ténèbres »[7]. A chacun il a confié en parts égales une armée

---

1. De Is. et Osir. 45.
2. *Id.*, 48.
3. Corp. Herm. 16, 14-15.
4. De Iside et Osiride, 46.
5. Sur la démonologie juive et ses prolongements dans le Christianisme : E. LANGTON, *La démonologie*, Paris, 1951, ainsi que H. BIETENHARD, *Die himmlische Welt im Urchristentum und Judentum,* Tübingen, 1951.
6. Manuel de Disc. III, 25.
7. *Id.,* III, 20-21.

d'anges inférieurs, placés sous leurs ordres[1]. L'histoire du monde est constituée par la longue lutte de ces deux esprits adverses. Le « Prince des lumières » est à l'origine de tout ce qui se fait de bien[2], l' « Ange des ténèbres » étant l'instigateur de toute pervesité[3]. Cette lutte se poursuivra jusqu'au terme du monde actuel et s'achèvera par l'extermination des mauvais anges[4]. Elle a pour théâtre le monde des hommes, car tous ont reçu l'un et l'autre esprit[5]. Selon qu'ils tombent sous l'influence de l'esprit de lumière ou de l'esprit de ténèbre, ils marchent dans la voie du bien ou dans la voie du mal[6]. L'humanité est ainsi partagée en deux camps, chacun contrôlé par l'armée de l'un des deux esprits. D'un côté les « Fils de lumière », de l'autre les « Fils de ténèbres », tous entrent dans le même conflit cosmique. C'est ainsi que le *Manuel de Discipline* résume cette doctrine : « Parmi les générations de l'Esprit de vérité et de l'Esprit de perversité se trouvent tous les fils de l'homme et dans les chemins de ces deux Esprits ils s'avancent. Et Dieu a posé ces deux Esprits en mesure égale jusqu'aux derniers temps. Et il a établi entre eux une inimitié éternelle. Et Dieu, dans les secrets de son intelligence et dans la sagesse de sa gloire a assigné un certain temps de durée à la perversité, mais au temps fixé pour la visite, il la détruira à tout jamais »[7]. L'homme est donc la proie de deux puissances contraires, qui, à travers lui, tentent chacune d'étendre son empire, ce qui est bien dans la ligne du déterminisme essénien[8]. Cette démonologie de caractère dualiste se retrouvera d'ailleurs dans certains aspects moraux de l'apocalyptique juive. Mais elle est aussi représentée dans le judaïsme hellénistique dans un texte singulier de Philon, où apparaît le même déterminisme, lié à l'action contraire des deux puissances par lesquelles « le monde entier a été fait ». Si l'homme est bon ou mauvais, c'est qu'il est dominé par l'une ou l'autre de ces deux forces, dont le mélange inégal caractérise les deux parties opposées du cosmos : « L'âme de l'impie tient davantage de la puissance mauvaise et informe qui, malheureusement, a été établie dans les régions terrestres, mais le juste tient davantage de la puissance bienfaisante et ainsi, par suite, il possède en lui bonheur et félicité, circulant avec le ciel, selon sa parenté avec lui »[9].

1. Manuel de Disc. IV 15-17.
2. *Id.*, IV, 2-8.
3. *Id.*, IV, 9-14.
4. *Id.*, IV, 25.
5. *Id.*, IV, 26 ; III, 21-22.
6. *Id.*, IV, 16.
7. *Id.*, IV, 15-18.
8. Cf. *Supra,* p. 12.
9. Quaest. in Exodum I, 23.

On voit, dans tous les cas, à quel point ces démonologies sont dépendantes des conceptions cosmologiques. Le monde des esprits mauvais y apparaît conjointement à celui des bons anges, chargé d'exécuter les décrets d'un destin implacable. Il relève du domaine du principe du Mal qui dispute la possession de l'univers au principe du Bien. A un dualisme horizontal opposant le monde céleste divin au monde sublunaire livré à l'influence des forces du mal, s'ajoute aussi un dualisme vertical, mettant face à face le camp du dieu, des anges et des hommes de Bien avec le camp du dieu, des démons et des hommes du Mal. Dans toutes ces représentations, l'univers des puissances supra-terrestres joue un rôle indépendamment de la volonté des hommes. Les hommes ne peuvent que se les concilier par la prière ou se laisser faire. Ils sont très exactement les jouets des forces cosmiques qui les dépassent. Ce fatalisme a pour conséquence d'excuser l'homme en quelque sorte de tomber dans le mal, victime impuissante du Prince des ténèbres.

ANGES ET DÉMONS DANS LE CHRISTIANISME

La démonologie chrétienne, si elle baigne dans le même contexte de représentations, n'en présente pas moins un caractère tout à fait différent. Pour s'en faire une idée, il faut examiner sous quelle forme elle se présente, et étudier le rôle qu'elle attribue à ces puissances spirituelles dans la période actuelle de l'histoire du salut.

Lorsqu'il est question, dans le Nouveau Testament, de puissances angéliques ou démoniaques, les auteurs ne s'y intéressent jamais pour elles-mêmes. Leur action n'est jamais décrite spécialement pour nous les faire connaître. La croyance à l'existence de ces créatures invisibles allait de soi. Lorsqu'elles sont mentionnées, c'est pour exprimer une vérité concernant Dieu ou l'histoire du salut. Cela est particulièrement manifeste pour les anges[1]. Les anges y apparaissent comme dans le judaïsme tardif, formant la cour de Dieu, dans les cieux. Leur rôle auprès des hommes est d'être des messagers de la volonté de Dieu ou de manifester sa présence toute puissante. Aussi les rencontre-t-on aux grands moments de l'histoire du salut : à la naissance du Christ[2], à la résurrection[3], au moment de l'ascension, où ils encouragent les disciples[4], dans la communauté apostolique[5], et à la fin des temps où l'*Apocalypse* nous les montre prenant

---

1. Von Rad et G. Kittel, *Angelos,* TWNT 1, 72-86.
2. Cf. Mt 1, 20 s ; 2, 13 ; Lc 1, 11 s. 26 s. ; 2, 13.
3. Mc 16, 7 ; Mt 28, 7 ; Lc 24, 6.
4. Ac 1, 10 s.
5. Cf. Ac 5, 19 ; 8, 26 ; 10, 31 ; 12, 7 s. 23 ; 27, 23.

part au jugement. Ailleurs, on les voit servir Jésus[1]. Les anges ne font rien indépendamment de la volonté de Dieu ou du Christ[2]. On peut même dire que le Nouveau Testament cherche à accentuer le moins possible leur rôle. Peut-être en réaction contre les milieux environnants, l'auteur de l'*Épître aux Hébreux* éprouve le besoin de préciser que « ce n'est pas à des anges qu'Il (Dieu) a soumis le monde à venir »[3] et que le Christ n'est pas une créature angélique[4]. Les anges n'ont d'intérêt que parce qu'ils manifestent la gloire de Dieu et le servent dans ses desseins de salut. Plus tard, reprenant les thèmes de l'angélologie juive et de la démonologie païenne, les auteurs chrétiens feront aussi des anges des administrateurs des différentes parties du cosmos[5], comme agents de la providence et protecteurs des individus[6] ou des nations[7].

On peut dire de la même manière que les puissances diaboliques n'apparaissent dans le Nouveau Testament que pour manifester l'être qui résiste encore aux desseins salvifiques de Dieu, et qui n'est autre que le « *monde* ». Ces puissances sont tantôt appelées Démons, Esprits, Éléments, Forces, Dominations, Trônes, Seigneuries. Ces noms importent peu en eux-mêmes. On a vu qu'ils étaient déjà appliqués par le judaïsme aux différentes catégories d'anges[8]. Chez Paul, elles sont le plus couramment désignées sous le terme général de « Principautés et Puissances »[9]. Leur relation intime avec le monde resté étranger à Dieu se dévoile à chaque fois que le monde se manifeste dans son opposition à Dieu. En cela, ces puissances aux noms divers ont toutes pour caractéristique d'être soumises à Satan, le « dieu »[10] des « princes de ce monde »[11]. Pour ce qui concerne l'origine de Satan et des puissances démoniaques, le christianisme primitif reprend la même explication que le judaïsme. Les démons sont, par leur nature et leur origine, semblables aux anges. Les êtres angéliques ont tous été créés bons par Dieu. « C'est en lui (Christ), dit Paul, qu'ont été créées toutes choses, dans les cieux et sur la terre, les visibles et les invisibles, Trônes, Seigneuries, Principautés, Puissances... »[12]. Seulement certaines de ces

---

1. Cf. après la tentation : Mt 4, 11 par.
2. Cf. Mt 26, 33s.
3. He 2, 5.
4. Cf. He 1, 4s.
5. Cf. Athénagore, Suppl. 10 ; Origène, C. Cels. VIII, 31.
6. Cf. Clément, Ecl. proph. 41, 1 ; 48, 1.
7. Cf. Hom. Clém. 18, 4 ; Hippolyte, Sur Dan. III, 9.
8. Cf. *supra*, p 11.
9. Ep 3, 10 ; Col 1, 16 ; 2, 10.15 ; Tt 3, 1. Nous adoptons ici en grande partie l'interprétation de H. SCHLIER, *Principautés et Puissances dans le N.T.* in *Essais sur le N.T.*, Paris, 1968, p. 281-294.
10. 2 Co 4, 4.
11. 1 Co 2, 6.8. Cf. S. LYONNET et J. DANIÉLOU, *Démon*, D.S. 3, 142-189.
12. Col 1, 16 ; cf. Rm 8, 28.

créatures, créées libres, ont péché. Déchues, elles sont venues grossir l'armée des démons, à la suite de Satan, leur chef. Le Nouveau Testament qui n'accorde aucun intérêt aux démons en tant que tels, est extrêmement discret sur les motifs de cette chute [1]. Le Christianisme ultérieur, en revanche, surtout avec les Apologistes, fut amené à préciser cette question devant le public grec. Il fallait, sur ce point, éviter les confusions avec la démonologie païenne, marquée par le dualisme. Trois explications sont généralement retenues. La première est celle du *Livre d'Hénoch* pour qui les bons anges étaient tombés dans le désir des filles des hommes [2]. La seconde reprend l'idée que quelques anges refusèrent par orgueil de se soumettre à la loi de Dieu [3]. La dernière solution, la plus répandue, stipule que l'ange chargé par Dieu d'administrer le cosmos, fut pris de jalousie pour l'homme, lorsque celui-ci fut créé avec autorité sur le monde. Ceci était déjà un vieux thème de la littérature sapientielle [4]. Envieux du pouvoir de l'homme, cet archange — Satan — le persuada de désobéir à Dieu, et ainsi « provoqua tout ensemble sa propre ruine et fit de l'homme un pécheur » [5]. Pour cette raison, Irénée appelle Satan le « chef de l'apostasie » [6].

LES SIGNES EXTÉRIEURS DU POUVOIR DE SATAN

En entraînant dans sa chute d'autres anges, Satan mobilise désormais dans l'histoire du salut l'ensemble des forces rebelles au règne de Dieu. Il se constitue à la tête d'un véritable empire, dont la sphère d'action est le monde entier, depuis ses origines jusqu'à sa fin. Comme dans le judaïsme hellénisé, le domaine des esprits démoniaques est quelquefois localisé dans la région sublunaire. Paul parle ainsi de Satan, comme du « prince de l'empire de l'air » [7]. Mais cet empire n'est pas autre chose que la forme organisée du « *monde* » qui se veut hostile à Dieu. Nous avons vu que, dans la période actuelle de l'histoire du salut, il se définit uniquement par rapport au Christ, seul critère de séparation entre ce qui est à Dieu et ce qui continue à se détourner de lui. Ici, on voit réapparaître dans le Nouveau Testament le langage essénien opposant l'empire de la lumière à l'empire des ténèbres. Dans la vision qu'il eut sur le chemin de Damas, Paul s'entendit préciser sa mission : il sera envoyé aux nations païennes « afin qu'elles reviennent des ténèbres à la lumière, et de l'empire de Satan

---

1. Seulement Jude 6 ; 2 P 2, 4.
2. Justin, II Ap. 5 ; Irénée, Dém. 18 ; Athénagore, Suppl. 24.
3. Tatien, Disc. 7, 12 ; Athénagore, Suppl. 24.
4. Cf. Sag. 2, 24 « C'est par l'envie du diable que la mort est entrée dans le monde ».
5. Irénée, Dém. 16 ; cf. Adv. Haer. IV, 40, 3 ; V, 24, 4.
6. Adv. Haer. III, 23, 10 ; IV, 40, 11.
7. Ep 2, 2.

à Dieu... »[1]. Déjà Jésus avait dit à la troupe venue l'arrêter : « C'est votre heure et le règne des ténèbres »[2]. Selon qu'ils se prononcent pour ou contre le Christ, les hommes se divisent maintenant en « fils de lumière » et « fils des ténèbres »[3]. Par la venue de la Lumière dans le monde, les ténèbres ont été révélées comme ténèbres. Nul n'est plus excusable de demeurer sous le règne de Satan[4]. La marque de ce règne est qu'il se maintient par la domination toujours apparente de la *mort*. Les puissances des ténèbres n'ont pas d'autre but que de détourner les hommes de la Lumière divine et de les maintenir plongés dans la mort éternelle. Ils les entretiennent dans l'angoisse du néant d'au-delà de cette vie, et les conduisent dans toutes leurs actions à vouloir désespérément oublier cette réalité, pour lui échapper. L'*Épître aux Hébreux* définit justement le Diable comme celui qui « a la puissance de la mort ». Le rôle du Christ a été, au contraire, de vider la mort de toute sa substance et « d'affranchir tous ceux qui, leur vie entière, étaient tenus en esclavage par la crainte de la mort »[5].

Mais l'empire de Satan continue d'exercer sa mainmise sur le monde de la manière la plus diverse et la plus subtile. Il pénètre tous les secteurs de la vie du monde et de l'individu, en leur communiquant l'esprit diabolique qui est la marque de sa puissance. Pour les contemporains du Nouveau Testament, le cas le plus patent de ce pouvoir satanique est la *possession*. On y voit les démons s'emparer de l'homme dans son esprit et dans son corps et le défigurer dans les tourments. C'est qu'ils préfèrent s'installer dans le cœur de l'homme plutôt que d'errer dans les déserts[6]. Les Évangiles synoptiques sont remplis de ces exemples qui campent la réalité de l'empire de Satan, face au Christ annonçant le Royaume de Dieu. Comme conséquence de la possession diabolique, on expliquait aussi les maladies physiques, liées à l'état de péché. Possessions, maladies, souffrances ne sont que les marques visibles du pouvoir déjà agissant de la mort. Les disciples voyant un aveugle-né venir à Jésus, posent la question : « Qui a péché, lui ou ses parents, pour qu'il soit né aveugle? »[7]. Le paralytique de Capharnaum est guéri parce que ses péchés lui ont été remis[8]. La santé du corps pour les Juifs était le signe de là présence de la grâce divine[9]. Mais la réponse de Jésus au sujet de l'aveugle de naissance signifie la fin

1. Ac 26, 18 ; cf. 2 Co 6, 14-15 ; Col 1, 12-13 ; 1 P 2, 9.
2. Lc 22, 53.
3. Cf. Lc 16, 8 ; 1 Th 5, 5 ; Ep 5, 7-8 ; Jn 12, 36.
4. Cf. Jn 3, 19-21 ; 7, 7 ; 9, 39 ; 12, 46.
5. He 2, 14-15.
6. Cf. Mt 12, 43-45.
7. Jn 9, 2.
8. Mt 9, 2.5.
9. Cf. Jn 5, 14.

de la fatalité que déterminait le règne du péché. Le Christ ouvre les yeux à quiconque croit en lui. La foi annule le déterminisme du règne du péché. Désormais, il n'y a pas de péché qui entraîne l'aveuglement comme une suite inéluctable. Si cet homme est né aveugle, c'est pour que le Christ manifeste en lui sa puissance. En reconnaissant que Jésus est le Seigneur, il s'est affranchi de la conséquence du péché que la logique diabolique voulait présenter comme fatale. C'est pourquoi, la vue lui est rendue à cause de sa foi. En revanche, ceux qui croient voir et qui, en réalité, sont aveugles, ceux-là demeurent dans le péché[1]. Il n'en reste pas moins que Satan, comme Prince de l'empire des ténèbres, est directement impliqué dans les maladies et la souffrance qui sont autant de signes de l'état de mort dans lequel est plongée la créature coupée de Dieu[2].

LES DIMENSIONS DE SON EMPIRE.
1. L'Action des « puissances »

Mais les caractères de sa domination ne sont pas toujours aussi visibles. Son action est aussi plus cachée, moins évidente, mais tout aussi efficace lorsqu'il saisit les hommes, individus, collectivités ou institutions, pour en faire des instruments de son propre règne. Ainsi, il se cache derrière ce que Paul appelle les « *éléments du monde* »[3] et qui désignent les observances de la Loi interprétées selon un esprit qui est étranger à leur raison d'être. La Loi qui devait être interprétée selon « la justice de la foi » est devenue, entre les mains des puissances du monde, un moyen d'étendre leur domination, en détournant à leur profit ses prescriptions vidées de leur sens original[4]. La foi réclamée par Dieu est diluée dans un « culte des anges » et des pratiques ascétiques qui sont, en réalité, un asservissement à l'esprit de mensonge qui les inspire.

L'action des puissances se manifeste encore à l'arrière-plan des hommes qui détiennent une autorité terrestre. Dans le passage où Paul parle des « princes de ce monde » qui, dans leur ignorance de la sagesse de Dieu, ont « crucifié le Seigneur de Gloire »[5], il est clair qu'il entend à la fois les autorités juives et romaines, directement responsables de la condamnation de Jésus, et les Puissances démoniaques qui les inspirent. En condamnant Jésus, les responsables juifs se sont laissés mener par des forces qui les dépassent et les ont manipulés en vue d'atteindre leur propre fin. La preuve en est qu'ils ont agi dans l'ignorance de la portée

---

1. Jn 9, 3.25.32.41.
2. Cf. Lc 13, 16.
3. Ga 4, 3.9 ; Col 2, 8.20.
4. Ga 4, 10 ; Col 2, 16-23.
5. 1 Co 2, 8.

réelle de leur acte[1]. De la même façon, Satan inspire l'Empire romain persécuteur dans la prétention inouïe qu'il a de réclamer l'adoration de ses sujets. L'état qui se divinise lui-même sort du rôle qui lui a été confié par Dieu. Il s'érige alors dans son ambition totalitaire, en une réalité ultime à laquelle il veut enchaîner toutes les existences humaines. En cela il ne fait que coopérer au règne invisible mais réel de Satan, cherchant par tous les moyens à substituer à Dieu les idoles qu'il suscite lui-même. Dans l'*Apocalypse*, c'est le Dragon qui communique à la Bête symbolisant l'Empire romain idolâtre « sa puissance et son trône avec un pouvoir immense »[2]. L'empire satanique se révèle dans le consentement des puissants de la terre à la volonté de domination et à l'esprit de démesure. En même temps, il s'annexe ces hommes comme des instruments d'exécution de son propre plan. L'état qui veut usurper les droits de Dieu et qui cède au mirage de la domination des consciences entre dans le faisceau des forces obscures par lesquelles les puissances hostiles à Dieu résistent encore à son règne. Le monde se croit souverainement libre lorsqu'il divinise sa propre volonté de puissance. En réalité, il se laisse mener par une intelligence qui le dépasse, tout en affectant de rester indépendant.

2. *La tentation*

De même qu'il se sert des ordres établis, Satan s'empare de la conscience des hommes, en ce qu'il crée et entretient en elles un esprit général, qui oriente les opinions publiques et les réactions des masses dans un sens bien défini. Les préjugés invétérés, les idées que le monde a sur lui-même, ses critères de jugement et les valeurs qu'il impose comme des dogmes intouchables, sont autant d'éléments derrière lesquels on devine la poigne des forces avides de dominer les hommes en les entretenant dans leurs illusions communes. C'est ainsi que ce qui passe aux yeux du monde pour la sagesse n'est en réalité que folie aux yeux de Dieu[3]. Dans ce contexte, il faut comprendre la recommandation de Paul aux *Romains* : « Ne vous conformez pas sur le modèle de cet aiôn-ci, mais que le renouvellement de votre jugement vous transforme et vous fasse discerner quelle est la volonté de Dieu »[4]. Pour arriver à ses fins, l'empire de Satan entre en lutte contre l'Esprit de Dieu sur le terrain même du cœur de l'homme. L'esprit démoniaque s'insinue dans les consciences. Pour expliquer la trahison de Judas, qui est l'un des actes majeurs sur le chemin de la passion,

---

1. Ac 3, 17 ; 13, 27.
2. Ap 13,2.
3. Cf. *infra*, p 228 sq.
4. Rm 12, 2.

Luc et Jean disent simplement : « Satan entra en lui »[1]. Jésus lui-même avait déjà dit, au sujet de Judas : « L'un de vous est un démon »[2]. Pour exercer son emprise sur l'esprit des hommes, la méthode satanique par excellence est la tentation. Là où Judas a succombé, le Christ avait déjà résisté victorieusement. Le récit de la tentation de Jésus que les Synoptiques[3] ont placé après celui du baptême dans le Jourdain, est particulièrement révélateur du conflit qui se concentre en sa personne, entre la conscience qu'il a de sa mission de Serviteur de Dieu et l'appel satanique. Au baptême, Jésus reçoit la révélation de sa tâche de Messie. La tentation qui suit doit lui permettre de l'interpréter maintenant selon la volonté de Dieu. Or, Satan propose au Christ une autre conception de son rôle messianique, à l'opposé de celui de Serviteur souffrant et obéissant que Dieu lui a assigné. Il lui demande d'accomplir des miracles pour le plaisir de faire des miracles : changer ces pierres en pain, se jeter du haut du Temple, comme un magicien. Il lui propose enfin l'idéal du messianisme politique, en échange de sa soumission. La ruse de Satan va jusqu'à invoquer, en sa faveur, des passages de l'Écriture. Le Diable aussi est exégète. Dissociés de l'esprit unique qui les inspire, les versets de la Bible peuvent servir aussi bien à étayer les thèses de l'esprit diabolique. Aussi Jésus refuse d'entrer dans ce piège du mensonge et repousse Satan, en affirmant sa propre exégèse de l'Écriture. Jésus pouvait détourner ses qualités de Messie à ses propres fins : il aurait alors joué le jeu de Satan qui a déjà trompé de la même façon le premier Adam. Le second Adam répare par l'obéissance à Dieu ce que le premier avait perdu par la désobéissance. Faire des miracles pour sa propre gloire, jouir de la domination temporelle, aurait été trahir sa vocation de Messie, telle que Dieu la concevait. Satan a connu dans le refus de Jésus le premier d'une série d'échecs qui le mèneront à son anéantissement final. Il reviendra encore tenter Jésus par les paroles de Pierre lui conseillant d'éviter la mort[4], puis en possession de Judas[5], et une dernière fois au Mont des Oliviers[6]. La tentation de Jésus est instructive en ce qu'elle lui a permis d'écarter toute interprétation satanique de son rôle de Messie.

L'action de Satan se manifeste par l'attrait d'un esprit qui envahit le champ de la conscience et qui donne des situations de l'existence son interprétation particulière, toujours séduisante à la mesure de l'univers de

---

1. Jn 13, 27 ; cf. 13, 2 ; Lc 22, 3.
2. Jn 6, 70.
3. Mt 4, 1-11 ; Lc 4, 1-13 ; Mc 1, 12-13.
4. Mc 8, 33 ; Mt 16, 23.
5. Cf. Lc 22, 3.
6. Lc 22, 40-42.

mensonge sur lequel il règne. C'est pourquoi il est recommandé aux disciples d'apprendre à distinguer entre ceux qui prétendent parler au nom de l'Esprit-Saint[1]. Plus tard, reprenant la théorie judaïque des deux esprits, Hermas[2] complètera cette idée par une doctrine plus élaborée du discernement des esprits qui se disputent la possession du cœur de l'homme. Dans le Christianisme, à la différence par exemple de l'essénisme, l'individu n'est jamais la proie passive des forces contraires qui le sollicitent. Ses choix ne sont jamais déterminés par quelque répercussion terrestre d'un conflit entre des puissances cosmiques. La puissance de Satan tire toute son efficacité du consentement que les hommes restés dans le péché lui donnent. Satan est le séducteur des consciences parce que les consciences restent disposées à se laisser séduire. En cela, l'esprit satanique a sa source dans le péché individuel, mais en même temps, il est l'expression personnifiée et à son tour agressive, de la mentalité générale qui résulte du consentement au péché.

SA PUISSANCE AVANT LE CHRIST

La conscience aiguë qu'avaient les premiers chrétiens de l'activité de Satan à l'arrière-plan de toutes les manifestations du « monde » explique qu'ils lui aient attribué un rôle déterminant dans le déroulement de l'histoire du salut. Dans tous les domaines de leur expérience historique où ils se sont posés face au monde, ils ont eu conscience de résister à une forme de l'empire de Satan omniprésent. Les actes de Satan en vue de maintenir et d'étendre son règne sont toujours l'antitype des efforts que Dieu déploie dans son plan de salut. Aussi, la croyance aux puissances démoniaques est-elle un moyen d'exprimer l'ampleur historique et même cosmique de la résistance de l'homme au salut offert par Dieu. Les différentes étapes de l'histoire du salut où se trace l'action appropriée d'une unique économie divine sont marquées du même coup par l'action contre-adaptée de cette unique puissance satanique qui lui est toujours hostile.

La révélation plénière du salut dans le Christ a en même temps révélé l'étendue des forces de cet empire des ténèbres et le rôle particulier qu'il joue aux différentes étapes de l'économie salvifique. Avant le Christ, le règne du péché, c'est-à-dire de Satan, était pratiquement universel. Il a progressivement étouffé la lumière de la révélation naturelle, par laquelle Dieu s'était fait connaître au premier homme[3]. Dès lors, les ténèbres n'ont fait que croître sur le monde. Certains auteurs diront que le Christ est venu, alors que le mal était à son comble[4]. Pour les Apologistes, l'acti-

---

1. 1 Co 12, 10 ; 1 Jn 4, 1.
2. Mand. IV, 1, 2 ; cf. Clément, Péd. III, 12, 87.
3. Cf. Rm 1, 21 s. ; Jn 1, 4-5.
4. Cf. Irénée, Adv. Haer. IV, 37, 6-7 ; V. 3, 1 ; A Diogn. 9, 1-2.

vité de Satan a alors consisté à aveugler les hommes, en les détournant de Dieu, par une foule de mensonges. C'est ainsi que les païens, qui n'avaient pas le bénéfice de l'alliance mosaïque, se sont laissés détourner de la vraie connaissance de Dieu par les déformations du polythéisme, de l'idolâtrie et de la magie[1]. Ce sont les anges déchus qui ont enseigné aux hommes le culte des idoles, avec les passions et l'immoralité qui y sont liées. Ils ont monté cette vaste entreprise de mensonge que les hommes, dans leur aveuglement, ont accueilli sans discernement.

Ce que les païens appellent leurs dieux, les Apologistes s'accordent tous à dire que ce sont en fait ce que les chrétiens appellent les démons[2]. Justin résume ainsi leur action : « Les mauvais démons apparaissant autrefois sur la terre, violèrent les femmes, corrompirent les enfants, inspirèrent l'épouvante aux hommes. Effrayés, ceux-ci ne surent pas apprécier ces faits selon la raison, mais saisis de crainte, et ne reconnaissant pas la malice des démons, ils les appelèrent dieux et donnèrent à chacun d'eux le nom qu'il s'était choisi »[3]. Ou bien on reprend la thèse évhémériste selon laquelle les dieux païens ne sont que des hommes divinisés, derrière lesquels les démons sont cachés[4]. Par le moyen de l'idolâtrie, les démons se sont appropriés le contrôle de l'histoire religieuse de l'humanité. Ils ont poussé l'ingéniosité jusqu'à parodier les actes du Sauveur et les rites de l'Eglise, en inspirant aux Grecs une mythologie qui contient des imitations mensongères des mystères chrétiens[5]. De la même façon, ils se sont arrangés pour tromper les philosophes grecs, lorsque ceux-ci ont voulu s'exprimer sur le divin. Ils ont déformé l'enseignement des prophètes juifs, dont ils avaient eu connaissance et l'ont porté à la connaissance des Grecs, par bribes inintelligibles. La pensée comme la religion païennes sont donc l'œuvre des démons. Le polémiste Hermias n'hésite pas à dire qu'à son avis, la sagesse du monde elle aussi « trouve son origine dans l'apostasie des anges »[6]. Par ce détournement du culte du vrai Dieu, les démons dirigent le comportement des païens à partir de sa racine. En acclimatant des opinions erronées, ils ont influé sur l'ensemble des aspects éthiques, culturels, sociaux, politiques que les hommes, — en l'occurrence les Grecs et les Romains — ont confectionné dans leurs idéaux de civilisation.

---

1. Cf. Justin, I Ap. 14 ; 26, 2.4 ; 56, 1 ; Tatien, Disc. 17 ; Irénée, Dém. 18 ; Athénagore, Suppl. 26 ; Tertullien. Apol. 22, 6 ; Minucius, Oct. 26, 8-28, 6.
2. Tertullien, Apol. 23, 2 ; Tatien, Disc. 14.
3. I Ap. 5.
4. Athén., Suppl. 26 ; Théoph., Ad Aut. III, 34 ; III, 7 ; Tert., Apol. 10, 3-4 ; Min., Oct. 21, etc.
5. Cf. Justin, I Ap. 54-56.58.62.64.66, 4 ; II Ap. 54, 7-8 ; Dial. 69-71.
6. Irrisio, 1.

SA LUTTE CONTRE LES CHRÉTIENS

Maintenant que le Christ est venu mettre fin à leur empire, en dévoilant les ravages de leur domination, les puissances sataniques continuent, aux yeux des chrétiens, à s'opposer au salut divin pendant le répit qu'elles connaissent encore avant la fin. Dans cette phase ultime de l'histoire du salut, leur action est tout entière absorbée dans leur lutte contre les chrétiens. Leur unique préoccupation est maintenant de s'opposer à la diffusion de l'Évangile dont la progression signifie leur arrêt de mort. Aussi déploient-elles un surcroît d'énergie pour entraver les chrétiens dans leur mission de témoignage. Se sachant déjà vaincues, elles se battent maintenant avec la rage du désespoir. Irénée cite un texte de Justin, où il est dit qu'avant le Christ, Satan ignorait sa condamnation, mais « après la venue du Sauveur, par les paroles du Christ, et de ses apôtres, il a su indubitablement que le feu éternel lui était préparé parce qu'il a fait volontairement défection à Dieu »[1]. Vaincu d'avance, Satan continue cependant d'inspirer au monde son esprit d'indépendance et d'hostilité à l'égard de Dieu ; mais cette fois, il fait du monde un instrument de lutte contre les chrétiens. Il se dresse menaçant derrière l'idéologie totalitaire de l'état romain persécuteur par lequel il envisage leur suppression complète. C'est lui qui entretient dans les esprits le courant de haine injustifiée qui soulève le monde païen contre les chrétiens. Fidèle à sa méthode, il a accrédité auprès de l'opinion publique cette renommée mensongère qui attribue aux chrétiens les pires atrocités. « Ce n'est d'ailleurs pas étonnant, observe Minucius Félix, puisque la rumeur publique qui est toujours alimentée par la diffusion des mensonges et dissipée par la révélation de la vérité, est l'œuvre des démons. Ce sont eux en effet qui sèment et entretiennent les faux bruits »[2]. De la même façon, ils s'emploient à diviser les chrétiens entre eux. Les hérésies qui naissent surtout au second siècle apparaissent comme autant de moyens par lesquels Satan cherche à saper l'existence des chrétiens. Tertullien en est profondément convaincu, avant de passer lui-même au montanisme. Il pense qu'il ne faut pas s'émouvoir de ces hérésies, puisqu'elles n'ont pas d'autres fins que d'éprouver la foi, en la soumettant à la tentation[3].

Mais là où les chrétiens ont vu le plus unanimement l'action directe de Satan et de ses acolythes, c'est chaque fois qu'une persécution locale

---

1. Adv. Haer. V, 26, 2.
2. Oct. 28, 6 ; cf. 28, 2 ; 9, 3. Tertullien, Apol. VII, 8-14 ; Justin, I Ap. 49, 6-7 ; II Ap. 8, 2-3 ; Théophile, Ad. Aut. III, 4.
3. De praesc. 1, 1 ; cf. Hippolyte, Sur Dan. I, 22.

les mettait devant le choix entre le martyre et l'apostasie. Chaque vague
nouvelle de persécution se fait à l'instigation de Satan. C'est sous cette
forme que le *monde* apparaît aux premiers chrétiens à visage découvert[1] :
arracher aux croyants par la menace des souffrances et de la mort la négation du Christ, ce qui est précisément impossible à un chrétien sous peine
de cesser de l'être. Satan ne pouvait présenter le choix entre le Christ et
le monde d'une manière plus cruciale, ni les deux termes de l'enjeu d'une
manière plus absolument inconciliables. Devant l'auteur réel des persécutions, les acteurs humains qu'il utilise, magistrats, soldats, bourreaux
s'effacent presque. Tertullien écrit à l'adresse des magistrats de l'Empire :
« L'auteur des persécutions, c'est cet esprit de nature démoniaque et angélique, qui nous fait la guerre, embusqué dans vos esprits qu'il a stylés et
dressés à rendre ces jugements pervers et à servir avec cette iniquité »[2].
Pour Justin, ce sont « les démons, nos ennemis, qui ont sous leur main
et à leur service ces juges, ces magistrats animés de leurs fureurs »[3]. Souvent les rédacteurs d'*Actes de martyrs* appellent simplement les bourreaux
« les supports de Satan ». C'est toujours lui, qui, aux yeux des martyrs,
invente les pires supplices qui sont autant de ses « fléaux »[4]. L'admirable
récit des martyrs de Lyon expose les causes humaines de la persécution
de 177, mais sans les dissocier de la perspective de leur instigateur satanique.
Après avoir parlé de « la violente colère des païens contre les saints »,
il poursuit le récit sur l'autre plan : « C'est de toutes ses forces qu'a attaqué
l'Adversaire, préludant déjà à ce que sera son inévitable avènement »[5].
Les exemples pourraient encore être multipliés. On les verra réapparaître
à propos des multiples occasions de conflit qu'offrait aux chrétiens leur
insertion dans la société romaine. Le temps de l'Église, du fait de l'intensi-
fication de l'activité des puissances démoniaques, paraît ainsi essentiellement
être un temps de lutte contre Satan, autrement dit, contre le monde dont
il incarne l'hostilité au salut de Dieu.

L'ADVERSAIRE DE DIEU DANS L'APOCALYPTIQUE

Or, cette hostilité des puissances du mal, dans l'esprit des chrétiens,
ne fera que croître à mesure qu'approchera le moment de la fin. Elle attein-
dra son point culminant lorsque paraîtra la figure mystérieuse de celui
que les Épîtres de Jean appelle l'*Antichrist*[6]. Cette figure eschatologique

---

1. Cf. *infra*, p 311.
2. Apol. 27, 4.
3. II Ap. 1, 2.
4. Ignace, Rom. 5, 3 ; cf. Mart. Polyc. 3, 1 ; 17, 1.
5. Eusèbe, H.E. V., 1, 4.
6. Voir E. LOHMEYER, *Antichrist,* RLACh I, 450-457.

ramassera en elle tous les traits de l'empire de Satan. A l'exception de Jean, le Nouveau Testament le décrit dans le cadre des représentations apocalyptiques des événements qui précéderont la parousie. A leur source, il y a le souvenir d'un vieux mythe cosmologique du Proche-Orient selon lequel Dieu, lors de la création du monde, eut à lutter contre un monstre qu'il enchaîna, mais qui, à la fin des temps, s'émancipera et se révoltera à nouveau contre Lui pour être, cette fois, définitivement anéanti[1]. Pour l'apocalyptique juive, le Jugement Dernier sera précédé du soulèvement de l'Ennemi de Dieu. Dans le *Livre de Daniel*, il a la forme de la quatrième Bête, qui correspond certainement à l'empire séleucide d'Antiochus IV Épiphane[2]. Plus tard, on le verra sous les traits d'un personnage historique plus précis : ainsi, le conquérant Pompée, dans les *Psaumes de Salomon*[3], ou Néron *redivivus* dans les *Oracles sybillins* chrétiens[4]. Mais plus généralement, l'être qui s'opposera alors à Dieu est personnifié par Satan. De même qu'il s'était rebellé contre Dieu par désobéissance au commencement du monde, il surgira à nouveau à la fin, pour tenter encore une fois de se substituer à Dieu[5]. Mais dans ce dernier combat, il sera vaincu pour toujours et jeté au feu[6]. Dans le Nouveau Testament, on retrouve ces éléments sous diverses formes. L'*Apocalypse*, dans sa vision anticipée de la fin, brosse une fresque où dominent les éléments mythiques au reste combinés avec des considérations proprement historiques. A la tête des puissances hostiles réapparaît le Dragon. On précise ses autres noms : « l'Antique Serpent, le Diable ou le Satan, comme on l'appelle, le Séducteur du monde entier »[7]. C'est lui qui fut expulsé jadis du ciel par Michel et ses anges[8]. C'est le même qui, après le millénaire du repos, rallumera une dernière fois la guerre contre les saints, mais il sera jeté, pour toujours, dans l'étang de souffre et de feu[9].

Dans les Synoptiques, l'annonce de la ruine de Jérusalem et celle de la fin du monde sont fondues dans une même perspective, cette dernière n'étant que la conséquence et l'achèvement de ce que la première contenait en figure. Il n'est pas question d'un adversaire unique, ni d'un combat eschatologique. Mais le temps final est décrit comme celui d'une grande anarchie spirituelle. Les consciences seront bouleversées devant le désordre cos-

---

1. Cf. Le Léviathan, Jb 3, 8.
2. Dn 7, 7-12. Au 1er siècle, on y verra l'Empire romain : cf. IV Esdr. 12, 11 s.
3. Ps. Sal. 2, 29.
4. Or. syb. V, 363-374 ; VIII. 140-150.
5. Hén. sl, 29, 4 s.
6. Cf. Test. Lévi. 18, 12 ; Test. Jud. 25, 3 ; Test. Dan. 5, 10.
7. Ap 12, 9.
8. Ap 12, 7-8.
9. Ap 20, 7-10.

mique que provoquera la mystérieuse puissance du Diable. Ce sera, pour les fidèles le moment d'une épreuve sans précédent. Les hommes s'entretueront. Les croyants seront persécutés. L'esprit diabolique profitera de l'écroulement général des anciennes certitudes pour accréditer partout le mensonge et la haine de la vérité. C'est alors que viendront « en mon nom », dit le Christ, « beaucoup de pseudo-christs et de pseudo-prophètes »[1]. La confusion sera extrême. Le Trompeur aura à ce point pris possession des consciences qu'elles se laisseront retourner par les parodies de ces faux messies. « Beaucoup succomberont ». Même les élus ne pourraient y résister si, à cause d'eux, ces jours n'étaient abrégés. « Mais celui qui aura tenu bon jusqu'au bout, celui-là sera sauvé »[2]. Dans les apocalypses synoptiques, l'élément mythique est réduit à la description cosmologique du bouleversement final. L'accent porte tout entier sur la croissance réelle de l'iniquité et sur l'esprit qui l'inspire. La note dominante reste l'anarchie spirituelle dans laquelle l'esprit de mensonge aura alors plongé même les croyants. Elle se retrouve dans d'autres passages du Nouveau Testament. A la fin des temps, le discernement des esprits semble devenir de plus en plus difficile, car tout est prétexte aux sollicitations du Menteur. Ce sera un moment « où les hommes ne supporteront plus la saine doctrine, mais au gré de leurs passions, et l'oreille les démangeant, ils se donneront des maîtres en quantité et détourneront l'oreille de la vérité, pour se tourner vers les mythes »[3]. Les faux docteurs (gnostiques) se multiplieront alors au moyen desquels Satan répandra sa propre interprétation des mystères du salut[4].

L' « HOMO INIQUITATIS » DE PAUL

Un dernier type de description des ravages du Diable à la fin des temps est donné dans le passage important de la *Deuxième Épître aux Thessaloniciens*[5]. Nous y avons déjà fait allusion à propos de l'eschatologie paulinienne réagissant contre les abus d'un groupe qui prétendait que « le jour du Seigneur a déjà fait irruption ». Paul enseigne que la parousie, bien que proche, n'est pas pour demain. Pour expliquer ce qui la précédera, il puise ses matériaux dans l'apocalyptique juive[6]. A la différence des apocalypses synoptiques, Paul parle d'un Ennemi unique qui se manifestera alors. Il porte divers noms : « Auparavant, dit-il, doit venir l'apos-

---

1. Mt 24, 4.11.23-26 ; Mc 13, 6.21-23 ; Lc 21, 8 ; 17, 23.
2. Mt 23, 13 ; 24, 22.
3. 2 Tm 4, 3-4 ; cf. 1 Tm 4, 1.
4. Cf. 2 P 2, 1-3, 10-22 ; 3, 3-4.
5. 2 Th 2, 1-12.
6. Cf. Dn 11, 26 ; Ez 28, 2.

tasie et se révéler l'Homme de l'Impiété, le Fils de la Perdition, l'Adversaire ». Plus loin, il l'appelle simplement « l'Impie ». Aux yeux des hommes, il se fera passer pour Dieu, et les aveuglera par ses séductions. Paul insiste sur sa dépendance par rapport à Satan. Sans être lui-même Satan, il prêtera sa forme à Satan. Car sa venue sera caractérisée par une recrudescence de l'activité du Diable, c'est-à-dire par « toute espèce d'œuvres de puissance, de signes et de prodiges mensongers... et par toutes les tromperies du mal ». L'Impie sera, à la fin des temps, l'incarnation du *monde* du mensonge. Sa figure énigmatique, c'est celle du monde devenu pleinement conscient de sa volonté d'indépendance à l'égard de Dieu. En elle, le monde se verra lui-même briller de toutes ses séductions, étincelant de ses attraits et de ses fausses lumières, comme une alternative délibérément choisie contre la proposition du salut. De fait, pour Paul, les œuvres de l'Impie ne seront accueillies que par « ceux qui sont voués à la perdition, pour n'avoir pas accueilli l'amour de la vérité, qui leur aurait valu d'être sauvé ».

L'Impie survenu peu avant la parousie glorieuse du Christ ne fera guère de nouvelles victimes. Dans cet acte final de son histoire il apparaîtra plutôt comme la figure dans laquelle sera résumée la somme du mal et de la perversion qu'il aura inspirée depuis le commencement des temps. Son action ne sera pas ponctuelle à ce moment de sa manifestation, car elle a été continue au service de l'empire de Satan depuis toujours. « Dès maintenant, observe l'Apôtre, le mystère de l'impiété est à l'œuvre ». Le réseau des forces sataniques se noue et s'amplifie dans le secret tout au long de l'histoire. Sa progression, pas plus que celle du Royaume de Dieu, ne se prête à aucun critère de mesure. Satan s'abrite derrière les êtres visibles de ce monde, et agit à travers eux sans se dévoiler. Mais alors, son œuvre souterraine occulte et subtile, éclatera au grand jour. Sous les traits de l'Impie, Satan ne craindra plus d'étaler ses conquêtes, à un moment où les siens reconnaîtront ouvertement que c'est en lui qu'ils ont choisi leur maître. La preuve que l'Impie n'exercera pas de nouveaux ravages est que sa « parousie » sera très brève, juste le temps que le *monde* prenne conscience de soi et renouvelle sa foi dans cette image de mensonge qu'il s'est forgée de lui-même. Lorsque l'Impie « se révélera » comme un antitype de la révélation du Seigneur qui va suivre[1], aussitôt « le Seigneur le fera disparaître par le souffle de sa bouche, l'anéantira par le resplendissement de sa parousie ». Face au Christ unique se dressera alors un Adversaire unique, concentrant en lui tous les traits du monde qui a refusé de croire en lui. Il n'est plus question de combat eschatologique. Mais l'heure de la parousie sera pour les hommes l'heure de vérité. De même que dans

---

1. Cf. 1 Co 1, 7 ; 15, 23.

le Christ victorieux sera alors rendue visible et permanente la vie divine dont les croyants avaient vécu sur la terre, de même dans l'Impie disparaissant dans le néant devant la Gloire du Christ, sera rendu manifeste ce que le « monde » rebelle au salut de Dieu a été de tout temps : un être de mensonge sous l'empire de la mort. Telle est, aux yeux de Paul, la signification de l'Homme de l'Impiété. Mais il estime que sa venue n'est pas proche. Il ne se révèlera que lorsque son *kairos* sera venu, quand « *ce* » ou « *celui qui* (le) *retient* » encore présentement sera écarté. Sur l'identité de cet être également eschatologique qui empêche actuellement l'Impie de se manifester, il est très difficile de se prononcer. Certains auteurs chrétiens de la fin du second siècle y verront l'Empire Romain[1], ce qui est insoutenable du point de vue exégétique. Il est certain d'autre part que son activité se situe à un moment précis de l'économie divine. Dans la perspective de la conscience missionnaire de Paul, qui doit être celle du temps présent de l'Église, on peut y voir une référence à la prédication de l'Évangile[2], qui retarde l'accomplissement de la fin, aussi longtemps qu'il n'a pas été diffusé dans le monde entier[3].

L'ANTICHRIST EST DÉJÀ LÀ

Toutes ces descriptions de caractère apocalyptique présentent l'irruption de l'Adversaire de Dieu comme un événement uniquement futur précédant et présageant la parousie du Christ. Cette perspective doit maintenant être corrigée par ce que l'on trouve dans les *Épîtres* de Jean. Ces textes confirment d'une manière décisive ce que nous avons dit sur l'eschatologie johannique. Jean est le premier à parler d'un « Antichrist ». Pour lui, cet être n'est pas seulement une réalité future. Jean actualise l'action de l'Antichrist et en même temps il le dépouille de son caractère mythique. De même que le Royaume de Dieu est déjà présent dans les disciples qui ont la foi, de même l'Antichrist est là, en tous ceux qui ne connaissent pas le Christ. « Vous avez ouï dire qu'un Antichrist doit venir ; et déjà maintenant beaucoup d'antichrists sont survenus, à quoi nous reconnaissons que la dernière heure est là »[4]. L'Antichrist, dans la pensée de Jean, entre dans le même terme de l'antithèse qui oppose le monde à Dieu. Croire que Jésus est le Christ, c'est être « de Dieu » ; ne pas confesser que Jésus est venu dans la chair, « c'est là l'esprit de l'Antichrist »[5], ce qui

---

1. Cf. *infra*, p 177 sq.
2. Cf. Mt 24, 14.
3. Cf. O. CULLMANN, *Christ et le Temps*, p. 116 sq.
4. 1 Jn 2, 18.
5. 1 Jn 4, 2-3 ; 2, 22 ; 2 Jn 7.

a encore pour synonyme : être « *du monde* »[1]. C'est la foi qui opère dans le moment présent le clivage entre ceux qui vivent de Dieu et ceux qui demeurent dans la sphère du monde et au pouvoir de Satan. C'est pourquoi Jean peut dire que l'Antichrist avec ses œuvres de séduction, « est déjà maintenant dans le monde ».

La conception johannique permet de comprendre cette figure en dehors des schèmes de représentation futuriste que lui imposent les catégories de l'apocalyptique. L'Antichrist ne peut être que la forme personnifiée de toutes les forces du mal et de la tentation qui ont lutté contre le Christ durant tout le déroulement de l'économie divine. L'asservissement à l'empire de Satan est toujours contemporain de celui qui succombe à ses séductions, comme est contemporaine de celui qui se décide pour le Christ, l'accession à la vie éternelle. L'action de l'Antichrist est une action réelle qui affecte les hommes dans leur expérience historique réelle. Le fait qu'il se présente sous une forme mythique parce qu'il est une représentation de l'esprit cherchant à circonscrire une réalité eschatologique, n'enlève rien à son caractère de réalité immanente à l'histoire. Il sera, à la fin des temps l'expression consciente de l'esprit que s'est donné le monde volontairement assujetti à l'empire de Satan. En tant que tel, il comparaîtra devant le Christ, dont la présence seule l'abîmera pour toujours dans le néant.

Ainsi faut-il se garder d'un jugement trop futuriste sur cette explosion de la puissance satanique à la fin des temps. C'est en particulier l'excès dans lequel est tombée l'eschatologie du type judéo-chrétien. Les descriptions qu'Hippolyte donne du déchaînement de l'Antichrist est révélatrice à cet égard, car il reprend et amplifie les thèmes des apocalypses synoptiques. Sa préoccupation est de dissuader les fidèles de voir dans la persécution de Septime-Sévère le signe que l'Antichrist est venu. Les épreuves actuelles ne sont rien en comparaison des tribulations qu'auront à souffrir les saints, en ces jours-là: « Ce qui est déjà arrivé, en partie, doit nous donner une idée de ce qui nous arrivera alors »[2]. Il faut affirmer au contraire, que le paroxisme du mal ne se situe pas seulement à la fin, mais qu'il est atteint dans chaque cas personnel où l'homme refuse le salut du Christ. Par là même, il faut aussi exclure toute conception de la réalisation temporelle de l'eschatologie comme une progressive victoire de la foi sur l'esprit du mal à l'œuvre dans le monde, et qui déboucherait triomphante dans l'eschatologie. Non, la vie selon l'Esprit et la croissance réelle de l'Église ne sont pas du domaine visible. Après le Christ, le *monde*, comme expression collective du refus de soumission à Dieu, continue de vivre selon sa logique propre, sous la suggestion diabolique. Moins l'efficacité réelle de la présence

---

1. 1 Jn 2, 16.
2. Sur Dan. IV, 51, 1.

inchoative du Royaume de Dieu sera perçue par lui, plus il se donnera l'illusion de son triomphe. En ce sens, on peut dire qu'avec le temps, les ravages du mal ne cesseront d'augmenter et que leur intensité extrême sera atteinte au moment précis où leurs auteurs seront confondus par la révélation de leur néant. Mais dans la conscience eschatologique chrétienne, les jeux sont déjà faits. Si le témoignage des disciples sera plus difficile à mesure qu'approchera la fin de cet aiôn, c'est dans l'instant présent de leur histoire qu'ils repousseront les mensonges de l'Antichrist et témoigneront qu'il n'a plus d'emprise sur eux. Au second siècle, c'est encore Irénée qui manifeste la compréhension la plus riche du rôle de l'Antichrist au moyen de l'idée de récapitulation. A la fin des temps, l'Antichrist concentrera en lui toutes les forces du mal, dérivées du péché des hommes, pour que dans cet être unique soit anéanti d'un seul coup tout le mal accumulé. L'Antichrist « récapitule l'universelle apostasie qui a rempli les six millénaires » de l'histoire[1]. Mais Irénée va plus loin. L'Antichrist paraît bien être l'expression d'une personnalité collective, arrivée à la conscience de soi, et s'érigeant en un Absolu rival de Dieu. « Il viendra... récapitulant en lui l'apostasie diabolique, rejetant les idoles pour faire croire qu'il est Dieu, et s'exaltant comme l'unique idole, rassemblant en lui-même les mensonges divers du reste des idoles »[2]. Sous la coloration apocalyptique et mythique de l'Antichrist, c'est le monde pécheur de l'empire de Satan qui est en réalité décrit. Avec lui, l'œuvre séculaire des puissances diaboliques gouvernant le monde à l'aide de ses propres chimères aura atteint son but : le *monde*, refusant de se soumettre à la Seigneurie de Dieu, se divinisera lui-même et se considérera enfin comme la seule réalité éternelle. L'empire de Satan paraîtra alors triompher. Mais les chrétiens pensent que ce moment suprême de sa volonté d'indépendance sera aussi celui où le Christ, revenant dans sa gloire, fera éclater la victoire qu'il avait acquise sur lui, en acceptant pour le salut du monde, le rôle du Serviteur obéissant à Dieu.

L'EMPIRE DE SATAN EST RUINÉ

Le monde, comme domaine de la créature non rachetée et lieu où s'étend l'empire de Satan, ne s'oppose jamais à Dieu comme une puissance de même nature. Le conflit entre le monde et Dieu n'est jamais celui de deux principes coéternels, comme dans certains systèmes gnostiques à dualisme ontologique. Il se déroule selon un dualisme qui est historique, et plus exactement encore, eschatologique. Certes, l'opposition de Satan à

1. Adv. Haer. V, 28, 2 ; cf. V, 28-30.
2. Id., V, 25, 1.

Dieu sera liquidée à la fin des temps. Ceci était déjà la conviction de l'apocalypse juive. Mais ce qui est propre à la foi chrétienne, c'est que la victoire de Dieu sur les puissances qui se sont rebellées contre lui, est déjà pleinement acquise dans la mort et la résurrection du Christ. Nous avons vu que les chrétiens avaient la conviction de l'existence et du rôle néfaste des puissances à l'œuvre derrière le monde. Mais il ne faudrait pas la séparer de cette autre conviction selon laquelle l'empire de Satan a déjà été vaincu, jugé et condamné. Le péché et son fruit, la mort, ont été engloutis dans la victoire du Christ sur la mort. Sur la croix, le pouvoir réel des forces hostiles au salut a été brisé. Cependant, ces puissances continuent d'agir. L'œuvre du salut est un acte unique qui se décompose en deux phases distinctes : sa réalisation en un moment de l'histoire, et son accomplissement à la fin des temps. Ressuscité, le Christ est exalté à la droite de Dieu, et constitué Seigneur de l'univers entier. Désormais, la mort est vidée de sa substance. Mais sa victoire, entièrement acquise, n'a pas encore été rendue manifeste. Ce n'est qu'à la parousie glorieuse que cette victoire sera pleinement révélée. Alors seulement les puissances hostiles du monde seront définitivement anéanties. A ce moment, elles ne pourront plus ignorer la réalité de leur défaite qu'à coup de mensonges et de séductions elles ont dissimulée au monde ravi de se croire toujours triomphant.

Sur ce point, tout le Nouveau Testament atteste la foi en la victoire déjà actuelle du Christ sur les puissances de la mort, et en son règne sur la création entière[1]. Dans les Évangiles, l'approche du Royaume de Dieu se traduit par les défaites infligées aux démons, comme autant de coups portés contre l'empire de Satan. Chez Marc, les démons ont été les premiers à reconnaître que Jésus était le Fils de Dieu, venu pour mettre fin à leur règne. L'esprit démoniaque s'exclame par la bouche du possédé de Capharnaum mis en présence de Jésus : « Que nous veux-tu, Jésus le Nazarénien ? Es-tu venu pour nous perdre ? Je sais qui tu es : le Saint de Dieu »[2]. Jésus ne chasse pas les démons comme n'importe quel exorciste. L'expulsion des démons n'est que le signe de l'irruption du Royaume de Dieu dans le monde et la ruine de l'antique domination de Satan. Les Pharisiens accusaient Jésus de chasser les démons en magicien, par Béelzéboul, le prince des démons. Sa réponse est que Satan ne peut expulser Satan, sans défaire son propre royaume. Mais au contraire, dit le Christ, « si c'est par l'Esprit de Dieu que moi j'expulse les démons, c'est donc que le Royaume de Dieu

1. En particulier, R. Schnakenburg, *Gottes Herrschaft und Reich*, Freiburg, 1959, p. 212-223.
2. Mc 1, 24 par ; cf. 1, 34 par ; 5, 7 par ; 3, 11-12, etc. J. M. Robinson, *Das Geschichtsverständnis des Markus-Evangeliums*, Zürich, 1956, p. 42-54, met en relief les répercussions cosmiques de l'exorcisme des démons chez Marc.

est arrivé pour vous »[1]. Deux réalités corrélatives sont issues de la prédication du Royaume : l'Empire de Satan est démantelé, le Royaume de Dieu se fait plus proche. En fait, c'est sur la croix que la victoire du Serviteur de Dieu est consommée, en même temps que sont jetés les fondements de son règne : « C'est maintenant le jugement de ce *monde*, maintenant le prince de ce monde va être jeté dehors, et moi, élevé de terre, j'attirerai tout à moi »[2]. Cette victoire remportée sur Satan n'est autre chose que la victoire du Serviteur de Dieu sur le monde resté volontairement enfermé dans la désobéissance. Les disciples auront à souffrir de la part du monde, mais pour eux, ses efforts sont par avance frappés de nullité[3].

Les premiers chrétiens ont compris rétrospectivement, à partir de la résurrection du Christ, la véritable portée de l'œuvre rédemptrice. Partout, ils attestent la joyeuse assurance d'être délivrés de l'emprise des puissances de la mort. Le Ressuscité s'est rendu souverain maître de la mort, et vivant pour l'éternité : « Je suis le Premier et le Dernier, dit la première vision de l'*Apocalypse*, le Vivant ; j'ai été mort et me voici vivant pour les siècles des siècles, détenant la clef de la Mort et de l'Hadès »[4]. Le Christ, selon l'*Épître aux Hébreux*, a « réduit à l'impuissance, par sa mort, celui qui a la puissance de la mort, c'est-à-dire le Diable »[5]. C'est pour détruire les œuvres du Diable qu'il est venu[6]. Le résultat, pour Paul, est qu' « il nous a arrachés à l'empire des ténèbres, et nous a transférés dans le royaume de son Fils bien-aimé »[7]. La foi a fait des chrétiens « des vivants revenus de la mort »[8]. Ils savent donc que l'empire de Satan est désormais une réalité caduque. Après le règne du péché, c'est maintenant le règne du Christ qui est offert à l'humanité comme l'unique alternative que Dieu propose au monde, pour son salut. Les chrétiens n'appartiennent plus à ce monde qui demeure la proie du péché, parce qu'il refuse de reconnaître la réalité de ce règne. Le Christ nous délivrant de la domination du péché revient à dire qu'il nous a « arraché à cet aiôn actuel et mauvais »[9].

CHRISTOS KYRIOS

Le noyau central des premières confessions de foi chrétiennes, comme

1. Mt 12, 26-28 par.
2. Jn 12, 31-32.
3. Jn 16, 33 ; cf. 1 Jn 5, 4-5.
4. Ap 1, 17-18.
5. He 2, 14.
6. 1 Jn 3, 8.
7. Col 1, 13-14 ; cf. Ac 26, 17-18.
8. Rm 6, 13.
9. Ga 1, 4.

l' a montré O. Cullmann[1], est toujours constitué par la reconnaissance de la Seigneurie actuelle du Christ régnant sur l'univers. Ressuscité, le Christ exalté à la droite du Père a été fait Seigneur de la création. De même qu'il fut le médiateur de la première création que le péché a corrompu, de même, en détruisant l'œuvre du péché, il s'est acquis la royauté sur elle, en devenant la tête de la création nouvelle, qui est à la fois restauration de l'ancienne et prémice du Royaume de Dieu à venir[2]. Dans les hymnes christologiques des *Colossiens* et des *Philippiens*, l'extension cosmique de la seigneurie du Ressuscité est parfaitement saisie. Dieu a exalté son Serviteur, au-dessus de toute créature céleste, terrestre ou subterrestre, pour que « toute langue confesse que Jésus-Christ est Seigneur », lui par qui tous les êtres sont réconciliés[3]. Désormais, il n'est plus de Puissance qui ne soit soumise à son règne. Maintenant, il est la « Tête de toute Principauté et de toute Puissance »[4], de même qu'il est la « Tête de l'Église qui est son corps »[5]. Sa royauté s'exerce donc sur l'Église qui la reconnaît et la confesse, mais elle ne s'y limite pas. Elle s'étend également au monde qui persiste à la nier. Le Christ est « Seigneur des morts et des vivants »[6], Maître aussi bien de l'univers des anges que de l'univers des hommes[7]. Cette royauté prendra fin lors de sa parousie glorieuse, lorsque les Puissances vaincues auront été définitivement anéanties. C'est pendant tout le temps de l'Église que le Christ règne. Après la consommation finale, il soumettra au Père le Royaume auquel lui-même aura soumis toutes choses. « Il faut qu'il règne, dit Paul en identifiant les Puissances aux « ennemis » du *Psaume 110*, jusqu'à ce qu'il ait placé tous ses ennemis sous ses pieds »[8]. Le temps présent est donc bien un temps eschatologique puisque dans le règne actuel du Christ, c'est le règne éternel de Dieu qui est commencé.

La conscience chrétienne du monde trouve son expression la plus riche dans la foi en la Seigneurie actuelle du Christ. La création entière, celle qui demeure sous le péché comme celle qui se rattache au Christ, est placée jusqu'à la fin des temps sous l'autorité souveraine de celui qui, en se substituant à l'ancien monde pécheur, est devenu, par sa résurrection, le Premier-né et la Tête de la création nouvelle. Sous son règne, il n'est plus de Puissance satanique qui n'ait été rendue inefficace. Les chrétiens l'ont

---

1. *Les premières confessions de foi chrétiennes*, in *La foi et le culte dans l'Église primitive*, Neuchâtel-Paris, 1963, p. 82-85.
2. Ac 2, 36 ; 5, 31 ; 10, 42 ; 13, 33 ; Rm 1, 4 ; 14, 9 ; Ph 2, 9-11 ; He 1, 5 ; 5, 5.
3. Ph 2, 9-11 ; Col 1, 15-20 ; cf. Ep 1, 19-23.
4. Col 2, 9.
5. Ep 1, 22, Col 1, 18.
6. Rm 14, 9.
7. Cf. encore 1 P 3, 22 ; 1 Tm 3, 16 ; Mt 28, 18.
8. 1 Co 15, 25-28 ; cf. Ep. 1, 21-22 ; He 10, 13 ; etc.

compris, aussi exultent-ils dans la foi qu'ils ont déjà été arrachés au pouvoir de la mort. Le monde, quant à lui, se définit maintenant tout entier comme refus de reconnaître que le Christ règne sur lui. Et parce qu'il s'obstine dans son refus, il est déjà vaincu. Les Puissances qui continuent de le régir, connaissent leur défaite, mais affectent de ne pas y croire. Quand s'achèvera le règne du Seigneur, terminant l'acte commencé dans sa passion, leur échec sera consommé. Pour les fidèles vivant dans la tension temporelle de ce règne, ce qui les distingue encore du monde, c'est qu'ils s'y savent associés. Morts avec le Christ au péché, ressuscités avec lui à la vie selon l'Esprit, ils règnent aussi avec lui sur le monde nouveau. L'humanité rachetée par le Christ retrouve la condition de souveraine maîtresse de la création. « Tu as fait d'eux, dit l'*Apocalypse*, pour notre Dieu, une Royauté de prêtres régnant sur la terre »[1]. Cette humanité nouvelle, qui n'appartient plus à la première création, c'est celle qui prend forme dans l'Église où le règne du Christ doit apparaître d'une manière visible dans l'organisation de la vie des saints, selon la loi d'amour.

FAIRE ÉCLATER SA VICTOIRE

Les chrétiens savent donc qu'ils ne sont plus du monde. Ils savent aussi que les Puissances ont déjà été définitivement vaincues. Cependant ils les voient encore poursuivre leur œuvre durant cette période de répit qui leur est laissée avant la fin. Les générations suivantes ont partagé cette même conviction, certaines désormais que ce qui les fait triompher du monde, c'est leur foi[2]. Aucune force ne les en dissuadera plus, « ni mort, ni vie, ni anges, ni Principautés, ni présent, ni avenir, ni Puissance »[3]. Les auteurs ultérieurs, d'Ignace d'Antioche à Hippolyte de Rome, affirment avec la même insistance que sous la royauté du Christ, les êtres démoniaques qui asservissaient le genre humain ont été privé de tout pouvoir réel[4]. Mais ils ont bien conscience en même temps qu'ils auront à le prouver en manifestant par leur vie dans le monde que Satan et les siens n'ont plus d'emprise sur eux. Or, précisément le Diable déjà vaincu et provisoirement encore émancipé, ils le voient s'acharner contre eux, avec plus d'agressivité que jamais. La vie des chrétiens se présente toujours sous l'aspect d'une lutte incessante qu'ils ont à mener contre le mal qui dévore toujours le monde de sa rage. « Ce n'est pas contre les adversaires de chair et de sang, que nous avons à lutter, écrit Paul, mais contre les Prin-

---

1. Ap 4, 10 ; cf. 1 P 2, 9 ; 2 Tm 2, 12.
2. 1 Jn 5, 4-5 ; 2, 14 ; 4, 4.
3. Rm 8, 38.
4. Ignace, Trall. 9, 1 ; Polycarpe, Phil., 2,1 ; Justin, I Ap. 32, 2 ; 4, 1 ; Dial. 30, 2-3 ; 49, 8 ; 122, 3 ; Hippolyte, Trad. Apost. 4.

cipautés, les Puissances, contre les Régisseurs de ce monde de ténèbres, contre les Esprits du mal qui habitent les espaces célestes »[1]. La vie des chrétiens affrontés aux Puissances, doit signifier la victoire que le Christ a remportée sur elles. Certes, les croyants, même en résistant au monde jusque dans le martyre, n'ajoutent rien eux-mêmes à la plénitude du triomphe du Christ. Mais leur rôle spécifique dans la phase actuelle de l'histoire du salut est de concrétiser cette victoire qui a rendu le péché caduc. En résistant au monde dans tous les aspects de l'existence où il s'érige en ennemi de Dieu, ils font progresser au cœur de l'humanité réelle une nouveauté de vie qui est le fruit de la victoire du seul Jésus-Christ. Chaque fois qu'un chrétien triomphe du monde, en lui préférant la logique de Dieu, il fait éclater et s'étendre davantage dans le monde les conséquences de la rédemption. Ce rôle exact des chrétiens, face aux agissements des Puissances qui se savent déjà vaincues, a été bien saisi par Tertullien. Les démons, observe-t-il, « s'élancent pour nous combattre, nous qui les avons sous notre puissance, sachant bien qu'ils sont perdus déjà et que leur fureur ne peut qu'ajouter à leur perte ; alors, nous sommes bien forcés de leur tenir tête, comme s'ils étaient nos égaux, et c'est en persévérant dans ce qu'ils attaquent, que nous repoussons leurs assauts, et jamais notre triomphe sur eux n'est plus glorieux, que lorsque nous sommes condamnés pour notre obstination dans la foi »[2]. On verra, dans la seconde partie de ce livre, sous quelle forme le monde s'est concrètement présenté aux premiers chrétiens, et comment ils lui ont résisté. Mais une condition commune se retrouve chez eux tous, c'est qu'ils ne démantèlent pas seulement l'empire de Satan par l'efficacité mystérieuse de leur vie selon l'Esprit, mais encore en lui portant des coups directs, par leur pouvoir d'exorciser les esprits du mal.

1. *Par le pouvoir thaumaturgique*

Dans ce domaine, la lutte contre la domination satanique se révèle, pour ainsi dire, à l'état pur. L'exorcisme était, aux yeux des chrétiens, la forme normale de l'efficience du règne du Christ. C'était chose allant de soi pour des esprits de l'Antiquité où la croyance des démons était admise par tous et où toutes les religions avaient leurs thaumaturges. Dans les Évangiles, chasser les démons, guérir les malades et même ressusciter les morts étaient autant de signes par lesquels le Christ révélait l'approche du Royaume de Dieu qu'il inaugurait sur les ruines de l'empire de Satan. Dans les premières générations de disciples, ces mêmes signes

---

1. Ep 6, 12.
2. Apol. 27, 7.

continuent de se multiplier. Les Douze eux-mêmes avaient été envoyés en mission, avec « puissance et autorité sur tous les démons et pouvoir de guérir les maladies »[1]. Mais maintenant, ces signes servent principalement à renforcer l'autorité de la prédication de l'Évangile. Le Christ chassait les démons de sa propre autorité. Les disciples le font toujours « en son nom ». Eux-mêmes n'ont aucun pouvoir, si ce n'est d'invoquer la puissance de Celui qui, une fois pour toutes, a vaincu les forces du mal. Tertullien dira : « Craignant le Christ en Dieu et Dieu dans le Christ, ils (les démons) sont soumis aux serviteurs de Dieu et du Christ »[2]. Aussi, l'annonce de l'Évangile était-elle toujours chargée de la puissance même qui constitue sa substance et sa moelle. La parole de la vie éternelle devait contenir en elle l'efficience même de la volonté divine qu'elle révélait. « L'Évangile, dit Paul, est la force de Dieu pour le salut de tout croyant »[3]. Il possède la faculté mystérieuse d'interpeler les consciences que se disputent les esprits sataniques, et de les acculer à la décision pour ou contre le Christ. C'est pourquoi sa proclamation entraîne des bouleversements infinis dans le monde de l'esprit où fait irruption sa puissance efficace. Or, ceci est clairement perçu par les premiers chrétiens. Paul peut écrire à la communauté de Thessalonique qu'il a récemment fondée : « Notre Évangile ne s'est pas présenté à vous en paroles seulement, il s'accompagnait d'œuvres de puissances, de l'action de l'Esprit-Saint et d'une assurance absolue »[4]. Dans les *Actes*, Luc se plaît à souligner également quels étaient les prodiges qui accompagnaient la prédication des Apôtres[5]. Il insiste même expressément pour dire que ces signes ne sont pas à confondre avec des actes de magie. L'épisode d'Éphèse montre que Paul fut en rivalité avec des exorcistes juifs et païens. Des Juifs avaient eux aussi essayé de guérir des possédés, en prononçant le nom de Jésus. Le résultat fut décevant, car l'esprit mauvais poussa un possédé à se jeter sur eux, et à les malmener violemment[6]. Pour les chrétiens, comme pour le Christ, les miracles accomplis hors de la volonté divine, sont sans valeur. Mais pour celui qui a la foi, ils sont le signe qui leur confirme l'efficacité réelle de la puissance de Dieu.

Au IIe siècle, les chrétiens passaient souvent aux yeux de leurs contemporains pour des magiciens plus ou moins semblables aux théurges des

---

1. Lc 9, 1 par.
2. Apol. 23, 15.
3. Rm 2, 16.
4. 1 Th 1, 5.
5. Ac 3, 6 ; 4, 29-30 ; 5, 12-16 ; 6, 8 ; 8, 7.11 ; 9, 34.40-41 ; 10, 38 ; 14, 9-10 ; 16, 18 ; 19, 11 s. ; 20, 10 ; 28, 8-9.
6. Ac 19, 11-20.

nombreuses religions orientales[1]. Leur adversaire Celse ne nie pas que les chrétiens accomplissent quelquefois des prodiges surprenants, mais selon lui, c'est à l'invocation des démons qu'ils le doivent. A cette époque de superstition générale, on a l'impression que tous les chrétiens se reconnaissaient le don d'exorciser. Il est clair que les Apologistes avaient intérêt à se servir sur ce point d'arguments auxquels leurs contemporains étaient particulièrement sensibles. Ils n'hésitèrent pas à voir dans l'efficacité de leur puissance thaumaturgique une preuve de la vérité de leur foi[2]. Mais l'examen des textes révèle une autre préoccupation. C'est que les signes extérieurs qui manifestent la puissance de la foi ne doivent jamais être en contradiction avec ce que les chrétiens sont réellement, sinon l'accusation païenne de charlatanisme ou de magie serait parfaitement fondée. Déjà le Pseudo-Clément disait que les païens accueillent souvent avec avidité la Parole de Dieu, mais s'ils « apprennent que nos œuvres ne répondent pas à nos paroles, ils se mettent à blasphémer et à dire qu'il n'y a là que mythe et mensonge »[3]. De fait, l'empire de Satan n'est vaincu dans ses effets visibles que par la foi qui est une puissance invisible. La foi n'est finalement pas autre chose que la reconnaissance de l'action déjà actuelle de l'Esprit comme anticipation du Royaume à venir. C'est toujours par la puissance de l'Esprit qu'est combattue l'influence de Satan. Sous l'invocation du Christ, et par la puissance de son Esprit, Dieu qui tient la création dans sa dépendance souveraine peut y susciter des signes tangibles qui sont, pour le croyant, la confirmation des répercussions réelles de sa foi. C'est l'intensité de la foi réellement vécue qui est la matière dont Dieu peut faire des miracles. Les chrétiens ne dissocient jamais leurs dons d'exorcistes de leur foi. « Par l'invocation du nom de Jésus-Christ, qui a été crucifié sous Ponce-Pilate, Satan est écarté des hommes », affirme Irénée, mais il ajoute immédiatement que c'est toujours pour exaucer « quelqu'un de ceux qui croient en lui et font sa volonté »[4]. Minucius Félix précise lui aussi que lorsque les chrétiens conjurent des démons qui ont pris possession d'un corps, le résultat obtenu est toujours dépendant de l' « aide fournie par la foi du patient ou l'effet exhalé par la grâce du guérisseur »[5]. La même idée se retrouve encore dans la *Tradition Apostolique* d'Hippolyte. Selon cet écrit, le signe de la croix fait avec foi, « est lui-même une manière d'exorciser l'esprit du mal. L'adversaire en effet, en voyant la force qui vient du cœur, dès que l'homme

---

1. Cf. Origène, C. Cels, 1, 6 ; 6, 40-41.
2. Cf. Justin, II, Ap. 6, 5-6 ; Dial. 85.
3. Ps. Clém., 13, 3.
4. Dém. 97.
5. Oct. 27, 7.

montre représentée extérieurement la ressemblance spirituelle, s'enfuit, non parce que toi, tu l'effraies, mais l'Esprit, qui souffle en toi »[1].

2. Le baptême, exorcisme de Satan

De la même manière, dès le second siècle, le baptême est devenu un rite d'exorcisme de Satan[2]. Le baptême qui est mort au péché et résurrection à la vie éternelle, est vu comme renonciation à l'empire de Satan. Entrée dans l'Église et abandon de la domination diabolique sont deux termes synonymes. La victoire que le Christ a remportée pour toujours sur les puissances de la mort doit désormais devenir manifeste dans l'existence du baptisé qui a été admis à y participer. Les liturgies baptismales les plus anciennes ne contiennent pas d'allusion à Satan. Elles sont l'occasion d'une confession christologique[3]. L'idée explicite de la renonciation à Satan n'est venue que par la suite[4]. Au temps d'Hippolyte et de Tertullien, le néophyte prononce expressément la formule : « Je renonce à toi, Satan, à tes anges et à tes œuvres immondes. » Ce rite est complété par celui de l'huile appelée « l'huile de l'exorcisme » que l'évêque applique avec la formule : « Que tout esprit mauvais s'éloigne de toi »[5]. Cette même huile est utilisée pour redonner la santé aux malades[6]. Mais avant même d'être admis au baptême et à la confirmation, chaque candidat est personnellement exorcisé par l'évêque. La *Tradition Apostolique* en donne la raison : « S'il en est un qui n'est pas pur, qu'on l'écarte, car il n'a pas écouté la parole avec foi, parce que l'Étranger est toujours caché en lui »[7]. Tertullien, vers la même époque, disait aussi que descendre dans l'eau du baptême, c'est renoncer « à Satan, à sa pompe et à ses anges »[8]. Or, par « pompa diaboli », comme nous aurons l'occasion de le constater, il entendait tous les aspects de la vie païenne placés sous le signe de l'idolâtrie[9]. La renonciation à Satan signifie la rupture réelle avec la vie antérieure, en ce qu'elle a été marquée par l'emprise des puissances diaboliques. A son entrée dans l'Église, le chrétien devenu l'homme

---

1. Trad. Apost. 36. Cyprien complètera cette idée en disant que par son pouvoir sur l'esprit du mal, « le chrétien règne déjà avec un droit royal sur toute l'armée des furieux ennemis », Ad. Donat. 5.
2. Cf. A. BENOIT, *Le baptême chrétien au IIe siècle*, Paris, 1953, p. 38 sq. ; F. J. DÖLGER, *Der Exorzismus im altchristlichen Taufritual*, Paderborn, 1909.
3. Cf. Ac 8, 36-38 ; 1 P 3, 18-22.
4. Cf. Hermas, Mand. VI, 2, 9.
5. Trad. Apost. 21.
6. *Id.*, 5.
7. *Id.*, 20.
8. De spect. 4, 1-2.
9. C'est la conclusion de l'article de J. H. WASZINK, *Pompa diaboli*, V.C. 1, 1947, p. 13-41.

nouveau s'engage à ne plus retomber au pouvoir du Mauvais, c'est-à-dire à ne plus vivre selon le *monde* qu'il domine encore. L'empire de Satan est une réalité devenue impuissante pour le croyant qui confesse que le Christ, en l'associant à sa mort et à sa résurrection, le fait aussi participer à la victoire décisive qu'il a remportée sur lui.

CHAPITRE IV

LA NOUVELLE CRÉATION

« VOICI QUE JE FAIS L'UNIVERS NOUVEAU » (*Ap. 21,5*)

La clef de l'interprétation chrétienne du monde est qu'il n'est jamais compris comme une réalité statique, mais comme un être vivant dont la destinée est liée à celle des hommes pour lesquels il a été fait. Jamais il n'est saisi à partir de lui-même, mais toujours dans la tension qui le projette vers un but ultime et qui est constitutive de sa profondeur temporelle. Il est une histoire dont la pleine signification ne sera clairement perceptible que lorsqu'elle aura pris fin. Dans les trois chapitres précédents, on s'est aperçu que le jugement que les chrétiens portent sur le monde actuel n'était jamais dissociable de leur attente d'un nouveau monde encore futur. La création telle qu'elle existe actuellement n'est pas l'œuvre définitive de Dieu. Elle attend son achèvement qui est maintenant devenu possible grâce au Christ. La vision chrétienne du monde est toujours dominée par ce qui doit encore venir. Or, cet *aiôn futur*, ce sera le Royaume de Dieu, la Jérusalem céleste, « un ciel nouveau et une terre nouvelle »[1]. Il ne s'agira pas de quelque nouveau monde étranger à celui qui vient de passer, mais de l'univers actuel, dont les créatures seront recréées, c'est-à-dire *vivifiées* par la puissance de l'Esprit. Cet acte ultime sera une reprise de l'acte premier qui est à l'origine du monde. Pour Dieu, ce sera l'intervention terminale et définitive par laquelle il mettra fin à l'exécution de son plan unique. Les différentes phases de l'économie salvifique : création, rédemption, nouvelle création, sont en réalité les aspects successifs d'un même acte de Dieu offrant au monde de participer à sa vie. En ce sens, la première création contenait la dernière, le Christ étant la révélation

_1._ Ap 21, 1.

historique et centrale de l'une et de l'autre. La dernière intervention de Dieu mettra fin a l'*aiôn* présent. Cette fin sera irréversible. Elle se produira quand la mesure des réalisations du salut sera enfin comble. Il n'y aura plus de retour. Comme dans la pensée du judaïsme, le temps linéaire qui va du commencement du monde à sa fin, se prolongera dans le temps infini du siècle éternel.

Il n'y aura pas comme dans le stoïcisme, après une conflagration générale qui mettrait fin au cyclique cosmique, un nouveau départ du temps du monde éternel se renouvelant en un nouvel âge d'or. On trouve cependant deux fois dans le Nouveau Testament le mot technique de παλιγγενεσία[1], par lequel les stoïciens désignaient le renouvellement ou la *régénération* cyclique du cosmos après l'incendie universel. Mais le sens y est celui de l'eschatologie chrétienne : la catastrophe cosmique ne se produira qu'une fois, elle sera unique et irréversible comme ont été uniques tous les instants du temps du monde. La promesse que, selon l'Évangile de Mathieu, fait Jésus aux apôtres de siéger sur douze trônes « lors de la régénération » a ici pour synonyme et parallèle chez les autres Synoptiques : « dans mon Royaume »[2] ou « dans le siècle à venir »[3]. Selon le Nouveau Testament, la régénération, qui est le nouvel et dernier acte de création par lequel tous les êtres seront recréés, se traduira par la *résurrection des morts*.

LA RÉSURRECTION DES MORTS

Nous avons vu que la croyance en la résurrection générale des morts à la fin des temps avait largement pénétré dans le judaïsme apocalyptique, même si elle n'était pas admise dans les milieux sadducéens. La résurrection des morts entre dans le cadre des événements qui marqueront la fin du monde et le passage dans le siècle nouveau. Tantôt ce sont tous les morts, bons et mauvais, qui ressusciteront afin de comparaître pour le Jugement où s'opèrera le tri définitif, les premiers étant admis dans la félicité éternelle et les autres précipités dans la géhenne. Tantôt, ce sont seulement les justes qui ressusciteront pour prendre part au Royaume qui leur a été préparé tandis que les méchants végèteront éternellement dans l'Hadès. Quelques-unes de ces représentations subsistent dans le christianisme primitif sans être absolument cohérentes, en particulier sur la résurrection des impies. Ce qui est certain, c'est que tous les morts ressusciteront ; les justes, dit Jean, en vue de la vie éternelle, les impies en vue du jugement[4].

---

1. Mt 19, 28. Dans Tt 3, 5 l'expression est employée pour désigner la nouvelle naissance du baptême. Cf. Büchsel, *Palingenesia*, TWNT 1, 685-688.
2. Lc 22, 30.
3. Mc 10, 30 ; Lc 18, 30.
4. Jn 5, 29.

Après le jugement, il n'y aura plus d'Hadès, car la Mort et son royaume souterrain auront été anéantis[1]. En revanche, les infidèles avec Satan et ses troupes[2], seront jetés dans la géhenne de feu pour y souffrir éternellement dans leur âme et dans leur corps[3]. Ces représentations qui insistent en particulier sur le caractère futur du Jugement pour lequel même les impies sont ressuscités, revêtent cependant une signification absolument originale lorsqu'elles sont comprises à partir de la résurrection du Christ.

Pour les premiers chrétiens, l'attente de la résurrection future des morts trouve sa source et sa justification dans la foi en la résurrection du Christ. Cette certitude est la seule qui puisse fonder l'espérance de la résurrection individuelle et celle de la récréation du cosmos. La foi dans la résurrection des morts s'appuie sur une seule conviction qui détermine tout le reste : le Christ est *déjà* vainqueur de la mort. Ressuscité et exalté à la droite de Dieu, il est le « premier-né d'entre morts » et aussi « le premier-né d'une multitude de frères »[4]. C'est dans l'action accomplie par Dieu dans le Christ que les chrétiens voient le gage de leur propre résurrection future, lorsque la création actuelle, encore soumise à la mort, sera saisie à nouveau pour renaître à la vie. La résurrection du Christ est au cœur de la foi chrétienne parce qu'elle est la clef de voûte de l'édifice du salut qui fait comprendre l'action de Dieu à l'origine du monde et anticipe, en la rendant possible, son action à la fin des temps. Toute la conception du monde que le Christianisme primitif a peu à peu dégagée de sa foi dans les évènements du salut repose en définitive sur cette unique certitude déterminante. Paul le dit lui-même : « Si le Christ n'est pas ressuscité, alors notre prédication est vide, vide aussi notre foi »[5]. Au contraire, les Apôtres ont compris que leur mission était d'être témoins de la résurrection[6]. Tel est en réalité l'objet unique de leur prédication[7]. L'*Épître aux Hébreux* dit même que la résurrection fait partie de l'enseignement élémentaire que l'Église donne sur le Christ[8].

ANTHROPOLOGIE BIBLIQUE

Or, les premiers chrétiens voyaient dans le Christ la cause de leur résurrection spirituelle déjà actualisée par le baptême. Mais cette résurrection

---

1. Cf. Ap 1, 18.
2. Mt 23, 15 ; 25, 41 ; Ap 19, 20 ; 20, 10.14.
3. Ap 20, 15, etc.
4. Rm 8, 29.
5. 1 Co 15, 14.
6. Cf. Lc 24, 48 ; Ac 1, 8 ; 2, 32 ; 3, 15 ; 4, 33 ; 5, 22 ; 13, 31 ; 22, 15.
7. Cf. Ac 2, 22-36 ; 3, 15 ; 4, 2 ; 5, 30-32 ; 10, 40 ; 13, 30.32-33 ; 17, 18 ; 26, 6-8.
8. He 6, 2.

n'est elle-même qu'une anticipation de la résurrection à venir qui saisira tout l'homme, indissociablement corps et âme. Elle n'est pas encore parfaite, car la mort corporelle continue de faire ses ravages. La puissance de la « chair », la grande antagoniste de l'Esprit selon Paul, semble encore régner sur le monde, comme si le péché et la mort n'avaient pas déjà été détruits. C'est ici qu'il faut souligner que l'anthropologie biblique ne connaît pas de séparation de l'âme et du corps[1]. L'être vivant est un. Il est une créature animée d'un principe de vie (ψύχη ou âme). Le premier homme a été créé doué de ce principe animal qui s'éteint avec la mort. Selon la foi chrétienne, à ce principe de vie naturelle et mortelle le Christ ressuscité a substitué dans les croyants un principe de vie divine et éternelle, le πνεύμα ou l'Esprit. Il n'est donc pas question d'une immortalité naturelle de l'âme. La philosophie grecque croit à l'immortalité de l'âme parce que son anthropologie est foncièrement dualiste. Ame et corps appartiennent à deux mondes opposés, d'une part le monde céleste et divin, de l'autre le monde matériel soumis à la dissolution et au changement. Pour les Grecs, l'âme est dans un corps comme dans une prison. Elle doit lui survivre parce qu'elle a eu une existence antérieure à lui et qu'elle est par essence d'une substance immortelle. Une telle anthropologie est entièrement étrangère à la Bible. On verra dans quelles difficultés se sont enfermés les Apologistes lorsqu'ils ont voulu rendre compte de la croyance chrétienne en la résurrection des corps au moyen des catégories de la philosophie grecque.

Le Christianisme, comme l'Ancien Testament, ne sépare pas le composé humain. Pour lui, il n'y a même pas de composé âme-corps. Ce qui existe, c'est un être créé vivant par Dieu. Le souffle qui l'anime n'est jamais considéré en dehors de son enveloppe charnelle. En tant que tel, ce souffle de vie n'est pas plus immortel que la chair. Comme synonyme de l'homme vivant selon le principe animal (l'homme *psychique*), on trouve encore l'expression : *la chair et le sang*[1]. D'après les Sémites, le siège de l'âme, c'est-à-dire de la vie, est dans le sang. Agir selon « la chair et le sang », c'est agir selon les impératifs et les motifs de ce principe vital « psychique », en dehors de toute révélation positive de Dieu. Il n'y a donc pas en l'homme de distinction dualiste entre l'âme et le corps. Mais, dans le langage de Paul et de Jean, depuis la venue du Christ, l'homme (l'homme entier, corps et âme) est sollicité par deux puissances opposées : la « *chair* » qui caractérise l'ancien monde resté livré au péché, et son antagoniste eschatologique, l' « *Esprit* », qui est la puissance de vie et de résurrection, comme fruit de la rédemption. Ces deux puissances se disputent la possession

---

1. Il faut se reporter ici au dilemme nettement posé par O. CULLMANN, *Immortalité de l'âme ou résurrection des morts ?* Neuchâtel, 1956.

de tout l'homme et de tout homme. Pour exprimer le déchirement dans lequel se trouve celui qui se sent sollicité par ces deux appels contraires, Paul se sert encore d'une autre antithèse. D'une part, il y a l' « *homme intérieur* » qui se complait dans la loi de Dieu [1], et que fortifie la puissance de l'Esprit [2] : celui-là a déjà part à la résurrection. De l'autre, l' « *homme extérieur* », celui de la « chair et du sang », qui reste sous le régime de la condition mortelle. Cette antithèse n'est pas une opposition de l'âme et du corps comme on peut la trouver chez des auteurs grecs. Elle est le conflit entre deux obédiences. Car ces deux hommes coexistent presque toujours dans la même personne [3]. Mais, pour Paul, ceux qui ont la foi, se laissent posséder de plus en plus par l'Esprit et éliminent les attaches qui les retiennent à la sphère « charnelle » de leur être mortel. L' « homme intérieur » est le terrain favorable à l'éclosion de l'humanité de la nouvelle création. « Encore que notre homme extérieur se corrompe, notre homme intérieur se renouvelle de jour en jour »[4]. Celui dans lequel l'Esprit est déjà à l'œuvre ne peut plus mourir : la résurrection du dernier jour manifestera sa condition de vivant. Mais tant que la « chair et le sang », tant que la matière de la première création n'auront pas été eux-mêmes ressaisis par l'Esprit, il ne connaîtra pas encore la vie parfaite. Selon la Bible, pour revivre, il faut que l'homme qui s'est couché dans la mort soit relevé à la vie. C'est tout entier qu'il doit ressusciter. Il n'est pas question d'âme immortelle qui se survivrait, comme si la mort était irréelle. La vie « psychique » comme la vie selon l'Esprit sont des dons gratuits de Dieu. La vie éternelle, comme l'a été la vie naturelle, sera l'œuvre d'un acte de re-création. Or, ce qui justifie la foi dans la résurrection finale des morts et dans la récréation totale du cosmos matériel, c'est que la nouvelle création est déjà inaugurée dans le Christ ressuscité tout entier (corps et âme, pour parler grec), parce que c'est aussi tout entier qu'il s'est livré à la mort.

Certains Corinthiens niaient la résurrection des morts. « S'il n'est pas de résurrection des morts, répond Paul, le Christ non plus n'est pas ressuscité »[5], et ceux qui sont morts dans le foi ont péri pour toujours. Non, la résurrection du Christ, ajoute-t-il deux fois de suite, contient les « prémices » de notre propre résurrection. De même que tous ont connu la mort par Adam (n'ayant qu'un principe de vie « psychique »), « tous revivront aussi dans le Christ, mais chacun à son rang : en tête le Christ comme

---

1. Rm 7, 22.
2. Ep 3, 16.
3. Cf. Rm 7, 14-25.
4. 2 Co 4, 16.
5. 1 Co 15, 13 s.

prémices ensuite ceux qui seront au Christ, lors de son avènement »[1]. Nulle part mieux que dans un passage de l'*Épître aux Romains,* la dépendance de la résurrection des chrétiens par rapport à la résurrection du Christ, n'est aussi clairement établie : « Si l'Esprit de celui qui a ressuscité Jésus d'entre les morts habite en vous, celui qui a ressuscité le Christ Jésus d'entre les morts donnera aussi la vie à vos corps mortels par son Esprit qui habite en vous »[2]. Le Christ n'est pas ressuscité pour lui-même. Sa résurrection signifie la régénération de la création tout entière renaissant à la plénitude de la vie.

L'ESPRIT VIVIFIANT

L'acte de nouvelle création que sera la résurrection des morts n'aura pas pour but de restaurer la créature dans son état ancien. D'innombrables malentendus ont surgi sur ce point, dès les générations postérieures au Nouveau Testament. Selon l'espérance juive, les morts devaient être restitués dans leur état antérieur, Dieu rassemblant à nouveau les éléments décomposés de leur corps. Or, la nouvelle création ne pourra pas ressembler à l'ancienne dont le propre était d'être mortelle et corruptible. Au contraire, l'Esprit recréant toutes choses se communiquera lui-même comme le principe de vie nouveau appelé à se substituer à l'être *psychique* qui n'avait qu'un souffle de vie animal semblable aux autres êtres vivants. Le propre de ce principe de vie divine, c'est de transformer l'ancienne créature corruptible en un être *incorruptible*, c'est de saisir l'ancien homme charnel tout entier arraché maintenant au pouvoir de la « chair », de recréer la matière « psychique » qui le constituait en une matière *spitituelle*. Dès le début, on posait cette question qui n'a pas de sens : « Comment les morts ressusciteront-ils ? Avec quels corps reviennent-ils ? »[3]. Dans l'admirable passage qui suit, Paul s'efforce, avec les faibles ressources du langage humain, d'expliquer que l'homme ressuscité n'aura plus rien de commun avec l'homme charnel, sinon qu'il sera le même être. Le corps de la résurrection ne sera pas celui de la vie terrestre (la question, comme la réponse de Paul révèle une problématique grecque !). Il en va de la résurrection des morts comme d'un fruit parvenu à maturité qui n'a plus rien de commun avec le grain d'où il a germé : « On sème de la corruption, il ressuscite de l'incorruption, on sème de l'ignominie, il ressuscite de la gloire : on sème de la faiblesse, il ressuscite de la force, on

1. 1 Co 15, 22-23.
2. Rm 8, 11 ; cf. 1 Th 4, 14 ; 1 Co 6, 14 ; 15, 20 sq ; 2 Co 4, 14 ; 13, 4 ; Rm 6, 5 ; Ep 2, 6 ; Col 1, 18 ; 2, 12 s ; 2 Tm 2, 11.
3. 1 Co 15, 35.

sème un corps *psychique*, il ressuscite un corps *spirituel* »[1]. Tous les corps ne sont pas les mêmes : comme il y a eu les corps psychiques de cette création-ci, dont Adam est le prototype, il y aura ies corps spirituels de la matière recréée par « l'Esprit vivifiant ». De même que le premier homme est issu de la terre, de même « le second homme, lui, vient du ciel ». Spirituel et incorruptible, le corps du Christ appartient à la sphère céleste où Dieu règne déjà sans partage sur sa création rénovée[2]. C'est pourquoi Paul dit encore qu'il a hâte d'abandonner cette « tente » qui est sa demeure terrestre (c'est-à-dire la matière « psychique » de son corps mortel) pour revêtir sa « demeure éternelle, qui n'est pas faite de main d'homme, et qui est dans les cieux »[3]. L'être ressuscité par Dieu ne sera pas une reconstitution de l'ancienne créature de « la chair et du sang », car la corruption ne peut hériter de l'incorruptibilité. Ce qui le distinguera du premier c'est qu'il sera revêtu tout entier de cette « gloire » qui est le propre de la perfection céleste mais qu'il réfléchissait déjà dans sa vie terrestre soumise à l'action de l'Esprit[4]. Lors de son retour, le Seigneur « transformera notre corps de misère pour le conformer à son corps de gloire avec cette force qu'il a de pouvoir même se soumettre tout l'univers »[5]. L'homme ressuscité ressemblera alors à son prototype, le Christ, premier-né de la création nouvelle. Il ne revêtira plus le corps de cette chair qui était corruptible et mortelle ; mais il sera un être « spirituel », incorruptible, immortel et glorieux, c'est-à-dire, comme Dieu, un éternel vivant. Alors seulement la mort sera définitivement vaincue. Elle qui, depuis la victoire du Christ, n'avait déjà plus de prise sur « l'homme intérieur », sera anéantie avec la matière « psychique » de l'homme charnel sur lequel elle dominait encore[6]. Le néant des œuvres de la mort et des puissances qu'elle gouvernait apparaîtra alors clairement. Dans le Royaume de Dieu, il n'y aura plus que des Vivants.

ΣΥΝ ΧΡΙΣΤΩ

LES MORTS AVANT LA RÉSURRECTION

La résurrection parfaite sera donc celle où l'homme tout entier sera recréé et transfiguré en une créature nouvelle. Elle n'aura lieu qu'à la fin des temps lorsque l'Esprit saisira toute l'ancienne création. La condition des croyants morts avant ce terme unique n'est donc pas encore celle

---

1. 1 Co 15, 42-44 sq.
2. Cf. *supra,* p 41 sq.
3. 2 Co 5, 1-4 ; 1 Co 15, 47-49.
4. Cf. 2 Co 3, 18.
5. Ph 3, 21.
6. Cf. 1 Co 15, 54.

de la résurrection plénière. Le Nouveau Testament est extrêmement discret sur l'état de ceux qui sont morts dans le Christ durant cette période intermédiaire. L'eschatologie primitive enseigne que le croyant vit déjà de la vie divine, anticipant par là ce que la résurrection finale lui communiquera en plénitude. Une chose, en effet, est certaine : ceux qui par la foi ont été associés au triomphe du Christ sur la mort et qui ont accueilli le don eschatologique de l'Esprit ne peuvent plus être soumis aux puissances de la mort. La mort qui affecte encore « la chair et le sang » ne peut rien contre l'homme qui, par la foi, a déjà eu part à la vie de Dieu. La vie qui a été l'antidote au mal répandu dans le monde ne peut plus redevenir la proie de l'œuvre du mal, c'est-à-dire de la mort. Aussi le croyant à sa mort ne tombera pas aux mains des puissances de l'Hadès ; il ne mènera pas, comme dans l'Ancien Testament, une existence larvée dans le royaume souterrain des morts. Le Christ victorieux « n'a pas été abandonné à l'Hadès »[1], mais au contraire, il détient maintenant la « clef de la mort et de l'Hadès »[2]. Par le fait même, les puissances du royaume de la mort ne peuvent plus rien contre « son Église »[3]. Les chrétiens qui ont vécu l'existence intégrés à la sphère du Christ, ne descendront pas dans l'Hadès comme les impies pour y attendre dans une existence d'ombre le jour de leur jugement[4], mais ils seront réunis au Christ d'une manière encore plus étroite qu'au cours de leur vie de foi. « Ni mort, ni vie » ne pourront plus les séparer de l'amour de Dieu[5]. Pour eux, leur décision pour le Christ est acquise à jamais. La puissance de la *chair* ne la révoquera plus par la tentation. D'où la conviction que les croyants, qu'ils soient vivants ou morts, « appartiennent au Seigneur » et vivent « avec lui »[6]. Son règne, en effet, s'étend aussi bien sur les uns que sur les autres[7].

Mais le Nouveau Testament ne nous renseigne que très peu sur l'état des morts avant leur résurrection. La réflexion primitive semble n'avoir porté d'abord que peu d'intérêt à cette question. Au temps où Paul croyait encore à l'imminence de la parousie[8], il n'envisageait pas que les chrétiens déjà morts fussent réunis au Christ avant la résurrection finale. Plus tard, il

---

1. Ac 2, 31.
2. Ap 1, 18.
3. Cf. Mt 16, 18.
4. Cf. Ap 20, 13-14 ; Ac 2, 26-31. La description de l'Hadès dans Lc 16, 22-23.26, comme le récit qui lui sert de cadre, appartient aux représentations populaires du judaïsme. Cf. *supra*, p 37.
5. Rm 8, 38.
6. Rm 14, 8 ; 1 Th 5, 10.
7. Rm 14, 19.
8. 1 Th 4, 13-18 ; 1 Co 15, 51 s. Cf. *supra*, p 57.

évoluera. Il dira : de même que la vie terrestre du chrétien s'est déroulée
ἐν Χριστῷ, de même, dès après sa mort, il vivra σύν Χριστῷ[1]. Paul avoue
qu'il est pris entre deux désirs : d'une part, continuer de « demeurer dans la
chair » pour être encore utile au travail d'évangélisation ; et d'autre part, ce
qu'il préférerait de beaucoup, « s'en aller et être avec le Christ »[2]. Et ailleurs : « Nous sommes pleins d'assurance, et préférons quitter ce corps pour
aller demeurer auprès du Seigneur »[3]. La mort avant la résurrection,
ne conduit pas encore à la béatitude éternelle, mais elle est l'étape d'un
progrès décisif dans l'accès à la vie divine. Si Paul désirait être le plus tôt
possible réuni au Christ, c'est que pour lui, « mourir représente un gain »[4] :
la fin de cet « exil loin du Seigneur »[5]. Dans cette vie toujours sollicitée
par la « chair », le chrétien ne connaissait encore que d'une manière impar-
faite, confusément, comme dans un miroir, selon la définition même de
la foi. Mais alors, il aura « la claire vision » ; il verra face à face[6]. Dans
l'instant de la mort seront dissipées toutes les ombres, toutes les incer-
titudes, toutes les angoisses que la foi elle-même avait été impuissante
à écarter dans le cœur de l'homme charnel. Ce qui n'avait été que partiellement entrevu éclatera alors dans une lumière éblouissante. Vivant désormais « avec le Christ », le chrétien connaîtra le prix véritable de la vie
« cachée en Christ » qu'il a menée dans le monde. C'est pourquoi l'*Apocalypse*, en parlant des saints qui ont su conserver la foi en Jésus, peut
déjà appeler « bienheureux les morts qui meurent dans le Seigneur dès
maintenant », en ajoutant : « Qu'ils se reposent de leurs peines, car leurs
œuvres les accompagnent »[7]. Cette vie plus plénière qui doit se dérouler
avec le Christ, est localisée dans les régions célestes, conformément à
ce que nous avons dit de la signification eschatologique du ciel. Une fois
seulement, il est question du paradis, comme dans les représentations
judaïques[8]. Dans l'*Apocalypse*, les martyrs attendent aussi sous l'autel
céleste, ou se tiennent devant le trône de Dieu[9]. Mais ils doivent
encore patienter, en attendant que leur sang soit vengé et la Mort

---

1. Sur cette formule, voir en particulier P. HOFFMANN, *Die Toten in Christus*. Münster, 2e éd.,
1969, p. 288-320.
2. Ph 1, 22-24. P. HOFFMANN, *op. cit.*, p. 207-347, cherchant une illustration de l'état intermédiaire dans 1 Th 4, 13-5, 11 ; 1 Co 15, 12-58 ; 2 Co 4, 16-5, 10, conclut que Ph 1, 23 en donne
l'idée la plus claire, celle d'une réunion des chrétiens au Christ ressuscité (p. 322).
3. 2 Co 5, 8.
4. Ph 1, 21.
5. 2 Co 5, 6.
6. 1 Co 13, 12 ; 2 Co 5, 7.
7. Ap 14, 13.
8. Lc 23, 43. Représentation probablement partagée par Paul : 2 Co 12, 4.
9. Ap 6, 9 ; 7, 9. 14 ; 14, 3.

anéantie, jusqu'à ce que soit complet le nombre de leurs frères encore destinés à donner leur témoignage. On voit par là que les morts eux-mêmes prennent part à la tension eschatologique du siècle présent. Déjà délivrés de l'empire de la « chair » et vivant auprès du Christ dans la lumière et la paix célestes, ils attendent encore que l'Esprit saisisse la matière même de leur être « psychique » et mortel pour faire d'eux une créature nouvelle revêtue d'incorruptibilité. Leur état, encore imparfait, ils le partagent avec la création vivante tout entière en attente de l'irruption de l'Esprit et de la vie éternelle.

LA MORT COMME SOMMEIL

L'état des morts en attente de leur résurrection est fréquemment désigné dans le Nouveau Testament par celui de sommeil ou de repos. Dans le premier texte où il est question du sort des morts avant la parousie, Paul en parle comme de « ceux qui sont endormis »[1]. Ils ressusciteront les premiers et les vivants seront réunis à eux pour aller à la rencontre du Christ. Certes, il s'agit bien de ceux qui sont réellement morts. Mais l'expression n'est pas seulement un euphémisme. Elle désigne un état. La « chair et le sang », « l'homme extérieur », leur être mortel se sont dissous dans la terre. Mais leur état présent de réunion au Christ, marqué par l'attente impatiente de la résurrection glorieuse de leur propre chair, ressemble, en comparaison avec l'état de veille, et à cause de la conscience différente du temps qu'il procure, à un sommeil temporaire. Ayant vécu de la vie éternelle par la foi, ils se sont endormis dans la vision bienheureuse du Seigneur pour s'éveiller bientôt, lors de la résurrection finale, à la vie glorieuse dans sa plénitude. Cette métaphore devient si naturelle que les états de veille et de sommeil finissent par servir à exprimer les deux aspects de la vie des croyants unis au Christ. Le Seigneur est mort pour nous, dit Paul, « afin que éveillés ou endormis nous vivions unis à lui »[2]. Ces expressions sont confirmées en d'autres passages du Nouveau Testament. A deux reprises[3], Jésus, en présence de cadavres dont on précise qu'ils sont bien « morts », dit : ils dorment. Le récit de la résurrection de Lazare est particulièrement éclairant à ce sujet. Appelé auprès du mort, il dit « notre ami Lazare repose, je vais aller le tirer de son sommeil ». L'évangéliste ajoute cette précision qui n'est pas inutile : « Jésus avait

---

1. Cf. 1 Th 4, 13-16. P. HOFFMANN, *op. cit.*, p. 186-206, souligne que Paul partage naturellement l'image du sommeil de la mort avec des représentants du judaïsme et du paganisme. Il n'en reste pas moins que l'analogie peut revêtir dans sa pensée une signification spécifique, corroborée par d'autres passages du N.T.

2. 1 Th 5, 10.

3. Mc 5, 39 par., et Jn 11, 11-13.

voulu parler de sa mort, mais eux (les disciples) s'étaient figurés qu'il parlait du repos du sommeil ». Lorsque le premier martyr, Étienne, meurt lapidé, l'auteur des *Actes* dit simplement : « il s'endormit »[1]. Sur ceux qui ont cru au Christ, la mort n'a plus aucun pouvoir réel. Elle a perdu son « aiguillon »[2]. Dans leur attente paisible de la résurrection finale, ils règnent déjà avec le Christ et participent avec l'Église encore militante à la tension temporelle de l'économie divine qui doit déboucher sur la nouvelle création.

LES DIFFICULTÉS GRECQUES

La foi dans la résurrection finale des morts et en la récréation de la vie est constitutive de la conscience chrétienne du monde. Elle se situe comme un complément indispensable dans la logique d'une conception du monde où tout ce qui existe est suspendu à la toute-puissance de Dieu. L'idée de la résurrection des morts achevait de séparer radicalement les chrétiens des conceptions les plus invétérées de la philosophie grecque. Comme la plupart des religions et des civilisations antiques, les Grecs parlent d'immortalité de l'âme, mais la résurrection du corps, cet amas de matière qui appartient au monde inférieur de la dissolution et du devenir, est un non-sens. Dans une vision dualiste du composé humain, seule la partie supérieure de l'âme d'origine divine peut être conçue comme éternelle vivante. Elle s'accompagne presque toujours de l'opposition du temps et de l'éternité, de la matière et de l'esprit et de la doctrine de l'éternel retour d'un même cycle cosmique. La béatitude n'est pensable qu'au-delà de l'emprise du temps et de la vie charnelle, Dieu ne se dévoilant qu'à l'âme qui lui est semblable. Celse écrit aux chrétiens qu'il trouve absurde leur idée de la résurrection du corps, « comme s'il n'y avait pour vous rien de meilleur que cela ». Si quelque chose doit demeurer immortel, c'est l'âme, ce « rejeton céleste et incorruptible de nature divine et incorporelle »[3]. Or, cette équivoque a été entretenue par les chrétiens eux-mêmes à partir du moment où ils se sont enfermés dans la problématique de l'anthropologie hellénique pour rendre compte de leur foi en la résurrection. Le résultat est bien souvent une confusion pénible des idées où la vigueur de la foi primitive paraît singulièrement diluée. Le point de départ de cette méprise est que là où le Nouveau Testament parle de « résurrection des *morts* », on ne voit plus que la résurrection de la chair ou des *corps*[4], comme une sorte de complément donné

1. Ac 7, 60.
2. Cf. 1 Co 15, 55.
3. Origène, C. Cels. VII, 49 ; cf. V, 14 ; VII, 36, 42, 45 ; VIII, 49.
4. Did. 9, etc.

à la fin des temps à l'âme qui serait de toutes manières immortelle. Puisque les païens reconnaissent l'immortalité de l'âme, on veut montrer que le corps aussi sera immortel. Nous avons vu que l'anthropologie biblique rejetait sur ce point tout dualisme. La position des Apologistes est inconfortable. Leur argument majeur — que rien n'est impossible à la toute-puissance de Dieu — ne porte pas tous ses fruits parce que la résurrection des corps n'apparaît plus comme un acte de nouvelle création. L'intuition fondamentale qui rattache la résurrection à la puissance divine est cependant conservée[1] : elle sauve le caractère libre et gratuit de l'acte et, du coup, reste bien dans le cadre de la conception chrétienne du monde.

Dieu, qui a été capable de créer l'homme à partir de rien, saura aussi le reconstituer à la fin des temps. Mais c'est là que se situe aussi l'erreur essentielle : on conçoit la résurrection comme un retour à l'ancien état charnel, une reconstitution de la même matière qui fut celle du corps mortel. L'homme redeviendrait ce qu'il était avant la mort, comme dans les croyances judaïques. Justin résume cette idée en déclarant : « Nous espérons que les morts reprendront leurs corps déposés en terre, car nous disons que rien n'est impossible à Dieu »[2]. Les Apologistes s'efforcent de démontrer que la matière de la chair dissoute est en réalité conservée dans le monde par Dieu comme dans « le magasin d'un maître opulent ». Au moment voulu, dit Tatien, Dieu « reconstituera dans son état ancien la substance qui n'est visible qu'à lui seul »[3]. En illustration de cette idée, on n'hésite pas à puiser dans le répertoire des arguments stoïciens pour voir dans le retour périodique des phénomènes de la nature une analogie de la résurrection des hommes. Mais Tertullien a bien soin de préciser que cette résurrection-là n'aura lieu qu'une fois, lorsque ce siècle-ci sera définitivement révolu[4]. Dans le même contexte, on invoque d'autres raisons qui rendent nécessaire une restauration des corps : c'est qu'elle est indispensable pour le jour du jugement. « Les corps seront reconstitués, dit Tertullien, d'abord parce que l'âme seule ne peut rien souffrir sans une matière stable, à savoir la chair, et puis parce que le traitement que les âmes subiront en vertu du jugement n'a pas été mérité par elles sans la chair dans laquelle elles ont tout fait »[5]. Ces raisonnements entraînent un glissement du sens de la résurrection, qui est un acte de nouvelle création selon l'Esprit, et non une reconduction de l'ancienne création

---

1. Cf. Clément, Cor. 24 ; 27 ; Justin, I Ap. 10, 3 ; 19 ; Tatien, Disc. 6, 3 ; Théophile, Ad Aut. I, 8.13 ; II, 14 ; Tertullien, Apol. 48, 5-6-9 ; Minucius, Oct. 34, 9.

2. I Ap. 19, 4 ; 18, 6.

3. Disc. 6 ; cf. Minucius, Oct. 34, 10 ; Athénagore, De resur. mort. 2.

4. Apol. 48, 7-11 ; cf. Minucius, Oct. 34, 11 ; Théophile, Ad Aut. I, 13.

5. Apol. 48, 4 ; cf. Justin, I Ap. 18, 1-2 ; Tatien, Disc. 6, 12 ; Athénagore, Suppl. 36, 2 ; Minucius, Oct. 34, 12.

mortelle. Dans un traité du IIe siècle *Sur la Résurrection*, attribué à Athénagore, on voit l'influence des idées platoniciennes l'emporter nettement sur l'exégèse biblique. La résurrection comme la création est certes l'œuvre directe de Dieu, mais selon l'auteur, elle est plus encore une exigence de la nature de l'âme humaine qui a été créée immortelle. L'immortalité de l'âme doit entraîner celle du corps en le faisant passer par l'étape de la résurrection[1]. Des conceptions plus bibliques sont cependant aussi attestées et parfois sous la plume même des précédents. Si l'on remplaçait le terme ἡ ψυχή dans le passage suivant de Tatien par l'expression biblique au sens bien différent, de ὁ ψυχικὸς ἄνθρωπος on obtiendrait un excellent résumé de la foi primitive : « L'âme (ἡ ψυχή) n'est pas de soi immortelle, ô Grecs, elle est mortelle ; mais cette même âme est aussi capable de ne pas mourir. Elle meurt et se dissout avec le corps si elle ne connaît pas la vérité. Mais elle doit ressusciter plus tard, à la fin du monde, pour recevoir avec son corps, en châtiment, la mort dans l'immortalité. Et d'autre part elle ne meurt pas, fut-elle dissoute pour un temps, quand elle a acquis la connaissance de Dieu. De soi, elle n'est que ténèbre... Ce n'est pas l'âme en effet qui sauve l'Esprit, c'est elle qui est sauvée par lui »[2].

LA VIE INCORRUPTIBLE. IRÉNÉE

Au IIe siècle, c'est encore le grand théologien Irénée qui exploite le mieux l'enseignement biblique. L' « antique modelage » d'Adam que le Christ a récapitulé en lui et pour lequel a eu lieu toute l'économie divine sera vivifié par l'Esprit lors de la résurrection. Le premier homme a été fait à l'image et à la ressemblance de Dieu, mais par le péché il perdit la ressemblance. C'est pour la retrouver que l'Esprit ressaisira la créature charnelle devenue corruptible. Cette œuvre de restauration est commencée avec le Verbe s'assimilant à l'homme et l'entraînant dans sa résurrection ; elle est achevée lorsque la chair elle-même est revêtue par l'Esprit d'incorruptibilité[3]. L'homme de la résurrection sera doué d'une puissance de vie nouvelle[4]. La vie éternelle n'est pas un fait de nature, mais un don de Dieu et une grâce comme conséquence du salut. Elle est l'ultime requête de la foi en la puissance de Dieu[5]. Ici Irénée se fait à nouveau l'écho du principe qui est au cœur de la vision chrétienne du monde. Le cosmos tout entier n'existe que parce que Dieu l'a appelé à l'être et il ne

---

1. Cf. De resur. mort., 12-13.
2. Disc. 13.
3. Adv. Haer. V, 7, 1.
4. *Id.,* IV, 38, 4 ; V, 1, 3 ; V, 12, 2 ; V, 16, 1-2 ; Dém. 31 ; 38.
5. Cf. aussi Théophile, Ad Aut. II, 26.

persiste dans la durée qu'aussi longtemps qu'il lui plaît de la maintenir dans l'existence. Il en est de même des âmes et des esprits. « La vie ne vient pas de nous-mêmes ni de notre propre nature. Mais elle nous est octroyée comme un don de Dieu ». Pareillement, la résurrection et la vie éternelle sont offertes à tous ceux qui reconnaissent librement leur dépendance par rapport à Celui qui, par la création et la rédemption, s'est révélé dans l'histoire comme la source de la vie immortelle. « Aussi, ajoute Irénée, celui qui conserve le don de la vie et rend grâces à celui qui le lui a donné, recevra une longévité qui durera dans les siècles des siècles. Mais celui qui rejette ce don et se montre ingrat envers son auteur, puisqu'il est créature, mais ne reconnaît pas celui qui lui a donné (l'être), il se prive lui-même de l'existence pour toujours et à jamais »[1]. On voit d'après ces quelques exemples que la résurrection des morts est indissociable de la foi chrétienne primitive, même là où elle n'est déjà plus véritablement comprise comme le second et dernier acte de création, achevant, à la fin de l'histoire, l'œuvre de régénération inaugurée dans le Christ. Cet acte, situé dans le futur, prend dans la conscience chrétienne du monde autant de place que l'acte de la première création, l'un et l'autre compris dans la lumière du Christ, but de l'ancienne création et gage de la nouvelle en tant que premier ressuscité d'entre les morts.

RÉGNER MILLE ANS SUR LA TERRE

Le Royaume de Dieu s'établira bien sur une nouvelle création, un nouveau cosmos[2], ou pour parler le langage biblique : sur « un nouveau ciel et une nouvelle terre »[3]. Comme le cosmos a été solidaire de l'homme dans le péché, maintenant, lui aussi transformé par l'Esprit et libéré de la corruption[4], il a part à la gloire éternelle des ressuscités. « Le premier ciel, en effet, et la première terre ont disparu, et, de mer, il n'y en a plus ». La Mort et l'Hadès auront été eux-mêmes jetés dans l'étang de feu[5]. « De mort il n'y en aura plus ; de pleur, de cri et de peine, il n'y en aura plus, car l'ancien monde s'en est allé ». Toutes choses auront été créées neuves[6]. L'irruption de la nouvelle création est symbolisée par la descente de la Jérusalem céleste sur la terre, réalité eschatologique dévoilée maintenant d'une manière définitive[7]. Alors Dieu règnera sur un univers entièrement

---

1. Adv. Haer. II, 34, 3 ; cf. Dém. 41.
2. Barn. 15, 8.
3. Ap 21, 1 ; 2 P 3, 13 ; cf. He 12, 27.
4. Cf. Rm 8, 19-23.
5. Ap 20, 14.
6. Ap 21, 4-5.
7. Ap 20, 2-3.10 sq ; He 12, 22.

soumis. Les puissances de la mort ayant été détruites, le règne du Christ aura pris fin. Il remettra la royauté au Père tandis que « lui-même se soumettra à Celui qui a tout soumis, afin que Dieu soit tout en tous »[1]. Le Nouveau Testament ne contient aucune description du Royaume de Dieu, sinon quelques allusions passagères[2]. A la différence des apocalypses judaïques, il ne spécule pas sur le bonheur des élus. Il affirme simplement qu'alors Dieu règnera sur la création nouvelle, sans résistance ni obstacle. Les fidèles du Christ partageront sa plénitude de vie au milieu des jubilations de louange et d'adoration[3].

Ce chapître s'arrêterait là si cette même sobriété de détails sur la vie d'après la résurrection avait pu contenter les générations postérieures. Mais on trouve déjà dans l'*Apocalypse* l'amorce d'une déviation de la foi primitive par l'accueil que ce livre fait à une doctrine qu'admettront la plupart des auteurs chrétiens des deux premiers siècles, le *millénarisme*[4]. La croyance au royaume millénaire n'affecte pas, en réalité, la foi dans la nouvelle création, mais elle atteste, en milieu chrétien, la permanence d'idées propres au judaïsme apocalyptique que nous avons déjà relevées[5]. Dans ces écrits souvent contemporains du Nouveau Testament, il s'agissait de concilier les traditions du messianisme politique attendant un triomphe terrestre du Messie, et les données plus récentes de l'eschatologie cosmologique caractérisée par l'attente d'un nouvel aiôn et d'une nouvelle création. La solution généralement adoptée avait été que le Messie règnerait sur la terre avec les élus durant une période limitée avant que ne commence à proprement parler l'aiôn nouveau. Dans le judéo-christianisme, cette idée fut reprise sous la forme du millénarisme et appliquée au retour du Christ. On a vu plus haut que ces conceptions s'étaient répandues même dans les milieux chrétiens venus du paganisme et qu'elles avaient été à l'origine des premières tentatives de connaître la date de la parousie[6]. Le Royaume millénaire du Christ sera établi sur la terre entre la première et la seconde résurrection des morts. Car lors de la parousie, il y aura d'abord une première résurrection réservée aux fidèles du Seigneur. En effet, seuls les élus seront destinés à participer aux joies du règne millénaire. Ici on voit réapparaître sous

---

1. 1 Co 15, 24-28 ; cf. Ap 11, 15-16.

2. Cf. Lc 20, 34-36 par. ; Mt 8, 11 par.

3. Ap 6, 9-17. Sur l'Apocalypse et la représentation de la fin des temps : M. Rissi, *Zeit und Geschichte in der Offenbarung des Johannes*, Zürich, 1952.

4. Les origines de la croyance millénariste dans l'Apocalypse ont été établies par H. Bietenhard, *Das tausendjährige Reich*, Zürich, 1955. Pour ses développements ultérieurs : H. Leclercq, *Millénarisme*, DACL, 11, 1 sq.

5. Cf. *supra*, p 13.

6. Cf. *supra*, p 78 sq.

une autre forme une idée courante dans le judaïsme — en particulier
chez les pharisiens — que la résurrection finale n'est destinée qu'aux
seuls justes.

LA TRADITION ASIATE

Cette conception remonte certainement à l'*Apocalypse* johannique.
Après un premier combat eschatologique, le Dragon est vaincu et jeté
dans l'abîme où il est enchaîné pendant mille ans. Pendant ce répit, les
martyrs sont rappelés à la vie pour régner avec le Christ pendant mille années. La mort n'a plus de pouvoir sur eux. A la fin du millénaire, cependant, Satan est encore relâché une dernière fois, le temps
de séduire le monde entier, puis il est anéanti pour toujours. C'est alors
qu'aura lieu le Jugement final, après que les impies eux-mêmes aient été
ressuscités pour connaître leur sort qui est « la seconde mort », celle-là
éternelle [1]. Or, ce passage reflète les préoccupations eschatologiques
d'un milieu bien caractérisé qui est le judéo-christianisme asiate dans
lequel a été composé l'*Apocalypse*. Les spéculations sur la nature et les
conditions de ce règne millénaire du Christ se rattachent toutes à l'origine
à une tradition asiate qui remonte à l'apôtre Jean. C'est la fameuse tradition orale des presbytres rapportant des paroles de Jean qui lui-même
les tiendrait du Seigneur. Dans cette chaîne, les rôles de Papias, évêque
d'Hiérapolis qui a entendu Jean, et de Polycarpe de Smyrne son ami, sont
particulièrement importants. Irénée qui fait le plus largement écho à
cette tradition, étant lui-même un ancien disciple de Polycarpe, rapporte
qu'ils furent les premiers à décrire le règne millénaire sous les traits d'un
retour à l'existence paradisiaque [2]. Papias affirmait clairement, nous dit
Eusèbe, « qu'il y aura un millénaire d'années après la résurrection des
morts, la royauté du Christ devant être établie corporellement sur cette
terre » [3]. On place alors la réalisation des prophéties sur la restauration
de Jérusalem et les merveilles de l'ère messianique. Il ne s'agit pas encore
de la Jérusalem céleste, mais, dit Justin, de la « Jérusalem rebâtie, décorée
et agrandie, comme les prophètes Ezéchiel, Isaïe et les autres l'affirment » [4] :
Or, ces prophéties ne pourront se réaliser que si les élus et le Christ lui-

---

1. Ap 20, 2-10 ; 21, 8. On trouvera une bonne analyse de la représentation du Royaume messianique intermédiaire selon l'Apocalypse et ses parallèles chez IV Esdr. 7, 26 sq et Bar. syr.
29 sq. dans H. A. WILCKE, *Das Problem eines messianischen Zwischenreiches bei Paulus*,
Zürich, 1967, p. 32-49, qui démontre, à juste raison, l'inexistence d'une telle représentation
chez Paul (p. 150).

2. Adv. Haer. V, 32, 1 ; V, 33, 1-2 ; 35, 1-2.

3. H.E. III, 39, 12.

4. Dial. 80, 5 ; Irénée, Adv. Haer. V, 35, 2.

même reviennent véritablement dans la chair. C'est alors que le Christ boira de la vigne avec les siens, que l'on rendra « le centuple promis en ce siècle, que l'on célébrera les banquets promis aux pauvres »[1].

L'idée de cette tendance est que les justes auront alors une récompense correspondant à leurs renoncements dans la vie terrestre. « Il faut, dit encore Irénée, que la création restaurée dans son état primitif soit mise sans empêchement au service des justes »[2]. Si les ressuscités seront rétablis dans leur corps charnel comme auparavant, la création en revanche se transformera pour eux. La terre se manifestera par une fécondité extraordinaire pour le bonheur des saints. Il faut citer ici pour sa valeur révélatrice un passage où Irénée rapporte encore une tradition des presbytres. Selon eux, le Seigneur aurait enseigné : « Il viendra des jours où pousseront des vignes qui auront chacune dix mille branches et sur chaque branche dix mille rameaux et sur chaque rameau dix mille sarments et sur chaque sarment dix mille grappes et sur chaque grappes dix mille raisins et chaque raisin donnera vingt-cinq mesures de vin. Et lorsque, parmi les saints, l'un saisira une grappe, une autre grappe criera : Je suis meilleure, prends-moi ; bénis par moi le Seigneur ! »[3]. Le montanisme, mouvement asiate lui aussi, renoue à la fin du IIe siècle avec le millénarisme primitif. Lorsque Tertullien y adhérera lui-même, il n'hésitera pas à dire que la raison d'être du royaume millénaire sera de permettre à Dieu de combler les saints de « tous les biens — je parle des biens spirituels, précise-t-il, — en compensation de ceux que nous avons ou dédaignés ou perdus en ce monde-ci ». La raison en est qu'il est « équitable et digne de Dieu que ses serviteurs triomphent là même où ils ont souffert pour lui »[4]. Ce millénarisme de la voie moyenne traduit surtout un besoin des représentations visibles et sensibles de la félicité des élus, tout en les spiritualisant.

LE MILLÉNARISME MATÉRIALISTE

Mais le millénarisme connut des interprétations beaucoup plus réalistes qui reproduisent les formes les plus matérialistes des espérances apocalyptiques juives. Ces tendances se rencontrent dans des groupes judéo-chrétiens hétérodoxes. L'un d'eux est celui des Ebionites dont le nom signifie « pauvres ». Ils représentent des formes de pensée assez frustes, certains que leur qualité de pauvres en ce monde-ci leur donnera accès aux plus larges et les plus consistantes des récompenses terrestres,

1. Cf. Irénée, Adv. Haer. V, 33, 1-2.
2. Id., V, 32, 1.
3. Id., V, 33, 3.
4. Adv. Marc 3, 24.

puisque « ceux qui auraient accompli la justice seraient rassasiés de nourriture et de boisson »[1]. Dans le même sens il faut citer l'hérétique Cérinthe qui représente la forme la plus extrême du millénarisme matérialiste à l'époque de Trajan. L'accent est mis sur les plaisirs de la chair qui ne connaîtront plus d'obstacle. Il eut pour adversaire farouche le prêtre romain Caïus, hostile au millénarisme sous toutes ses formes. D'après ce dernier, Cérinthe enseignait qu' « après la résurrection, le règne du Christ sera terrestre et que la chair, vivant à nouveau à Jérusalem, sera l'esclave des passions et des plaisirs... (et) qu'il y aura une période de mille années de fête nuptiale »[2]. Dans la tradition asiate primitive, il n'était pas question de poursuivre la génération humaine. Les ressuscités devaient connaître une longévité de mille ans, le temps que Dieu, suivant les spéculations rabbiniques, avait prévu pour Adam avant qu'il ne tombe dans le péché[3].

Dans le cadre de l'exégèse typologique de la semaine de la création, le règne millénaire est confondu avec le septième millénaire du repos. Lorsqu'il sera lui-même achevé et que le Jugement aura enfin lieu, il laissera la place au *huitième jour* éternel du monde qui sera celui de la Jérusalem céleste et du Royaume de Dieu. On voit que le Christianisme du IIe siècle, même dans ses représentants les plus éminents, venus tant du judaïsme que du paganisme, a accueilli sans beaucoup de réticence les éléments les plus caractéristiques de l'eschatologie juive au grand risque de dénaturer la puissante originalité de l'espérance chrétienne. Ce besoin de représentations sensibles du bonheur des élus est d'ailleurs accompagné souvent d'un affaiblissement du sens eschatologique par les tentatives de calculer les dates des événements de la fin. Malgré cela, la croyance millénariste comme telle n'altère pas profondément l'image chrétienne du monde dont nous avons essayé de tracer les contours. Elle introduit, conformément aux schèmes mentaux de l'apocalyptique, l'idée d'un parallélisme plus accentué entre la fin et le début du monde. A la fin se retrouvera en plénitude le paradis perdu par le péché d'Adam. Au commencement, l'homme avait été créé pour dominer une création merveilleusement féconde ; mais ce n'est qu'une fois ressuscité qu'il en jouira à satiété, avant d'être admis dans le Royaume sans fin.

Le Nouveau Testament, en ne retenant que l'aspect cosmologique du courant complexe de l'eschatologie judaïque, écarte tous les essais de représentation de la vie ressuscitée, pour lesquels il ne manifeste aucun intérêt. Seule, la certitude que la résurrection est déjà donnée dans la foi,

---

1. Rec. Clem. I, 61 ; cf. Jérôme, Com. Jér. 66, 20 dit qu'ils « entendent au sens littéral tous les délices des mille années ».

2. Eusèbe, H.E. III, 28, 2.

3. Justin, Dial. 81, 3-4 ; Irénée, V, 23, 2, s'inspirant de Jub. IV, 29 ; cf. I Hén. 10, 17.

qu'elle triomphe de la mort individuelle et qu'elle resaisira la chair elle-même à la fin des temps, s'insère dans la ligne de l'histoire du salut et complète la conscience que les chrétiens ont du monde comme lieu et comme temps où Dieu offre aux hommes la vie incorruptible.

DEUXIÈME PARTIE

LE MONDE HISTORIQUE

CHAPITRE V

DEUX CONSCIENCES HISTORIQUES

A quelques années près, l'avènement du christianisme correspond à l'établissement de l'Empire romain. Pour la première fois, les peuples de l'Antiquité, après avoir suivi des destins longtemps opposés, jouissaient, unifiés dans un même organisme, de la *Pax Augusta*. La réalité historique dans laquelle, dès le début, a émergé la prédication chrétienne, était celle d'un monde parvenu à son apogée, et qui avait conscience de l'être. Les chrétiens n'ont eu d'autre idée du *monde* comme *univers des hommes* que celui qui, formant l'*orbis romanus*, avait le sentiment d'englober toute l'humanité civilisée. Rome, dans l'idée des contemporains, domine la terre entière. A l'époque d'Auguste, Strabon et Pline l'Ancien nous donnent une image du monde géographique alors connu. Pratiquement, il se confond avec l'Empire romain. Les terres habitées sont entourées par l'Océan : l'Océan des Gaules, pensait-on, débouche au Nord sur l'Océan septentrional qui lui-même s'allonge jusqu'à l'Inde pour rejoindre l'Océan du Sud qui contourne l'Afrique (de l'Atlantique à l'Océan Indien). Si le contour de la Méditerranée était bien connu, on pensait que les Iles Fortunées (Canaries ?) au Sud et la Bretagne avec l'Hibernie au Nord formaient l'extrême limite occidentale du monde. Tacite fera connaître la Germanie, mais les renseignements sur l'Est du Rhin et le Nord du Danube restent imprécis. On pensait que la Caspienne était un golfe de l'Océan Septentrional. Entre lui et les terres contrôlées par les Romains, on logeait les Germains et les Scythes. La Chine (Série), l'Inde et l'Arabie étaient vues comme trois presqu'îles, s'étirant dans l'Océan du Sud. Sur ces peuples ainsi que sur ceux que l'on soupçonnait sur le continent africain, on ne disposait que de traditions légendaires et fantaisistes. Vers le milieu du IIe siècle, Ptolémée dans sa *Géographie*, reprendra ces données, en établissant une carte du monde connu où il déterminait la position des lieux d'après un calcul mathématique des latitudes et des longitudes qui fera autorité pendant des siècles.

Bref, *orbis romanus* et *orbis terrae*[1] sont une seule et même chose, et se confondent avec la notion grecque d'οἰκουμένη. Désignant, à l'époque hellénistique, le monde civilisé qui a reçu la culture grecque, *l'oikouméné*[2] se fond maintenant dans l'Empire romain qui l'englobe dans son ère géographique. L'humanité digne de ce nom est celle qui est politiquement administrée par Rome, et qui vit selon les normes supérieures de la civilisation hellénistique. Au début de ses *Antiquités Romaines*[3], Denys d'Halicarnasse dit remarquablement : « Rome commande à toute la terre, non pas aux contrées inabordables, mais aux pays habités par des hommes. Elle est maîtresse sur toutes les mers, non seulement sur celle qui s'étend en-deçà des colonnes d'Hercule, mais encore sur toutes les parties de l'Océan accessibles aux navigateurs, et elle est ainsi la première et la seule parmi les villes, dont l'histoire conserve le souvenir, qui ait étendu jusqu'à l'Orient et au couchant les limites de son Empire. »

Aux deux premiers siècles, cette représentation est générale sans que l'on puisse la prendre pour une hyperbole oratoire. Aelius Aristide lui fait écho à plusieurs reprises. Il n'y a personne « assez stupide pour ignorer qu'une ville unique, la première et la plus grande de toutes, règne sur l'univers entier... »[4], que l'Empire n'a de bornes que celles du monde habité[5]. Pour la première fois, le vieil idéal cosmopolite des stoïciens de l'époque hellénistique se voyait réalisé effectivement. « Rome a fait une réalité vivante du vieux dicton tant de fois répété que la terre est la mère et la patrie commune de tous les hommes »[6]. Le mérite de Rome a été de faire entrer dans une même organisation cohérente les divers peuples du monde ancíen, en les faisant participer à un même idéal de civilisation. « Diversis gentibus patriam fecisti unam »[7], dira encore Rutilius Namatianus au

---

1. Chez les latins, la plus ancienne attestation de la conquête par Rome de l' « imperium orbis terrae » se trouve dans Rhetor ad Herennium 4, 9, 13 (vers 85 av. J.-C.) ; suivi de Cicéron, Pro Murena 9, 22 ; De off. 2, 27. Une inscription narbonnaise en 12 av. J.-C. célèbre le jour où Auguste « imperium orbis terrarum auspicatus est ».

2. Les Grecs ont salué les Romains comme maîtres de l'oikouméné dès qu'ils eurent soumis l'Asie, troisième partie du monde, contre Antiochus III de Syrie, en 189 av. J.-C.

3. Ant. rom. I, 3.

4. Aux Rhodiens, 62.

5. A Rome, 9.

6. A Rome, 100.

7. De reditu suo, I, 63.

Ve siècle. Telle est l'œuvre irremplaçable de Rome, qui lui vaut la reconnaissance de l'Antiquité.

Au-delà du « limes » de l'Empire qui à partir d'Hadrien est tracé au sol, là où n'ont pas été établies de colonies romaines, il n'y a plus, aux yeux des Anciens, d'humanité véritable, mais un agrégat informe de peuples incultes, arrière-fond de chaos sur lequel se détache le monde civilisé qui est romain. Seule exception : l'Empire Parthe à l'Est de l'Euphrate, lui aussi héritier des conquêtes d'Alexandre et qui, à l'instar de Rome, se pense universel. Le péril iranien, avec les mauvais souvenirs de Crassus, d'Antoine et de Corbulon était devenu une sorte d'obsession pour l'Empire romain. Il deviendra particulièrement menaçant avec l'avènement de la dynastie des Sassanides en 224.

LA PAX ROMANA

A l'intérieur de ses frontières et de ses schèmes mentaux, le monde romain put jouir de deux siècles de paix. Précisément à l'époque où nous étudions la conscience que se formaient les chrétiens du « *monde* », ils se sont trouvés dans un univers pacifié, dont les contemporains étaient légitimement fiers, parce qu'après les luttes civiles et les guerres de la fin de la République, ils y voyaient comblées leurs plus vieilles espérances. Les diverses crises politiques (en particulier celle de 68-69) et quelques soulèvements intérieurs n'ont pas mis en cause la paix générale ni compromis la civilisation romaine. Les révoltes qui eurent lieu étaient le fait des peuples les plus récemment romanisés, difficilement assimilables ou exaspérés par les exactions du fisc impérial. Les plus sanglantes furent celles du peuple juif, en 70 et en 135, dont le particularisme, au moins dans ses éléments les plus nationalistes, a toujours été réfractaire à toute domination étrangère. Elles témoignent du caractère précaire de la romanisation au moins aux approches des frontières. La Paix Romaine a été la plus appréciée dans les provinces orientales hellénisées et dans les régions qui étaient entrées de longue date dans le giron de l'*orbis romanus*. Les Icéniens de la reine Boudicca méprisaient « le vain titre d'hommes libres »[1] que leur valait le lourd tribu qu'ils payaient annuellement à Rome. Ces frustes Bretons ne pouvaient avoir qu'incompréhension et mépris pour le raffinement de la civilisation de leurs conquérants, « des orgueilleux, des injustes, des avides et des impies, si du moins il faut donner le nom d'hommes à ces gens qui prennent des bains chauds, mangent une nourriture apprêtée, boivent du vin pur et dorment en des couches moelleuses »[2]. La Paix

---

1. Dion Cassius, Hist. rom., 62, 3, 3.
2. *Id.*, 62, 6, 4 : Discours de la reine Boudicca.

Romaine aux yeux du chef Calgacus, au moins au début de la conquête, ne signifiait rien d'autre que la fin de la liberté et la triste réalité de l'exploitation fiscale[1].

Mais ces voix paraissent isolées et de plus en plus rares au IIe siècle. De partout, sur les inscriptions comme dans les textes, jaillissent des louanges spontanées de la Paix Romaine et de la joie de vivre de l'époque. Pour le monde méditerranéen, c'était, après de longs siècles, la fin de ses guerres traditionnelles, les cités et les royaumes jadis rivaux étant maintenant résorbés dans l'unité d'un même corps. « On ne croit pas à la guerre, dit le rhéteur Aelius Aristide, on la traite de fable ; s'il y a quelques événements militaires aux frontières, ... le souvenir en est bien vite oublié, si grande est la paix qui règne dans l'Empire »[2]. Plutarque parlant au sujet de la Pythie de Delphes qui jadis était consultée dans les grandes crises que connaissait le monde grec constate que de son temps, l'oracle n'est plus consulté pour « rien de compliqué, ni de secret, ni de redoutable », car partout : « il règne une grande paix et un grand calme, toute guerre a cessé ; on ne voit plus d'émigrations ni de révoltes, plus de tyrannies, plus de ces autres maladies et fléaux de la Grèce »[3]. Par-dessus tout on se réjouit de la « sécurité de l'heure présente »[4]. Le nostalgique Tacite, regrettant les actions d'éclat du passé républicain, est obligé de reconnaître qu'il règne dans l'Empire « une paix profonde ou faiblement troublée »[5]. Ce sentiment général trouve un écho et non des moindres, jusque dans le livre des *Actes*, où Luc cite ainsi le début du discours de l'avocat Tertullus, chargé d'accuser Paul devant le gouverneur Félix : « La Paix profonde dont nous jouissons grâce à toi et les réformes dont cette nation est redevable à ta Providence, en tout et partout, nous les accueillons très excellent Félix, avec toutes sortes d'actions de grâces »[6].

LES BIENFAITS DE LA PAIX

Cette longue période de paix favorise le retour à la prospérité économique. L'Empire a mis fin à l'exploitation éhontée des provinces par l'oligarchie sénatoriale. Les provinces, en particulier l'Asie Mineure et l'Afrique étaient florissantes. Les échanges commerciaux se font d'un bout à l'autre de l'Empire, grâce à un réseau routier remarquable et à la sécurité

---

1. Tacite, Agric. XXX. « Auferre, trucidare, rapere falsis nominibus imperium atque ubi solitudinem facinut pacem appellant ».
2. A Rome, 70.
3. *Sur les oracles de la Pythie*, éd. et trad. R. FLACELIÈRE, Paris, 1937, p. 145 s.
4. Tacite, Ann. 1.2 ; Velleius Paterculus II, 89.
5. Ann. IV, 32.
6. Ac 24, 2-3.

rendue aux mers. Tous les produits convergent naturellement vers Rome [1]. L'administration impériale illustrait parfaitement la restauration faite par Auguste de la *res publica* au service de laquelle se met le princeps, au nom de tout le peuple romain. Elle ne fut ni corrompue, comme sous la République, ni le lourd appareil totalitaire qu'elle deviendra au Bas-Empire. Les gouverneurs des provinces impériales comme des provinces sénatoriales étaient désignés pour un an. L'administration centrale laissait suffisamment d'autonomie aux colonies et aux municipes pour ne pas devenir pesante. Si les institutions municipales perdaient de plus en plus de leur importance politique, les citoyens des villes ne leur étaient pas moins attachés. L'appartenance à la grande patrie romaine n'excluait nullement que l'on se sente citoyen de sa ville d'origine [2]. C'est au contraire dans les villes que l'idéal de la civilisation hellénistique administrée par le pouvoir romain était pleinement vécue. Ce sont elles qui ont été les premières à célébrer la Paix Auguste et à en profiter le plus largement. L'ancienne aristocratie, dépouillée de toute puissance politique, était réduite à l'évergétisme municipal. Ce n'était nullement déchoir. Être « bienfaiteur » dans sa cité consistait à dépenser sa fortune pour organiser des fêtes et des jeux, construire des édifices somptueux, des temples, des théâtres, des gymnases, organiser des cérémonies publiques. En retour, l'évergète avait droit à toute sorte d'honneurs, comme avoir sa statue sur les places publiques. Dion de Prusse dit justement aux nobles Rhodiens : fini le temps où vos ancêtres faisaient la guerre, allaient fonder des villes, dominer d'autres peuples ; « ce qui vous reste à vous, c'est de dominer dans votre cité, de la bien administrer, de distribuer les honneurs et les distinctions..., de siéger au conseil et dans le tribunal, c'est le culte des dieux, ce sont les cérémonies des jours de fêtes » [3]. Il faut encore donner la parole à Aelius Aristide : « Il n'y a plus de rivalité entre les cités, ou plutôt il y en a encore une pour savoir laquelle sera la plus belle et la plus magnifique. Partout, dans chaque ville, des gymnases, des fontaines, des portiques, des temples, des ateliers, des écoles » [4].

La fin des guerres, la prospérité revenue, l'ordre politique mondial au service d'un certain idéal de justice, la possibilité de se donner enfin à la joie de vivre, voilà ce que la plupart des hommes libres de l'Empire des deux premiers siècles étaient reconnaissants à la Paix Romaine de leur avoir donné. On a le sentiment d'être entré dans un âge nouveau de l'humanité parvenue à sa maturité. Le grand souci est maintenant de bien orga-

---

1. Pline, Panég. Traj., 32 ; Aelius Aristide, A Rome, 11-13.
2. Cf. déjà Cicéron, De leg. II, 5.
3. Aux Rhodiens, Or. XXXI, 151-152.
4. A Rome, 97.

niser sa vie, dont on sait qu'elle se déroulera sous d'heureux auspices. L'État impérial, après avoir fait son plein territorial, ne se propose pas d'autre but que d'administrer l'univers civilisé pour rendre possible cet épanouissement des individus, auquel doivent concourir, pour leur part, les valeurs attachées à un même type de vie et un même idéal de culture. L'Empire finit par faire corps avec la culture qu'il promeut. Il apparaît comme une sorte de nature, inséparable de l'idée qu'on se fait de la vie. Il n'y a pas de raison qu'il ne soit pas éternel, la plénitude et la perfection qu'il a atteintes étant inamissibles. Un retour en arrière est inimaginable. Pour Aelius, « le monde entier exprime, avec plus de justesse qu'un chœur, le vœu que l'autorité romaine subsiste éternellement »[1].

VIVRE HEUREUX

Les chrétiens n'ont pas manqué de voir dans la Paix Romaine un puissant auxiliaire de la prédication évangélique[2]. Ils se sont précisément recrutés dans les villes, et les villes si prospères d'Asie Mineure, de la côte syrienne, sans parler de Carthage, Lyon ou Rome. Ils vivaient au milieu d'un monde qui, sortant d'une longue crise, avait le sentiment d'avoir trouvé sa forme définitive, où l'on peut s'adonner enfin à la recherche du bonheur. Car tel est bien le seul but auquel l'homme antique estime qu'on puisse encore se consacrer : la « vita beata ». L'atmosphère était toute différente de celle qui avait marqué la fin de la République. Au désarroi moral d'une société en pleine crise, devant l'écroulement des valeurs de la vieille Rome, dont Caton se faisait l'ardent et utopique défenseur, Lucrèce, ravivant la flamme épicurienne, enseignait que le salut n'était plus dans la cité ni dans ses dieux, mais dans la réalisation de la nature individuelle. L'ataraxie individuelle comme but de la vie raisonnable excluait que l'on pût investir aucune espérance dans le destin collectif. Cette morale disparut avec le monde de la République. Avec Auguste était réapparue la possibilité d'un salut politique. La notion de *res publica* restaurée, la société retrouvait cohésion interne et idéal commun. Cet idéal était précisément celui auquel les contemporains font partout allusion : vivre heureux. La Paix Romaine, après les déceptions de la veille, semblait rendre la chose possible. Si une constante, sous l'Empire, s'est dégagée de la mentalité collective, c'est bien le sentiment que l'*oikouménè* était entrée dans une ère de félicité illimitée et que le bel idéal de la civilisation hellénistique pouvait enfin être pleinement vécu.

Il suffit de lire le début du *De Vita Beata* de Sénèque pour constater avec le philosophe que « vivre heureux, tout le monde le désire ». Nous le verrons,

---

1. A Rome, 29 ; cf. Pline, Hist. Nat. 27, 1-3.
2. Voir *infra*, p 175.

la sagesse païenne ne poursuit pas d'autre but, même si les voies pour
y parvenir diffèrent suivant les écoles. Mais il ne s'agit plus comme chez
Lucrèce de chercher le bonheur dans une technique intravertie de libération
individuelle. Le bonheur est là, à la portée de tous, rendu possible par la
felicitas temporum, concrétisé par les délices du « way of life » romain,
conditionné par la vision de l'existence que véhicule une culture triomphante. Le thème du bonheur revient constamment. Il nous faut encore
citer ici le smyrniote Aelius Aristide, dans son *Éloge à Rome*, précisément
parce que dans la banalité même de sa rhétorique, il nous livre un état
d'esprit général : « Le monde entier est en fête, la terre a déposé son ancien
vêtement qui était de fer pour se donner en toute liberté à la joie de vivre »[1].

Il fait par là écho à un discours non moins formel que révélateur de
Pline, s'adressant à Trajan (en 100) : « Sous ton règne, *tuo in saeculo,*
rien n'empêche que le genre humain tout entier ne soit dans la joie et la
liesse »[2]. L'historien Appien à la fin du II e siècle, répète dans le même
esprit : « Voilà deux cents ans que le régime impérial subsiste... Une paix
longue et solide a fait naître partout un bonheur assuré »[3]. On voit que
par rapport aux temps d'Auguste, le siècle des Antonins n'a pas démenti
les espérances que le monde avait placées dans le fondateur de l'Empire.
Il suffit de faire ici état d'une inscription d'Halicarnasse du tout début de
notre ère, pour mesurer, par l'insistance même avec laquelle elle rassemble
les thèmes que nous avons exposés plus haut, qu'elles étaient les dispositions
spirituelles du monde romain de ce temps : « Puisque la nature éternelle
et immortelle de l'univers a mis le comble à ses bienfaits immenses envers
les hommes en nous accordant, bien suprême, pour le bonheur de notre
vie, César Auguste, père de sa propre patrie la déesse Rome, Zeus paternel
et sauveur pour l'ensemble du genre humain, de qui la Providence n'a
pas seulement comblé, mais dépassé les prières de tous les hommes ; en
effet, la terre et la mer sont en paix, les cités fleurissent dans la légalité,
la concorde et la prospérité, nul pays qui n'ait atteint le sommet de sa
fortune et qui n'abonde en richesses, l'humanité est toute pleine d'heureux
espoirs pour l'avenir, de contentement pour le présent »[4]. Telle
est, formellement au moins, la note dominante qui se dégage. Nous la
tenons ici pour révélatrice d'un état d'esprit. Il n'est pas question d'idéaliser,
ni utile de rappeler que, dans la réalité, cette civilisation du bonheur était
surtout faite pour une aristocratie de la fortune et de la culture, ces « hones-

1. A Rome, 97.
2. Panég. 46, 7.
3. Hist. rom., préf. 7.
4. A.J. FESTUGIÈRE, *Le monde gréco-romain.*, Paris, 1935, t. II, p. 8.

tiores » de rang sénatorial et équestre ou ces décurions des municipes qu'un abîme séparait de la plèbe des « humiliores » qu'ils soient libres, affranchis ou esclaves.

LE RETOUR DE L'AGE D'OR

L'esprit qui se dégage dans le monde méditerranéen aux approches de notre ère est essentiellement dominé par le sentiment d'accomplissement des espoirs antérieurs et de volonté pratique d'en tirer maintenant tous les fruits. Inévitablement il devait engendrer une nouvelle vision de l'histoire. Pour comprendre comment les chrétiens se sont situés par rapport à la réalité temporelle du Haut-Empire, il faut examiner ici qu'elle pouvait être la conscience historique de l'homme gréco-romain des deux premiers siècles[1].

Pour les Grecs, comme pour la plupart des peuples anciens, nous avons vu que le temps cosmologique s'imposait comme une représentation cyclique. Le cosmos, éternel et divin, sans commencement ni fin, parcourt perpétuellement le même cycle et revient périodiquement, au terme de l'année cosmique, en son point de départ. La durée est toujours placée sous le signe de la dégénérescence. Si l'année cosmique commence dans la perfection de l'âge d'or, elle se poursuit en se dégradant à travers l'âge d'argent et de bronze, pour se terminer après l'âge de fer dans les cataclysmes qui marquent la fin de sa révolution. Dans les bouleversements de l'âge de fer finissant, le monde se recrée pour resurgir dans la perfection d'un nouveau cycle cosmique. Hésiode décrivait l'âge d'or comme le temps de Kronos[2]. Cette idée s'était acclimatée en Italie, au début du IIe siècle av. J.-C., lorsque sur l'indication des *Oracles sibyllins*, la fête italique du dieu Saturne fut transformée dans le sens hellénique du dieu de l'âge d'or[3]. Or, aux alentours de notre ère, les descriptions de l'âge d'or sont largement répandues. On les trouve chez Ovide[4], Catulle[5], Tibulle[6], dans la tragédie *Octavia* de Sénèque[7], ou chez Horace[8]. Certes, il ne faudrait pas croire que cette représentation du temps cosmique

1. Nous renvoyons ici aux réflexions très suggestives de la première partie du livre de C.-N. COCHRANE, *Christianity and classical culture*, London, 1944 ; ainsi qu'à C. G. STARR , *Civilization and the Caesars : the intellectual Revolution in the Roman Empire*, Ithaca, 1955.
2. Trav. et Jours, 106-126.
3. Cf. Tite-Live, Hist. rom. 22, 1, 19 sq ; Virgile, Aen., 8, 313-329.
4. Métam. 1, 89-150.
5. Carm. 64, 384.408.
6. I, 3, 35-50.
7. Octav., 377-435.
8. Épode XVI. On est à la veille de la guerre de Pérouse (41 av. J.-C.) : l'âge d'or se perpétue dans les îles Fortunées. Il faut y fuir.

ait pu servir purement et simplement de clef pour la compréhension du temps historique. V. Goldschmidt a bien montré que dans la pensée antique, la notion du temps cyclique du cosmos n'était jamais confondue avec le temps vécu, qui suppose une conscience différente de la durée[1]. C'est plutôt grâce à une conjoncture de circonstances exceptionnelles que les événements ont pu être interprétés dans le cadre mythique du temps cosmique et projetés en lui.

En effet, l'idée d'un retour possible de l'âge d'or[2], née dans les désordres mêmes des guerres civiles de la fin de la République, devait bientôt s'appliquer à la *Pax Augusta* qui restaurait l'ordre du monde dans sa perfection originelle, après le chaos où l'âge précédent de décadence l'avait précipité. Dans les dernières décennies, le monde méditerranéen était traversé d'un véritable courant de messianisme politique. Des prophéties circulaient. Des *Oracles sibyllins,* au temps de la conjuration de Catilina, parlaient de la chute de l'ancienne Rome et du début d'une nouvelle royauté[3]. Dans l'année même du consulat de Cicéron, qui était celle de la naissance d'Auguste, le sénateur Nigidius Figulus, auteur d'un traité d'uranographie, plaçait le début d'une nouvelle royauté. C'est dans ce contexte d'une effervescence générale que se situe le messianisme ardent des milieux juifs, aiguisé par la domination étrangère, attendant dans un monde renouvelé, au terme de cet aiôn-ci, que le Messie descende des cieux pour exercer sur terre la royauté.

Les espoirs qu'avaient fait naître tantôt César ou Antoine se cristallisèrent rapidement en la personne de vainqueur Octave. Dès la Paix de Brindes (40 av. J.-C.), alors qu'Octave ne contrôlait encore que l'Occident, en partageant la domination du monde avec Antoine et Lépide, Virgile, le premier, annonce que l'âge d'or est proche. L'Italie est déjà le pays de l'âge d'or, don du « dieu » Octave[4]. L'année suivante, il met dans la bouche de la sibylle de Cumes l'oracle annonçant la fin de l'âge de fer et début d'un nouvel âge d'or, avec la naissance d'un mystérieux enfant[5] : « Le dernier âge prédit par la prophétie de Cumes est arrivé, tout recommence et voici que naît un nouvel ordre des siècles. Voici que revient la Vierge, que revient le règne de Saturne, et que des hauteurs du ciel descend

1. *Le système stoïcien et l'idée de temps*, Paris, 1953, p. 20-54.
2. A. Kurfess, *Aetas aurea*, RLACh I, 144-150.
3. Cf. Cic., Cat. III, 9 : en faveur du prêteur Lentulus, l'un aes conjurés ; *Id.*, III, 19 : la prédiction des haruspices étrusques.
4. Egl. I, 6 « O Melibee, deus nobis haec otia fecit ».
5. Il semble qu'il n'y ait pas lieu de chercher à préciser son identité : s'agit-il du fil de Pollio, consul, à qui l'Églogue est dédiée et qui est né sous le consulat de son père ; ou du jeune Marcellus, neveu d'Octave né avant la Paix de Brindes ? Lactance, le premier chez les chrétiens, y voit une prophétie (d'ailleurs insoutenable) de la naissance du Christ (Inst. christ. VII, 24).

une nouvelle génération. Daigne seulement, chaste Lucine, veiller sur le berceau de l'enfant dont la naissance amènera enfin la fin de la race de fer, et fera sur le monde entier surgir la race d'or »[1]. Les dimensions de ce renouveau au centre duquel se trouve Octave sont cosmiques. « Regarde le monde tressaillir avec la masse de la voûte céleste, l'étendue des mers et les profondeurs du ciel. Regarde comme tout est en joie en l'honneur du siècle à venir »[2].

La fortune d'Octave va grandissant. Après avoir éliminé Lépide (36 av. J.-C.), il bat Antoine et Cléopâtre à Actium (31), désormais seul maître du monde. Rome entrait dans une ère nouvelle. Nouveauté qui est une restauration sur un plan désormais définitif de l'état des mœurs des ancêtres que le temps avait dégradés[3]. En lui conférant le titre d'Auguste, en 27 av. J.-C., le Sénat montrait que le *princeps* était rapproché de Romulus, le premier fondateur de la cité, possédant comme lui, le suprême *jus auspiciorum*.

L'histoire romaine, prenant un nouveau départ pour un âge d'or indéfini, est le thème de Virgile dans l'*Énéide*. Auguste, par César, descend comme Romulus directement d'Énée[4]. A travers lui, l'âge d'or de la domination universelle était promis à Rome avant même sa fondation. Anchise en fit la prophétie à son fils Énée venu le visiter aux Enfers : « Voici César et toute la postérité d'Iule qui doit venir à la lumière, sous l'immense voûte des cieux. Le voici, c'est lui, cet homme, qui, tu le sais, t'a été si souvent promis, César Auguste, fils d'un dieu : il fera renaître l'âge d'or dans les champs du Latium où jadis régna Saturne, il reculera les limites de son Empire, plus loin que les pays des Garamantes et des Indiens, jusqu'à ces contrées qui s'étendent au-delà du Zodiaque »[5].

L'idée que l'âge d'or est effectivement revenu, passe bientôt dans les cérémonies officielles et dans la mentalité collective. A la demande de l'empereur, Horace composa pour les Jeux Séculaires de l'année 17 son *Carmen Saeculare* qui fut chanté par un chœur de vingt-sept jeunes gens et de vingt-sept jeunes filles nobles. Après trois jours et trois nuits de fêtes, ce fut la conclusion : Apollon, en jetant un regard favorable sur les hauteurs du Palatin, « remque Romanam Latiumque Felix alterum in lustrum meliusque semper prorogat aevum »[6].

Le thème de l'âge d'or persiste sous diverses formes aux Ier et IIe siècles. Passées les années d'enthousiasme, et la ferveur des commencements,

1. Egl. IV, 5-10.
2. Id. V, 50-52.
3. Sur la dégradation des mœurs par le temps : Horace, Ode III, VI 54 sq.
4. Aen. 1, 286 sq. Les Iulii descendent de Iul, surnom d'Ascagne, fils d'Enée.
5. Aen. VI, 788-796.
6. Carm. saec. 66-68.

on le retrouve différemment traité, quelquefois même avec ironie, preuve qu'il est vraiment entré dans le domaine commun. Ovide se plaint de la séduction de la fortune dans les affaires de cœur et constate : « Aurea sunt vere nunc saecula », notre âge est vraiment l'âge d'or, « c'est l'or qui procure les plus grands honneurs, l'or qui procure l'amour »[1]. Le peuple raillait aussi Tibère d'avoir fait de l'âge d'or de Saturne un siècle de fer pour lui[2]. Sénèque, dans un pamphlet contre Claude attendait de nouveau dans l'avènement de son successeur Néron « le début d'un âge bienheureux », âge d'or filé par les Parques[3]. On pourrait multiplier les exemples. On se souvient qu'Aelius Aristide disait lui-même que « la terre a déposé son ancien vêtement, qui était le fer »[4]. Même là où le règne de Saturne n'est pas directement évoqué, on ne se lasse pas de célébrer la *felicitas temporum* qui est celle de l'âge d'or impérial.

UNE NOUVELLE VISION DE L'HISTOIRE

Il faut accorder la plus grande attention à ces témoignages. Malgré leur caractère souvent conventionnel, ils sont le reflet d'un état d'esprit nouveau dans lequel il nous est possible de saisir la conscience que les contemporains pouvaient avoir de leur insertion dans l'histoire. Incontestablement, le monde romain avait le sentiment d'être entré dans une ère qui était l'aboutissement des temps qui l'avaient préparée, une ère où pouvaient s'épanouir — et pour toujours — les aspirations longtemps contenues du monde antique. Certes, ni les historiens ni les philosophes ne semblent avoir abandonné la catégorie mentale du temps cyclique. La conscience collective en transformait cependant le sens. L'âge d'or, plutôt qu'un point sur un cercle qui reviendrait périodiquement au même endroit était vu comme le terme d'une courbe ascendante et progressive qui ne pouvait que se prolonger indéfiniment dans la même perfection. Il n'y avait plus de retour possible de la décadence. Par rapport à la mentalité antique, c'est bien d'une nouvelle conscience de l'histoire qu'il s'agit, d'autant plus forte qu'elle ne repose pas sur une spéculation théorique, mais qu'elle est avant tout le fruit d'une expérience pratique. A cette nouvelle vision de l'histoire, Virgile a donné la plus puissante expression dans l'*Énéide*[5].

1. Ars. am. 2, 27 sq.
2. Suétone, Tib. 59.
3. Apocolosyntosis 1 et 4, 1, 10.
4. *Supra*, p 157.
5. Cette hauteur de vue ne se trouve pas chez les historiens grecs et latins des Ier et IIe siècles. L'historiographie reste fidèle à ce qu'elle a toujours été. Le passé ne recèle pas un sens. Il est un réservoir de modèles pour le présent (cf. Tite-Live, Diodore de Sicile, Strabon, Tacite) ou matière à étudier la psychologie des hommes (Plutarque, Suétone). L'œuvre de Tite-Live

Le genre de l'épopée, reliant les événements de l'histoire du peuple romain à la geste des héros mythiques eux-mêmes historicisés, permettait de dérouler une fresque grandiose de l'histoire romaine appelée à se confondre avec l'histoire du monde. M. J. Perret[1] a raison de souligner que l'*Énéide* repose sur une conception linéaire du temps. Depuis le départ d'Énée de Troie jusqu'à l'annonce prophétique de la bataille d'Actium, sculptée dans le bouclier d'Énée[2], il y a continuité dans un temps homogène, orienté et irréversible. Le passé national est réinterprété en fonction de l'événement présent ; il est compris comme une longue préparation à un état de perfection destiné à durer. L'histoire a un sens : elle a préparé le monde à recevoir la domination romaine. La *Pax Augusta* est le fruit et le couronnement de huit siècles de gestation[3]. Virgile a donc du temps une conception linéaire et non cyclique. L'histoire constitue un progrès décernable à partir de son point d'aboutissement qui est l'Empire d'Auguste. A la différence de la conception chrétienne du temps de l'histoire, ce temps, pour Virgile, n'est pas destiné à recevoir un accomplissement dans le futur. Il n'y a pas de tension entre le passé, le présent, et une future fin du monde. Il n'y a plus d'attente. L'histoire, c'est le passé que l'on réinterprète maintenant à la lumière de la perfection atteinte, dans ce qui est et doit rester un éternel présent[4].

L'histoire a définitivement porté le monde à sa maturité : l'âge d'or n'a plus qu'à se perpétuer indéfiniment. Parvenu au stade de sa perfection, le monde, au terme de son évolution, est romain. Cet achèvement dévoile le sens caché de l'histoire et le dessein des dieux. La véritable religion des hommes de l'Empire, c'est la foi en l'éternité de Rome et aux normes supérieures de civilisation qu'elle représente. L'Empire veut être temporellement et sur la terre ce que les chrétiens disent du Royaume céleste de Dieu à venir : le lieu et le temps du bonheur, qui doit durer éternellement.

---

est la plus proche de Virgile par l'inspiration : « le but essentiel que je propose..., c'est la vie, les mœurs d'autrefois, les hommes et la conduite qui, dans la paix et la guerre, ont fait naître et croître notre Empire » (Préf. 9).

1. *Virgile*, Paris, p. 103 sq.

2. Aen. VIII, 675-713.

3. Cf. à ce propos, la réponse de Cerialis aux Gaulois : « Huit cent ans de fortune et de conduite ont élevé un vaste édifice. » (Tac. Hist. IV, 74).

4. En quoi Virgile reste d'ailleurs fidèle à la pensée antique, incapable de concevoir l'histoire comme le lieu où s'exerce la responsabilité de l'homme en vue d'un futur. Les Anciens n'ont jamais pensé qu'il fallait aménager l'avenir. Ils restent tournés vers le passé. L'originalité de Virgile, conscient de la valeur définitive de l'âge nouveau, est de voir dans la trame des évènements du passé une homogénéité temporelle et un progrès ascendant vers l'établissement de l'Empire Romain.

IDÉES ET RÉALITÉS GÉOGRAPHIQUES

Les chrétiens sont apparus dans un monde pleinement conscient de sa maturité. Il n'y a pas à retracer ici les étapes de leur mission, ni la carte de leur expansion aux deux premiers siècles. Il suffit de renvoyer aux études détaillées de Harnack[1] et de Latourette[2]. Ce qui est plus important pour nous, c'est de rechercher l'idée qu'eux-mêmes se faisaient de l'évangélisation à leur époque. Elle est le premier point de repère qu'il faut examiner pour connaître la façon dont ils se concevaient dans leur rapport avec le monde[3]. Précisément toutes les attestations des deux premiers siècles laissent entendre que les chrétiens imaginaient qu'ils étaient présents dans le monde entier. Il faut attendre Origène pour avoir une première appréciation basée sur une évaluation réelle de l'importance numérique des églises[4]. Il semble d'ailleurs qu'il réagissait encore lui-même contre un préjugé courant puisqu'il se crut obligé, en commentant *Mt 24, 9*, de rappeler qu'on ne pouvait soutenir que l'Évangile a déjà été annoncé dans tout l'univers car la fin serait déjà venue.

Avant lui, dès l'époque apostolique, l'opinion générale chez les chrétiens est que l'Évangile a déjà été prêché à toute la terre. Les Apôtres avaient reçu l'ordre de prêcher à « toutes les nations »[5], à « toute créature »[6], dans « le monde entier »[7], « jusqu'aux extrémités de la terre »[8]. Ils ont accompli leur tâche : Paul lui-même proclame que l'Évangile « a été prêché à toute créature sous le ciel »[9]. Clément de Rome à son tour parle de Paul, comme « ayant enseigné la justice au monde entier »[10]. Peu après, Hermas, que l'on peut à juste titre considérer comme représentatif des opinions communes, explique ainsi sa vision des douze montagnes : « Ces douze montages sont les douze tribus qui habitent le monde entier ; le Fils de Dieu leur fût annoncé par les Apôtres... Ces douze tribus

---

1. Die Mission und Ausbreitung des Christentums, in den drei ersten Jahrhunderten, 4e éd., Leipzig, 1924.

2. A History of the Expansion of Christianity, N. Y., 1937, I.

3. HARNACK, *op. cit.*, t. II, chap. 1, p. 529-538, donne un relevé de tous les textes chrétiens relatifs à l'expansion missionnaire.

4. Hom. I in Ps. 36 : « sparsim, ex singulis gentibus congregantur ». In Mt. Com. series 39 : « Multi enim non solum barbararum, sed etiam nostrarum gentium usque nunc non audierunt christianitatis verbum ».

5. Mt 28, 19 : cf. Lc 24 ; 47.

6. Mc 16, 15.

7. Mt 26, 13, Mc 14, 9.

8. Ac 1, 8.

9. Col 1, 23 ; cf. 1, 6 ; Rm 1, 8 ; 1 Tm 1, 15.

10. I Clem. 5.

qui se partagent le monde entier forment douze nations... Toutes les nations... qui habitent sous le ciel, après avoir entendu (l'Évangile) et avoir cru, ont pris le nom du Fils de Dieu »[1]. Justin est tout aussi affirmatif : « Il n'y a absolument pas une seule race humaine, barbare ou grecque (il nomme les Scythes, les Nomades de l'Inde, les Arabes) où le Christ ne soit pas connu »[2] ; et encore : « Douze hommes sont partis de Jérusalem pour parcourir le monde... Au nom de Dieu, ils annoncèrent à toutes les races humaines qu'ils étaient envoyés du Christ, pour enseigner à tous la parole de Dieu »[3]. Les remarques d'Irénée[4], de l'auteur de Diognète[5], de Tertullien[6] vont dans le même sens. Ce dernier, à la fin du IIe siècle, s'accorde d'ailleurs parfaitement avec Clément d'Alexandrie[7] et plus tard encore avec Hippolyte de Rome[8].

Il faut sans doute, dans ces diverses attestations, faire la part de l'amplification rhétorique propre aux divers genres littéraires. Louanges et encouragements adressés par l'Apôtre aux communautés, ainsi aux Thessaloniciens[9] : « De chez vous... la Parole du Seigneur a retenti et pas seulement en Macédoine et en Achaïe, mais en tout lieu ». Ou bien, il faut tenir compte de la vision métatemporelle de l'*Apocalypse*, associant la réalité historique et sa projection dans l'avenir, lorsqu'il voit apparaître à ses yeux « une foule immense, impossible de dénombrer, de toute nation, race, peuple et langue »[10]. De plus, en particulier chez Luc, il y a lieu de tenir compte des *a priori* théologiques. Le projet de l'auteur du *Troisième Évangile* et des *Actes*, dans sa fresque de l'histoire du salut, était de présenter l'Évangile accueilli par les païens après avoir été rejeté par Israël. « Toutes les nations qui sont sous le ciel » sont représentées quand les Apôtres parlent en langues le jour de la Pentecôte[11]. La prédication partie

---

1. Sim. IX 17, 1.2.4.

2. Dial. 117, 5.

3. Apol. 39.3 ; cf. 45.5. ; 31, 7 ; 32, 4 ; 42, 3 ; 49, 1 ; 49, 5 ; 53, 3-6.

4. Adv. Haer. I, 10.2. L'Église est répandue partout. (*Id.*, III, 11, 8). Il précise qu'il y a des églises en Germanie, en Espagne, chez les Celtes, en Égypte, en Lybie : « De même que dans le monde... il n'y a qu'un seul et même soleil, de la même façon la prédication de la vérité brille partout ».

5. A Diogn. 6, « L'âme est répandue dans tous les membres du corps, ainsi que les chrétiens dans toutes les villes du monde ».

6. Par ex., Ad. Nat. 1, 8 : « Non ulla gens non christiana ».

7. Protr. X 110 « Avec une rapidité inégale... la puissance divine a illuminé la terre et à tout rempli de la semence du salut ».

8. Qui se prétend docteur de « tous les habitants de l'Europe, de l'Asie et de la Lybie » (Philos. X, 34).

9. 1 Th 1, 8, cf. Rm 1, 8 ; 15, 9 s : Ac 17, 6, etc.

10. Ap 7, 9.

11. Ac 2, 5-12.

de Jérusalem[1] est arrivée avec Paul à Rome, au centre du monde païen
ou il peut prêcher « avec pleine assurance et sans obstacle »[2]. Enfin,
en particulier chez les Apologistes, le contexte polémique a été déterminant.
Il s'agissait d'impressionner leurs interlocuteurs juifs[3] et païens, et de
donner par l'universalité de la nouvelle religion une preuve de son origine
divine. C'est en particulier le cas chez Tertullien : les chrétiens, dit-il,
sont si nombreux que s'ils décidaient de faire sécession dans la société
romaine, l'Empire deviendrait rapidement un désert. Ils forment un peuple
plus nombreux que tout autre, et qui n'a pas de frontières, puisqu'il est
répandu sur toute la terre[4]. Mais il y a plus. S'ils ajoutaient foi aux traditions d'ailleurs invérifiables qui donnaient le monde pour évangélisé
dans toutes ses parties dès l'époque apostolique, c'est que ce sentiment
était lié à l'idée qu'ils se faisaient que le temps du monde approchait de
sa fin, et donc que le salut était annoncé à toute la création. Par rapport à
Origène, la perspective est inversée. C'est parce qu'on a le sentiment que
la fin est proche que l'on conclut que l'Évangile a été annoncé partout. Il
suffisait par les relations épistolaires, le témoignage de prédicateurs
itinérants, de savoir que l'Église était implantée dans diverses parties de
l'Empire romain, pour entretenir la pensée qu'elle était répandue jusqu'aux
extrémités de la terre.

UN MONDE LIMITÉ A L'OIKOUMÉNÈ

Ainsi se pose le problème de savoir si pour eux, comme pour leurs
contemporains, le « monde » se limite à l'*orbis romanus*. Il ne semble pas
que les chrétiens aient systématiquement employé le mot *oikouméné*
comme synonyme de l'Empire romain[5]. Le mot est entré dans la langue
populaire pour désigner tout simplement l'univers habité, qu'il soit romain
ou non. Cependant, chez Luc, le sens restreint est aussi attesté[6]. Très
tôt, au contraire, il y a des chrétiens hors de l'Empire, bien qu'ils soient
l'exception[7]. Au IIe siècle, cependant, on les trouve en grand nombre
dans le petit royaume d'Edesse, où les personnalités de Tatien ou du gnostique Bardesane nous donnent une idée de ce christianisme syrien. Les
autres affirmations, comme celles de Tertullien, que les Barbares eux-

---

1. Lc 24, 47.

2. Ac 28, 31.

3. Cf. Justin, Dial. 117.

4. Tertullien Apol. 37, v. 2.

5. Cf. MICHEL, *Oikouméné*. TWNT 5, p. 150 sq.

6. Lc 2, 1 : le recensement ordonné par Auguste dans tout l'oikouméné ; Ac 11, 28 parle
d'une famine survenue sous Claude, dans tout l'oikouméné.

7. Mésopotamiens : Ac. 2, 9 ; l'eunuque de la reine d'Éthiopie : Ac. 8, 26-39.

mêmes sont christianisés [1] relèvent de l'apologétique et du désir de montrer dans le Christianisme un universalisme plus grand que celui de l'Empire. Elles témoignent du fait qu'à leurs yeux le monde qui a reçu la prédication évangélique ne se limite pas à l'orbis romanus, mais s'étend à toutes les nations de la terre, y compris les barbares. Cependant, lorsqu'il s'agit concrètement de préciser quels sont ces barbares, les auteurs chrétiens retombent dans des affirmations vagues et sans fondement historique. En cela, ils sont bien des hommes de leur temps et de leur milieu. Comme leurs contemporains, ils ne connaissent rien, ou presque rien du monde extérieur à l'Empire. Il existe certes des peuples répandus autour des frontières romaines, mais on ne les connaît guère que par des récits plus ou moins fantastiques. Dans la réalité, le Christianisme n'a eu à l'origine d'autre expérience du monde que celle du monde romain. S'il a voulu affirmer — dans la polémique surtout — que son universalité avait d'autres dimensions que l'oikouménè et qu'elle n'était pas limitée par ses frontières, il a, en fait, partagé l'idée que les Anciens se faisaient de l'Empire romain, seul monde civilisé.

Il aurait pu en aller tout autrement si, à l'origine, la mission chrétienne avait choisi de se diriger de préférence vers l'Empire parthe, dont la partie occidentale était de langue araméenne, et qui comptait, comme l'Empire romain, de nombreux établissements juifs. Le Christianisme, comme en témoignent les communautés d'Osroène et d'Adiabène, y eût présenté un visage tout différent de celui qu'il prit au contact de l'hellénisme. Il eût aussi fait une expérience toute différente du « monde ». Le genre de civilisation qu'il aurait alors connu, de type nomade, plutôt qu'urbaine, l'eût placé dans un contexte culturel tout différent. Le livre des *Actes* montre que l'Église primitive avait conscience de l'importance de son choix. Paul doit justifier sa décision de passer pour la première fois en Europe, par la vision du Macédonien qui l'appelle à son secours [2]. Les chrétiens hellénisés, qu'ils viennent du judaïsme ou du paganisme se tournaient tout naturellement vers l'Empire comme vers leur aire culturelle naturelle. Il ne faut pas oublier que si la mission judéo-chrétienne a dû se tourner surtout vers l'Est, elle ne nous est guère connue. Le Nouveau Testament, écrit en grec, est témoin de la mission en pays hellénisés seulement, et donc dans l'Empire romain.

C'est justement dans les villes les plus hellénisées et les plus brillantes

---

1. De coron. 2 : Et apud barbaros Christus ». C'est pour lui une raison de s'abstenir du devoir militaire : le chrétien pourrait trouver un frère dans la foi, parmi les Barbares qu'il combat (*id.*, 12). Adv. Jud., 7. Il y a des chrétiens partout, même « abditarum multarum gentium et provinciarum et insularum multarum nobis ignotarum et quae enumerare minus possumus ».
2. Ac 16, 9.

de l'Empire que les chrétiens se répandent aux deux premiers siècles : Antioche et les villes côtières de Phénicie ; la prospère Asie Mineure qui est la plus densément occupée : Éphèse, Smyrne, Sardes, les villes de Phrygie, la Bitynie ; les grands centres de l'ancienne Grèce : Athènes, Corinthe, Thessalonique ; Carthage et sa région ; Lyon, capitale des Gaules ; et surtout Alexandrie, capitale culturelle de l'Orient ; et Rome, le centre du monde. Ils sont présents dans les hauts lieux de la civilisation antique. D'emblée, ils se trouvent au cœur d'un monde fier de sa réussite, fier de sa culture et persuadé de la supériorité absolue des valeurs sur lesquelles est bâtie sa civilisation.

C'est devant la réalité historique de l'Empire romain et en s'affrontant à elle que les chrétiens ont pris conscience de leur originalité propre. En présence d'une civilisation et d'une culture qui se posent comme des valeurs absolues, ils ont tiré les conséquences de l'enseignement évangélique. En développant leur propre conception de l'histoire, en relativisant les valeurs attachées à l'idéal de vie gréco-romain, en élevant la prétention d'être un *nouveau peuple*, une *troisième race* d'hommes, en disant que le véritable bonheur était pour la vie à venir, ils ont condamné comme étant du *monde* tout ce qui, dans cette humanité civilisée de l'*oikouménè*, n'était pas dans la logique du Royaume de Dieu qu'ils avaient pour mission d'annoncer.

ÉTRANGERS DANS LA CITÉ

Les termes par lesquels ils expriment leur condition dans la cité terrestre : *paroikoi*, *peregrini*, sont ceux qui désignent des étrangers de passage. En droit romain, le pérégrin est celui qui n'est ni citoyen romain, ni latin. Quand il n'est pas rattaché à une cité qui a pu conserver son organisation municipale, il ne jouit d'aucun droit politique (pérégrin *déditice*). La *paroikia* qui donnera son nom à la paroisse s'oppose exactement à la *katoikia*, l'installation définitive. Elle est la vie de maintenant, par opposition à celle à venir, dans la patrie céleste [1]. Comme les anciens Hébreux marchant dans le désert étaient des « étrangers et des voyageurs sur la terre » [2], ainsi les chrétiens dans le monde. Cette vie, dit la *Prima Petri*, est « le temps de notre exil » [3]. Ce qui montre à quel point ces qualificatifs faisaient corps avec l'Église, c'est la fréquence avec laquelle ils reviennent dans les adresses des épîtres et des lettres que les églises échangeaient entre elles. Déjà la *Prima Petri* est adressée « aux *étrangers* de la dispersion du Pont, de la

---

1. Cette opposition était déjà exploitée par Philon : De conf. ling. 76 ; De agric. 65 : De cherub. 120.

2. Gn 23, 4 ; 47, 9 ; Ps 39, 13 cité He 11, 13-16 ; cf. 1 P 2, 11.

3. 1 P 1, 17.

Galatie, etc. »[1]. La lettre de Clément de Rome aux Corinthiens, celle de Polycarpe aux Philippiens, celle de l'Église de Smyrne à l'Église de Philomélium [2], sans doute les lettres de Denys de Corinthe auxquelles fait allusion Eusèbe[3], comme celle de l'Église de Lyon aux frères d'Asie et de Phrygie au lendemain de la persécution de Lyon[4], reprennent toutes la même formule. C'est toujours l'Église « qui vit en exil » ou « qui siège en étrangère » en tel lieu qui s'adresse à l'Église « qui pérégrine » à tel endroit.

L'expression se retrouve en d'autres circonstances. Dans une exortation, l'*Homélie* du Pseudo-Clément encourage les chrétiens à ne pas craindre de sortir de cette vie et de délaisser « leur pèlerinage dans ce monde », « car le séjour de la chair, en ce monde, est bref et de peu de durée »[5]. Le *Pasteur* d'Hermas dit de son côté : « Vous savez que vous habitez sur une terre étrangère, vous les serviteurs de Dieu »[6]. Tertullien reprend la même idée en l'appliquant à la condition faite à la vérité dans le monde (où les chrétiens sont injustement calomniés) : « Elle sait qu'elle vit dans ce monde, en étrangère, *se peregrinam in terris agere*, que parmi des étrangers, elle trouve facilement des ennemis, mais qu'elle a sa famille, sa demeure, son espérance, son crédit et sa gloire dans les cieux »[7]. A l'extrême fin du IIe siècle, l'*Épître à Diognète* témoigne de la persistance du thème, et lui donne sa forme la plus parfaite : « (Les Chrétiens) résident chacun dans sa propre patrie, mais comme des étrangers qui y ont élu domicile. Ils s'acquittent de tous les devoirs de citoyens et supportent toutes les charges comme des étrangers. Toute terre étrangère leur est une patrie et toute patrie une terre étrangère »[8].

LA CITOYENNETÉ CÉLESTE

La patrie terrestre, dans laquelle les chrétiens vivent leur exil n'est pas un absolu. Leur citoyenneté est d'un autre ordre. Elle est liée au siècle qui vient représenté par la Jérusalem céleste[9], image du Royaume de

---

1. 1 P3 1, 1 ; Cf. Jc 1, 1 ; « aux douze tribus de la Diaspora ».
2. L'adresse de cette lettre mérite d'être citée, elle est la plus complète. « L'Église de Dieu qui séjourne à Smyrne à l'Église de Dieu qui séjourne à Philomélium et à toutes les communautés de la sainte Église catholique qui pérégriment en tout lieu ».
3. Eusèbe, H.E. IV, 23, 5-6 : à Amastris, Gorthyne et aux Églises du Pont.
4. Eusèbe, H.E. V. 1, 3.
5. II Clem. 5, 1.5.
6. Sim. 1, 1.
7. Apol. 1, 2., cf. De coron. 13 : « Tu n'es qu'un pèlerin en ce monde, tu es citoyen de la cité céleste, la Jérusalem d'en haut ».
8. A Diogn. 5, 5.
9. Ga 4, 26 ; He 12, 22 ; Ap 21, 2.

Dieu, dans lequel la nouvelle humanité, recréée selon l'Esprit[1], ayant rejeté la vétusté de l'ancien monde, avec ses contradictions, ses injustices et ses vices[2] formera la cité parfaite[3], « vraie demeure de Dieu avec les hommes »[4]. La citoyenneté dans la patrie romaine est relativisée par rapport à celle de la patrie céleste. « Nous n'avons pas ici de cité permanente, mais nous cherchons celle à venir »[5]. « Notre citoyenneté est dans les cieux, d'où nous attendons ardemment comme sauveur le Seigneur Jésus-Christ »[6].

Le premier parmi les auteurs chrétiens, Hermas introduit le thème de l'opposition de *deux cités*. « Votre cité, dit-il, est loin de celle-ci ». Les serviteurs de Dieu vivent sur cette terre étrangère, selon la loi de leur propre cité. S'ils vivaient conformément aux principes de cette cité-ci, le maître du pays pourrait exiger l'obéissance absolue à ses lois. Cette parénèse a sans doute été écrite dans un temps de menace de persécution. Elle s'accompagne d'ailleurs de l'exhortation à ne pas accumuler les biens et les propriétés, car le maître de cette cité finira par les confisquer. « Puisque tu habites sur une terre étrangère, ne te réserve rien de plus que le strict nécessaire, et sois prêt : ainsi lorsqu'il plaira au maître de cette cité de t'expulser pour opposition à ses lois, tu sortiras de sa cité, tu rejoindras la tienne, et tu vivras selon ta loi, sans dommage, dans la joie »[7]. Les Apologistes qui avaient pout but de ménager une voie de conciliation avec les autorités romaines n'ont pas eu intérêt, en général, à durcir l'opposition dans laquelle les chrétiens tenaient ces deux cités. Mais, à la fin du IIe siècle, avec l'auteur *A Diognète*, Clément d'Alexandrie reprend cette idée : « Que l'Athénien suive les lois de Solon, l'Argien celles de Phoronée, le Spartiate celles de Lycurgue ; mais si vous vous êtes inscrits comme appartenant à Dieu, que votre patrie soit le ciel et Dieu votre législateur »[8]. Et ailleurs : « Nous n'avons pas de patrie sur terre »[9]. La qualité de citoyen du ciel a d'ailleurs pour corollaire, chez Hippolyte et Origène, celle de citoyen actuel de l'Église[10]. Dans la mesure où l'Église

1. 2 Co 5, 11 ; Col 1, 15-20 ; Ga 6, 15.
2. Ap 21, 4.
3. Ap 19, 6 ; 11, 17.
4. Ap 21, 3.
5. He 13, 14.
6. Ph 3, 20.
7. Sim. 1, 6 ; cf. 1, 1-11.
8. Protr. X 108, 4.
9. Péd. III 8, 4, 1. Cf. aussi plus tard Cyprien, De mart. 26 : « Nous avons renoncé au monde et nous vivons ici provisoirement, comme des hôtes et des étrangers... Notre patrie, c'est le paradis. Hâtons-nous donc et courrons pour voir notre patrie, pour saluer nos parents ».
10. Hippolyte, Sur Dan. IV 38, 2 ; cf. *infra*, p 306-307.

participe déjà par anticipation au siècle à venir, elle est sur la terre la véritable patrie universelle des chrétiens[1].

Le rattachement du chrétien à la citoyenneté céleste représente une attitude fondamentalement différente de celle du stoïcisme. Depuis l'ère hellénistique, devant l'écroulement de la cité traditionnelle, la pensée stoïcienne avait élargi aux dimensions de l'univers, ciel et terre, le milieu naturel dans lequel s'intègre la destinée personnelle. La véritable cité, c'est le monde[2]. Cette idée d'universalité n'est d'ailleurs pas exclusive de la patrie locale d'où l'on est originaire. Elle suppose seulement un élargissement de la conscience du monde par rapport au cadre étroit de la cité antique. Mais elle reste confinée à une patrie terrestre. L'Empire romain, parce qu'il s'étendait sur tout l'*orbis terrae*, apparaissait précisément comme la réalisation de cette grande et unique cité, dont se réclamaient les stoïciens. Tertullien lui-même s'approprie ce cosmopolitisme, en un passage où il veut montrer le peu d'intérêt que les chrétiens portent à la politique romaine. « Nous ne connaissons qu'une seule République commune à tous, le monde »[3]. Ce qui ne l'empêche pas de dire que la patrie du chrétien n'est pas dans le monde[4].

Étranger sur la terre, attendant de rejoindre sa patrie dans le siècle à venir, le chrétien est tout aussi éloigné des conceptions gnostiques. La patrie du gnostique est située dans un au-delà qui n'est pas temporel. En connaissant qu'il est une étincelle divine, il passe au domaine de l'éternité qui est absolument hétérogène au temps du monde phénoménal. Pour le chrétien, la patrie céleste ne se situe pas au terme d'un retour à une situation pré-temporelle. Elle est au contraire donnée comme une promesse pour l'avenir, quand ce temps sera achevé pour faire place au Royaume de Dieu. La citoyenneté du ciel d'ailleurs n'est nullement exclusive de la citoyenneté terrestre, elle en montre seulement les limites. Des chrétiens ont pu aimer leur patrie d'origine. Paul lui-même est fier de dire qu'il est originaire de Tarse, « citoyen d'une ville qui n'est pas sans renom »[5]. On doit aussi citer Tertullien, dans le *De Pallio*, ainsi que l'émouvante épitaphe que l'évêque Arbecius d'Hiéropolis a composé à la fin du IIe siècle, pour sa tombe. Il s'y présente comme « citoyen d'une

---

1. Origène, C. Cels VIII, 75. Cf. *infra*, le chap. X. Ces thèmes confluent dans un passage de la Vita Polycarpi de Pontius, 6.
2. Cf. Cic., De fin. III, 19, 64 : « Mundum autem censent (stoïci)... esse quasi communem urbem et civitatem hominum et deorum, et unum quemque nostrum eius mundi esse partem ». Voir aussi De nat. deor. II, 62, 154.
3. Apol. 38, 3 ; cf. Minucius, Oct. 17 ; 2.
4. De corona 13, cité plus haut, p 168.
5. Ac 21, 39.

ville distinguée... (sa) chère patrie Hiéropolis »[1]. Ce qu'affirment les chrétiens, c'est que la patrie terrestre, qu'elle soit locale ou mondiale, ne saurait être prise pour un absolu. Elle ne représente une valeur que relativement à la loi de la cité future, selon laquelle l'Église cherche à vivre dès maintenant.

L'AFFIRMATION DE L'IDENTITÉ
1. Le peuple nouveau et originel

Le sentiment qu'ont les chrétiens de vivre le temps de la fin et leur refus d'avoir le monde pour attache définitive n'est pas une vision atemporelle des choses. A mesure que le délai de la parousie leur semblait devoir se prolonger, ils se sont posés, avec une conscience remarquable de leur propre spécificité, par rapport à la réalité historique du monde romain. Le schéma de l'histoire du salut est plaqué sur l'histoire profane et sert à l'interpréter. Le Christ en fondant l'Église et en l'associant à son règne déjà actuel sur la création, a fait surgir dans le monde une réalité nouvelle, à partir de laquelle le passé de l'humanité et sa finalité deviennent compréhensibles. Dans les chrétiens est inauguré, dès à présent, le Royaume de Dieu. Ce sont eux qui représentent l'humanité nouvelle déjà recréée dans la foi. L'économie du salut, dans laquelle ils occupent une place centrale, est le critère d'après lequel l'histoire est maintenant jugée. La conscience historique des chrétiens découle de leur vision christianocentrique de l'univers. D'abord, ils sont dans le monde le *peuple unique*, à la fois *ancien* et *nouveau*, qui doit désormais rassembler tous les hommes sans distinction de race, de condition, ni de sexe[2]. En voyant dans le Christ la réalisation des prophéties de l'Ancien Testament, l'Église prend conscience face à l' « Israël selon la chair », d'être le vrai peuple, le *laos* de Dieu[3], le *véritable Israël*[4], la vraie race d'Abraham[5], la vraie circoncision[6], le vrai Temple[7]. Face aux païens, ils proclament que leur *nouveauté* n'annule pas leur revendication à l'*antiquité*, car ils ont été voulus depuis toujours dans la pensée de Dieu. Face aux juifs, et aux païens réunis, ils prétendent qu'ils sont la *troisième race* des hommes, celle qui, se recrutant parmi les deux premières, est destinée à les unir en un plan supérieur

---

1. Inscription d'Abercius, vers 122.
2. 1 Co 12, 13 ; Ga 3, 28 ; 1 P 2, 9-10.
3. Barn. 3, 6 ; 5, 7 ; 7, 5 ; 13-14 ; II Clem. 2, 3 ; Justin, Dial. 110-4 ; 123-1 ; 119, 3-4 ; Clem., Péd. 1 5, 19, 4 ; 20, 3 ; 7, 57, 1.
4. Cf. Ga 6, 16 ; 1 Co 10, 18 ; Rm 9, 6.
5. Ga 3, 29 ; cf. Rm 9, 7 s.
6. Ph 3, 37.
7. 1 Co 3, 16.

pour porter l'histoire de l'humanité à son achèvement. Avant les chrétiens, l'humanité, d'après Paul, était divisée en circoncis et en incirconcis. Maintenant qu'est apparue « l'Église de Dieu »[1], le régime de la Loi est périmé.

Nouveauté et jeunesse du peuple des chrétiens sont affirmées, en même temps que son antiquité. Ce peuple est la forme dans laquelle Dieu a voulu depuis toujours organiser l'humanité qu'il a créée, mais il ne s'est manifesté qu'à la plénitude des temps. L'Église est nouvelle, parce qu'elle a les prémices de la nouvelle création ; mais elle a été de tout temps et ceux qui ont vécu d'avance selon le Christ, l'ont manifestée[2]. Ignace dit remarquablement : « L'ancien royaume (était ruiné) quand Dieu apparut en forme d'homme, pour une nouveauté de vie : ce qui avait été décidé par Dieu, commençait à se réaliser »[3]. Nulle part la nouveauté du christianisme n'est mieux orchestrée que dans l'œuvre de Clément d'Alexandrie ; nulle part non plus elle n'est mieux liée à son antiquité. Le Logos préexistant, en venant dans la chair accomplir l'œuvre centrale de l'économie divine a entonné « un chant nouveau »[4]. « Voilà le chant nouveau, l'apparition, qui vient de briller parmi nous, du Logos qui était au commencement et préexistait. Car il est apparu naguère, celui qui préexistait comme sauveur »[5]. En face de l'erreur polythéiste, qui n'est qu'une longue dégradation et une perversion de la religion naturelle enseignée aux hommes à l'origine[6], la foi apparaît comme une restauration dans sa forme plénière et sa juvénilité primitive de la véritable connaissance de Dieu : « Vieillissez, dit-il, à ses catéchumènes, si vous restez tournés vers la superstition, rajeunissez-vous si vous voulez atteindre la vraie religion »[7]. Les chrétiens, dans un esprit d'enfance retrouvé, sont sortis de l'ancienne déraison. « Ce sont les nouveaux qui constituent le peuple nouveau, par opposition à l'ancien peuple, et ils ont eu connaissance des biens nouveaux. Nous avons la riche abondance du jeune âge, notre jeunesse qui ne vieillit pas... Il faut que soient nombreux ceux qui ont reçu leur part du Logos nouveau »[8].

Mais le peuple nouveau qui a reconnu le Logos éternel manifesté dans la chair est aussi le plus ancien de tous les peuples, car il existait en lui dès l'origine : « Nous étions, nous, dès avant la création du monde (cf.

1. Cf. 1 Co 10, 32.
2. Cf. Justin, II Ap. 10, 4.
3. Eph. 19, 3 ; cf. 19, 2. Ailleurs, Barn. 5, 7 ; 7, 5 ; 13, 6 ; Aristide 16, *in fine*, version syriaque.
4. Protr. I 6, 5.
5. *Id.*, I, 7, 3.
6. Cf. Rm 1, 18-32.
7. Protr. X 108, 3.
8. Péd. V 20, 3 ; cf. V 14, 4 ; V 15, 1 ; V 19,4 ; V 1-4.

Ep 1, 4) ; nous qui, parce que nous devions exister en lui, étions auparavant déjà engendrés par Dieu, nous les créatures raisonnables du Logos-Dieu »[1]. On se souvient que dans les spéculations judéo-chrétiennes, l'Église, réalité eschatologique, préexiste à la création elle-même[2]. Ces idées témoignent d'une volonté persistante d'affirmer l'antiquité du Christianisme en tant que peuple vis-à-vis des autres peuples de la terre. La preuve de l'antériorité de la tradition chrétienne par rapport aux traditions des autres peuples sera reprise et mise au point dans le débat avec la sagesse païenne[3]. Habituellement, les Apologistes restaient dans des vues historiques. En revendiquant pour eux l'Ancien Testament, ils pouvaient montrer que si leur religion était apparue à une époque récente, elle ne cachait cependant pas d'idées nouvelles, mais se présentait comme l'aboutissement de la plus antique des traditions[4].

2. La troisième race

Nouveauté et ancienneté convergent dans l'affirmation que les chrétiens forment la troisième race des hommes en ce qui concerne le vrai culte de Dieu[5]. Comme dans le *Quatrième Évangile*[6], l'humanité est divisée en trois types d'hommes selon la connaissance du vrai Dieu. Ce ne sont plus les distinctions du monde en hommes civilisés ou en barbares qui comptent, c'est sur le seul plan religieux qu'elle doit interpréter son histoire. La première attestation se trouve dans le *Kérygme de Pierre*, au début du Ier siècle. « Dieu nous a donné une nouvelle alliance, car le statut des Grecs et des Juifs est périmée ; mais vous, les chrétiens, vous êtes ceux qui vénérez nouvellement Dieu, selon une troisième manière, τρίτῳ γένει »[7]. Le terme de γενος y est. Il se retrouve dans une énumération plus nette d'Aristide. Là encore, l'humanité est divisée en trois races selon la connaissance de Dieu : « Venons-en maintenant au genre humain, pour voir quels sont les hommes qui participent de la vérité et qui ont part à l'erreur. Car pour nous, il est manifeste, ô Empereur, qu'il y a trois races d'hommes, en ce monde : ceux qui adorent ce que vous appelez

---

1. Protr. I 6, 4 ; cf. 7, 1.
2. Cf. *supra*, p 29.
3. Cf. *infra*, p 246 sq.
4. Dans l'Antiquité, est vrai ce qui se prouve par la tradition. On ne créé pas de nouveautés, on redécouvre des vérités anciennes. Cf. Tertullien, Apol. 21, 1-3.
5. Ils se désignent aussi comme « la race des hommes pieux » : Mart. Polyc. 3 ; Mart. Ign. Ant. 2 ; Méliton *in* Eusèbe, H.E. IV, 26, 5 ; Or. Sibyll. IV, 156.
6. Cf. Jn 4, 21s. ; 10, 16.
7. Cité par Clément, Strom. VI, 5, 31.

vos dieux, les juifs et les chrétiens »[1]. Justin parle même du Christ comme « chef d'une autre race », régénérée par lui[2]. Mais c'est surtout Clément, en intégrant le mieux le judaïsme et l'hellénisme dans l'unique économie du Logos, qui affirme le caractère définitif de la troisième race que l'humanité sauvée est destinée à former dans le nouveau peuple chrétien. A partir des deux peuples de l'histoire, Dieu en a créé un troisième, celui de l'homme nouveau, rassemblé dans la même Église[3]. Ceux qui sont passés par l'éducation de la Grèce comme ceux qui ont connu l'éducation de la Loi sont réunis par la foi « dans la race unique du peuple sauvé »[4]. Il semble d'ailleurs, comme l'a relevé Harnack[5], que l'expression de « tertium genus » était familièrement appliquée aux chrétiens par les païens eux-mêmes. A Carthage, on les interpelait dans le cirque : « Usque quo tertium genus ? »[6]. Tertullien s'efforce d'ailleurs de tourner l'expression en ridicule, disant qu'elle ne signifie rien, à moins qu'on ne l'entende du genre de religion : « de superstitione tertium genus deputamur, non de natione »[7].

Les païens se moquaient de cette prétention invraisemblable de ramener l'histoire et sa signification à la secte des chrétiens. La persistance d'une conscience historique aussi vigoureuse atteste cependant la force avec laquelle les chrétiens affirmaient leur identité au sein d'une civilisation triomphale. L'Empire, de son côté se pensait comme l'ordre définitif auquel avait abouti le monde antique. Et les chrétiens, bien que les yeux rivés vers la patrie céleste, s'érigeaient eux aussi au centre de l'histoire, proclamaient que le monde avait été créé pour eux, que c'était eux qui en maintenaient encore la cohésion, et en retardaient la fin. Le vrai *peuple* destiné à rassembler l'humanité n'était donc pas celui que Rome était en train d'élargir aux dimensions de la terre habitée, mais l'Église, que Dieu avait voulue de tout temps, comme sa Cité à Lui, pour y établir son règne. Dès lors, l'*oikouménè* romain, cette cité terrestre universelle, avec toute sa consistance historique, était devenu pour les chrétiens le cadre incarné de leur expérience du monde. Si ce *monde* continue à se définir selon ses oppositions traditionnelles en Barbares, Grecs, Juifs ; esclaves, hommes libres ; vainqueur ou vaincus, il reste étranger à la « nouveauté de vie » que la prédication évangélique a fait surgir en lui. S'il regarde

---

1. Apol. 2. La version syriaque subdivise les païens en Barbares et en Grecs : « les races des hommes en ce monde sont quatre : les barbares et les grecs, les juifs et les chrétiens ».
2. Dial. 136, 2.
3. Strom. III, 10, 70 ; Cf. V, 14, 98.
4. Strom. XI, 5, 42.
5. *Mission und Ausbreitung.* t. I, p. 281-289.
6. Tertullien, Scorp. 10.
7. Ad nat. I, 8 ; cf. I, 20.

comme ultime l'ordre qu'il a établi et plus encore s'il le divinise, les chrétiens dont l'espérance est ailleurs, ne peuvent que s'en dissocier.

LA PAIX ROMAINE ET L'ÉVANGILE

C'est donc à partir de la conscience de leur spécificité irréductible que les chrétiens jugent la réalité de l'histoire dans laquelle ils sont placés. En référant la vie de l'*aiôn actuel* à la plénitude de signification que lui donne l'*aiôn à venir*, ils relativisent l'existence présente. La vie dans ce siècle, les normes de sa culture et de sa civilisation, la *Pax Augusta* elle-même, ne sont pas des absolus. Ils ne retrouvent de valeur que sur le plan du salut, qui est le seul où se placent les chrétiens. Ainsi l'Empire romain, et en particulier sa coïncidence avec l'avénement du Christianisme, leur paraît avoir sa place dans l'économie divine. Bref, toute la réalité de l'histoire humaine, résumée dans celle de Rome, est en quelque sorte annexée par les chrétiens.

Les chrétiens, mêmes les plus intransigeants comme Tertullien, ont su apprécier la Paix Romaine, et y ont vu tous les avantages qu'ils pouvaient en tirer pour la propagation de l'Évangile. Justin, en commentant pour les autorités romaines la prophétie d'*Isaïe* (*II, 3-4*) annonçant la fin des guerres et la paix perpétuelle, ajoute tout simplement : « Ces paroles se sont réalisées : vous pouvez vous en convaincre »[1]. Irénée constate que si les chrétiens ont quitté le monde des païens, ils n'en continuent pas moins d'en profiter : « Le monde est en paix, grâce à eux, de sorte que nous puissions voyager sans crainte par terre et par mer, partout où nous voulons »[2]. Athénagore l'Athénien est sans doute celui des Apologistes qui a le mieux montré que les chrétiens savaient aussi goûter la douceur du temps présent : « Les individus sont régis par des lois égales ; les cités selon leur dignité, participent à des honneurs égaux ; l'univers entier jouit, grâce à votre sagesse, d'une paix profonde »[3]. A Tertullien lui-même, il arrive de louer la Paix Romaine, à une époque où elle commence déjà à être compromise[4]. Tant que l'Empire est vu sous l'aspect positif de l'ordre qu'il fait régner, Justin peut dire aux empereurs : « Vous trouverez en nous les amis et les partisans les plus zélés de la paix »[5].

---

1. I Ap. 39, 2.
2. Adv. Haer. IV, 30, 3.
3. Suppl. 1.
4. De anima, 30 : « Le monde est chaque jour mieux connu, mieux cultivé et plus riche... Partout les maisons, des peuples, des cités, partout la vie ».
5. I Ap. 12, 1.

MÉLITON ET ORIGÈNE
L'EMPIRE PRÉPARE LA VOIE A L'ÉVANGILE

Mais d'autres auteurs vont beaucoup plus loin. Le premier, Méliton de Sardes, dans une *Apologie* à Antonin, rapproche explicitement les origines de l'Empire des commencements du Christianisme. Il reconnaît lui aussi que, depuis Auguste, l'univers vit une époque singulièrement heureuse. Mais pour lui, l'Empire, à l'instar de la nouvelle religion, est un don de Dieu à l'humanité en cette dernière phase de l'histoire. La religion universelle et l'état universel (du moins s'il laisse celle-ci agir en toute liberté) sont les deux aspects d'une même disposition divine. Ici, on voit que l'idée que les chrétiens se faisaient du monde géographique se ramène aux dimensions de l'Empire Romain. « En effet, écrit Méliton à l'empereur, la philosophie qui est la nôtre a d'abord fleuri chez les Barbares (c'est-à-dire chez les Hébreux) ; puis elle s'est épanouie dans tous les peuples, sous le grand règne d'Auguste, ton ancêtre, elle est devenue surtout pour ton empire un bien favorable. Car depuis ce temps, la puissance des Romains s'est accrue de manière grande et éclatante, tu en es devenu l'héritier désiré et tu le resteras avec ton fils, en conservant la philosophie qui a été nourrie avec l'Empire et qui a commencé avec Auguste, et que tes ancêtres eux aussi ont honorée à côté des autres religions. Et c'est une très grande preuve de son excellence que notre doctrine ait fleuri en même temps que l'heureux commencement de l'Empire et que rien de mauvais ne soit arrivé depuis le règne d'Auguste, mais qu'au contraire tout ait été éclatant et glorieux, selon la prière de tous »[1]. Dans le même sens, Origène relèvera le synchronisme, et verra dans l'Empire une préparation providentielle de l'humanité à la réception de l'Évangile. « Dieu préparait les nations en les soumettant toutes au seul empereur de Rome, et en empêchant que l'isolement des nations, dû à la pluralité des royautés ne rendît plus difficiles aux Apôtres l'exécution de l'ordre du Christ : « Allez, de toutes les nations faites des disciples » (*Mt 28, 19*)... Comment donc cet enseignement pacifique, qui ne permet pas de tirer vengeance même des ennemis, eût-il pu triompher, si la situation de la terre, à l'avènement de Jésus, n'eût été partout changée en un état plus paisible »[2]. La Paix Romaine et toutes ses réalisations positives sont des valeurs reconnues, mais une fois dépouillées de leur autonomie et intégrées dans l'ordre du salut. Elles n'ont de sens et de consistance que si elles favorisent la divulgation de l'Évangile et se reconnaissent subordonnées au dessein

---

1. Cité par Eusèbe, H.E. IV, 26, 7-8.
2. Origène, C. Cels. II, 30. Ces vues ont été reprises et explicitées dans l'œuvre apologétique d'Eusèbe : Dém. évang. III, 7, 30-35 ; VIII, 4, 13 ; IX, 17, 18.

divin qu'il révèle. Les chrétiens qui adhèrent au plan de Dieu se voient au centre de l'histoire. Les bienfaits de la civilisation impériale sont finalement destinés à les servir dans leur mission.

HIPPOLYTE. L'EMPIRE PARODIE DIABOLIQUE DE L'ÉGLISE

Les deux textes précédents témoignent d'un parfait loyalisme à l'égard de l'Empire. Il n'en est pas de même d'Hippolyte. Jugeant l'Empire en tant que persécuteur des chrétiens, il y voit surtout le domaine de Satan, prince de ce monde, organisant au moyen de l'état la lutte contre les justes. Comme on le verra, tout en étant en contradiction absolue avec Méliton et Origène sur le rôle de l'Empire, il témoigne au fond de la même conscience christiano-centrique de l'histoire. « Le Seigneur est né en la quarante-deuxième année d'Auguste César, point de départ de l'apogée de l'Empire romain. C'est l'époque aussi où, par ses Apôtres, le Seigneur convoqua toutes les nations et toutes les langues, pour en faire une nation de chrétiens fidèles. Voilà pourquoi l'Empire actuellement régnant voulu nous imiter selon l'activité de Satan... Voilà pourquoi le premier recensement eut lieu sous Auguste, au moment de la naissance du Seigneur à Bethléem, pour que les hommes de ce monde, recensés par un roi de la terre, prennent le nom de *Romains*, et que, de leur côté, ceux qui croient au roi du ciel, prennent le nom de *chrétiens*, portant sur leurs fronts le signe qui met la mort en fuite »[1].

Ainsi l'Empire romain universel n'est pour lui qu'une imitation diabolique de l'universalité de l'Église. C'est l'Église qui est le véritable peuple que Dieu a voulu pour y rassembler toutes les nations. C'est elle qui est donnée jusqu'à la consommation de ce siècle à l'humanité pour qu'en se répandant jusqu'aux extrémités de la terre, elle hâte la venue définitive du Royaume de Dieu, dont elle porte déjà le germe. Nous sommes ici en présence de l'affirmation la plus forte de la conscience qu'avaient les chrétiens de leur signification historique. Le monde romain poursuit un but exactement antithétique de celui des chrétiens. C'est en cela, qu'il est placé sous le contrôle de Satan. Le processus de sa formation historique est ici sans importance. Pour Hippolyte, l'apparition simultanée de l'Église et de l'Empire n'est, sur le plan cosmique de l'histoire du salut, que la nouvelle forme de la lutte que le prince de ce monde continue de livrer contre les fidèles de Dieu.

TERTULLIEN. L'EMPIRE RÉALITÉ ESCHATOLOGIQUE

L'intégration de l'Empire romain, dans l'économie du temps de l'Église

---

1. Sur Dan. IV, 9, 2-3.

est enfin achevée, lorsque, pour la première fois, Tertullien, bientôt suivi d'Hippolyte, lui attribuera le rôle du mystérieux κατεχῶν dont parle Paul, cet être qui retient encore présentement la manifestation finale de l'Impie et qui l'empêche provisoirement d'exercer ses ravages annonciateurs de la fin[1]. Tertullien explique que les chrétiens ont tout intérêt à prier pour le salut de l'Empire parce qu'ils n'ont aucune envie d'être les témoins des événements eschatologiques qui accompagneraient sa chute. « Nous savons, en effet, que la catastrophe suspendue au-dessus de la terre entière, la clôture du temps elle-même qui nous menace d'horribles calamités, n'est retardée que par le répit accordé à l'Empire romain. Nous ne tenons nullement à faire cette expérience et, en priant pour qu'elle soit différée, nous contribuons à la longue durée de l'Empire romain »[2]. Hippolyte n'est pas moins formel : « Quel serait donc « Celui qui retient » jusqu'à maintenant, sinon la Quatrième Bête[3], à laquelle succèdera le Trompeur, quand elle aura été renversée et évincée ? »[4]. Tant que la puissance de cet Empire demeure incontestée, il n'y a pas de raison d'attendre une fin prochaine. Mais lorsqu'elle viendra vraiment, on pourra le reconnaître à un signe infaillible ; « quand surviendront les révolutions et les dissensions, parce que chacun tirera à lui l'Empire, alors la fin arrivera pour tous »[5].

1. Cf. II Th. 2, 6.7. *Supra*, p 117.
2. Apol. 32, 1.
3. Cf. *infra*, p 214 sq.
4. Sur Dan. IV, 21, 3.
5. *Id.*, IV, 6, 4.

CHAPITRE VI

LA CITÉ TERRESTRE

Le Christianisme devait se heurter de front au monde romain parce qu'il rencontrait en lui une conception de l'homme et de l'histoire absolument irréductible à sa propre conscience historique. Il reste à savoir maintenant comment les chrétiens interprétaient concrètement cette opposition dans la réalité de la vie antique[1]. Leur propre conception du monde, les premiers chrétiens l'ont mise à l'épreuve de l'expérience dans

1. Le livre classique de Ch. GUIGNEBERT. *Tertullien. Étude sur les sentiments à l'égard de l'Empire et de la société civile,* Paris, 1901, examinait déjà tous les aspects de la situation des chrétiens par rapport à la civilisation romaine. Mais son jugement, systématiquement influencé par un préjugé défavorable, est généralement peu nuancé. Selon lui le christianisme se serait volontairement donné un système de valeur établi en opposition à celui d'une société qui ne pouvait que lui déplaire, par une surenchère de mépris à l'endroit de tout ce que les Romains tenaient pour estimable. On jugera de sa manière d'interpréter les thèmes de la pensée chrétienne, par cette conclusion : « L'effort du christianisme a été de pousser l'homme à détester la vie et à aimer la mort, tâche surnaturelle entre toutes... Le christianisme est arrivé à fonder un tel renoncement en donnant à la vie terrestre un but purement religieux et moral, en la représentant comme une forme inférieure de la vie, une sorte d'enfance de l'homme pleine de tribulations, destinée uniquement à lui permettre de gagner la vraie et l'éternelle lumière » (p. 554-555).

L'opuscule de A. CAUSSE, *Essai sur le conflit du christianisme primitif et de la civilisation,* Paris, 1920, offre des réflexions intéressantes consacrées au problème de l'état, de l'idolâtrie, de la philosophie et à l'opposition irréductible de deux « états-d'esprit » inconciliables. Mais nous ne pouvons le suivre lorsqu'il affirme que la position des chrétiens repose sur « une conception dualiste du monde et de la vie morale » (p. 22).

Il a été suivi par L. ROUGIER, *Celse ou le conflit de la civilisation antique et du christianisme primitif,* Paris, 1925 qui, bien qu'il pose nettement le problème culturel, n'est guère pénétrant dans son analyse de la pensée chrétienne. Aussi : C. J. CADOUX, *The early church and the world,* Edimbourg, 1925. J.-G. DAVIES, *La vie quotidienne des premiers chrétiens,* Neuchâtel-

les problèmes quotidiens que soulevait leur insertion dans la civilisation impériale. Inversement, on peut dire aussi qu'elle a pris forme à travers cette expérience. Les chrétiens n'ont jamais adopté une position de condamnation *a priori* et sans nuance. Ce qu'ils appellent *monde* en parlant des mœurs, des institutions, des formes de civilisation de leur temps, ne désigne jamais la civilisation hellénistique et romaine dans sa totalité, mais ce qu'ils considèrent comme ses perversions et ses erreurs d'orientation fondamentales. Les chrétiens, nous l'avons vu, avaient une conscience très forte de leur place unique et centrale dans l'histoire. Ils proclamaient l'origine divine du peuple qu'ils formaient, vivant dès à présent le temps de la fin, c'est-à-dire la justice du Royaume de Dieu dont ils hâtent l'avènement. Cette nouveauté, ils entendaient la manifester à l'intérieur même des cadres de la société impériale, par leur « genre de vie » propre, qu'ils appelaient leur *politeia* ou leur *bios*, en l'opposant à celui que prônait alors le *monde*.

LES NORMES DE LA VIE « MONDAINE »

Tant que les chrétiens se sont recrutés dans leur immense majorité parmi les petites gens, esclaves, affranchis, travailleurs manuels, ils faisaient partie de ce monde obscur des « humiliores » qui n'a jamais bénéficié pleinement des bienfaits de cette civilisation aristocratique. Ils pouvaient alors rester ignorés des manifestations officielles de la vie publique. Le problème de leur participation active aux divers aspects de la vie commune se posait donc à peine. Il devenait au contraire plus aigu à mesure que la foi pénétrait dans les couches les plus élevées de la population et imposait une révision souvent déchirante des valeurs d'après lesquelles on était jusque-là habitué à vivre[1]. Or, dès les origines, il se trouvait des chrétiens dans les couches sociales les plus hellénisées et les plus élevées[2]. A la fin du I[e] siècle, Hermas, adresse déjà les plus sévères reproches aux membres fortunés de la communauté romaine[3]. Mais c'est surtout à partir du temps de Commode que les chrétiens se font plus nombreux parmi les « honestiores », dans l'aristocratie des cités et même dans l'entou-

Paris, 1956, ne parle malheureusement guère des deux premiers siècles. Cette lacune a été heureusement comblée par la publication du livre de A. HAMMAN, *La vie quotidienne des premiers chrétiens (95/197)*, Paris 1972 dans une collection bien connue et de lecture facile.

1. Pour les problèmes sociaux sous l'Empire : J. GAGÉ, *Les classes sociales dans l'Empire romain*, Paris, 1964.

2. Denys l'Aréopagite : Ac 17, 34. Les « dames de qualité » de Thessalonique (17, 4) et de Bérée (17, 12). L'Ep. de Jacques tout entière s'élève contre les « riches ». Également Aquilla et Priscille : (1 Co 16, 19 ; Rm 16, 5). Voir en particulier E.A. JUDGE, *The social pattern of christian groups in the first century*, 1960.

3. Mand. 10, 1 ; Sim. 8, 9, etc.

rage de l'empereur[1]. Selon Tertullien, l'Église recrutait alors des hommes et des femmes de toute dignité[2]. Mais il faut tempérer cette affirmation par une autre selon laquelle les nobles chrétiennes avaient du mal à trouver un mari chrétien de leur rang[3].

Les personnages de l'Octavius sont tous trois avocats exerçant à Rome ou en Afrique. En participant au plus haut degré à la vie sociale, culturelle et civile, ils étaient aussi compromis le plus loin avec ses aspects proprement *mondains*, difficilement conciliables avec la profession de chrétien. Mais il ne faudrait pas exagérer le privilège des élites. S'ils représentent la civilisation romaine dans tout son raffinement, la masse des habitants de l'Empire en incarne les tendances fondamentales. La Paix Romaine est le bien commun de tous. Le sentiment de vivre un âge heureux est entré dans la mentalité collective. C'est le peuple qui défend le plus sourdement le genre de vie auquel il est attaché. C'est lui qui couvrira de haine les chrétiens parce qu'ils ne le partageaient pas. Les formes de la vie collective n'apparaissent jamais aussi totalitaires que dans les réactions spontanées de la masse à qui tout recul fait défaut, surtout quand les valeurs auxquelles elle est attachée lui semblent menacées. Si les chrétiens n'ont guère été affrontés au problème de leur participation aux charges officielles de l'Empire, ils ont par contre dû prendre rapidement position face aux aspects les plus quotidiens de la civilisation païenne dans les diverses manifestations de la vie sociale.

Cette civilisation se définissait justement dans ses assises matérielles, partout où elle étendait son influence, par ces hauts lieux de vie sociale qu'étaient les thermes, le théâtre, le cirque ; en pays grec, le gymnase et le stade ; et aussi l'amphithéâtre[4]. Ils étaient la chose de tous. L'homme antique se définissait tout entier par rapport à un « way of life » dont le bien-fondé n'était jamais mis en question parce qu'il lui procurait ce pour quoi il estimait que la vie était faite : les loisirs, les jeux, les spectacles et les fêtes. L'idéal du bonheur et de la vie heureuse n'étaient jamais conçus en dehors des cadres ni des usages si fortement enracinés de la vie commune, qui à leur tour étaient intimement liée aux autres aspects d'une même Weltanschauung : la religion, la culture et l'ordre politique. Fêtes et jeux

---

1. Cf. Eusèbe, H.E., V, 21, 1 : (au temps de Commode) « Parmi les Romains les plus distingués par leur richesse et par leur naissance, un grand nombre allait en même temps à leur salut avec toute leur maison et toute leur famille ».

2. Ad Scap. 4, 5.

3. Ad uxor. II, 8.

4. On pourra toujours se reporter à J. CARCOPINO, *La vie quotidienne à Rome à l'apogée de l'Empire*, Paris, 1939 ; U. E. PAOLI, *Vita romana. La vie quotidienne dans la Rome antique*, Paris, 1955 ; P. GRIMAL, *La civilisation romaine*, Paris, 1960 ; J. JUTHNER, *Bader*, RLACh I, 1134-1143 ; et l'ouvrage cité plus haut de Ch. GUIGNEBERT.

étaient donnés en l'honneur des dieux. Au cours des banquets, on consommait les viandes offertes la veille aux loges. On célébrait les anniversaires et les triomphes des empereurs. Le théâtre et l'odéon mettaient en scène les histoires de la mythologie connues de tous. Bref, dans un mode de vie qui s'estimait le meilleur du monde, tout était intégré. Les chrétiens n'ont pas pu se mêler à la vie sociale sans rencontrer de toutes parts le polythéisme, le culte impérial et tout un idéal de vie qui se posait en absolu.

LES THERMES

Le problème n'a été traité dans toute son ampleur qu'à la fin du IIe siècle par Tertullien. Mais déjà du temps de Néron les chrétiens étaient détestés pour leur particularisme[1]. A l'origine, la seule recommandation qui leur fut faite expressément était de s'abstenir des viandes offertes aux idoles[2]. On s'y tint toujours par la suite[3]. Dans le judéo-christianisme une forte tendance ascétique renchérissait d'ailleurs sur les prescriptions primitives. Elle était dominée par l'idéal de l'encratisme[4]. Elle préconisait même le végétarisme[5]. Les chrétiens de cette tendance ont cependant été l'exception. C'étaient les mêmes qui continuaient à regarder les mœurs grecques, les bains, la gymnase, la pratique du sport, comme une corruption[6]. Dans l'*Épître à Timothée*, on lit déjà : « Les exercices corporels, eux, ne servent pas à grand chose : la piété au contraire est utile à la vie »[7]. Pour les chrétiens venus de l'hellénisme, c'était tout différent. Quand ils n'y voyaient pas une incompatibilité absolue, ils ont gardé les mœurs et les habitudes dans lesquelles ils avaient été élevés avant leur baptême. C'est ainsi que l'un des plaisirs les plus appréciés en fin de journée était, dans tout l'Empire, le bain. Depuis Agrippa, les bains publics connaissaient une vogue croissante. C'est à lui que l'on doit les thermes, une création spécifiquement romaine. L'accès en était gratuit.

Dans des édifices de plus en plus amples et dont le modèle du genre est constitué par les Thermes de Caracalla à Rome ou ceux d'Antonin à Carthage, on associait pour la première fois aux différents types de bain (frigidarium, tepidarium, caldarium et accessoires) les exercices de la palestre dans des gymnases et des stades, des terrains de jeu, ainsi que des salles d'auditions et des bibliothèques pour offrir la gamme complète

---

1. Tacite, Ann. XV, 44.
2. Ac 15, 29, cf. 15, 20 ; 1 Co 8, 1.
3. Origène, C. Cels. VIII 24, 30, 31.
4. Cf. *infra*, p 265 sq.
5. Cf. Rm 14, 2 s ; Did. 6, 2.
6. Depuis I Mac 1, 14.
.7. 1 Tm 5, 8.

des délassements souhaitables. C'est par le biais des thermes que l'athlétisme grec s'était acclimaté à Rome et en Occident et que la nudité avait fini par ne plus choquer les Romains. Au début de l'Empire les bains étaient mixtes[1], bien que cela fût assez mal vu[2]. Le fait entraîna une recrudescence de scandales qui semblait donner raison aux moralistes qui y voyaient une cause du relâchement des mœurs[3]. A partir d'Hadrien les bains mixtes furent interdits à intervalles réguliers[4], mais sans grand succès, semble-t-il. C'est dans ces bâtiments spacieux, au luxe souvent inouï, au milieu des chefs d'œuvre de l'art, que le peuple se sentait le plus chez lui et qu'il jouissait des agréments de la détente du début de l'après-midi au coucher du soleil.

Sous peine d'abandonner toute vie civilisée, les chrétiens ne pouvaient se soustraire à cette forme de la vie sociale par excellence qu'était le bain. Il ne leur venait d'ailleurs pas à l'esprit de le mépriser. Seuls les auteurs anti-hérétiques nous montrent l'horreur que certains judéo-chrétiens avaient du bain. D'après Hégésippe, Jacques, le premier évêque de Jérusalem, ne prit jamais de bain, pas plus qu'il ne mangea d'ailleurs de viande[5]. Irénée raconte qu'il arriva « une fois » à Jean d'aller au bain, le jour où il rencontra Cérinthe, ce qui lui fut d'ailleurs un prétexte pour s'enfuir en hâte[6]. Au contraire, Tertullien dit qu'il se baignait régulièrement mais « debita hora et salubri »[7], peut-être à une heure où il n'y avait pas de femmes. Plus tard, il laissera cependant entendre que beaucoup de chrétiens s'en abstenaient[8]. S'abstenir volontairement de bain était considéré comme une pénitence[9]. Dans leur lettre aux frères d'Asie, les chrétiens de Lyon et de Vienne décrivent ainsi le début des vexations qu'ils eurent à subir : « On ne nous a pas seulement chassés des maisons, des bains, de la place publique, mais encore on nous a interdit absolument de paraître en quelque lieu que ce fût »[10]. C'est donc qu'à l'instar de leurs concitoyens, ils fréquentaient les bains tout aussi naturellement. Dans le guide pratique de morale chrétienne qu'est la seconde partie du *Pédagogue*, Clément consacre à cette question de grands développements.

---

1. Cf. Mart. 7, 35 : 11, 47.
2. Pline, Nat. Hist., 33, 153 ; Quint. 5, 9, 14.
3. Cf. Sénèque, Ep. 51 ; Brev. vit. 12, 7-9 ; De vit. beat. 7.
4. Hist Aug., Hadr. 18, 10 ; Mc. Aur. 23, 8.
5. *In* Eusèbe, H.E. II, 23, 5. Eusèbe cite encore Apollonius écrivant contre les Montanistes : « Dis-moi, un prophète va-t-il aux bains ? » (V, 18, 11).
6. Adv. Haer. III, 3, 4 ; cf. Epiphane, Haer. 30, 24.
7. Apol. 42 4 ; cf. De coron. 3.
8. De ieiun. 1.
9. Tertullien, De pen. 11 ; De coron. 3 ; Cyprien, De lapsis 30.
10. Eusèbe, H.E. V., 1, 5.

Il reconnaît que les bains sont d'excellents « relaxateurs », nécessaires pour l'hygiène et la santé, mais il n'aime pas qu'on les recherche pour le seul plaisir[1]. Il s'émeut cependant devant l'usage des bains mixtes publics ou privés[2]. On peut donc dire que, sur ce point, les chrétiens ont partagé, dans certaines limites, les mœurs communes. Ce n'est que plus tard que des moines orientaux en viendront à tenir pour suspects même les soins du corps.

LES SPECTACLES ET LES JEUX

Il ne pouvait cependant pas en aller de même pour d'autres manifestations de la vie sociale non moins prisées que les thermes : les jeux, les spectacles et les fêtes. Ils étaient fortement enracinés dans les coutumes. Sous l'Empire, ils furent encore multipliés. La liste des jours fériés du calendrier romain est impressionnante : plus d'un jour sur deux est chômé. Fournir des spectacles au peuple romain désœuvré était la politique constante des empereurs. On sait qu'à part l'annone, c'est la seule chose qu'il réclamait encore[3]. Il fallait, en l'occupant par des spectacles toujours plus piquants le détourner des dangers de l'oisiveté. Sous l'Empire, les spectacles les plus en faveur étaient précisément ceux qui retiennent l'attention des multitudes, ceux qui flattent les passions les plus basses et qui procurent les sensations les plus fortes. Tous les jeux conservaient une origine ou une signification plus ou moins religieuse : comédies mythologiques, processions inaugurales de l'arène, adulation dont était entouré l'empereur. Le paganisme était donc partout présent. Le principal reproche que les chrétiens feront aux spectacles, c'est qu'ils sont emprunts d'immoralisme et d'idolâtrie.

Chronologiquement le premier type d'édifice destiné aux jeux était le cirque dont la principale attraction était la course de chars. Les textes chrétiens qui y font allusion sont peu nombreux, mais c'est toujours pour les rejeter. Il faut rappeler l'extraordinaire animation qui régnait dans ces enceintes pour les paris sur les différentes « factions » pendant les tours de piste, la gloire dont se couvraient les auriges vainqueurs, l'atmosphère même d'euphorie et d'échauffement, pour comprendre que les chrétiens en aient pu en être choqués. Minucius Félix demande : « Qui ne frémirait d'horreur... de voir, aux courses de char, la folie des spectateurs aux prises les uns avec les autres ? »[4]. Tertullien n'aime pas la pompe

---

1. Péd. III, 31-33 ; 46-48. Cf. Minucius, 2, 3, apprécie les bains de mer.
2. Péd. III, 5.
3. Juvénal, Sat. X, 77-81 : « Duas tantum res anxius optat panem et circenses. » Fronton, Princ. hist. V, 11 : « Populum romanum, duabus praecipue rebus, annona et spectaculis, teneri. »
4. Oct. 37, 11.

prodigieuse qui s'y déploie et condamne les jeux du cirque pour leur origine idolâtrique[1].

Le théâtre est condamné d'une façon plus nette encore. Il est vrai qu'il justifiait parfaitement l'accusation d'immoralité ou d'idolâtrie. La production dramatique avait tari au début de l'Empire. Les pièces classiques qui figuraient au répertoire ne retenaient plus la faveur d'un public blasé. Elles ne sont souvent que l'occasion d'offrir des revues à grand spectacle dans un luxe exorbitant de mise en scène. Par contre, la foule réclamait le plaisir facile du pantomine introduit à Rome sous Auguste et qui se généralisa dans l'Empire. Il remplaça peu à peu la tragédie. Un chœur chantait quelque drame tiré de la mythologie grecque que les acteurs mimaient au milieu des danses. Les sujets lubriques ne manquaient pas. C'étaient même les seuls, avec les scènes d'horreur comme le *Festin de Thyeste* ou les *Fureurs* de la légende épique[2] qui retenaient encore l'attention du public. Quant au mime qui prenait le relais de l'ancienne comédie, il allait chercher ses thèmes d'inspiration, dépouillé de toute convention, dans le réalisme caricatural de la vie quotidienne. La vogue croissante de ces genres donne l'indice du niveau le plus bas où les goûts de l'époque en fait de divertissements étaient tombés.

On comprend que les chrétiens aient refusé de s'y associer. Tatien a été le premier à prendre position. Parlant d'un acteur de pantomime, il dit : « En ce seul homme je voyais un accusateur de tous les dieux, un abrégé de la superstition, un bouffon qui parodiait les actions héroïques, un acteur de meurtres, un interprète d'adultères, un trésor de folie, professeur de débauche, un prétexte à condamnations capitales »[3]. Minucius Félix, à la suite de Tertullien[4] n'est pas moins formel : « Même dans les jeux de la scène, le déchaînement n'est pas moindre et la turpitude s'étale davantage : tantôt un mime raconte ou représente l'adultère, tantôt un pantomine efféminé stimule l'amour en le simulant, de plus il déshonore vos dieux en leur prêtant souillures, soupirs et haines, de plus en feignant de souffrir, il excite vos larmes par des gestes et des signes gratuits. Ainsi le meurtre est l'objet de vos prières dans la réalité, de vos pleurs dans la fiction »[5]. Tertullien résume ce jugement en disant que le théâtre est « proprement le temple de Vénus... et de Bacchus..., le lieu du libertinage et de l'ivrognerie, le rendez-vous spécial de l'impudicité »[6].

---

1. De spect. 7.
2. Cf. le De saltatione de Lucien ; ou Macrobe, Sat. II, 7, 16.
3. Disc. 22. cf. aussi Théophile, Ad Aut. III, 15.
4. Cf. Tertullien, Apol. 15, 1-3.
5. Oct. 37, 12.
6. De spect. 10 et 17.

L'AMPHITHÉÂTRE

A plus forte raison les chrétiens se tenaient-ils à l'écart des jeux de l'amphithéâtre. Ce dernier a la sinistre réputation d'être une création romaine.
A côté des brillantes réalisations de cette civilisation, de l'idéal humaniste
de la *paideia*, des bienfaits réels de la paix, l'amphithéâtre mérite d'être
considéré comme révélateur d'un autre aspect, non moins dominant,
de cette société impériale : son goût pour les spectacles sanglants, sa cruauté,
et en fin de compte le peu de prix qu'elle accordait à la personne humaine.
Les combats de gladiateurs et les autres genres de tueries de l'arène avaient
fini par être le genre de spectacle dont la foule raffolait le plus. Dans tout
l'Empire on vit s'élever de grandioses édifices, tel l'Amphithéâtre Flavien,
à la mesure de la faveur dont ils jouissaient. Il est vrai qu'en pays grec
ils s'acclimatèrent plus difficilement. Le *munus* comprenait ordinairement
le matin les *venationes* (lutte de fauves en eux, ou contre des hommes
armés) et l'après-midi les combats de gladiateurs qui suscitaient la même
fièvre des paris que les courses du cirque. Que les spectateurs aient pu
passer le plus clair de leurs journées à assister à ces massacres montre
à quel point la sensibilité s'était endurcie. Après ses victoires en Dacie,
Trajan avait offert aux Romains un *munus* de 117 jours consécutifs où
périrent près de dix mille prisonniers. Mais les pires cruautés, et qui n'avaient
même plus le prétexte du jeu, avaient lieu à l'aube et à la pause de midi.
Les criminels qui avaient la condition d' « humiliores » étaient condamnés
soit à être livrés sans défense à la dent des bêtes fauves, soit à s'entretuer
entre eux ou à être brûlés vifs au plus grand plaisir de la foule. Ils pouvaient
encore servir, en d'autres occasions, à être les acteurs forcés de « vrais »
pantomimes où les crimes et les supplices des légendes mythologiques
n'étaient plus seulement simulés mais véritablement exécutés devant
des spectateurs ravis[1]. Cette passion pour les spectacles sanglants n'était
pas seulement le fait d'une populace avide de sensations fortes. Elle est
partagée par les plus authentiques représentants de la culture et de la
civilisation hellénistiques. Il y eut certes quelques philosophes pour élever
leur voix contre ces spectacles inhumains[2]. Mais il suffit d'entendre le
distingué Pline, ce fin lettré, louer éperdument la libéralité de Trajan offrant
le beau spectacle du supplice de quelques délateurs : « On put voir ensuite
un spectacle qui n'énervait pas, qui n'amollissait pas, incapable de relâcher
ou de dégrader les âmes viriles, mais propre à les enflammer pour les belles
blessures et le mépris de la mort, en faisant paraître jusque dans des corps

---

1. Juvénal, VIII, 185 ; Martial, De spect. 7 n'y voient aucun mal ; cf. Tert., Apol. 15, 4-5.
2. Cf. Sénèque, Ep. 7, 2 ; 90, 45 ; 95, 33 ; Philostrate, Apoll. IV, 22 ; Dion Cass. 31, 121 ; 38, 17.

d'esclaves et de criminels l'amour de la gloire et le désir de vaincre... Rien n'a été plus délectable ni plus digne de ce siècle que d'avoir la chance de contempler à nos pieds ces délateurs, les yeux levés vers nous et la tête renversée. Nous les reconnaissions et nous jouissions, quand, tels des victimes expiatoires des tourments publics, les pieds dans le sang des criminels, ils étaient traînés vers de lents supplices et de plus terribles châtiments »[1].

Les chrétiens qui faisaient eux-mêmes souvent les frais de ce genre de divertissement, ont exprimé leur écœurement devant ces boucheries. En même temps, ils témoignent d'une singulière conscience du caractère sacré de la vie. Les Apologistes en tiraient argument pour montrer l'absurdité de l'accusation d'anthropophagie qu'on faisait peser sur eux. « Qui, parmi les hommes, n'est avide de voir les combats de gladiateurs et les combats de bêtes, surtout ceux qui sont organisés par vous ? Mais nous, nous croyons que c'est à peu près la même chose de voir un homme tué et de le tuer, et nous nous écartons de pareils spectacles. Comment donc nous qui ne voulons pas même voir, afin de ne pas contracter nous-mêmes une souillure et une impureté, pourrions-nous tuer ? »[2] La même raison est mise en avant par Théophile d'Antioche : « Même les combats de gladiateurs sont pour nous un spectacle défendu, afin que nous ne soyons ni complices ni témoins volontaires de mises à mort »[3]. Tatien rappelle le sinistre marché humain que les autorités favorisent en permettant à des brigands de se vendre à un *lanista* pour faire profession de gladiateur. « Vous achetez des hommes pour offrir à votre âme la vue d'hommes qui s'égorgent entre eux ; vous la nourrissez, contre toute piété, du sang versé »[4]. Pour Minucius Félix, les combats de gladiateurs sont « une véritable école de meurtre »[5]. Face à cette aberration, la position chrétienne est claire : « Nous ne voulons ni voir l'exécution d'un homme ni en entendre parler. Nous respectons hautement le sang humain »[6]. Dans toutes ces remarques la note dominante est qu'il est indigne que l'on puisse tourner en réjouissance publique le supplice d'autres hommes, fussent-ils des criminels. Ce qui est en cause ce n'est pas tant, semble-t-il, la peine en elle-même que le plaisir inhumain que d'autres en tirent. Tertullien dit dans le *De spectaculis*[7] : « Un homme intègre ne peut se complaire dans le supplice d'un autre homme ; il est plutôt

1. Pline, Panég. 33, 1 et 34, 3-4.
2. Athénagore, Suppl. 35.
3. Ad Aut. III, 15.
4. Disc. 23.
5. Oct. 37, 11.
6. *Id.*, 30, 6.
7. De spect. 19.

peiné de ce qu'un de ses semblables ait pu devenir assez coupable pour être si cruellement immolé ». Pour lui, le danger de l'idolâtrie est d'ailleurs aussi grand que celui du consentement à l'homicide. L'amphithéâtre est le « temple de tous les démons : on y trouve autant d'esprits immondes qu'il y a d'acteurs ou de spectateurs »[1]. Mais il témoigne lui aussi de la même horreur pour les jeux sanglants. En parlant des jeux romains de Jupiter Capitolin où l'on arrosait la statue de Jupiter avec du sang humain : « C'est le sang d'un bestiaire, direz-vous. Apparemment, c'est là moins que le sang d'un homme ! N'est-il encore plus honteux que ce soit le sang d'un malfaiteur ? Ce qui est sûr du moins, c'est qu'il est versé par un homicide »[2].

LES FÊTES

Dans les festivités publiques, les chrétiens brillaient encore plus par leur absence. Celse[3] et Cécilius leur en font le reproche : « Vous vous abstenez des plaisirs honnêtes ; vous n'allez pas au spectacle ; vous n'assistez pas aux processions ; les banquets publics ont lieu sans vous ; vous fuyez avec horreur les concours sacrés, les aliments rituellement entamés et le reste des boissons versées sur les autels... Vous n'enlacez pas de fleurs votre tête, vous ne rehaussez pas votre corps de parfum »[4]. Refuser de participer aux cérémonies qui restaient toujours d'essence religieuse, et de s'associer aux préparatifs multiples et aux réjouissances auxquelles elles donnaient lieu, était interprété avant tout comme un acte d'incivisme et de mépris de la chose publique. Tel était surtout le cas pour les fêtes impériales. Il est possible que les martyrs de Lyon en 177 aient été poursuivis pour leur « inertie » aux cours des préparatifs de la fête pour l'Assemblée des trois Gaules[5]. L'abstention ne passait pas inaperçue. On décorait les maisons de guirlandes et de lampions, on prenait part aux festins publics où étaient consommés entre autres les aliments rituellement entamés. Les participants portaient des couronnes de fleurs. A tout ceci les chrétiens ont cru devoir se refuser en insistant surtout sur le dévergondage auquel ces fêtes donnaient lieu et leur compromission avec l'idolâtrie. Justin déclare ne pas offrir « de nombreux sacrifices ni de couronnes de fleurs aux idoles que les hommes ont façonnées »

---

1. *Id.*, 12.
2. Tertullien, Apol. 9, 5. Sur le respect de la vie, voir aussi Origène, C. Cels. III, 7.
3. Origène, C. Cels., VIII, 17, 21.
4. Minucius, Oct. 12, 5-6.
5. Le consul Flavius Clemens et sa femme Domitilla furent condamnés par Domitien pour « contemptissimae inertiae », pour leur absence aux fêtes païennes, ce qui leur valut aussi d'être accusés d'athéisme : Suet. Dom. 15 ; Dion. Cass., H.R. 67, 14 ; cf. Eus., H.E. III, 18, 4.

parce qu'il n'y reconnaît pas l'aspect de la divinité[1]. Tertullien, Minucius et Clément[2] refusent de porter des couronnes de fleurs parce que cette coutume leur semble être une forme de dévotion aux faux dieux. « Notre refus de toucher aux restes des sacrifices et aux coupes entamées par une libation, dit Octavius, ce n'est pas aveu de crainte, mais affirmation de liberté véritable »[3]. Pour Clément, participer à ces libations serait s'asseoir à la table des démons. C'est là l'unique raison, car dit Clément, « ce n'est pas que nous voulions supprimer toute relation sociale, mais c'est des dangers de la société que nous nous défions comme d'une mauvaise rencontre »[4].

Tertullien estime que les prières que les chrétiens offrent à Dieu pour le salut de l'empereur sont un témoignage plus convainquant de leur loyalisme que l'hypocrisie des païens qui ne demandent à ces fêtes qu'un prétexte pour de nouvelles débauches. Les chrétiens, dit-il, « célèbrent les fêtes des empereurs dans l'intérieur de leur cœur plutôt que par la licence ». « Pourquoi, en effet, nous acquittons-nous des vœux pour les Césars et célébrons-nous leurs fêtes sans cesser d'être chastes, sobres et modestes ? Pourquoi, en un jour de joie, n'ombrageons-nous nos portes de lauriers et ne faisons-nous pâlir le jour à la lumière des lampes ? Rien de plus honnête, quand une solennité publique l'exige, que de donner à sa maison l'aspect de quelque lupanar d'un nouveau genre ! »[5]. C'est donc pour des raisons morales que les chrétiens s'abstiennent de ces fêtes. Clément recommandait de même de se tenir à l'écart des mœurs des banquets : « Qu'on envoie promener au loin les chansons érotiques, et que nos chants soient les hymnes de Dieu ! »[6] Sans cette opposition de tous les instants à des usages païens qu'ils jugeaient inacceptables, les chrétiens n'auraient jamais pu prendre conscience de leur « *bios* » propre. Mais en même temps, ils évacuaient pratiquement toutes les formes d'intégration à la vie sociale romaine.

LES CALOMNIES CONTRE LES CHRÉTIENS

A l'origine de la persécution des chrétiens il y a leur ἀμιξία, leur refus de prendre part aux diverses manifestations de la vie sociale chaque fois qu'ils les estimaient incompatibles avec la foi[7]. Ce n'est pas leur particularisme religieux, mais leur indifférence à la vie collective dans ses habitudes les

---

1. I Ap. 9, 1.
2. Tertullien, Apol. 42, 6. Minucius, Oct. 38, 2.
3. Minucius, Oct. 38, 1.
4. Péd. II 1, 9, 4.
5. Apol. 35, 1.4.
6. Péd. II 4, 44, 4.
7. Sur les premières mesures de persécution, le point a été fait par J. VOGT et H. LAST, *Christenverfolgung*, RLACh I, 1159-1228. Voir aussi : J. MOREAU, *La persécution du christianisme*

plus invétérées qui a attiré sur eux la haine des païens. Toute société sûre d'elle-même se défend spontanément contre les minorités qui vivent dans son sein. Elle sent leur opposition tacite comme une menace pour sa propre sécurité. Or, nous avons dit que si les chrétiens rejetaient les vices de cette société, ils savaient aussi en apprécier les bienfaits. Mais aux yeux des païens faire sécession dans la vie sociale dont les normes étaient incontestées, c'était condamner aussi tout l'idéal de la civilisation impériale à laquelle les romains étaient attachés, dit L. Homo, avec « une religion passionnée »[1]. La première attestation de l'hostilité générale des populations est le récit de l'incendie de Rome de Tacite[2]. Le peuple appelait par dérision *chrestianoi* en jouant sur le mot, ces gens « détestés pour leurs abominations, *per flagitia invisos* »[3]. Dès ce moment le délit de christianisme est fixé. Il suffit de s'avouer chrétien pour être aussitôt accablé des pires crimes que les préjugés de la société attachaient à ce seul nom. Néron les fait supplicier parce qu'ils « sont accusés d'être l'objet de la haine du genre humain ». Cette hostilité des populations remonte aux premières générations chrétiennes et semble s'aggraver à mesure qu'ils sont mieux distingués des juifs et ne profitent plus de la protection d'une religion autorisée par la loi[4]. Dès lors, le christianisme entre aux yeux de l'état dans la catégorie « religio illicita » dont la profession même constitue un délit[5]. Tertullien dit clairement que « la vérité a été détestée dès qu'elle est née. « Aussitôt qu'elle a paru, elle est traitée en ennemie »[6].

Parmi ces « atrocia aut pudenda » dont on les accusait, figuraient en bonne place les griefs de cannibalisme (ou repas de Thyeste)[7] et d'inceste (ou orgies d'Oedipe)[8]. Elles concernent donc les mœurs intimes que l'on prêtait aux chrétiens comme cela se fait, semble-t-il, périodiquement à l'égard de toute société secrète dont les réunions nocturnes, les rites secrets excitent la curiosité. Il faut préciser que les esprits raisonnables

---

dans l'Empire romain, Paris, 1956 ; H. GRÉGOIRE, *Les persécutions dans l'Empire romain,* 2e éd., Paris, 1964 ; E. GRIFFE, *Les persécutions contre les chrétiens aux Ier et IIer siècles,* Paris, 1967.

1. L. HOMO. *Les empereurs romains et le christianisme,* Paris, 1931.

2. Ann. XV, 44. Sur ce point : J. BEAUJEU, *L'incendie de Rome et les chrétiens,* Bruxelles-Bercheim, 1960.

3. Dans la notice de Suétone, Nér. 16, 3, ils sont déjà considérés comme une « superstito nova ac malefica ». De même Pline, Ep. X, 96 : « superstitio prava atque immodica ».

4. Depuis Pompée, cf. Josèphe, Ant. jud., XIV, 4, 1-4 ; Tertullien, Apol. 21.

5. Seul le « nom chrétien » est coupable : Justin, I Ap. 4 ; 24 ; II Ap. 2 ; Tatien, Disc. 27 ; Athén. 2-3 ; Théophile, Ad Aut I, 12 ; Tert. Apol. I, 4 ; II, 1-III, 8.

6. Apol. 7, 3.

7. Just., I Ap. 26, 7 ; II Ap. 12, 5 ; Tat. Disc., 25 ; Athen. 31 et 35 ; Tert. Apol. 7, 1-2 ; Min., Oct. 9, 5 ; Eusèbe, H.E. V, 1, 14.

8. Just., I Ap. 26, 7 ; 27, 5 ; 29, 2-3 ; II Ap. 12, 5. Athen. 31 et 32. Theoph. III, 4. Tert. Apol. 12, 1. Min., Oct. 9, 2. 6-7. Voir aussi H. LECLERCQ, *Accusations contre les chrétiens,* DAL I, 265-307.

ne croyaient pas à ces monstruosités. Justin fait dire à Tryphon[1] : « Ce que la plupart racontent, ce n'est pas croyable ; ce sont des choses trop éloignées de la nature humaine ». Celse lui-même n'y ajoute pas foi et reconnaît qu'il y a parmi les chrétiens des gens honnêtes et raisonnables[2]. Cependant, à la fin du IIe siècle, ces idées étaient encore si largement répandues dans l'esprit des populations que Tertullien et Minucius Félix n'hésitent pas à les exposer et les réfuter en détail. C'est la renommée mensongère, en se glissant dans tous les esprits, qui y a accrédité ces calomnies invérifiables : « C'est elle seule (la *fama*) que vous produisez comme dénonciatrice contre nous : or, les bruits qu'elle a un jour répandus contre nous et qu'après tant d'années elle a accrédités jusqu'à en faire une opinion générale, elle n'a pu jusqu'ici les prouver ! »[3].

Mais plus accablantes que les calomnies sur les mœurs intimes, étaient les accusations d'hostilité envers la société romaine manifestée par leur refus de s'associer aux divers actes de la vie publique comme le culte des dieux, les honneurs rendus aux empereurs, la participation aux réjouissances communes. Parce qu'ils refusaient de se prêter aux cérémonies et aux fêtes où l'on honorait les dieux du polythéisme et les divins empereurs, ils ont mérité l'accusation d' « athéisme », et de sacrilège[4]. Tout ce que les autorités réclamaient dans cette prestation qui à leurs yeux ne signifiait nullement un quelconque acte de foi, c'était un témoignage de loyalisme à l'égard de la cité et de l'état. S'obstiner à refuser ces marques extérieures par lesquelles se reconnaît la communauté d'appartenance à un monde où tout est intégré, c'est passer pour ennemi public. La preuve en est que les juges ne s'intéressent pas aux actions passées des chrétiens qu'ils interrogent. Ils ne leur demandent pour les relâcher qu'un geste symbolisant leur piété envers les dieux et leur loyauté envers l'empereur. L'obstination avec laquelle ils s'y refusaient confirmait dans l'esprit des magistrats le sentiment qu'ils étaient inassimilables aux normes communes et ils les condamnaient en conséquence.

Tertullien a clairement vu que c'était dans ce refus que résidait la raison de l'inimitié en laquelle les tenait la société païenne : « Vous n'honorez pas les dieux, dites-vous, et vous ne vous acquittez pas des sacrifices pour les empereurs ? Que conclure de là ? Uniquement que nous ne sacrifions

---

1. Dial. 10, 1-2.
2. Origène, C. Cels. I, 27.
3. Apol. 7, 14 ; cf. 8-13 ; Min., Oct., 9, 3 et 28, 6. Cf. Théoph., Ad Aut. III, 4. Just., I Ap. 49, 6-7.
4. Justin, I Ap. 6, 1 ; 13, 1 ; 26, 2.7 ; II Ap 3, 2 ; 12, 2 ; Mart. Polyc. 3, 2 ; 12, 2. Tat., Disc., 27 ; Athen. 3.4 ; 10.11, 14 ; Eus., H.E., V. 1, 9.14.63. Tertullien appelle le crime de sacrilège : « lèse-religion », « lèse-divinité », « lèse-majesté impériale » : Apol. 24, 1 ; 27, 1 ; 28, 3. Cf. 5, 10 ; 10, 1. Cf. W. Westle, *Atheismus,* RLACh I, 866 s.

pas pour d'autres par la raison qui nous empêche de sacrifier pour nous-mêmes, et cette raison, c'est qu'une fois pour toutes, nous nous abstenons d'honorer les dieux. Et voilà pourquoi nous sommes poursuivis comme coupables de sacrilège et de lèse-majesté. C'est là le point capital de l'accusation ou plutôt c'est l'accusation tout entière. Summa haec causa, immo tota est »[1].

LES NORMES DE L'EXISTENCE CHRÉTIENNE

Mais l'attitude des chrétiens a été beaucoup plus complexe en réalité. En condamnant les perversions d'une civilisation qui en fait d'idéal humaniste continuait à entretenir même parmi ses élites les plus cultivées un fond inadmissible de barbarie, ils entendaient marquer le domaine qui, à leurs yeux, était le *monde*, cette réalité encore au pouvoir du Mauvais[2] et avec laquelle ils ne pouvaient se compromettre sans se renier entièrement. Ils n'ont pas rejeté toute vie sociale comme telle. Mais devant les situations concrètes que leur offrait leur insertion dans le milieu païen, ils ont jugé chaque circonstance particulière à la lumière de leur identité propre. Quand les mœurs du siècle sont incompatibles avec la morale évangélique, il faut se tenir à l'écart. Pour les chrétiens, il s'agissait de renoncer à leurs habitudes anciennes, de sacrifier leur vie sociale, de s'arracher à ce qui jusqu'alors faisait souvent leur joie de vivre. Clément encourage justement ses néophytes dans le *Protreptique* à rejeter, « comme un poison pernicieux, la *coutume* établie ». C'est en « prisonniers de la coutume » qu'ils ont eux-mêmes jadis détesté la vraie religion[3]. « Fuyons la coutume, fuyons-la comme un promontoire difficile, ou la menace de Charybde, ou les sirènes de la fable ; elle étouffe l'homme, elle le détourne de la vérité, elle l'écarte de la vie, c'est un filet, c'est un barathre, c'est un trou, c'est un mal dévorant »[4].

Dans les catalogues de vices que nous ont laissés les auteurs chrétiens[5], trois maux émergent constamment comme un condensé de tous les autres : ce sont l'idolâtrie, l'impudicité, l'homicide. L'idolâtrie imprègnait la vie antique à tous les niveaux depuis les habitudes de langage comme les serments que l'on prêtait par les dieux[6], jusqu'au culte officiel lui-même. Pour ne pas se souiller au contact ou à la vue des idôles, ni paraître vénérer des faux dieux, les chrétiens ont invoqué ce motif comme l'un des plus

---

1. Apol. 10, 1.
2. Cf. I Jn. 5, 19.
3. Protr. X 89, 3 sq.
4. *Id.*, XII, 118, 1.
5. Ga 5, 19 ; 1 Co 11, 9 ; Rm 1, 29 s ; cf. Théoph. Ad Aut. I, 2 ; Did. V, 1. Voir *infra*, p 258.
6. De idol. 20.21.22.

déterminants de leur sécession de la société païenne. Paul lui-même reconnaissait déjà que le contact avec l'idôlatrie, était inévitable. « En vous écrivant, dans ma lettre, de n'avoir pas de relations avec les impudiques, rappelle-t-il aux Corinthiens, je n'entendais pas d'une manière absolue les impudiques de ce *monde*, ou bien les cupides et les rapaces, ou les idolâtres ; car il vous faudrait alors sortir du *monde* »[1]. A la fin du IIe siècle, Tertullien pose le problème avec le plus de netteté[2]. Toute la vie sociale est dominée par l'invocation des idôles, entre autres dans les jeux et dans les spectacles dont « l'idolâtrie a fait une espèce de sacrifice à Satan et à ses anges »[3]. « D'ailleurs les rues, les places, les bains, les hôtelleries, nos maisons mêmes ne sont pas sans quelque idole : Satan et ses anges ont occupé le monde entier. Nous ne nous coupons pas de Dieu parce que nous demeurons *dans* le monde, mais seulement si nous tombons dans les *fautes* du monde »[4]. L'idéal pour lui serait que les chrétiens n'aient pas à fréquenter les païens mêlés à l'idôlatrie, mais il ajoute que si c'est impossible, rien n'empêche les chrétiens de s'en distinguer par leur conduite dans les choses du siècle, « *quia saeculum Dei est, saecularia autem diaboli* »[5]. Il est donc impossible de prendre part aux réjouissances publiques. Prenez par exemple l'amphithéâtre : tout y respire l'idôlatrie, « la pourpre, les écharpes, les bandelettes, les couronnes, les haranques, les discours, les festins qu'on fait la veille »[6]. La conclusion est que « nous devons détester ces assemblées païennes, car c'est là que le nom de Dieu est blasphémé, c'est là que chaque jour on réclame les lions contre nous, c'est là qu'on décide les persécutions, c'est de là que nous viennent nos tentations »[7].

C'est encore l'idôlatrie qui empêche le serviteur de Dieu de prendre part à une dignité officielle ou une charge publique. Tertullien voit mal comment il pourrait y échapper. « Que quelqu'un exerce, je le veux bien, les fonctions de l'état, mais sans sacrifier, sans même ordonner de sacrifices, sans fournir de victimes, sans pourvoir à l'entretien des temples, sans en assurer les revenus, sans donner à ses frais, ni à ceux du public, des spectacles et sans y présider : je le veux bien, je le répète, si l'on croit la chose possible »[8].

L'immoralité et la cruauté sanguinaire des spectacles sont deux autres

---

1. 1 Co 5, 9-10.
2. De idol. 1 : « Principale crimen generis humani, summus saeculi reatus, tota causa iudicii idololatria ».
3. De spect. 4 ; De cultu fem. 8 ; Minucius, Oct. 37, 11.
4. De spect. 8.
5. Id., 17.
6. Id., 12.
7. De spect. 26.
8. De idol. 17.

raisons majeures de la défection des chrétiens. Mais ils ne se sont pas contentés de décrier les tueries de l'amphithéâtre ni l'érotisme vulgaire de la scène, ils se sont élevés contre d'autres formes — hélas fort courantes — d'homicide ou d'impudicité : l'avortement et l'exposition des enfants, la prostitution et la pédérastie. Sous l'Empire, dans toutes les classes de la société, le mariage avait fini par n'être plus qu'une simple association de biens que l'un des deux époux pouvait rompre à volonté. Malgré les efforts d'Auguste, la proportion des divorces restait considérable[1]. La conséquence est que avortements[2] et expositions d'enfants[3] étaient devenus très fréquents. Il faut attendre les rescrits de Sulpice-Sévère et de Caracalla pour voir interdire les médicaments abortifs[4]. « Quant à nous, dit Justin, bien loin de commettre l'injustice ou l'impiété, nous regardons comme un crime d'exposer les enfants, d'abord parce que c'est les vouer presque tous à la prostitution, non seulement les jeunes filles, mais les jeunes garçons... La seconde raison pour laquelle nous n'exposons pas les enfants, c'est que nous craignons que faute de quelqu'un qui les recueille, ils ne viennent à mourir et que nous soyons coupables d'homicides »[5]. Athénagore prend également argument du refus des chrétiens de pratiquer l'avortement et l'exposition des enfants pour refuter l'accusation stupide de cannibalisme[6]. Tertullien à son tour accuse ses interlocuteurs païens : « Combien de ces hommes qui nous entourent et qui sont avides du sang des chrétiens, combien même d'entre ces gouverneurs pour vous si justes et si sévères pour nous, voulez-vous que j'accuse devant leur conscience, parce qu'ils tuent les enfants qui viennent de leur naître ? ». Pratiquer l'avortement, c'est commettre un « homicide anticipé ». « Peu importe qu'on arrache l'âme déjà née, ou qu'on la détruise au moment où elle naît »[7]. Pour Minucius Félix c'est également un « parricide »[8]. La constance avec laquelle cette affirmation revient est une preuve supplémentaire de ce respect sacré de la vie que nous avons déjà reconnu aux chrétiens. Elle est aussi l'un des traits les plus concrets de la nouveauté chrétienne dans un monde où le droit ne considérait pas le fœtus comme un être vivant.

Une autre plaie de la société impériale était les proportions qu'y pre-

---

1. Cf. Martial, Epigr. VI, 7 ; Sénèque, De benef. III, 16.
2. Cf. Ovide, Am. II, 13, 1-2 ; 14, 7-48 ; Juv., Sat. II, 32 ; VI, 366, 368, 592-597 ; Tac., Ann. 14, 63 ; Sen., Ad. Helv. 16 ; Quint., Inst. 8.4.11 ; Pline, Ep. 4, 11 ; Gell 12, 1.8.
3. Suét., Aug. 65 ; Sén., De bénéf. III, 16 ; Pline, Ep. X, 21 ; Dion Cass. 45, 1.
4. Dig. 48, 8, 3, 1-3 ; 40, 7, 3, 16.
5. I Ap. 27, 1 ; cf. 29, 1.
6. Suppl. 35.
7. Apol. 9, 6.8. Cf. Ad. Nat. 1, 16.
8. Oct. 30, 2. Cf. Théophile, Ad Aut. III, 5.

nait la prostitution. Elle était la destination habituelle des masses d'enfants abandonnés. Justin disait : « Aujourd'hui on élève des enfants uniquement en vue de la débauche »[1]. Tatien[2], Athénagore[3], Théophile[4], Clément font écho à son indignation. A l'accusation d'*infructuositas negotiis*, Tertullien réplique que ceux qui peuvent avec raison se plaindre de l'improductivité des chrétiens, « ce sont en premier lieu les entremetteurs, les suborneurs, les souteneurs, puis les assassins, etc... »[5].

LES PROFESSIONS INTERDITES

Ces mêmes raisons ont tenu les chrétiens à l'écart de certains métiers compromis avec l'idolâtrie, l'homicide ou la fornication. A strictement considérer les choses, il y avait peu de métiers qui ne fussent de près ou de loin mêlés aux dieux du paganisme. Tertullien, avec une intransigeance qui n'a pas été suivie, recommandait d'être prêt à tout moment à renoncer à sa profession en argüant devant ceux à qui cela posait la question de leur subsistance que « la foi ne craint pas la faim »[6]. Dans la pratique, il n'y eût d'interdiction formelle que pour certains cas précis. Nous avons, grâce à la *Tradition Apostolique*[7] d'Hippolyte, une liste des métiers incompatibles avec la réception du baptême. Le motif de l'idolâtrie est l'un des plus fréquents. En premier lieu, les fabricants d'idôles. Ils étaient nombreux. La montée du Christianisme leur rendait la vie difficile. Partout ils voyaient leur clientèle baisser[8]. Il était difficile d'exercer le métier de sculpteur, de peintre ou de décorateur sans être amené à travailler sur des sujets tirés de la mythologie. « Si quelqu'un est sculpteur ou peintre, qu'on lui apprenne à ne pas faire d'idôle. S'il ne veut pas cesser, qu'on le renvoie ». La consigne s'adressait naturellement aussi aux prêtres des idôles et aux gardiens des temples. Elle s'étendait à plus forte raison aux magiciens et aux astrologues dont la vogue était d'ailleurs considérable au IIe siècle. « Ce sont là, dit Tertullien, des sciences inventées par les anges rebelles et interdites par Dieu, auxquelles les chrétiens ne recourent même pas quand il s'agit de leurs propres intérêts »[9]. La *Tradition* d'Hippolyte est formelle : « Qu'un sorcier, un astrologue, un devin, un

---

1. I Ap. 27, 1.
2. Disc. 28.
3. Suppl. 34.
4. Ad Aut. III, 6.
5. Apol. 43-1.
6. De idol. 12.
7. Trad. apost. 16.
8. Cf. aussi De idol. 4 sq.
9. Apol. 35, 12 ; cf. De idol. 9.

interprête de songes, un prestidigitateur ou un fabricant de philactères cesse ou qu'on le renvoie ». Tertullien interdit aussi le métier de professeur dont le rôle était précisément de livrer une culture qui depuis l'enseignement de la lecture jusqu'à l'apprentissage de la rhétorique faisait appel aux textes et aux histoires de la mythologie. Lui-même devra cependant reconnaître qu'en dehors de ces études profanes, il n'y a pas de culture possible[1]. La *Tradition Apostolique* sur ce point fait preuve de plus d'indulgence : « Si quelqu'un enseigne aux enfants les sciences profanes, dit-elle, il est préférable qu'il cesse ; mais s'il n'a pas de métier, qu'on le lui permette ».

Les autres interdictions sont en rapport avec le respect chrétien de la vie. La *Tradition Apostolique* interdit aux soldats chrétiens de tuer et aux magistrats des cités (« rector urbis » : il y en avait donc en ce début du IIIe siècle qui demandaient leur entrée dans l'Église) qui ont le pouvoir du glaive de se présenter au baptême[2]. Elles concernent aussi les jeux sanglants, en particulier le métier de gladiateur : « Qu'un gladiateur ou quelqu'un qui apprend aux gladiateurs à combattre, ou quelqu'un qui s'occupe des chasses, ou un officier public qui s'occupe des jeux de gladiateurs cesse ou qu'on le renvoie ». De même ceux qui participent habituellement aux jeux du cirque, soit en acteurs ou en spectateurs : « Que l'aurige ou quelqu'un qui lutte dans les jeux publics ou les fréquente cesse ou qu'on le renvoie ». Les gens de théâtre ne peuvent pas davantage faire partie de l'Église sans renoncer à leur profession. Cette interdiction reste une des plus constante dans les premiers siècles[3]. La même incompatibilité s'étend naturellement à ceux qui font un métier de la prostitution.

Partout ailleurs où leur présence leur semblait ne pas être un cautionnement des mœurs inacceptables du monde, les chrétiens participaient à la vie économique. Les griefs que Tertullien exprime contre le commerce[4] sont des exagérations manifestes. Le même Tertullien était obligé de constater à la fin du IIe siècle que les chrétiens sont partout : « Nous sommes d'hier, et déjà nous avons rempli la terre et tout ce qui est à vous : les villes, les îles, les postes fortifiés, les municipes, les bourgades, les camps eux-mêmes, les tribus, les décuries, le palais, le sénat, le forum ; nous ne vous avons laissé que les temples ! »[5].

---

1. Cf. *infra*, p 324-325.
2. Aussi Tert., De idol. 19.
3. Cf. Cypr. Ep. II, 1 : « Puto ergo... ut pudor et honor ecclesiae tam turpi et infami contagione foedetur ».
4. De idol. 11 ; cf. 15 ; Irénée, Adv. Haer., IV, 30, 1, au contraire est beaucoup plus positif.
5. Apol. 37, 4 ; cf. 42, 2.

LA NOUVEAUTÉ DU « GENRE DE VIE » CHRÉTIEN

Certaines protestations de dédain à l'égard des préoccupations de la cité humaine[1], sont manifestement excessives. Beaucoup plus intéressant est l'effort de Clément d'Alexandrie dans son *Pédagogue* pour présenter la spécificité du *bios* chrétien dans un monde dont la durée se prolonge et où il faut de plus en plus compter avec les dures réalités du siècle. Ces réalités qui formaient en l'occurence la civilisation romaine, les chrétiens ne les ont ni acceptées ni rejetées en bloc. Ce qu'ils condamnent, c'est seulement cet ensemble de pratiques et de traditions qui, à leurs yeux, reste encore au pouvoir de l'Adversaire de Dieu dans la phase actuelle de l'histoire du salut. La sécession des chrétiens d'une grande partie de la vie publique païenne n'est pas basée, comme chez les gnostiques, sur un dualisme ontologique, mais sur un dualisme éthique. Ce qu'ils refusent dans le « way of life » romain ce sont ses vices et son idolâtrie. Si, dans les premiers temps, leur extrême réserve, renforcée par la suspicion et la haine en laquelle les tenaient leurs concitoyens païens, a pu être interprêtée comme une volonté de vivre en ghetto[2], ils ont eu rapidement l'occasion de prouver que leur distance par rapport à certains aspects de la vie collective n'était en réalité qu'une condamnation de ses tares les plus inacceptables.

Cette attitude, aussi éloignée du dualisme gnostique que de certaines formes ultérieures de Kompromiss-Ethik[3] a été exprimée de la manière la plus remarquable à la fin du IIᵉ siècle par l'*Epître à Diognète*[4]. « Les chrétiens ne se distinguent des autres hommes ni par le pays, ni par le langage, ni par les vêtements. Ils n'habitent pas de villes qui leur soient propres, ils ne se servent pas de quelque dialecte extraordinaire, leur genre de vie n'a rien de singulier... Ils se répartissent dans les cités grecques et barbares suivant le lot échu à chacun ; ils se conforment aux usages locaux pour les vêtements, la nourriture et la manière de vivre, tout en manifestant les lois extraordinaires et vraiment paradoxales de leur république spiri-

---

1. Par ex., Tatien, Disc., 11 : « Je ne veux pas régner, je ne veux pas être riche, je dédaigne les honneurs militaires... » ; Mart. Scill., Speratus : « Ego imperium huius saeculi non cognosco ». Tert., Apol. 46 ; « Christianus nec aedilitatem affectat ! » ; 38, 3 ; « Nec ulla magis res aliena quam publica ». Et surtout, De pallio 5 : « Secessi de populo. In me unicum negotium mihi est ; nisi aliud non curo quam ne curem. Vita melire magis in secessu fruare quam in promptu. »
2. Cf. Minucius, Oct. 8, 4.
3. Harnack, *Mission* II p. 322 sq.
4. A. Diogn. 5, 1-10. Voir aussi Tert., Apol. 42, 2 : « C'est pourquoi, sans laisser de fréquenter votre forum, votre marché, vos bains, vos boutiques, vos magasins, vos hôtelleries, vos foires et les autres lieux de commerce, nous habitons ce monde avec vous, *cohabitamus hoc saeculum.* »

tuelle. Ils résident chacun dans sa propre patrie, mais comme des étrangers domiciliés. Ils s'acquittent de tous leurs devoirs de citoyens et supportent toutes les charges comme des étrangers. Toute terre étrangère leur est une patrie et toute patrie une terre étrangère. Ils se marient comme tout le monde, ils ont des enfants, mais ils n'abandonnent pas leurs nouveaux-nés. Ils partagent tous la même table, mais non la même couche. Ils sont dans la chair, mais ne vivent pas selon la chair. Ils passent leur vie sur la terre, mais sont citoyens du ciel. Ils obéissent aux lois établies et *leur manière de vivre l'emporte en perfection sur les lois* ».

Dans la civilisation impériale que les contemporains défendaient passionnément pour sa perfection formelle, mais où la personne humaine avait peu de prix, la nouveauté chrétienne sonne comme une libération[1]. Cette civilisation, précisément parce qu'elle avait une si haute idée d'elle-même, était finalement totalitaire et n'admettait pas d'autres conceptions du bonheur que celle au service de laquelle elle prétendait se mettre. Les chrétiens représentaient justement une autre idée de la société humaine, à laquelle ils pensaient pouvoir seuls restituer ses vraies dimensions et ses véritables assises. Ils cherchaient à être, dès la vie présente, une préfiguration de la communauté eschatologique où, après avoir vaincu le mal, source des divisions et des injustices des hommes, Dieu serait « tout en tous ». Ainsi la conscience chrétienne d'être, au centre de l'histoire, le nouveau peuple définitif de l'humanité s'accompagne-t-elle de l'idée de la supériorité irréductible de leur *bios* en ce monde où ils cherchent à vivre déjà selon la perfection du siècle à venir.

---

1. La nouveauté chrétienne, dans tous les aspects de son jugement sur le monde, a été magistralement mise en lumière par l'ouvrage très suggestif de K. Prumm, *Christentum als Neuheitserlebnis. Durchblick durch die christlich-antike Begegnung*, Freiburg/Breis., 1939.

CHAPITRE VII

L'AUTORITÉ DE CÉSAR

« A CÉSAR CE QUI EST A CÉSAR ».
« A DIEU CE QUI EST A DIEU »

Dans son enseignement, Jésus s'est peu préoccupé du problème de l'état. Il n'y fait allusion que dans sa réponse à la question insidieuse au sujet de l'impôt que lui posèrent Pharisiens et Hérodiens, les uns opposés, les autres favorables à l'occupation romaine[1]. « Rendez à César ce qui est à César et à Dieu ce qui est à Dieu »[2]. La réplique montre le peu d'importance que Jésus attache à une question qui n'avait de sens que pour la conscience théocratique juive. Il renvoie ses interlocuteurs dos à dos en refusant de se laisser enfermer dans leur dilemme. Les affaires de César sont une chose, les affaires de Dieu en sont une autre. Elles ne se situent pas sur le même plan. Le domaine de ce qui est à César n'est pas à confondre avec le domaine de ce qui est à Dieu. Jésus a refusé de se comporter en Messie politique. Son rôle est d'annoncer l'arrivée imminente du Royaume de Dieu et non de renverser les réalités terrestres. Le Christ a rejeté comme satanique la tentation zélote de restaurer la théocratie juive contre l'occupant romain. Dans les Synoptiques, on a vu que c'est le Diable qui lui offre les royaumes de la terre[3]. Se faire passer pour un Messie politique eût été renier sa condition de Serviteur souffrant soumis à Dieu, et servir Satan, le prince de ce monde[4]. Le puissant mouvement zélote prônant une conception politique du Royaume de Dieu est toujours à considérer

---

1. Mc 12, 13.
2. Mc 12, 17.
3. Mt 4, 8, Lc 4, 5 ; cf. *supra*, p 109.
4. La même tentation est renouvelée par Pierre : Mc 8, 33, Mt 16, 23 ; Juda : Lc 22.3, et à Gethsemani : Lc 22.40.

à l'arrière-plan de l'activité de Jésus. En réagissant contre ses idées de subversion révolutionnaire, le Christ a constamment démarqué son enseignement au sujet du Royaume par rapport aux préjugés couramment admis par la foule palestinienne — qui veut en faire le roi restauré d'Israël[1] — et par ses propres disciples qui, même après la résurrection, attendront encore un Royaume terrestre[2]. Le Royaume de Dieu ne sera pas conquis par la violence ni par les armes[3]. C'est pourtant comme zélote que Jésus fut accusé devant Pilate[4], et comme tel qu'il fut condamné par l'état romain[5]. Il fut crucifié comme quelqu'un qui a prétendu à la royauté dans son pays. Pour Rome, ce n'était pas sortir de la légalité, mais c'était une erreur judiciaire.

Pourtant l'enseignement de Jésus était clair. « Ma royauté n'est pas *de ce monde* », « ma royauté n'est pas *d'ici* »[6]. La réponse de Jésus à Pilate ne comporte aucune allusion à un quelconque royaume terrestre. Le Christ ne s'affirme jamais roi au sens où Pilate voudrait le lui faire dire[7]. Il parle au contraire de l'*origine* de sa propre *basileia*. Selon l'antithèse johannique, cette royauté n'a pas son principe dans « ce monde-ci », car elle n'est pas de nature humaine, mais elle est « de Dieu », d' « en-haut », et sera définitivement acquise sur la croix[8]. Il n'y a donc pas de commune mesure entre l'accusation qui fait de Jésus un zélote prétendant au trône d'Israël et l'affirmation d'une royauté de type cosmique et eschatologique qui s'étend à la création tout entière jusqu'à la fin des temps. La royauté du Christ n'entrera jamais en conflit avec celle de César sur un plan d'égalité. Les deux règnes coexistent sans s'exclure, chacun dans son ordre : celui du Christ relève de la sphère de l'accomplissement des desseins de Dieu, celui de César est lié au cadre même du monde actuel qui poursuit son cours. Jésus n'a jamais mis en cause en tant que telles les autorités publiques, juives ou romaines. Il a affirmé que l'état avait droit à ce qui lui était nécessaire pour exister ; ainsi l'impôt. Mais il lui a aussi assigné pour limite de ne pas s'immiscer dans la sphère de « ce qui est à Dieu ». S'il sort de son domaine pour revendiquer ce qui ne lui appartient pas, l'état dispute

---

1. Jn 6, 15.
2. Ac 1, 6.
3. Mt 11, 12 ; Lc 16, 16 ; Mt 26, 52.
4. Lc 23, 2.
5. Cf. O. CULLMANN, *Dieu et César,* Neuchâtel-Paris, 1956, p. 52. La secte des Zélotes a été étudiée par M. HENGEL, *Untersuchungen zur Judischen Freiheitsbewegung in der Zeit von Herodes I bis,* 70 n. Chr., Leyde, 1961. La position de ceux qui ont voulu faire de Jésus lui-même un Zélote ne repose sur aucun argument sérieux. Voir à ce sujet la mise au point récente de O. CULLMANN, *Jésus et les révolutionnaires de son temps*, Neuchâtel-Paris, 1970.
6. Jn 18, 36.
7. « C'est toi qui dis que je suis roi » Jn 18, 37 ; cf. Lc 23, 3.
8. Cf. Jn 12, 31-33.

alors au Christ une *basileia* que lui seul exerce de droit sur tout l'univers. Le conflit entre le Règne du Christ et l'Empire de César devenait cependant inévitable en raison même du caractère de l'état romain et de ses exigences religieuses.

L'ÉTAT ROMAIN

La Paix Romaine fut, aux deux premiers siècles, l'œuvre du régime impérial. Sans la concentration du pouvoir entre les mains du vainqueur Octave, la paix n'eût pas été possible. Le nouveau régime est né avec les temps nouveaux ; il en est à la fois le fruit et le promoteur ; il se confond avec les aspirations séculaires à un ordre stable et durable qui est le but au service duquel il prétend s'ériger. Or l'état romain, établi sur de nouvelles bases, n'est pas culturellement ni idéologiquement neutre. Il ne se réduit pas à une organisation administrative et militaire ; il n'est pas une entité juridique abstraite. Il est la forme même d'une humanité qui pense être arrivée à son apogée, parce qu'il en est l'armature. Le monde romain est matériellement, juridiquement, spirituellement intégré en un seul tout. Il n'y a plus de divorce entre la vision que les Anciens peuvent avoir du monde et l'état romain. L'Empire, parce qu'il fait barre au chaos, s'impose à l'esprit des contemporains comme une sorte de nature.

Le régime impérial du Haut-Empire est aussi éloigné de l'oligarchie sénatoriale et corrompue de la fin de la République[1] que de la bureaucratie totalitaire du Bas-Empire. Le *princeps* est au service de l'état. En restaurant la *res publica* accaparée et dilapidée par l'aristocratie sénatoriale, Auguste réalisait le vœu de Cicéron appelant au milieu des troubles l'homme supérieur qui pût assurer la défense et le gouvernement de l'état au-dessus des intérêts particuliers[2]. Constitutionnellement, les pouvoirs qu'il invoque sont issus de la tradition républicaine. Il a l'impérium majus proconsulaire qui lui donne le commandement de toutes les provinces, la tribunicia potestas, et sans doute une auctoritas particulière. Mais il n'est pas comme le « dominus et deus » du Bas-Empire lui-même la source du pouvoir. Au moins dans la fiction, l'imperium dont tout nouvel empereur est automatiquement investi depuis Tibère et la potestas qui en découle lui sont délégués par l'intermédiaire du Sénat par le peuple romain. La restauration d'Auguste fut aussi religieuse et morale. Il s'agit de revenir à la *virtus* des ancêtres et de faire régner la *pax deorum*, puisque ce sont les dieux qui ont donné l'Empire à la cité. Maintenant que la cité romaine s'étend au monde, elle n'en continue

---

1. Cf. Dion Cass., Hist. rom. 56, 43-44.
2. Cicéron, Rep. I, 56.59.69 ; 3, 31 ; 6, 8.10.13.18.

pas moins, par sa nature même, a avoir pour fondement les dieux de l'ancienne civitas. Auguste, en 12, revêt la dignité de Pontifex Maximus qui le fait chef du paganisme gréco-romain. La religion traditionnelle n'est pas morte. Les empereurs même les plus orientalisés continuent d'élever des temples, d'instituer des collèges de prêtres et d'organiser des cérémonies, souvent par piété personnelle, mais toujours par piété civique. Jupiter, « jadis fondateur, aujourd'hui génie tutélaire de cet empire »[1], règnant seul dans le ciel comme l'empereur sur la terre, joue d'ailleurs un grand rôle dans l'idéologie monarchique[2].

L'état impérial est donc comme la synthèse des éléments constitutifs de la civilisation romaine. Il est le garant de la *Pax*, pense qu'il est promu à une destinée éternelle, se fixe pour but de servir un idéal de justice en rendant possible à chacun l'épanouissement d'une vie heureuse selon l'idéal de l'éducation hellénistique, la plus parfaite qui soit. Il reste d'essence religieuse par le lien qu'il établit entre les hommes et les dieux gardiens de la permanence de la patrie. Tout ce que les chrétiens rejetaient comme idolâtrique ou diabolique dans la religion, les mœurs et la culture païennes, ils le trouvaient résumé dans l'état comme dans le pôle où se nouait la conscience collective du monde romain. Tenté de s'ériger en absolu, il devenait alors le symbole du *monde* encore hostile à Dieu, surtout lorsque ses prétentions prenaient la forme du culte impérial[3].

LE CULTE IMPÉRIAL

La religion impériale n'est pas une création des empereurs. Elle n'est pas davantage une nouvelle religion qui serait venue se supplanter à l'ancienne. Elle reste, dans le prolongement de la religion civique, un culte qui est une manifestation de loyalisme à l'égard de l'état. A la cité étendue désormais à l'univers, il fallait une divinité universelle pour fonder sa stabilité et son éternité. On a vu le développement du parallélisme entre la monarchie divine exercée par Jupiter et la monarchie humaine à laquelle préside l'empereur sur la terre. Le culte impérial fut dès les premières années de l'empire une manifestation spontanée du loyalisme des peuples envers Auguste. Dans l'Orient hellénistique il n'était pas une nouveauté. Depuis l'éclatement de la cité et les conquêtes macédoniennes, l'idée du souverain supérieur au commun des mortels avait fait son chemin. Chez les Anciens, la frontière entre l'humain et le divin n'a d'ailleurs jamais

1. Pline, Panég. Traj., 1, 6.
2. Cf. Dion Chrys., Orat. I, 11 s. 37 s ; 36, 22 s.
3. Sur le culte impérial, l'ouvrage le plus complet reste celui de L. CERFAUX et J. TONDRIAU, *Un concurrent du christianisme, le culte des souverains dans la civilisation gréco-romaine,* Tournai, 1957.

été bien marquée. Il faut attendre les débuts d'une nouvelle religiosité au IIe siècle pour avoir de la divinité une conception absolument transcendante. Le plus souvent, il n'y a qu'une différence de degré. Hommes et dieux sont issus d'une même souche ; ils sont de la même nature[1]. Aristote enseignait à Alexandre que l'homme providentiel qui, dans la cité, exercerait le pouvoir absolu, serait comme un dieu échappant aux lois[2]. L'immortalité et la divinité sont les récompenses d'une parfaite *arétè* ou *virtus*. Pour Cicéron, qui reprend ces considérations à son compte[3], le type même en est Hercule. Les hommes qui ont bien servi la patrie sont divins[4].

A la suite d'Alexandre, les Séleucides et les Lagides s'étaient fait attribuer les honneurs divinisants, mêlant la mystique hellénitique aux traditions achéménides et pharaoniques. Quand sonna l'heure d'Auguste, la reconnaissance des provinces et en premier lieu celles d'Asie avec Pergame et Mytilène, mais aussi d'Espagne, se manifesta spontanément en lui créant un culte. A Rome même on s'en tenait à l'apothéose de l'empereur mort qu'un décret du Sénat[5] plaçait parmi les *Divi* qui étaient par la suite honorés par des jeux, et dont le culte était administré par leurs collèges de prêtres. Dans les provinces, le culte d'Auguste avait été le plus souvent associé à celui de la déesse Rome, maîtresse du monde. La politique des premiers empereurs fut d'y apporter un frein plutôt que de l'encourager[6]. Sous les Antonins, plutôt qu'à l'empereur mort et à l'abstraction Rome, la dévotion se porta sur les empereurs vivants. Le culte impérial parut rapidement comme le lien religieux — et donc patriotique — qui unissait les différents habitants de l'Empire à leur cité commune. Dans les capitales de toutes les provinces (Lyon pour les trois Gaules fédérées, Pergame pour l'Asie, etc.), où s'élevait le temple de Rome et d'Auguste se tenaient aussi les assemblées provinciales dans lesquelles le *flamen provinciae,* ou l'*archiereus* en Orient, jouaient un rôle capital. Les empereurs n'ont en général pas exagéré leur prétention à la divinisation de leur vivant à l'exception de Gaïus, Néron, Dominitien et du dernier des Antonins, Commode. Ces derniers représentent plutôt une réaction de l'esprit oriental qui triomphera définitivement dans la religion impériale à partir des Sévères. Mais sous le Haut-Empire, les princes restent surtout des candidats à l'apothéose. Les cérémonies par lesquelles les habitants de l'Empire étaient amenés à

1. Cf. Hésiode, Trav., 108, Héraclite, fr 62 ; Pindare, Ném. 6, 1.
2. Polit. 1284 *a*, 3 ; 1284 *b*, 25-30.
3. Tusc. I, 14, 32-33. Cf. Leg. II, 11, 27-28.
4. Pro Sextio, 143. « Imitons nos grands hommes, les Brutus, les Camille, etc... qui ont consolidé la République et que, pour ma part, je place au nombre et au sein des dieux mortels ».
5. Dion Cass., Hist. rom. 74, 4-5.
6. Cf. Tacite, Ann. IV, 37 ; Dion Cass. LI, 20, 6, 7.

honorer leurs images sont des rites de pur civisme et ne pouvaient en rien heurter la conscience d'un païen. Aussi ne pouvaient-ils pas comprendre que l'on puisse obstinément s'y refuser. Les chrétiens virent au contraire dans l'adoration que réclamait l'empereur une volonté d'accaparer un domaine de l'être qui ne revenait qu'au Christ, seul Seigneur de la création.

LA MISSION DE L'AUTORITÉ PUBLIQUE

Pendant les premières décennies de son existence, le christianisme n'a pas été inquiété par l'autorité romaine. Les communautés étaient numériquement trop faibles pour éveiller l'attention des milieux officiels. Il est remarquable qu'avant les années 90, les documents chrétiens ne manifestent aucune opposition à l'égard de l'état romain[1]. On est au contraire frappé par la doctrine très positive à son endroit de divers textes du Nouveau Testament[2]. La première génération chrétienne n'a pas vu dans l'Empire un ennemi. Les récits de la passion du Christ et des premières prédications missionnaires des apôtres tendent au contraire à faire valoir la neutralité du pouvoir romain dans le procès de Jésus et devant l'annonce de l'Évangile pour mettre en évidence la responsabilité des juifs. Jusqu'à la chute de Jérusalem, ce sont les juifs qui figurent au premier rang des persécuteurs[3]. La vision historique de Luc montrant le monde païen accueillant l'Évangile ménage au contraire une place positive à l'Empire.

Les textes de Paul et leur parallèle dans la *Prima Petri* reflètent un thème commun de la parénèse primitive. Le développement sur l'attitude à observer à l'égard des autorités s'insère dans le contexte des exhortations relatives aux rapports avec autrui : amis ou ennemis, païens ou frères, époux, domestiques, etc. Il est nettement lié d'autre part à l'attente de la parousie. Ce sont des « étrangers et des voyageurs »[4] qui ont l'impression que le salut est plus proche que jamais[5]. Il s'agit dès maintenant, en vivant selon la justice du Royaume de Dieu à venir, de ne pas « rendre le mal

---

1. M. DIBELIUS, *Rom und die Christen im ersten Jahrhundert. Botschaft und Geschichte II*, Tubingen, 1956, p. 177-228, montre aussi que l'opposition des chrétiens à l'état romain que l'on voit poindre déjà en 1 P 4, 16 ne devient consciente que dans l'Apocalypse, sous Domitien. Sur le conflit désormais inévitable entre deux conceptions de la puissance souveraine, le livre très pénétrant de E. STAUFFER, *Le Christ et les Césars,* Colmar-Paris, 1956.
2. Rm 13, 1-7 ; 1 P 2, 13-17 ; Tt 3, 1-3.8 ; 1 Tm 2, 1-37.
3. Ac 6, 9-14 ; 4, 1-3 ; 5, 17-18 ; 9, 23 ; 13, 50 ; 14, 2.19 ; 17, 21-32, etc. De même pour la passion : Mc 14, 1 ; Lc 22, 2 ; Mt 26, 3-6 ; Lc 23, 2. Au contraire, il faut souligner que les rapports de Paul avec l'administration romaine ne sont emprunts d'aucune hostilité ; cf. Gallion, Ac 18, 12-17, ou Festus, Ac 25, 12.17.21-25.
4. 1 P 2, 11.12 ; cf. 4, 17.
5. Rm 13, 11 sq.

pour le mal » et de faire du bien même à son ennemi [1]. Il faut pour cela s'efforcer de vivre dans la logique de la perfection qui ne triomphera pleinement que dans l'eschatologie, et donc de faire prévaloir un type de rapport entre les hommes supérieur à celui qu'incarne l'état dont le propre est d'exercer la vengeance et de s'imposer par la crainte. Mais c'est aussi reconnaître la légitimité de l'état dans le siècle présent. Parce qu'il est lié à ce temps intermédiaire, l'état est voulu comme tel puisqu'il est intégré à « l'ordre établi par Dieu »[2] pour la durée de ce siècle-ci. Dieu est l'auteur de cet ordre et « il n'y a point d'autorité qui ne vienne de lui ». Aux yeux de Paul, l'état est donc un « instrument de Dieu pour conduire au bien ».

L'état compte dans l'économie des réalisations de ce monde provisoire comme un outil dont Dieu se sert pour amener les hommes à la considération de la justice, car il a reçu le glaive pour châtier le mal. Lorsque l'autorité reste fidèle à ce rôle de défenseur du bien et du droit, sans lequel il est impossible aux hommes de vivre en société, elle constitue un rempart contre les assauts des forces du mal. Elle est donc en droit d'exiger l'obéissance. Dans l'Ancien Testament déjà et dans le judaïsme tardif, les empires, même quand ils sont oppresseurs, sont encore considérés comme des digues dont Dieu peut se servir un temps pour limiter les ravages des puissances de destruction. Les chrétiens n'auront pas à craindre l'autorité puisqu'ils s'efforcent de vivre selon le bien qu'elle a mission de défendre. En ne commettant aucun des crimes justiciables devant les tribunaux de l'état, les chrétiens reconnaissent à cette institution humaine le droit de punir au nom de Dieu et de faire rentrer dans l'ordre qu'il a établi ceux qui font le mal[3]. Il faut donc voir dans l'état une « nécessité » du temps présent et dans ceux qui y exercent l'autorité, empereurs et magistrats, des « ministres de Dieu », « envoyés par lui » pour exercer leurs fonctions[4].

Les exigences de l'état, si elles restent dans les limites que Dieu lui a assignées, ne peuvent donc en rien paraître excessives aux chrétiens. L'état reste en somme dans le plan d'une pédagogie divine en vue de former les hommes au respect du droit et de la justice. Les chrétiens qui s'efforcent par anticipation de vivre selon la perfection eschatologique, ne devraient pas entrer en conflit avec lui puisqu'ils prônent une éthique personnelle et sociale bien supérieure au strict respect du droit que réclame l'état. Leur véritable patrie est dans l'avenir, et l'Église en est l'anticipation, de sorte que c'est devant elle et non devant les tribunaux du monde

1. Rm 12, 14 s. 13, 8 s.
2. Rm 13, 2.
3. Rm 13, 3-5 et 1 P 2, 13-14.
4. Rm 13, 6 et 1 P 2, 14.

que les chrétiens porteront leur différent s'il surgit entre eux un motif de querelle[1]. L'état fait partie du cadre de cet aiôn-ci. Il n'a rien d'absolu. Il n'a d'existence que tant que Dieu le maintient pour présider à l'ordre provisoire de ce monde.

Tel est l'un des aspects fondamentaux du jugement que les chrétiens portent sur l'état. Même devant les menaces de persécution, ils témoignèrent toujours de leur respect pour l'autorité parce qu'ils étaient liés par l'obéissance à Dieu. Jamais ils n'ont été, en ce sens, des anarchistes. L'état en tant que tel, ni le régime impérial ne sont jamais mis en cause. Paul pas plus que les écrivains chrétiens postérieurs n'ont cherché à élaborer une théorie de l'état. Tout au plus ont-ils affirmé quelques principes. Des textes d'Irénée et de Tertullien montrent cependant que l'effort pour intégrer le rôle de l'état dans une vision plus systématique de l'économie actuelle n'était pas absente. Ces textes fournissent une exégèse concordante de *Rm 13*. Après avoir rappelé que tout pouvoir a été institué par Dieu pour « rétribuer en parfaite justice, selon leur métire les ingrats insensibles à sa bonté »[2], Irénée développe l'argumentation suivante. En s'éloignant de Dieu, l'homme est devenu insociable et cruel, le vice le disposant au meurtre et au désordre. « C'est pourquoi Dieu lui a imposé la crainte de l'homme — puisqu'il ne connaissait plus la crainte de Dieu — afin que les hommes, étant soumis au pouvoir d'autres hommes et bridés par lui puissent atteindre une certaine justice et se supportent mutuellement parce qu'ils craignent l'épée brandie devant leurs yeux »[3]. Tant que les magistrats font respecter la loi et ne tombent pas dans la tyrannie, ils exercent le « juste jugement de Dieu ». « C'est donc pour le bien des païens que le pouvoir terrestre a été établi par Dieu et non pas par le Diable, lequel n'est jamais tranquille et ne veut pas que les nations vivent en paix »[3]. Dans cette perspective, il apparaît clairement que les puissances publiques, lorsqu'elles sont soumises à l'ordre de Dieu, coopèrent pour leur part à une même économie d'éducation du genre humain. Tertullien, lui-même, bien que particulièrement hostile aux choses du siècle, reconnaît à l'autorité ce même rôle lié à la condition du temps présent. « Ce n'est pas pour te fournir l'occasion d'échapper au martyre que l'Apôtre te recommande la soumission aux puissances, mais pour t'exhorter à bien vivre, parce que les puissances sont les auxiliaires de la justice et les ministres du jugement divin qui s'exerce d'avance ici-bas sur les criminels »[4].

---

1. Cf. 1 Co 6, 1-9.
2. Adv. Haer., IV, 36, 6.
3. *Id.*, V, 24, 1-2.
4. Scorp. 14. Aussi De anima 3, 3, 6. Contre l'instinct de la vengeance privée : « Quis non praeferat *saeculi* justitiam, quam et apostolus non frustra gladio armatam contestatur, quae pro homine saeviendo religiosa est? ». Cf. Hippolyte, Sur Dan III, 23, 3.

LA SOUMISSION AUX AUTORITÉS

Le fondement de la soumission aux autorités est donc l'idée qu'elles sont établies par Dieu. C'est parce que derrière l'empereur, ils voient l'ordre divin qui maintient encore le cadre de ce monde que les chrétiens peuvent l'assurer de leur respect et de leur obéissance. Le rôle des Apologistes fut de chercher à convaincre les empereurs de l'estime incomparable en laquelle ils les tenaient comme ministres du vrai Dieu. Athénagore rappelle à Marc-Aurèle et à Commode : « A vous, père et fils, tout a été soumis d'en haut lorsque vous avez reçu l'empire : l'âme du roi en effet est dans la main de Dieu (cf. *Prov. 21, 1*) »[1], pour leur faire comprendre que, de la même manière, tout est soumis à Dieu et au Christ. Théophile refuse d'adorer l'empereur, mais l'honore, sachant que c'est à Dieu qu'il doit l'existence et qu'il lui a confié la charge du gouvernement[2]. De tous, Tertullien est le plus explicite. L'empereur occupe bien la seconde place après Dieu. Mais il n'est grand que s'il se reconnaît à cette place-là. « L'empereur n'est grand qu'autant qu'il est inférieur au ciel... Il est empereur par Celui qui l'a fait homme avant de le faire empereur ; son pouvoir a la même source que le souffle qui l'anime »[3]. Accuser les chrétiens du crime de lèse-majesté est une calomnie. De par leur religion même, ils sont tenus de respecter l'empereur, « attendu qu'il est celui que notre Seigneur a élu ». Tertullien ajoute : « Et je pourrais dire avec raison : César est plutôt à nous, puisque c'est notre Dieu qui l'a établi »[4]. La majesté de César est d'autant plus redoutable qu'il reconnaît la tenir de Dieu auquel elle reste subordonnée.

Obéir à l'état dans ses exigences légitimes, c'est donc se soumettre à la volonté de Dieu. C'est dans cet esprit que les chrétiens se sont faits un devoir de prier pour les autorités. Telle était déjà l'attitude des juifs. Ils offraient chaque jour au Temple un sacrifice pour l'empereur[5]. Ils avaient promis de manifester ainsi leur loyalisme envers l'occupant, ce qui les dispensait de lui prodiguer les marques d'une adulation divinisante qu'ils ne pouvaient pas lui accorder. Une conception identique de l'absolue transcendance de Dieu fit que les chrétiens considèrent eux aussi que la meilleure façon de prouver leur loyalisme et leur soumission était de prier Dieu pour le salut de l'empereur. Cette tradition est constante. Elle est

---

1. Suppl. 18.
2. Ad Aut. I, 11.
3. Apol. 30,3.
4. *Id.*, 33, 1.
5. Josèphe, Bell. Jud. II, 409-410. Ce sacrifice avait été institué par Auguste : Philon, Leg. ad Caium, 23.

à nos yeux d'autant plus significative qu'elle côtoie le plus souvent les appels à la patience quand l'état se fait persécuteur[1]. Si l'Empire avait admis de la part des chrétiens cette forme d'expression de leur loyalisme, il est certain que les persécutions auraient pu être évitées. Les exhortations à la prière pour les autorités vont donc dans le sens des principes énoncés par Paul[2]. Dans la grande prière liturgique sur laquelle s'achève sa lettre aux Corinthiens, Clément de Rome écrivant sans doute au temps de la persécution de Domitien[3], alors que le souvenir de celle de Néron était encore vif[4], marque expressément le lien entre la soumission à Dieu et l'obéissance aux autorités : « Rends-nous soumis à ton Nom très puissant et très excellent, à nos princes et à ceux qui nous gouvernent, sur la terre. C'est toi, Maître, qui leur a donné le pouvoir de la royauté... pour qu'ils exercent sans heurt la souveraineté que tu leur as remise »[5]. Le fait que cette prière ait un caractère liturgique montre à quel point le souci d'affirmer leur loyalisme envers l'état fait partie des préoccupations des chrétiens. Polycarpe fait aux Philippiens une semblable recommandation[6] qu'il explique d'ailleurs au proconsul qui lui demandait de jurer par la Fortune de César : « Nous avons appris à donner aux autorités et aux puissances établies par Dieu le respect qui leur est dû tant que cela ne nous cause pas de tort (c'est-à-dire à notre foi) »[7].

L'effort de conciliation que les Apologistes du IIe siècle ont déployé va dans le même sens. Il s'agissait de prouver que les chrétiens sont des citoyens loyaux. Ces auteurs reconnaissaient volontiers le caractère libéral de l'Empire et l'idéal de justice qu'il poursuivait. Pour eux le grand scandale est que cet Empire, par ailleurs si équitable, se montre précisément injuste envers les chrétiens et les condamne pour leur seul « nom », alors qu'ils ne sont coupables d'aucun des crimes que les calomnies populaires y ont attachés. Ils se sont adressés aux empereurs eux-mêmes pour leur exposer le malentendu dont ils étaient les victimes. Là encore ils cherchaient à montrer qu'en implorant sur l'empereur la protection du seul vrai Dieu, ils lui donnaient le témoignage le plus éclatant de leur attachement. « Nous n'adorons que Dieu seul, mais pour le reste, nous vous obéissons volon-

---

1. L'exhortation à prier pour les persécuteurs : cf. Mt 5, 44, Lc 6, 27-36 ; Rm 12, 10 ; Lc 23, 24 ; Ac 7, 60.
2. Cf. 1 Tm 2, 1-2 : « Je recommande donc, avant tout, qu'on fasse des demandes, des prières... pour tous les hommes, pour les empereurs et tous les dépositaires de l'autorité, afin que nous puissions mener une vie calme et paisible, en toute piété et dignité ».
3. Aux Cor. 7, 1 ; cf. 1, 1.
4. Id., 5, 4.
5. Id., 60, 4-61, 1.
6. Phil. 12, 3.
7. Mart. Polyc. 10, 2.

tiers, vous reconnaissant pour les maîtres et les chefs des peuples et nous demandons à Dieu qu'avec la puissance impériale on voit en vous la sagesse et la raison »[1]. Athénagore demande à Marc-Aurèle et à Commode dans sa *Supplique* : « Quels hommes ont plus de droit à obtenir ce qu'ils demandent que nous, qui prions pour votre autorité, afin que vous receviez par succession, le fils après le père, ainsi qu'il est parfaitement juste, l'empire ; et que votre puissance reçoive accroissement et dilatation, tous les hommes étant soumis à votre autorité? »[2].

Pour Théophile d'Antioche, Dieu a confié à l'empereur la charge « non pas d'être adoré, mais de juger selon la justice ». La seule façon d'accomplir la volonté de Dieu à son endroit est de l'honorer par de bonnes dispositions, par la soumission et des prières à son intention[3]. Au préfet de Rome qui lui demande de sacrifier aux dieux, le martyr Apollonius répond que le sacrifice que les chrétiens font au Dieu tout-puissant, « ce sont précisément nos prières pour les hommes doués d'intelligence et de raison, faits à l'image de Dieu, qui ont été choisis par la Providence de Dieu pour régner sur la terre. » Et il ajoute : « C'est pourquoi, chaque jour, conformément à l'ordre d'une juste prescription, nous prions le Dieu qui habite au ciel pour l'empereur Commode qui règne *en ce monde* »[4]. La prière pour les empereurs prend d'ailleurs tout son relief quand elle est faite pour des empereurs persécuteurs. « Il nous a été ordonné de prier pour nos ennemis, jusqu'à rendre notre charité excessive, et de demander des biens pour nos persécuteurs. Or, quels sont les plus grands ennemis et les plus cruels persécuteurs des chrétiens, sinon ceux envers qui on nous accuse du crime de lèse-majesté ? »[5].

LES LIMITES DE L'OBÉISSANCE

En affirmant que l'état tient son pouvoir de Dieu et en priant pour qu'il l'exerce en parfaite conformité à l'ordre dans lequel Dieu l'a ainsi placé, les chrétiens ont fixé les *limites* au-delà desquelles l'état ne saurait étendre ses exigences sous peine d'apparaître comme l'interprète du *monde* encore rebelle à la volonté divine. La soumission à l'autorité terrestre n'est jamais inconditionnelle. Elle est fonction du comportement de l'état lui-même. Elle a pour limite la volonté de Dieu. Ainsi aucune autorité humaine ne saurait s'opposer à la prédication de l'Évangile. L'Église primitive a une conscience très aiguë de ce mandat impératif qu'elle a reçu

1. Justin, I Ap. 17, 3.
2. Suppl. 37.
3. Ad Aut. I, 11.
4. Acta Apol., 9.
5. Tertullien, Apol. 31, 2 ; cf. 30-31.

du Christ[1]. Lorsque le sanhédrin de Jérusalem veut empêcher les apôtres de prêcher, Pierre répond que c'est un devoir auquel ils ne peuvent se dérober[2]. Paul lui fait écho[3]. La raison qui prévaut dans ce cas est qu'il « faut obéir à Dieu plutôt qu'aux hommes »[4]. Une loi humaine n'est fondée que tant qu'elle condamne le mal. Ceux qui transgressent une loi juste sont légitimement justiciables devant les magistrats[5]. Mais quand une loi humaine s'oppose directement à la loi de Dieu, c'est un devoir pour les chrétiens de lui résister. Pour Tertullien la loi qui « interdit » au christianisme d'exister et qui exige de lui des marques de soumission qu'il ne peut donner, est non seulement « inique » mais « insensée »[6]. Elle est injuste parce qu'elle repose sur un mensonge et qu'elle doit être en conséquence l'œuvre d'un homme faillible. Elle est insensée parce qu'elle ne poursuit pas des crimes dûment prouvés, mais le seul nom chrétien. C'est l'équité seule, et non l'ancienneté qui rend une loi respectable[7]. Quand le préfet Perennis rappelle à Apollonius qu'un décret du Sénat interdit d'être chrétien, celui-ci répond dans la même ligne que Pierre : « Contre le décret de Dieu ne peut prévaloir un décret des hommes »[8]. L'obéissance s'arrête là où l'état élève des prétentions que les chrétiens considèrent comme iniques. Ils doivent alors lui résister et rendre témoignage à la justice divine. Hippolyte dit clairement à partir de quelle limite le loyalisme doit le céder au martyre : « Ceux qui croient en Dieu n'ont que faire de la dissimulation et n'ont pas à craindre ceux qui sont constitués en puissance, s'ils ne font pas le mal. Mais si on les force à cause de leur foi en Dieu à agir autrement, ils aiment mieux mourir de gaieté de cœur, que de faire ce qui leur est ordonné. Et quand l'Apôtre dit qu'il faut se soumettre à toute *puissance dominante*, il ne fait pas allusion à ce cas. Il ne demande pas que nous reniions notre foi ni les commandements divins pour exécuter les ordres des hommes, mais au contraire que, par déférence pour les puissances, nous ne commettions aucun délit, de manière à n'être pas châtiés comme malfaiteurs »[9].

---

1. Cf. Mt 28, 19 ; Lc 24, 47-48 ; Ac 1, 8.
2. Ac 4, 20.
3. 1 Co 9, 16 ; Cf. 2 Co. 13, 8 ; 2 Tm 1, 8.
4. Ac 5, 29 ; 4, 19. Cf. Hipp. In Dan. III, 23, 4.
5. Cf. Justin, II Ap 9, 1 ; Irénée, Adv. Haer., V, 24, 2.
6. Apol. 4, 11.
7. Apol. 4, 10 ; cf. aussi Acta Achatii 3, 2.
8. Acta Apol. 23-24.
9. Sur Dan., III, 23, 1-2.

LA CONDAMNATION DE L'EMPIRE PERSÉCUTEUR.
L'APOCALYPSE

L'état, tant qu'il n'usurpe pas les droits de Dieu, apparaît donc comme une institution positive liée au cadre provisoire de ce siècle. Vu dans ses limites, il ne constitue pas une réalité hostile à Dieu. Il est alors lui aussi un instrument du règne actuel du Christ. Mais ce jugement n'est que l'un des volets de l'attitude de l'Église primitive. Il est complété par la vive condamnation du pouvoir terrestre comme satanique quand l'état empiète sur le domaine de *ce qui est à Dieu*, c'est-à-dire, en fait, quand le souverain exige des honneurs divinisants. L'*Apocalypse* est l'autre face d'une même position fondamentale du christianisme primitif à l'égard de l'état romain. Elle constitue le premier document chrétien qui condamne radicalement l'Empire devenu persécuteur. Il est aussi le seul à présenter, dans une synthèse d'une ampleur exceptionnelle, les véritables dimensions de la lutte entre les chrétiens et l'Empire qui s'érige en ennemi de Dieu. Celle-ci est une participation au combat que le Christ a livré aux puissances encore émancipées et à sa victoire finale. Précisément parce qu'il utilise le genre littéraire apocalyptique, ce livre part des événements de l'histoire qu'il amplifie pour les situer dans l'unique plan salvifique de Dieu. Les épreuves que connaissent actuellement les chrétiens ont leur place dans l'économie du siècle présent. Elles trouvent leur sens, interprétées dans la vision du triomphe final. S. Giet a bien montré qu'à l'arrière-plan des visions de l'*Apocalypse*, il y a incontestablement le souvenir de la guerre juive[1]. Pour les chrétiens qui n'ont pas pris part à cette guerre, c'est bien la fin de l'ancienne alliance. Mais l'Empire ne leur apparaît pas moins odieux, d'autant plus que, encore largement confondus avec les juifs, ils sont englobés dans la même vague de haine qui était à son comble à Antioche et en Asie[2]. Les persécutions précédentes avaient été limitées à Rome[3] ou à des mesures sporadiques contre des individus isolés[4]. Mais la situation des chrétiens d'Asie Mineure semble baigner dans une atmosphère générale de menaces. Ils craignaient effectivement d'être à leur tour victimes de la haine qui avait décimé les juifs en Judée et des vexations qu'ils subissaient dans toutes les villes d'Orient. Il y eut des précédents particulièrement cruels. Les Romains avaient mis à la torture

---

1. *L'Apocalypse et l'Histoire*, Paris, 1957, p. 32-45.
2. Jos., Ant. jud. 16, 6, 1 ; 160 : « Les juifs d'Asie étaient maltraités par les villes. Les rois leur avaient autrefois accordé l'égalité des droits ; maintenant les grecs les persécutaient injustement ».
3. Ap 11, 7.
4. Ap 6, 9.

des Esséniens pour leur faire blasphémer le Législateur[1] . Titus, après
la victoire, avait distribué des milliers de juifs captifs à différents amphithéâtres[2] . Des sicaires qui tenaient encore le maquis après la ruine de
la Ville Sainte, six cents furent arrêtés et suppliciés pour ne pas reconnaître en César leur « Maître[3] » .

Ainsi l'Empire persécuteur et idolâtre apparaît au Voyant sous les
traits de la Bête aux sept têtes et aux dix cornes[4]. Rome est appelée
Babylone[5], symbole de la capitale païenne[6], ou encore la *grande cité*[7],
Sodome ou *Egypte*[8]. Elle est la prostituée fameuse[9], synonyme
d'idolâtre[10], assise sur les sept collines de Rome[11], « qui se saoule du
sang des saints et du sang des martyrs de Jésus »[12]. A son service se trouve
la deuxième Bête[13] qui établit partout l'autorité de la précédente, en
conduisant tous les habitants de la terre à « l'adorer ». Celle-là représente
le sacerdoce impérial au service de l'empereur-dieu[14]. La Bête réclame
l'adoration. Elle profère des paroles blasphématoires contre Dieu[15]. A
partir du moment où il veut s'ériger à la place de Dieu. l'Empire rompt
le lien de subordination qui consacrait sa légitimité. Dès lors, il tient
directement son pouvoir du « Dragon, l'antique serpent, le Diable ou
le Satan comme on l'appelle, le séducteur du monde entier »[16] que Michel
et ses anges avaient déjà vaincu dans le ciel après l'ascension de Jésus[17].
Maintenant, chassé des sphères célestes et jeté sur la terre, il poursuit

---

1. Josèphe, Bell. jud. II, 8, 10 ; 152.

2. Bell. jud. VII, 3, 1.

3. Bell. jud. VII, 10, 1 ; 407-419. Après la révolte, le critère de loyalisme exigé par Rome était
la reconnaissance de César comme « Seigneur » et « Maître », c'est-à-dire comme seul souverain politique.

4. Emprunt et réplique à Dn 7. S. GIET, *op. cit.*, p. 49-83 a montré, en s'appuyant sur la manière
ancienne de compter les empereurs, que les dix cornes représentent bien les dix empereurs qui ont régnés à partir de César jusqu'à Vespasien, et les sept têtes les empereurs qui
ont effectivement exercé le pouvoir (les trois autres étant Galba, Othon, Vittelius). Le 7e
est donc Vespasien.

5. Ap 14, 8 ; 16, 19 ; 17, 5 ; 18, 2.10.21.

6. Cf. Is 21, 9 ; Jr 28, 4.

7. Ap 16, 19 ; 17, 18 ; 18, 10.16.18.19 ; 11, 8.

8. *Id.*, 11, 8.

9. *Id.*, 17, 1.15.16 sq.

10. Cf. Ez 16.23 ; Os 1, 2 sq.

11. Ap 17, 9.

12. Ap 17, 6.

13. Ap 13, 11-18.

14. Cf. S. GIET, *op. cit.*, p. 137.

15. Ap 13, 8.

16. Ap 12, 9.

17. Ap 12, 5 sq.

contre les fidèles du Christ le combat séculaire qu'il a toujours mené contre Dieu. Dès qu'il est refoulé sur la terre, il se lance en effet à la poursuite de la Femme (l'Église), par l'intermédiaire de la Bête à qui il avait transmis « sa force, son trône et sa grande puissance »[1]. Mais Dieu la fait partir au désert et l'y nourrit pendant 1 260 jours, c'est-à-dire exactement le temps de la guerre juive[2]. Le Voyant veut dire par là que la Femme en question est le peuple chrétien épargné pour un temps lors des précédentes hostilités contre le peuple juif, mais qui devenait la cible des attaques de Satan qui maintenant se tourne « vers ceux qui obéissent aux ordres de Dieu et possèdent le témoignage de Jésus »[3].

L'Empire qui s'émancipe de l'ordre divin dans lequel il a été placé en réclamant l'adoration de ses sujets se fait donc l'instrument de Satan contre les fidèles du Christ. Le combat qu'il mène contre les chrétiens est la réplique et le prolongement de celui que le Dragon cosmique avait mené contre l'archange Michel[4]. Précisément parce que cette lutte est celle des forces du mal encore indomptées (dont l'ensemble forme le « *monde* ») contre ceux qui ont déjà reconnu la Seigneurie du Christ, le Voyant peut prophétiser la défaite des puissances rebelles et la victoire finale de l'Agneau[5], qui établira son règne définitif quand auront été vendangées les nations païennes[6]. L'état, quand il veut se faire le concurrent ou le rival de Dieu dans le domaine qui n'est pas le sien, est d'avance vaincu. C'est d'ailleurs pourquoi le chrétien n'a pas à le combattre par les armes ni par la violence. Sa résistance est celle de l'invincible efficacité de son témoignage. Elle est faite de la patience qui voit dans ces épreuves-ci les prodromes de la lutte ultime au terme de laquelle le Seigneur vainqueur prendra définitivement possession de son règne[7].

L'EMPIRE SATANIQUE DANS LA TRADITION APOCALYPTIQUE

Sous les amplifications du genre apocalyptique, il est donc possible de retrouver les principes qui ont inspiré le jugement des chrétiens sur l'état. La condamnation de l'état idolâtre est plus habituelle dans le judéo-christianisme dans la mesure où celui-ci reste davantage fidèle à

---

1. Ap 13, 2.
2. Ap 12, 6 ; cf. 12, 14 : « Un temps et des temps et la moitié d'un temps » (cit. de Dn 7, 25), soit 3 ans 1/2, la durée de la guerre juive : printemps 67-août 69. Cf. S. GIET, *op. cit.*, p. 111. Voir aussi le commentaire consacré à Ap 13 par H. SCHLIER, *L'Antéchrist,* in *Le Temps de l'Eglise,* Paris, p. 29-41.
3. Ap 12, 17.
4. Dans les Ps. Salom., II, 28-29, c'est le conquérant Pompée qui symbolise ce même Dragon.
5. Ap 17, 14.
6. Cf. Ap 14, 14-19 ; 19, 11 sq.
7. Ap 19, 6.

ce genre littéraire. Le genre lui-même est d'ailleurs lié à l'expérience que fit le peuple théocratique du culte des souverains. Il est né pendant l'insurrection des Maccabées contre Antiochus IV Épiphane qui exigeait lui aussi des honneurs divins en voulant imposer aux juifs le reniement de la Loi. Dès lors, le mouvement apocalyptique vit toujours dans les persécutions menées par les empires à prétention divine les prodromes de la fin. Dans un document judéo-chrétien à peu près contemporain de l'*Apocalypse*, l'*Ascension d'Isaïe*[1], l'état persécuteur est associé au temps de la fin. La même hostilité à Rome apparaîtra plus tard dans certains passages des *Oracles Sibyllins* interpolés par les chrétiens[2]. Hermas voit dans l'Empire un monstre[3]. Ces considérations trouvent d'ailleurs leur parallèle dans les apocalypses juives de l'époque[4]. L'Empire qui a détruit le peuple juif y est détesté comme un instrument de Satan. Ces prises de position radicales envers l'état persécuteur constituent l'autre face du jugement porté par les chrétiens sur le pouvoir. Elles représentent la réaction indignée et comme instinctive des communautés menacées. Bien qu'il n'y eût jamais à cette époque de poursuites systématiques et que la procédure ne fût pas inquisitoriale, les chrétiens étaient à la merci d'une simple dénonciation. Comme dans l'*Apocalypse*, telle situation locale et d'importance même limitée est alors interprêtée comme un chaînon dans la trame des événements qui constituent l'histoire du salut. La résistance qu'ils offrent aux supplices est une lutte contre Satan. Empereurs, bourreaux, magistrats, foule s'effacent dès lors dans leur individualité et leurs motivations propres : ils ne sont plus que les créatures visibles par lesquelles l'Adversaire de toujours combat les « athlètes de foi ».

Ce n'est qu'à la fin de notre période que le thème apocalyptique de l'Empire satanique est repris dans toute sa vigueur dans le *Commentaire sur Daniel* d'Hippolyte de Rome, alors que les rapports de l'Église avec l'état romain étaient entrés dans une nouvelle phase. Pour la première fois, Septime-Sévère édicta une loi positive interdisant de se faire chrétien[5]. En 202, est déclenchée la première persécution systématique contre les chrétiens. Au plus fort de cette nouvelle crise, Hippolyte, par son exégèse typologique et allégorique du Livre de *Daniel*, allie à nouveau le plan des événements de l'heure et celui de leur répercussion dans l'histoire du salut. En ce début du IIIe siècle, la conscience chrétienne est d'ailleurs

---

1. Asc. Is. III, 13-IV, 19.
2. Surtout les livres 5 et 8.
3. Cf. IV Esdr. 5, 6 ; Or. Sibyl. IV, 119-120 ; 137-139.
4. Asc. Is. IV, 2, 43-5.
5. Hist. Aug., Vit. Severi, 17 : « Iudaeos fieri sub gravi poena vetuit, idem etiam de christianis sanxit. ».

excessivement polarisée par le caractère décisif de l'épreuve qui se prépare. Depuis les prédications montanistes, le monde chrétien avait connu un regain d'intense espérance eschatologique. On pense vraiment que la fin du monde, cette fois, est pour bientôt. A nouveau, on voit dans les protagonistes des événements les supports des forces qui les dépassent. La Babylone de Nabuchodonosor comme la Rome de Septime Sévère, c'est le « *monde* »[1]. « Suzanne était la figure de l'Église ; Babylone, c'est le monde. Les deux vieillards représentent en figure les deux peuples qui conspirent contre l'Église, celui de la circoncision et celui des gentils »[2]. Le Diable a imposé partout le culte impérial[3]. « A cette époque, Nabuchodonosor ne fit qu'une seule statue mais de nos jours, le Trompeur en a inventé un plus grand nombre, et les a répandues dans le monde, dans l'intention de se frayer un passage à travers tous les tempéraments d'hommes par le moyen d'une multiplicité de spectacles... »[4]. Les quatre Bêtes qui sortent de la mer[5] sont « les royaumes qui se sont élevés dans le monde, comme autant de bêtes dévorant l'humanité »[6]. La dernière, la plus abominable de toutes, est l'Empire romain. Elle est la réplique diabolique de « la nation des fidèles chrétiens » que le Seigneur a suscité au temps où il est né[7]. L'Église se trouve par nature dans une relation d'hostilité avec l'Empire idolâtrique. Il y a entre eux une lutte à mort dans laquelle le chrétien, par son martyre, a conscience de participer au triomphe final du Christ. C'est pourquoi l'Empire n'est pas encore l'Antichrist. Celui-ci ne se manifestera que lorsque l'Empire sera dissolu[8]. Mais sa disparition n'est pas pour demain[9]. Ainsi Hippolyte, en ce début du IIe siècle, est amené comme Tertullien, mais pour des raisons différentes, à voir dans l'Empire romain le *katechôn* qui retient encore provisoirement la venue de l'Antichrist[10].

LE REFUS D'IDOLATRER LE POUVOIR

C'est à dessein que l'on a exposé séparément les deux attitudes apparemment opposées, mais en réalité identiques sur le fond, des chrétiens face à l'état. Dans la réalité, elles s'enchevêtrent souvent. Quand l'espoir

---

1. Cf. Dn 13 ; Hipp., Sur Dan. I, 14, 5 ; III, 31, 2 ; cf. II, 27, 9.
2. Sur Dan I, 14, 5-6.
3. Cf. *Id.*, II, 27.
4. Sur Dan. II, 27.
5. Cf. Dn 7.
6. Sur Dan IV, 2, 1.
7. *Id.*, IX, 2-3, texte cité *supra,* p 177.
8. *Id.*, IV, 6, 4.
9. *Id.*, IV, 23-24 ; cf. *supra*, p 83.
10. *Id.*, IV, 21, 3 cf. *supra*, p 178.

d'une conciliation possible l'emporte, on insiste sur le rôle positif de l'état dans l'économie du salut. Quand au contraire l'état divinisé devient menaçant, on y voit la Bête au service de Satan. Il n'y a jamais eu une doctrine systématique. Des principes se sont dégagés à la suite d'expériences concrètes. La conscience que les premiers chrétiens ont eu de l'état impérial comme *monde* hostile à Dieu a été fonction de l'attitude même de cet état. De même qu'ils ont su apprécier positivement les avantages qu'offrait la Paix Romaine pour la diffusion de l'Évangile, de même ils se sont viscéralement raidis devant les exigences à vrai dire minimes de l'état en fait de témoignage de loyalisme. Parce que toute preuve de civisme entraînait nécessairement un acte de reconnaissance au moins implicite des dieux de la cité et en premier lieu de la divinité impériale, ils ont catégoriquement refusé à cet égard de rester dans la logique du monde antique. Aucune restriction mentale n'a été pratiquée à ce sujet. La constance même de cette attitude, sa fermeté surprenante, ne s'expliquent que par la conscience qu'avaient les premiers chrétiens de la royauté exclusive que le Christ exerce dès maintenant sur toute la création. Toute prétention humaine, en l'occurence celle de l'état impérial, d'usurper les attributs divins devait être interprêtée comme une manifestation de la lutte que les puissances, sous le contrôle de Satan, mènent encore contre le règne du Christ avant leur anéantissement final.

La parodie diabolique du règne du Christ que tentait de réaliser le royaume terrestre, les chrétiens la voyaient dans les titres divins que l'usage et l'adulation attribuaient à l'empereur. Parce que ces titres avaient, dans le contexte du culte impérial, une signification religieuse, ils apparurent précisément comme des usurpations du Prince de ce monde dans son ambition de se supplanter à Dieu. En particulier dans l'Orient habitué aux hyperboles, l'empereur était couramment appelé : Seigneur, Maître, Sauveur, Bienfaiteur et même quelquefois Dieu. Le titre de *Theos*[1] ou *Deus* apparaît dès Auguste sur certaines inscriptions. Ainsi le Koinon d'Asie fixe le début de l'année « au jour (anniversaire) de la naissance du dieu »[2]. De même dans la poésie officielle, Martial et Stace appelaient Domitien *dominus et deus*[3]. C'était nettement aller au-delà du concept de *divus* attaché à la race julienne. Mais la mentalité païenne ne pouvait en être choquée. La notion du divin était dévaluée. Est divin ce qui est supérieur, et tout particulièrement l'homme fort et providentiel qui exerce vertueusement le pouvoir que lui a délégué Jupiter[4]. Apollo-

1. Voir STAUFFER, *Theos*, TWNT 3, p. 65-120.
2. Ditt. Or. Graec. II, 458.
3. Suétone, Domit., 13, 1-2.
4. Dion Chrys., Orat. 12, 59.

nius de Tyane reconnaît volontiers comme dieux des monarques vertueux, mais se cabre contre un Domitien qui se faisait appeler « le dieu de tous les hommes »[1]. Pour les chrétiens comme pour les juifs, il n'y avait pas de concession possible sur ce point. Paul met en garde les Corinthiens : « Bien qu'il y ait, soit au ciel, soit sur la terre, de prétendus dieux — et de fait il y a quantité de dieux et quantité de seigneurs —, pour nous en tout cas, il n'y a qu'un seul Dieu, le Père, de qui tout vient et pour qui nous sommes faits, et un seul Seigneur, Jésus-Christ, par qui tout existe et par qui nous sommes »[2]. En fait, le titre *ho Theos* n'est jamais appliqué tel quel au seul empereur, aux deux premiers siècles.

Chez les Diadoques, le titre de *Sôter*[3], Sauveur, faisait partie de la titulature royale. Il y était le plus souvent combiné avec celui d'*Evergète*, Bienfaiteur. La mystique hellénistique voyait dans le souverain celui par lequel le monde humain est maintenu dans l'harmonie de ses divers éléments avec le cosmos tout entier et dont la fonction était de procurer le bien-être et le salut à ses sujets[4]. Sous l'Empire, le titre n'est pas officiel. Il paraît lié au retour de l'âge d'or. Auguste apparaît vraiment comme le Sauveur d'un monde qu'il a tiré du chaos des guerres, et auquel il a redonné ordre, paix et stabilité permanente. Ainsi s'exprime l'inscription de Prienne : « La Providence... nous l' (Auguste) a envoyé à nous et à nos descendants comme un *Sauveur* pour arrêter la guerre et ordonner toutes choses »[5]. Ses successeurs sont aussi fréquemment appelés sauveurs[6]. Pour le monde romain arrivé à son apogée, le salut est donné dans l'Empire. C'est même sa finalité suprême, comme en témoigne l'inscription *Salus* sur les monnaies. Auguste a été le sauveur du siècle. Il n'y a plus qu'à jouir du salut par une vie heureuse dans la cité terrestre. Dans ce titre se concentre peut-être le mieux l'opposition entre le monde et les chrétiens. Pour eux, il n'y a pas d'autre sauveur que Jésus-Christ. « Il n'y a pas sous le ciel d'autre nom donné aux hommes, par lequel il nous faille être sauvés »[7]. Le salut qu'il est venu opérer n'a rien de commun avec celui que les Anciens voient dans la *felicitas temporum*. La *sôteria* terrestre dans laquelle se confine le « monde » n'est que la façade trompeuse sous laquelle le séducteur cherche à détourner à son propre compte l'économie

---

1. Philostrate, Vie d'Apol. VIII, 4.

2. 1 Co 8, 5-6.

3. Cf. FOERSTER, *Sôter,* TWNT 7, p. 1005 sq.

4. Dion Chrys., Orat. 3, 39. ; Musonius, 8.

5. Ditt. Or. Graec. II 458, 33-36 ; cf. Properce IV, 6, 37 : Auguste est « servator mundi ».

6. Néron : Ditt. Or. Graec. 668, 5 ; Vespasien : Josèphe, Bell. Jud. 7, 4, 1 ; 70-73 ; ou C.I.G. II, 2, 543 ; III, 609-610. A partir d'Hadrien prévaut le titre de « Sôter tou Kosmou ».

7. Ac 4, 12 ; cf. 5, 12.

divine. Les chrétiens croient au contraire que c'est le Christ qui est « le sauveur du monde »[1].

Les appellations de *Kyrios*[2] et de *Despotès*[3], lorsqu'elles étaient attribuées à l'empereur dans leur sens absolu, revêtaient également une signification religieuse. A partir du Iᵉ siècle av. J.-C., l'usage s'était répandu dans l'Orient hellénistique d'attribuer aux dieux et aux souverains le qualificatif de *Kyrios*. Est Seigneur celui qui dispose à son gré de ce qui lui est soumis. Est Maître celui qui possède comme un bien personnel les êtres et les choses sur lesquels il règne. Auguste[4] et Tibère[5] avaient rejeté le titre de *Dominus*. Ces qualificatifs entrent cependant dans la terminologie courante[6]. Comme les autres titres, ils pouvaient être interprêtés en un double sens. Ils pouvaient être relativisés. Tertullien lui-même admettait qu'on pouvait bien appeler l'empereur *dominus*, « sed more communi », et à condition de ne pas donner à ce mot le même sens que lorsqu'il était appliqué à Dieu. Il n'y a qu'un seul dominus, c'est le Dieu tout-puissant[7]. Mais il restait que c'était un titre divin. Néron s'en accomodait fort bien. Le roi d'Arménie Tiridate était venu le saluer en ces termes : « Maître, je suis venu vers toi qui es mon dieu, pour t'adorer comme Mithra. J'aurai la destinée que tu m'auras désirée, car tu es mon destin et ma fortune »[8]. Et l'obséquieux Josèphe n'hésite pas à dire à son nouveau protecteur Vespasien : « Garde-moi pour toi. Car tu n'es pas seulement mon Maître, ô César : tu es celui de la terre, de la mer et de tout le genre humain »[9]. Pris dans leur sens absolu, ces titres avaient une valeur religieuse. L'empereur Maître et Seigneur a autorité sur les destinées individuelles comme sur le monde qui est son domaine. Celui qui le reconnaît comme tel se lie à lui comme à un dieu.

Les premiers chrétiens ne pouvaient admettre pareille prétention. Pour eux, il n'y a qu'un seul « Maître et Seigneur : Jésus-Christ »[10]. Les chrétiens sont ceux qui reconnaissent l'unique royauté du Christ qui s'étend aussi bien sur l'Église que sur le monde. Le *monde* est encore en proie aux forces ennemies de Dieu, il lutte pied à pied avec l'Église, il suscite des

---

1. Jn 4, 42.

2. Cf. FOERSTER, TWNT 3, p. 1038 sq.

3. RENGSTORF, TWNT 2, p. 43 sq.

4. Suétone, Aug. 53.

5. Dion Cass., 57, 8, 2.

6. Par exemple : Ac 25, 25-26.

7. Tertullien, Apol. 34, 1.

8. Dion. Cass., Hist. rom. 63, 5, 2.

9. Josèphe, Bell. jud. III, VIII, 8-9 ; cf. de même l'épigramme à Auguste C.I.G. 4923 ; les attributs sont les mêmes que ceux des dieux.

10. Jude, 4. Sur les titres christologiques de Kyrios et Sôter : O. CULLMANN, *Christologie du N.T.*, Neuchâtel-Paris, 1958, p. 169-212.

pseudo-seigneurs, mais il est déjà vaincu par l'unique Seigneur, le Christ, premier roi de la création[1]. La formule *Kyrios Kaisar* est donc exactement l'antitype du *Kyrios Christos*. Plutôt que de la prononcer, les chrétiens ont subi le martyre en confessant l'unique Seigneurie du Christ[2]. N'étant plus du monde, mais continuant d'y vivre, les chrétiens ont accepté l'état impérial comme faisant partie du cadre provisoire de ce siècle. Mais ils l'ont condamné comme satanique dès lors qu'il offrait son concours aux puissances du *monde* dans leur tentative de se supplanter à Dieu.

---

1. 1 Tm 6, 15 ; 1 Co 15, 24.
2. Cf. Mart. Polyc. 8, 2.

CHAPITRE VIII

SAGESSE DU MONDE ET SAGESSE DE DIEU

LA PAIDEIA, RELIGION DE LA CULTURE

La civilisation impériale, si pénétrée de l'idée de sa propre perfection, ne se définit pas seulement par ses réalisations matérielles ou son organisation politique, mais plus encore par la synthèse spirituelle dans laquelle elle entend intégrer ses diverses composantes. L'idéal de culture dans lequel elle élève ses classes privilégiées, celui de la *paideia* héllénistique, propose une vision de l'homme et un art de vivre qui s'imposent universellement sans que sa supériorité, invétérée par une longue tradition, puisse être mise en doute[1]. A notre époque, l'Empire a atteint une réelle unité culturelle. Depuis longtemps les Latins s'étaient mis à l'école des Grecs. La culture que Rome propage dans l'oikouméné est celle du monde hellénistique. Si la partie orientale de l'Empire parle le grec, les élites occidentales sont bilingues. A Rome même l'hellénisme règne depuis les Scipions, malgré les diverses réactions littéraires nationales. Un même idéal humain, l'*humanitas*[2], de mise en valeur harmonieuse de toutes les potentialités de la nature physique, intellectuelle et morale, était donc reconnaissable au moins dans les élites et concurrait puissamment à créer ce même type de civilisation que conditionnait déjà même genre de vie avec sa hiérarchie des valeurs. A côté des thermes, des amphithéâtres et des cirques, il y avait les écoles et, à travers elles, un moyen sûr de diffusion de la *Romanitas*. Juvénal

---

1. L'idéal grec de l'éducation a été puissamment mis en lumière pour la période classique par l'ouvrage fondamental de W. JAEGER, *Die Formung des grieschichen Menschen,* 3 vol., 4e éd., Berlin, 1959, qui doit servir à tous égards de référence
2. C'est ainsi que les Romains ont traduit *paideia* : Aulu Gell, Nuits Att. XIII, 16, 1.

pouvait dire, au début du IIe siècle : « Aujourd'hui le monde entier possède la culture grecque et latine »[1].

Au sommet du cursus des études, après le *litterator* et le *grammaticus* qui enseignait les classiques (surtout Homère et Virgile), rhétorique et philosophie se disputaient la première place. A vrai dire, l'homme cultivé cherchait à les combiner toutes deux. La rhétorique d'ailleurs emprunte de plus en plus des thèmes à la philosophie, et la philosophie, de moins en moins originale mais de plus en plus populaire, se fait déclamatoire. Pour comprendre la problématique des chrétiens face à cette culture, il ne faut pas perdre de vue qu'elle se présente comme un tout. Manières de vivre, culture de l'esprit, aspirations de l'âme entrent chacune pour leur part dans la Weltanschauung du Romain qui, de son côté, est inséparable de la conscience qu'il a de vivre une ère d'apogée au service de laquelle l'état mondial fait régner la Paix. Ainsi, si dans la discussion avec les chrétiens, le problème semble surtout rouler sur la « philosophie » des Grecs, il s'élargit en fait à la tradition de l'humanisme antique tout entier et met en cause non seulement tel ou tel système de pensée, mais tout le contexte de la civilisation qui les porte.

Précisément sous l'Empire, règne le plus grand éclectisme dans la pensée. Les écoles philosophiques sont plus nombreuses que jamais. A côté des quatre grandes familles (Platoniciens, Aristotéliciens, Épicuriens et Stoïciens), les Pythagoriciens, les Sceptiques et les Cyniques se disputent une clientèle d'étudiants qui passent volontiers de l'une à l'autre pour se faire une opinion. Tous ces maîtres ont à peu près abandonné la métaphysique pour se tourner vers la morale pratique. La grande question est de savoir comment vivre et comment vivre heureux. Les philosophes se faisaient prédicateurs itinérants mêlés aux astrologues, magiciens, adeptes des religions orientales. Ce qui les caractérise, c'est qu'ils se font l'écho d'une sorte de philosophie commune, surtout stoïcienne, qui répond aux interrogations de la foule. L'intérêt se concentre sur les problèmes pratiques de l'existence. Le stoïcien Musonius Rufus parle du mariage, du rôle de la femme dans la société, du droit des parents. Sénèque, sur un plan plus élevé, est à l'aristocratie romaine ce que les philosophes ambulants sont à la foule des grandes villes. Philosopher consiste avant tout à savoir au mieux organiser la vie sur terre et à apprendre à en profiter.

LE NOUVEL ESPRIT DE L'HELLÉNISME

Pourtant au IIe siècle, alors même qu'il est au sommet de sa puissance, on sent déjà s'opérer ce qu'on pourrait appeler la crise de conscience du

---

1. Juv. XV, 110. Voir surtout H. I. MARROU, *Histoire de l'éducation dans l'Antiquité,* 6e éd., Paris, 1965.

monde antique. Comme on l'a signalé plus haut, elle a considérablement modifié l'image traditionnelle du monde. Un esprit nouveau se dégage et prend peu à peu forme. On peut en suivre les étapes dans la philosophie et l'apparition de la nouvelle religiosité dont l'esprit définira l'Antiquité tardive. On a quelquefois emprunté à Spengler le terme de « pseudo-morphose » pour définir cet esprit nouveau qui émerge dans les consciences sans pourtant renouveler les formes — trop parfaites — de la civilisation, des coutumes et des mœurs. L'homme du second siècle continue de vivre selon les valeurs de la culture traditionnelle, mais il en change l'esprit. Bien qu'ils aient reçu le même type d'éducation, un Sénèque et plus encore un Apulée, n'avaient spirituellement plus grand chose de commun avec Cicéron.

Depuis fort longtemps, les dieux de la mythologie avaient été critiqués pour leur anthropomorphisme et leur immoralité. Les gens instruits n'y croyaient plus à l'époque de Xénophon ou de Platon[1]. Sceptiques, Épicuriens et Cyniques prêchaient la même désaffectation du polythéisme traditionnel. L'incroyance absolue qu'affiche au IIᵉ siècle Lucien de Samosate ne choquait plus personne. Cependant on continuait à entretenir le culte traditionnel en le ravivant par le culte impérial. Les meilleurs esprits de l'âge nouveau, un Marc Aurèle, un Plutarque, un Apulée ou un Celse, le défendaient toujours comme un patrimoine indissociable de l'homme hellénistique et romain.

L'esprit de l'Antiquité se transforme. L'irrationnel triomphe là où les vieilles synthèses de la civilisation poliade s'effondrent. Au Iᵉʳ et au IIᵉ siècle, la nouvelle école stoïcienne et surtout le néoplatonisme se caractérisent par une ouverture croissante au mystère et à la religiosité. L'effort pour rendre la divinité plus transcendante entraîne une vision dualisme de l'univers, qui est encore accentuée par l'hermétisme et les cultes orientaux de Cybèle, d'Isis ou de Mithra. Magie, théurgie, initiations, spéculations gnostiques, sciences occultes traduisent maintenant le sentiment diffus de la présence envahissante et inquiétante d'un Absolu insaisissable et que l'on voudrait s'approprier. Mais là encore nous sommes bien souvent en présence de la même pseudomorphose. La nouvelle religiosité naît incontestablement au IIᵉ siècle. Cependant les vieux cultes sont toujours entretenus et par les mêmes hommes. La philosophie est devenue plus religieuse et mystique que spéculative, mais ce sont les maîtres du passé que l'on continue d'expliquer en les réinterprétant. La forme de la culture n'a pas changé, si l'esprit commence à chercher des directions nouvelles.

---

1. P. DECHARME, *La critique des traditions religieuses chez les Grecs,* Paris, 1904, fait remonter cette critique très haut, au moins aux philosophes ioniens du VIᵉ siècle et aux étymologistes du Vᵉ siècle av. J.-C.

L'héritage du passé, dans le domaine religieux ou philosophique est conservé comme un tout. On ne croit plus aux dieux de la mythologie, mais ils font toujours partie de l'univers culturel et de la conscience patriotique de l'homme du IIe siècle. Les nouvelles inquiétudes qui se font jour dans les esprits n'excluent pas cette religion de la culture qui définit toujours l'homme hellénistique et romain. On peut ainsi mieux situer le problème des Apologistes chrétiens du IIe siècle. Leurs efforts pour réfuter le polythéisme traditionnel ou l'anthropomorphisme des dieux, étaient en général inutiles car ils ne faisaient que reprendre des arguments de leurs prédécesseurs païens. Malheureusement, en montrant la puérilité des légendes d'Homère, en condamnant les pratiques rituelles, en rejetant comme inepte l'enseignement des grands maîtres de l'hellénisme, ils ne pouvaient que s'aliéner l'audience de l'intelligentia gréco-romaine. A propos de la question de savoir si l'Antiquité a pu accéder à quelque vérité sur Dieu, le monde, l'histoire, c'est à tout le contexte de la civilisation impériale que les chrétiens se heurtaient donc en fait.

LE CHOC DE L'ÉVANGILE

Le nouvel esprit qui se faisait jour dans les consciences païennes aurait pu les rendre plus favorables au Christianisme. Il devait effectivement le servir à long terme. Mais la prédication chrétienne, quand elle fut mieux connue dans les sphères les plus cultivées de la société impériale, y provoqua au contraire une révulsion instinctive. Les prodromes de la nouvelle religiosité que nous avons pu discerner imposaient certes l'idée de plus en plus nette de la transcendance absolue de Dieu, de sa providence, celle de la nécessité de faire ici-bas son salut par une fuite hors de ce monde dans un retour à l'unité divine. Les consciences étaient disposées à recevoir des révélations au cours de rites initiatiques. Mais l'accent y restait mis sur l'aspect de connaissance, de « gnose » de la vérité suprême. Et le salut n'était pas concevable en dehors des catégories d'une anthropologie et d'une cosmologie dualistes. On comprend mieux dès lors pourquoi le gnosticisme au IIe siècle a gagné un si grand nombre d'adeptes. Il se place bien dans la ligne de la nouvelle sotériologie hellénistique. L'homme antique de la nouvelle religiosité pouvait s'y reconnaître aisément. Bien que leur mépris pour le monde fût total et sans nuances, les gnostiques étaient plus facilement acclimatables dans ce monde. Ils ne cherchaient d'ailleurs pas à l'inquiéter par une quelconque intention de le transformer. Le salut résidant dans une connaissance toute intérieure, l'aspect extérieur du monde qu'ils ignorent en bloc ne les préoccupe pas. C'est pourquoi on ne les voit jamais s'élever contre tel ou tel aspect de la civilisation dans laquelle ils sont condamnés à vivre et dont, du reste, ils profitent, puisqu'elle est mauvaise comme tout le reste *a priori*. Les gnostiques n'ont d'ailleurs jamais été persécutés pour leurs idées.

Mais le Christianisme était parfaitement étranger à ces catégories. Dans son essence même, il se heurtait profondément à l'esprit hellénique. A l'annonce du Christ ressuscité d'entre les morts, les Athéniens traitaient Paul de charlatan[1]. Enseigner que les corps ressusciteront, que le monde a eu un commencement et qu'il aura une fin (qu'on dit prochaine), que Dieu ait pu se déranger pour venir prendre chair — lui qui est parfait et immuable —, en épousant, qui plus est, une condition d'esclave, voilà ce qui était absolument irrecevable pour un esprit grec. Ajoutez à cela que les adeptes de cette doctrine se recrutent en grande partie parmi la population la plus ignorante et que son exclusivisme religieux est farouche, on comprendra quelles furent les proportions que dût prendre la réaction des élites païennes. Il ne s'agissait pas seulement d'une opposition entre deux mentalités étrangères, entre la pensée sémitique et l'esprit grec. Les païens virent bien davantage dans cette « superstitio nova ac malefica » une menace pour les fondements mêmes de la culture dont ils étaient si légitimement fiers.

LA RÉACTION DES ÉLITES

Tant que les chrétiens étaient restés numériquement peu nombreux et sociologiquement insignifiants, ils n'attirèrent guère l'attention de l'élite païenne[2]. Il faut d'ailleurs attendre Celse, vers 178, pour avoir un jugement complet sur le fond de leur doctrine. Avant lui, on les voit mentionnés par Épictète[3], Marc Aurèle[4], en des passages qui montrent en quel degré de mépris et de méconnaissance les tenaient ces sages stoïciens.

---

1. Ac 17, 32.

2. Sur l'offensive intellectuelle contre le christianisme : le livre ancien de B. AUBÉ, *La polémique païenne au IIe siècle,* Paris, 1878 ; et surtout P. de LABRIOLLE, *La réaction païenne,* Paris, 1942. En ce qui concerne Celse, C. ANDRESEN, *Logos und Nomos. Die Polemik des Kelsos wider das Christentum,* Berlin, 1955, mérite une attention particulière. L'auteur soutient, en opposant la philosophie de l'histoire de Celse à la théologie de l'histoire de Justin. que le *Discours Véritable* serait une réplique à l'œuvre de l'Apologiste. Ce qui constituerait l'obstacle insurmontable au rapprochement des deux points de vue est que Justin accepte la révélation biblique de l'histoire qu'il voit culminer dans le Verbe incarné, position irrecevable pour Celse parce qu'elle va à la fois contre la raison confirmée par la tradition grecque (Logos), et l'ordre même du monde maintenu par le culte des dieux traditionnels et sanctionné par l'armature de l'Empire romain (Nomos). Le livre de L. ROUGIER, *Celse ou le conflit de la civilisation antique et du christianisme,* Paris, 1925, déjà cité, reste polémique, et ne rend pas justice à la position chrétienne.

3. Entr. 4, 7, 6.

4. Pensées, 11, 3.

Il n'est pas sûr qu'Apulée et Aelius Aristide[1] fassent allusion à eux en plusieurs textes où ils se font l'écho de l'accusation d'athéisme. Par contre ils sont bien connus de l'agnostique Lucien de Samosate qui voit en eux des gens particulièrement naïfs, mais inoffensifs[2]. Pour se faire une idée plus complète de l'attitude des intellectuels païens à l'égard du christianisme, il faut l'analyser dans deux personnalités parfaitement représentatives de l'atmosphère culturelle de l'époque : le rhéteur Fronton et le philosophe Celse.

Le premier a été précepteur de Marc Aurèle, avant de devenir consul en 143. Minucius Félix nous apprend qu'il prononça un *Discours contre les Chrétiens*[3]. On peut penser avec raison que le discours que cet Apologiste met dans la bouche du personnage de Cécilius est l'écho de certains passages de Fronton[4]. Quant à Celse, il est le type même du philosophe du IIe siècle : un éclectisme qui va de Platon à Épicure ; syncrétisme en religion ; mais par dessus tout un patriote romain, conscient en défendant la civilisation impériale contre les chrétiens, de défendre quelque chose de grand. L'un et l'autre ne craignent pas de faire état de leurs doutes sur les questions de philosophie où aucune certitude n'est possible. Raison de plus selon eux de rejeter la prétention inouïe des chrétiens de trancher dogmatiquement sur tous ces sujets où les plus sages n'ont pas osé se prononcer. Leur attitude fondamentale est celle du mépris : mépris du lettré au jugement réservé pour le dogmatisme obstiné de gens étrangers à toute culture qui condamnent ce qu'ils ignorent. A leurs yeux, les chrétiens appartiennent avant tout aux couches inférieures de la société, celles qui ne bénéficient pas des lumières de la *paideia* : un ramassis d'ignorants et de femmes crédules recruté « dans la lie du peuple », « membres d'une fraction lamentable, illicite, sans espoir »[5]. « C'est pour tout le monde un motif d'indignation, d'affliction que certaines gens et des gens sans instruction, dépourvus de culture, étrangers même aux arts les plus vils, osent décréter quelque certitude concernant l'univers et sa majesté, sur lequel depuis tant de siècles jusqu'à ce jour, à travers une foule de sectes, la philosophie elle-même n'a pas cessé de délibérer »[6]. C'est le point où l'homme cultivé romain se montre piqué au plus vif. Au lieu de trancher là où il n'existe pas de certitude, il faut garder religieusement les opinions des Anciens

---

1. Apulée, Apol. 56, 3 sq ; Metam. 9, 14. Aelius. Arist., 46e Disc. ; A. BOULANGER, *Aelius Aristide et la sophistique dans la province d'Asie au IIe siècle de notre ère*, Paris, 1923, p. 250 s.
2. Mort de Pérég. 11 sq ; Alex. 25 et 38.
3. Oct. 9, 6 ; 31, 2.
4. Oct. 5-11. Passages établis par P. FRASSINETTI, cf. J. BEAUJEU, *Minucius Felix, Budé*, Paris, 1964, p. 88-89.
5. Oct. 8, 3-4 ; cf. 31, 6.
6. *Id.*, 5, 4 ; cf. 12, 7.

et en tirer le meilleur parti. Celse dans ce domaine est aussi catégorique. Pour lui aussi, les adeptes du christianisme ont été dès l'origine « un ramas de gens simples et illettrés, ... des publicains et des mariniers les plus perdus et les plus misérables »[1]. Ils se recrutent dans la lie du peuple, parmi les « gens ignorants et grossiers » dont la crédulité se laisse facilement exploiter[2], « gens niais, vulgaires, stupides : esclaves, bonnes femmes et jeunes enfants »[3].

Mais Celse va beaucoup plus loin que les ragots populaires que Fronton se contentait de colporter. Avec une connaissance assez remarquable des écrits juifs et chrétiens, il en analyse les dogmes fondamentaux. L'Antiquité ne pouvait plus clairement se définir par rapport à la nouveauté chrétienne que dans son jugement. Rarement deux univers mentaux se sont révélés plus étrangers et plus inconciliables. Pour Celse les croyances chrétiennes telles que l'incarnation du Verbe, la naissance virginale, la résurrection des morts, la fin du monde sont un tissu d'absurdités indémontrables et choquantes. Le reproche fondamental est que ces chrétiens pêchent contre la raison. Autre chose est d'admettre, comme le platonicien Celse un Dieu unique, sans changement, cause de tous les êtres, et autre chose est de croire que Dieu, c'est Jésus de Nazareth, « un personnage qui a mené une vie infâme et subi une mort lamentable »[4]. L'Antiquité, nous l'avons vu, divinisait volontiers les hommes supérieurs[5] ou extraordinaires, comme le fameux Apollonius de Tyane dont Philostrate nous a conservé la légende[6]. Si le Serviteur souffrant et glorifié a été un scandale pour les juifs qui attendaient un Messie politique, il était tout simplement une folie, une *moria*, pour les païens. Celse ne cache pas son admiration pour les hommes qui ont le courage de sacrifier leur vie pour ce qu'ils estiment être la vérité, mais à condition qu'ils n'« acceptent de doctrine que sous la conduite de la raison »[7]. Ce qui est inadmissible, c'est que des ignorants, dénués de tout esprit critique, jettent le discrédit sur les traditions dont s'honorent les Grecs en prétendant leur substituer une foi aveugle[8]. C'est exactement le reproche qu'à la même époque leur faisait le médecin Gallien qui fait allusion aux chrétiens en deux passages de son œuvre

1. Cf. Origène, C. Cels. I, 27 ; I, 62 ; II, 46 ; VI, 12.
2. Id., I, 9, 68 ; II, 8, 26, 36, 55 ; III, 78.
3. Id., III, 44.
4. Origène, C. Cels. VII, 53.
5. Paul et Barnabé à Lystres sont pris pour Zeus et Hermès à la vue d'un miracle de Paul : Ac 14, 8 sq.
6. Voir M. MEUNIER, *Apollonius de Tyane ou le séjour d'un dieu parmi les hommes,* Paris, 1936.
7. Origène, C. Cels. I, 9.
8. Id., III, 44, 72, 75.

comme à des gens qui soutiennent des lois indémontrables et qui se laissent facilement désabuser[1].

LA PAIDEIA RIVALE DE LA FOI

Les chrétiens étaient parfaitement conscients de ne pas juger selon les normes de ce que les Grecs appelaient la raison. Il suffit de méditer conjointement deux passages de Paul[2], pour mesurer l'abîme qui, dans la pensée chrétienne, séparait la « sagesse de Dieu » et la « sagesse du monde ». Le *monde* a été incapable, selon sa sagesse à lui, de connaître Dieu tel que Dieu le désirait dans sa propre sagesse. Pour sauver ceux qui croiront en lui, Dieu a donc dû recourir à la folie de la prédication chrétienne[3]. Le *logos* de la croix était devenu incompréhensible aux hommes du monde, mais pour les chrétiens il est « puissance de Dieu »[4]. Si la rupture entre la logique du monde et la logique de Dieu est devenue telle qu'ils ne parlent plus le même langage, c'est que ce que les hommes du monde s'obstinent à tenir pour « sagesse » n'est qu'une longue perversion de la sagesse de Dieu dont ils se sont détournés à l'origine. Dieu s'était fait connaître « à l'intelligence à travers ses œuvres, son éternelle puissance et sa divinité », mais les hommes n'ont pas voulu les reconnaître comme des œuvres de Dieu. Ils se sont alors tournés vers leurs vains raisonnements croyant y découvrir la vraie sagesse. Au lieu d'adorer le Dieu invisible, ils ont divinisé « des images d'hommes corruptibles, d'oiseaux, de quadrupèdes, de reptiles ». Dans leur prétention à la sagesse, ils sont en réalité devenus « fous ». Leur cœur inintelligent s'est enténébré, eux qui « ont échangé la vérité de Dieu contre le mensonge, adoré et servi la créature de préférence au Créateur ». S'étant détournés de la connaissance de Dieu, ils ont par là-même sombré dans les pires désordres moraux. Puisqu'ils n'ont pas « gardé la vraie connaissance de Dieu, Dieu les a livrés à leur esprit sans jugement, pour faire ce qui ne convient pas ».

Le divorce intervenu entre Dieu et le *monde* est lié à l'apparition du péché[5]. Avec le Christ, la véritable sagesse de Dieu s'est à nouveau révélée. Les chrétiens qui reconnaissent que le Christ est « puissance de Dieu et sagesse de Dieu », se laissent donc réintégrer dans le plan de la logique divine en voyant en lui le médiateur qui a restauré la communion avec Dieu. Paul parlant de l'Évangile qu'il a annoncé aux Corinthiens peut

---

1. *Medic, graec, oper.*, t. 8, Leipzig, 1824, p. 579 et 657, cité par LABRIOLLE, *op. cit.*, p. 95 et 96.
2. 1 Co 1, 18-31 et Rm 1, 18-32.
3. 1 Co 1, 21.
4. 1 Co 1, 18 ; cf. Rm 1, 16.
5. Cf. Rm 5, 12.

encore dire : « Ma parole et mon message n'avaient rien des discours persuasifs de la sagesse : c'était une démonstration d'Esprit et de puissance afin que votre foi reposât, non point sur la sagesse des hommes, mais sur la puissance de Dieu ». Pourtant, c'est bien une sagesse qu'il enseignait, mais non une sagesse conforme à ce *monde*. C'était la sagesse mystérieuse de Dieu, étrangère à l'esprit du monde, « un langage enseigné par l'Esprit exprimant en termes d'Esprit des réalités d'Esprit »[1]. Ainsi la vérité est rétablie. Ce n'est pas la croix qui est une folie, mais au contraire la prétention des sages de ce monde à vouloir s'en passer. C'est le monde qui continue à se fier à ses raisonnements, à diviniser ses désirs et donc à pécher, qui vit réellement dans la folie. Aussi la conclusion de Paul est-elle claire : « Si quelqu'un parmi vous se croit un sage au jugement du monde, qu'il se fasse fou pour devenir sage ; *car la sagesse de ce monde est folie devant Dieu* »[2].

Telle est la pensée fondamentale qui inspire les chrétiens dans le jugement qu'ils ont porté sur la culture antique en tant qu'élément du « monde ». Elle est liée à l'idée qu'ils ont de leur place dans l'histoire du salut. Avec le Christ la vérité sur Dieu est manifestée dans sa plénitude et, par voie de conséquence, les voies de la vraie vie sont révélées. Connaissance de Dieu et vérité morale vont de pair pour le croyant. Comme témoins du Christ et dépositaires de la sagesse de Dieu, il s'agit pour eux de faire comprendre aux hommes l'inanité de leur prétendue sagesse et de les convaincre d'opérer une complète *metanoia*. Or, justement la sagesse du monde, la culture antique, parce qu'elle informait l'homme tout entier et cherchait à lui procurer une synthèse spirituelle de son expérience d'être civilisé avec son échelle de valeurs, s'offrait aux chrétiens comme l'anti-thèse très exacte de cette sagesse de Dieu selon laquelle ils s'efforçaient de vivre. Mais la question devenait beaucoup moins simple lorsqu'on descendait de cette vision d'ensemble aux réalités concrètes. Tout dans le paganisme n'était pas mauvais. Paul lui-même reconnaissait qu'en agissant selon leur conscience qui est leur loi intérieure, les païens pouvaient faire le bien tout comme les juifs qui possédaient la Torah révélée[3].

Fallait-il dès lors condamner comme étant du monde la pensée grecque tout entière, ses traditions religieuses, sa prétention de fonder un idéal de vie ? Il revenait aux Apologistes de résoudre cette question. Leur réponse, au travers de démarches et de démonstrations différentes est en fait toujours unanime sur un point : les chrétiens sont les seuls détenteurs de la vérité. Bien plus, la vérité (c'est-à-dire la vraie connaissance de Dieu

---

1. 1 Co 2, 4-13.
2. 1 Co 3, 18-19.
3. Rm 2, 14.

de laquelle découle la véritable morale) ne peut qu'être chrétienne. Mais cette idée fondamentale, ils l'ont exposée chacun à sa manière. On peut distinguer en gros deux tendances parmi les Apologistes. L'une est absolument hostile à l'hellénisme et le condamne sans nuance comme diabolique et antithétique de la révélation. Elle est représentée par Tatien, Théophile d'Antioche et Tertullien. On peut y ajouter Hermias. L'autre cherche une voie de conciliation, s'efforçant d'intégrer les acquisitions les plus assurées de la sagesse païenne dans la vision de l'action universelle de l'unique Logos de Dieu manifesté en Jésus-Christ. Cette tentative est l'œuvre de Justin et de Clément d'Alexandrie. On doit aussi y nommer Athénagore et Minucius Félix bien qu'ils n'aient pas atteint à la même hauteur de vue. Le plus remarquable, c'est que ces Apologistes, qui proclament que les chrétiens sont les seuls détenteurs de la vérité, malgré la pression envahissante de la culture antique, sont tous des païens convertis éduqués selon les principes de la *paideia*. Leurs prises de position attestent pour une large part la tournure que prit chez chacun d'eux en particulier la crise intellectuelle qu'ils durent traverser et le renversement complet de perspectives que l'abandon de la sagesse du monde pour la folie de la croix produisit en eux.

L'HOSTILITÉ COMPLÈTE. 1. *Tatien*

Il est curieux de noter que les adversaires les plus farouches de la civilisation romaine : Tatien, Tertullien, Théophile d'Antioche, sont eux-mêmes des païens convertis, éduqués, au moins pour les deux premiers, selon l'esprit de la *paideia* antique. Ils parlent donc en connaissance de cause. Tatien, avant de devenir le disciple de Justin, avait parcouru le monde comme sophiste et éminent représentant de la sagesse des Grecs[1]. Son *Discours aux Grecs* porte encore après sa conversion la marque du rhéteur qu'il était. L'outrance même de ses attaques qui ne laissent rien subsister de la culture hellénique procède sans doute de l'ambition de paraître original à tout prix. Il ne faudrait cependant pas s'arrêter à l'exagération évidente de la forme. Si Tatien n'a pas suivi son maître dans la voie de la conciliation, c'est qu'il est persuadé de la vanité radicale de toute spéculation ou prétendue science tant qu'elles s'opposent à l'accueil de la révélation. Il reprend, dans la ligne même de Paul, l'idée que l'origine de l'erreur et du polythéisme se trouve dans le refus primitif de reconnaître Dieu selon l'alliance naturelle[2]. Depuis lors les démons n'ont fait qu'égarer les esprits dans des contradictions inconciliables. Cependant l'humanité a bénéficié de la lumière des prophètes juifs qui maintenaient vivante la

1. Disc. 1 ; 35.
2. Disc. 13.

tradition religieuse primitive. Le premier parmi les Apologistes, il comprend que le fond du problème réside dans la preuve de l'antériorité de Moïse par rapport à l'initiateur de la tradition grecque, Homère. La « philosophie » des chrétiens prend sa racine dans l'enseignement des anciens prophètes. La sagesse grecque coupée de ce tronc originel, même quand ses sophistes y ont puisé sans rien y comprendre[1] ne comporte en elle rien de bon et rien qui soit susceptible de mener à la vérité. Ses efforts sont inutiles. « A quoi peuvent servir la diction attique, les vérités des philosophes, les vraisemblances des syllogismes, les dimensions de la terre, la position des astres, le cours du soleil? Perdre son temps pour ces recherches, c'est l'affaire de ceux qui font eux-mêmes une loi de leurs doctrines »[2]. La foi ouvre au contraire au chrétien la totalité de la vérité révélée. Y adhérer implique donc pour lui le rejet radical de tout ce qui constituait le monde des valeurs culturelles de l'homme antique. « Séparés de la doctrine commune et terrestre, poursuit Tatien, obéissant aux préceptes de Dieu, soumis à la loi du Père de l'Incorruptibilité, nous répudions tout ce qui a pour base les opinions humaines »[3]. C'est donc bien la substance même de la sagesse du monde que Tatien condamne. Ce faisant, il reste cependant bien tributaire de son éducation sophistique passée qui lui fournit les armes de sa polémique. Autre est le débat sur la forme de la culture dans laquelle les chrétiens acceptent de se couler et autre est la question du contenu même de cette culture qu'un Tatien rejette absolument.

2. Théophile d'Antioche

Avec beaucoup moins de génie que Tatien, l'évêque Théophile d'Antioche compte aussi parmi les adversaires résolus de la philosophie. Contrairement à ce dernier, il n'a pas l'excuse de bien connaître ce qu'il condamne. Son éducation grecque est honnête sans plus. Il ne semble pas avoir connu les auteurs anciens autrement que par des recueils de seconde main. Ce converti n'est plus disposé à voir dans les cultes païens qu'immoralité et grossièreté[4], et à souligner que « la discorde règne dans les opinions des philosophes et des écrivains »[5]. « Il s'ensuit que du tout au tout se leurrent historiens, poètes et prétendus philosophes, ainsi que ceux qui leur prêtent attention. Ce sont en majeure partie des mythes et des folies qu'ils ont composés »[6] à propos des dieux ou de l'origine du monde.

---

1. Disc. 40.
2. Disc. 27.
3. Disc. 32.
4. Ad Aut. I, 9-10 ; II, 2.
5. Ad Aut II, 5 ; cf. 5-8 ; III, 2-4.
6. Ad Aut. II, 8.

Ce sont les dieux des païens qui ont donné l'exemple des crimes dont on accuse les chrétiens (inceste, anthropophagie, adultère, etc.), et les philosophes sont là pour les encourager[1]. Comment ne pas voir de lien entre les doctrines des païens et leur immoralité? Seuls les chrétiens qui sont les héritiers des anciens prophètes vivent en toute chose selon la sagesse de Dieu. C'est ici cependant que Théophile se rapproche le plus de la position d'un Justin : sans toutefois admettre que les Grecs aient pu atteindre à quelque parcelle de vérité par le seul effort de la raison, il dit à plusieurs reprises que le rôle des prophètes en Israël a été tenu ailleurs par « la Sybille, qui fut prophétesse chez les Grecs et le reste des nations »[1], et que certains poètes et philosophes ont pu tenir « des propos concordants avec ceux des prophètes ». Mais c'est toujours pour marquer que là où une parcelle de vérité est produite au jour, elle est le fruit d'une révélation. Là où les écrivains profanes ont été livrés à eux-mêmes, ils n'ont dit que sottises et impiétés[3]. Pour Théophile, la sagesse du monde coupée de la révélation est donc frappée de nullité. Plus qu'aucun autre Apologiste, il a insisté sur la nécessité de la foi. La foi ouvre les yeux de l'âme et permet seule de connaître Dieu[4]. De plus, à une âme qui n'est pas pure, Dieu ne se révèle pas. L'ignorance de Dieu est donc aussi fonction de l'ignorance de la vie morale[5]. Il faut accepter le pas de la foi, car « dans tous les domaines, la foi vient en tête »[6]. Il est bien plus raisonnable de croire en la résurrection des morts que dans les histoires qu'on raconte sur les dieux[7]. Il s'agit de croire à l'autorité absolue de Dieu sur la création. Théophile lui-même s'est converti en voyant une preuve de la véracité des Écritures dans la réalisation des prophéties[8]. Tant qu'elle refuse de se reconnaître subordonnée à l'ordre de Dieu, l'intelligence humaine tourne à vide loin de son objet sur lequel elle n'a aucune prise ; elle reste dans la région du « monde », qui demeure impénétrable à la lumière révélée.

3. *Tertullien*

Tertullien, avec une ardeur qui n'appartient qu'à lui, abonde dans le même sens. Il a profité dans sa jeunesse du cursus complet de la parfaite éducation : *litterator, grammaticus, rhetor*. C'est au cours de solides études

---

1. Ad Aut. III, 4-8.
2. Ad Aut. II, 36, cf. II, 9.
3. Cf. III, 1-8.
4. Id., I, 1.
5. Cf. *Id.*, I, 2.
6. Id., I, 8.
7. Id., I, 8-10 et 13-14.
8. « J'ai donc la preuve des évènements réalisés après avoir été prédits et je ne suis pas incroyant ; au contraire je crois pour obéir à Dieu. » (*Id.*, I, 14).

qu'il acquiert cette vaste érudition dans tous les domaines dont il reconnaît qu'elle lui est indispensable pour défendre le Christianisme[1]. Bilingue comme les Africains cultivés de son temps, il rédige ses premiers ouvrages en grec. Mais c'est son œuvre en latin qui donne le départ à la littérature latine chrétienne. Mieux que quiconque, aux deux premiers siècles, il a montré que le Christianisme, religion savante, ne pouvait se passer des secours de la culture profane pour s'approfondir ses propres dogmes et les défendre devant le monde. Mais c'est là le paradoxe qui donne à la position de Tertullien toute sa force. C'est lui, le lettré, l'érudit, dont on a relevé qu'il pouvait citer plus d'une centaine d'auteurs différents, qui rejette la tradition intellectuelle des Anciens comme diabolique, qui condamne ses philosophes et ses savants qui ont la prétention de se passer du Christianisme comme des rivaux de Dieu. Avant même son passage au montanisme (vers 203) il avait adopté cette position radicale. Il apparaît comme la figure la plus suggestive de la tension et du déchirement que pouvait éprouver un homme chrétien devant les réalités du monde romain. Tertullien a poussé jusqu'au bout la logique de la foi. Devant elle, plus rien qui tienne. Le comble de son indignation est atteint quand il entend traiter les chrétiens de secte philosophique parmi d'autres[2]. Non, l'Évangile n'a pas été prêché par des dialecticiens[3] ; il n'a rien de commun avec les doctrines des philosophes inspirées par le diable[4] qui sont des simulacres corrompus de la vérité[5]. La vérité est chrétienne. Les philosophes qui ne courent qu'après la gloire, quand ils l'ont entrevue, n'ont pas voulu l'admettre dans sa simplicité et en ont rajouté pour paraître originaux[6]. Les chrétiens, eux, recherchent la vérité « par nécessité et la professent dans son intégrité, parce qu'ils ne songent qu'à leur salut »[7]. La foi leur livre la vérité dans sa totalité : « Dieu, le premier venu des artisans chrétiens l'a trouvé, le fait connaître et ensuite, par sa vie même, il affirme tout ce qui pour les philosophes n'est qu'un objet de recherches sur Dieu »[8]. Il n'y a pas de commune mesure entre le plan de la foi où se situent les chrétiens et celui de la raison humaine lorsqu'elle persiste dans son refus de s'ouvrir à la révélation divine. « Quelle ressemblance y a-t-il entre un philosophe et un chrétien ; entre un disciple de la Grèce et un disciple du ciel ; entre celui qui travaille pour la gloire et celui qui

---

1. De idol. 10.
2. Apol. 46, 2.
3. De anima, 3.
4. De praescr. 7.
5. Apol. 46, 7 ; 47.
6. De anima, 1 ; Apol 46, 7 ; 47, 1-8.
7. Apol. 46, 7.
8. Id., 46, 9.

travaille pour la vie ; entre celui qui n'agit qu'avec de belles paroles et celui qui accomplit de belles actions ; entre celui qui édifie et celui qui détruit ; entre un corrupteur de la vérité et celui qui la rétablit dans sa pureté ; enfin entre celui qui en est le voleur et celui qui en est le gardien ? »[1]. Toute connaissance qui n'est pas utile au salut est non seulement à rejeter mais encore à combattre comme un concurrent qui veut se supplanter à la recherche de cette unique nécessité. Dans son traité *De la prescription*, Tertullien affirme sans détour que la règle de toute connaissance est la foi. Celui qui connaît par la foi n'a plus rien à apprendre de « cette pauvre sagesse humaine qui se pique de chercher la vérité »[2]. L'Évangile a mis un terme à la recherche humaine. « Nous, nous n'avons pas besoin de curiosité après Jésus-Christ ni de recherches après l'Évangile »[3]. Le « cherchez et vous trouverez » n'a plus de raison d'être pour ceux qui, une fois pour toutes, ont trouvé le Christ et ont adhéré à lui. C'est ce que n'ont pas compris les hérétiques[4]. Ainsi, plutôt que de se laisser tromper par une pseudo-connaissance, il vaut mieux ignorer ce que le monde appelle la culture. « Mieux vaut ignorer que de connaître ce à quoi on n'est pas tenu, du moment qu'on sait ce qu'on doit savoir »[5] : « Adversus regulam nihil scire omnia scire est »[6].

Malgré sa formulation parfois outrancière il faut comprendre ce qu'impliquait, pour un Tertullien, le rejet complet de la sagesse antique. C'est en représentant d'une élite païenne convertie, convaincu de la vanité radicale de la philosophie et de la science du monde qu'il adopte cette attitude. La foi a ouvert ces lettrés à une vision de Dieu, de l'univers et de l'homme qu'ils tiennent maintenant pour définitive. Elle procure l'essentiel : la clef de l'histoire humaine, une vision cohérente de sa finalité. Parce que la sagesse profane prétendait elle aussi procurer une vision globale de l'homme et du monde et enseigner une morale qui lui était conforme, le Christianisme l'a nécessairement rencontré sur ce même terrain. Chez les uns cela s'appelait la *paideia*, chez les autres *pistis*, c'est-à-dire la foi. Il s'agissait de deux attitudes fondamentalement différentes en elles-mêmes : une religion de la culture humaine opposée à une révélation

---

1. Apol., 46, 18.
2. De praescr. 7, 8.
3. *Id.*, 7, 12.
4. Dans sa Réfutation de toutes les hérésies, Hippolyte développe exactement la même idée : « Je me suis imposé pour mes lecteurs un travail considérable, tâchant d'inculquer à un grand nombre le désir de s'instruire et l'inébranlable attachement à la vérité une fois connue » (V, 6).
5. De praescr. 14, 2. Voir aussi Irénée, 2, 28, 2 : « Il est meilleur, il est plus utile d'être ignorant et peu savant, mais de se rapprocher de Dieu par la charité que de paraître savoir et connaître beaucoup en blasphémant contre celui qu'ils appellent le Démiurge. »
6. *Id.*, 14, 5.

divine positive, mais qui avaient toutes deux la prétention d'être totales et exclusives et d'informer l'homme tout entier dans son comportement. Il ne s'agit pas pour eux de refuser son autonomie à la *science* profane dans la mesure où elle existe en ce IIe siècle (la médecine en particulier, sans parler de la rhétorique sur laquelle nous reviendrons, semble avoir été le plus en faveur chez les Pères, mais dès que la culture se pose comme une règle de vie absolue et contraignante, elle élève des exigences que le chrétien juge excessives.

Une autre raison, non négligeable, a poussé ces auteurs à mettre l'accent sur le primat exclusif de la foi. C'est que les gnostiques, précisément parce qu'ils se lançaient dans des spéculations philosophiques étrangères aux Écritures, dissolvaient complètement le contenu de la foi dans des élucubrations d'apparence savante. Tertullien dit clairement que les hérésies suivent la « sagesse du siècle » et qu'elles ont « reçu leurs armes de la philosophie »[1]. Pour Hippolyte, la chose est tout aussi évidente : les hérétiques « ont puisé leurs doctrines d'une part dans la sagesse et les systèmes en vogue et dans les divagations des astrologues »[2]. Pour Tertullien la rage de la recherche intellectuelle pour elle-même procède de l'esprit du monde. Ceux qui cherchent encore, ayant la foi, montrent par là-même qu'ils ne croient pas vraiment, « car du moment qu'ils cherchent encore ils n'ont donc jamais rien eu en main ; n'ayant rien en main, ils n'ont donc jamais cru et n'ayant jamais cru, ils ne sont pas chrétiens »[3]. La prétendue connaissance au nom de laquelle les gnostiques méprisent les simples chrétiens est nulle, dit l'auteur *A Diognète*, sans la « véritable vie ». Chercher, douter, spéculer, nier, se contredire, voilà qui est digne des philosophes du siècle. Par contre, « celui chez qui la science est accompagnée de crainte et qui recherche ardemment la vie, celui-là plante dans l'espérance et peut se promettre des fruits »[4].

LES TENTATIVES DE CONCILIATION

Les auteurs intransigeants ont condamné sans ménagement la prétention de la culture antique d'atteindre à elle seule quelque vérité sur Dieu. Les partisans de la conciliation, tout en rompant avec l'affectation de mépris systématique qu'affichaient les précédents, et en préparant même les voies d'une intégration du paganisme à l'unique économie chrétienne, disent finalement la même chose. Seule change la forme ou, si l'on préfère, l'estime personnelle que ces auteurs continuent de porter à la *paideia*

1. De praescr. 7, 2.
2. Hippolyte, Philos., prol.
3. De praescr., 14, 10.
4. A Diogn. 12, 6.

dont ils sont issus. Mais tout en préservant l'originalité de la nouveauté chrétienne, ils montrent à quel point, sur le terrain même de l'expression de la foi, ils sont pénétrés des schèmes de la sagesse de ce monde : stoïcisme surtout et moyen platonisme, qui n'ont pas été sans influer — déjà — sur leur intelligence du message évangélique.

Chronologiquement, le premier a avoir reconnu à la raison grecque d'avoir pu approcher au moins quelque vérité partielle est Justin. Il est allé si loin, bien que sa doctrine ne soit pas absolument cohérente, que son intuition fondamentale ne sera reprise et développée qu'à la fin du IIe siècle par Clément d'Alexandrie. Deux autres auteurs méritent cependant qu'on s'y attarde, bien qu'ils n'atteignent pas à la hauteur d'un Justin ni d'un Clément. Il s'agit d'Athénagore d'Athènes et de Minucius Félix. Ils sont représentatifs de ce qu'était devenu l'enseignement chrétien dans les milieux cultivés dont on voulait à tout prix ménager les susceptibilités. Ils ont, comme Tatien ou Tertullien, même origine et éducation païennes. Mais là où ces derniers se montraient plutôt agressifs et combatifs, soulignant âprement les incompatibilités absolues entre le christianisme et l'hellénisme, ceux-ci préfèrent relever les possibilités d'une entente.

1. *Athénagore*

Athénagore adresse une *Supplique* aux empereurs « philosophes » Marc Aurèle et Commode, vers 177. On y trouve un chrétien d'une rare sérénité, sachant apprécier les douceurs de la Paix romaine[1], l'idéal de justice auquel l'Empire se consacre[2] et sur laquelle il n'y a qu'une ombre, c'est que la liberté qu'a chaque peuple de l'Empire de suivre ses propres usages[3] est refusée aux chrétiens persécutés à cause de leur nom et des crimes invérifiables que les calomnies populaires y attachent. Il s'agit donc de prouver que les charges qu'on leur impute sont inexistantes. Au lieu de considérer en bloc les traditions religieuses populaires et la tradition critique des poètes et des philosophes, Athénagore cherche plutôt à s'annexer le témoignage de ces auteurs et à montrer que les chrétiens ne sont pas plus athées qu'Euripide, Philolaos, Platon ou Aristote ou d'autres qui « ont réfléchi sur Dieu »[4]. Ces derniers sont parvenus à la notion d'un Dieu unique et ont pu l'exprimer librement. Pourquoi pas les chrétiens[5] ? S'élevant contre l'erreur polythéiste, les philosophes se sont donc approchés de la vérité, en particulier Platon qui, concevant un Dieu incréé et

---

1. Suppl. 1.
2. Id., 2.
3. Id., 1 ; 14.
4. Id., 5.
5. Id., 7.

unique créateur de l'univers, l'appelle Zeus, sans entendre par là le fils
du Kronos de la mythologie : « N'ayant pas d'autres désignations pour
parler de lui, il a employé le nom populaire, non comme le nom propre
de Dieu mais pour la clarté, car il n'est pas possible de présenter Dieu
à tout le monde selon ses forces »[1]. Ainsi toute possibilité d'une appréciation positive de la philosophie n'est pas évacuée. Mais elle reste subordonnée à l'ordre de la révélation. Seul Dieu peut faire connaître Dieu.
Les arguments de la raison[2] ne viennent que confirmer l'enseignement
des prophètes dont l'Esprit se servait « comme le flûtiste qui souffle dans
sa flûte »[3]. Les chrétiens ont le dernier mot sur Dieu parce que c'est à
eux qu'il s'est fait connaître. La raison des Grecs, quand elle a travaillé
avec désintéressement, a pu saisir quelques lueurs de vérité, mais il lui
reste à franchir le cap de la foi. Du moins ses efforts peuvent y mener.
« Les poètes et les philosophes, ici comme ailleurs, ont procédé
d'une manière conjecturale ; ils ont été poussés chacun par sa propre
âme, selon la sympathie du souffle de Dieu, à chercher s'il était possible
de trouver et de comprendre la vérité et ils ont réussi à concevoir, non à
trouver l'être, car ils n'ont pas daigné apprendre de Dieu ce qui concerne
Dieu, mais chacun a appris de soi-même. C'est pourquoi chacun a émis
une opinion différente sur Dieu, sur la matière, sur les formes et sur le
monde »[4].

2. *Minucius Felix*

Avec l'Africain Minucius Félix, le climat est tout différent si les arguments restent les mêmes. L'*Octavius* est une pièce d'un type unique dans
l'apologétique anti-païenne non seulement parce qu'elle est la seule à se
présenter sous la forme d'un dialogue, mais parce qu'elle est l'exemple le
plus franc de la tendance conciliatrice avec la mentalité romaine.
A l'opposé d'un Tertullien dont pourtant il s'inspire, Minucius Felix,
dans le souci de heurter le moins possible l'esprit de ses interlocuteurs
de la haute société cultivée, va jusqu'à évacuer ce qui fait l'originalité
propre et irréductible du Christianisme. Le nom du Christ n'y est jamais
mentionné. Les questions les plus inassimilables pour un païen, l'eschatologie, la résurrection des morts, sont passées sous silence. Le but de
l'ouvrage est de convaincre le païen Cécilius de l'existence d'un Dieu
unique et providentiel et de prouver l'honnêteté des chrétiens injustement
calomniés[5]. Ce dialogue, qui met en présence des personnages certai-

---

1. Suppl., 23.
2. *Id.*, 8.
3. *Id.*, 9.
4. *Id.*, 7.
5. Résumé en Oct. 40, 2.

nement réels, est pour nous un précieux témoignage de la difficulté que devait éprouver un homme cultivé de l'élite romaine pour comprendre le Christianisme et cela du double point de vue des habitudes intellectuelles de la société impériale plutôt portée au scepticisme en des matières aussi incertaines, et du poids de la tradition contre laquelle par un scrupule presque religieux on n'osait pas s'inscrire en faux. L'auteur avait donc intérêt à ménager le plus possible ses lecteurs. Pour réfuter le paganisme traditionnel, il a recours au même procédé qu'Athénagore : montrer que la tradition philosophique de la Grèce milite avec les mêmes arguments que les chrétiens pour condamner le polythéisme, et affirmer l'unicité de Dieu et sa toute-puissance. Mais à la différence d'Athénagore, Minucius se contente de ces arguments rationnels[1]. Aucune référence n'est faite à l'Écriture.

Le résultat est que le Christianisme ainsi exposé, apparaît comme une philosophie à la mode et non plus comme foi, plus proche du vague théisme hellénique que de l'Évangile. Minucius ne fait d'ailleurs que reprendre les arguments de la propagande stoïcienne quand il invoque le consensus universel en faveur de l'unicité de Dieu[2]. Mais ce qui nous intéresse ici, c'est de voir qu'il donne raison aux philosophes qui s'accordent au fond sur cette question[3] contre les poètes qui ont inventé les légendes du polythéisme. Il constate que dans le *Timée*, Platon exprime des idées qui sont « à peu près les nôtres ; *eadem fere et ista, quae nostra sunt* »[4]. Mais le centre de sa pensée reste qu'en cette matière, présentée ici comme un problème philosophique, les chrétiens gardent le dernier mot de la vérité. S'il reconnaît aux philosophes la possibilité d'atteindre la vérité, c'est toujours parce que leur opinion est en harmonie avec la doctrine chrétienne, « nobiscum... consonare »[5]. La doctrine chrétienne peut à la rigueur — ici pour des raisons didactiques — être tenue pour une philosophie, mais à condition d'être *la* philosophie, celle au critère de laquelle sont jugées toutes les autres. C'est dans ce sens qu'il dit : « J'ai montré que dans l'opinion de presque tous les philosophes qui jouissent d'une gloire particulièrement éclatante le dieu unique était désigné sous des

---

1. Oct. 39.
2. Cf. Oct. 18, 11. Bien qu'il s'inspire ici de Tertullien (Apol. 17, 4, sq), Minucius n'atteint pas à la profondeur de l'idée de la connaissance naturelle de Dieu par le témoignage de l'âme. Pour Tertullien, quand le langage courant parle de Dieu bon, Dieu grand, etc., il fait en réalité une confession de foi chrétienne : « testimonium animae naturaliter christianae » (17, 6).
3. *Id.*, 19, 3.
4. *Id.*, 19, 15. Plus haut : « Platon tient sur Dieu... un langage qui serait en tout point céleste, s'il n'était souillé par la conviction politique qui vient quelquefois s'y mêler » (19, 14).
5. *Id.*, 19, 4.

noms multiples en sorte que tout le monde peut croire ou bien que de nos jours, les chrétiens sont philosophes ou bien que les philosophes étaient chrétiens dès ce temps-là »[1]. Ces ouvertures, cette bonne volonté, où l'on n'est pas sans voir apparaître quelquefois la pointe spécifique du Christianisme, ne représentent pas encore une tentative d'intégrer l'apport de la raison grecque dans l'unique économie chrétienne, comme ont essayé de le faire Justin et Clément.

LA RAISON, TESTAMENT DES GRECS

Le premier à Rome, le second à Alexandrie, les deux capitales intellectuelles du monde, Justin au milieu, Clément vers la fin du IIe siècle, sont les premiers philosophes chrétiens à avoir enseigné le Christianisme en ouvrant une école à la manière de leurs collègues stoïciens, platoniciens ou cyniques. Tous deux ont voyagé à travers l'Empire allant de maître en maître, avant de s'arrêter à la « seule philosophie solide et efficace »[2]. Ces professeurs convertis sont restés des docteurs privés, des philosophes chrétiens. Il ne semble pas en effet, contrairement à la tradition des origines de l'école catéchétique d'Alexandrie, que Clément eût officiellement la fonction de catéchète. C'est son disciple, le jeune Origène, qui en reçut la charge de l'évêque Démétrius au moment de la persécution de Septime-Sévère. La figure de Justin, dans le débat du Christianisme et de la philosophie grecque, est attachante par la hardiesse de son intuition fondamentale. Clément est plus important pour les transformations mentales qu'il annonce. Bien que son *floruit* se situe entre 190 et 202, date à laquelle la persécution le fait fuir en Cappadoce, il appartient au IIIe siècle. Sans avoir la simplicité enthousiaste de Justin, il est représentatif de ce que pouvait être un aristocrate chrétien cultivé d'Alexandrie, bourré jusqu'à la confusion d'érudition littéraire, d'images et de comparaison où le souvenir des anciens poètes surgit à tout propos, aussi abondamment que celui des prophètes, chez qui l'on peut bien dire, et la première fois, que l'homme du monde oblitère le chrétien. Il y a chez Clément une légèreté fuyante et un ton de badinage qui déconcertent parfois. L'hellénisme est tellement présent dans la forme et le mouvement même de sa pensée que le fonds chrétien s'y dissout facilement.

En professant leur cours de philosophie chrétienne, ces hommes ont fait prendre au Christianisme un tournant décisif : de simple foi qu'il était, ils ont été les premiers à tenter de l'élaborer en doctrine, c'est-à-dire en un système rationnellement cohérent cherchant à concilier les données de la raison grecque et de la révélation chrétienne. Ce n'était encore qu'un

1. Oct., 20, 1.
2. Justin, Dial 8, 1.

début. Hellénisation du Christianisme ou christianisation de l'hellénisme, les deux sans doute à la fois ; la tradition culturelle antique, en tout cas, recevait pour la première fois un statut honorable dans la vision chrétienne. Encore est-il nécessaire d'en bien préciser les contours. C'est parce qu'elle leur paraît intégrable dans l'unique économie divine que la philosophie des Grecs leur semble mériter une appréciation positive. La doctrine du *Logos* que Justin est le premier à développer et que Clément a élargie leur a fourni le moyen de cette intégration.

1. *Justin*

La théorie du Logos vient naturellement dans l'enseignement touffu de Justin. Il n'a pas le sentiment d'innover sur ce point. C'est que la notion était familière à ses contemporains aussi bien païens que Juifs. Elle était largement répandue dans l'empire au IIe siècle par toutes les écoles philosophiques. On a vu comment les chrétiens s'en étaient servis pour exprimer la doctrine de la médiation du Christ, Verbe de Dieu dans la première création[1]. Avant de s'incarner en Jésus, le Verbe agissait auprès de Dieu comme créateur et comme révélateur ; incarné il est la révélation ultime et parfaite donnée aux hommes. Ainsi Justin reconnaît-il au Verbe pré-existant le rôle de s'être révélé non seulement dans les théophanies de l'Ancien Testament, mais même par ses « semences de vérité » qu'il a déposées dans l'âme de tout homme. Ce que les *logoi spermatikoi* des stoïciens sont à la matière cosmique, la « semence du Verbe » qui est « semence de vérité », l'est à l'humanité. Ainsi les philosophes qui ont parlé avec justesse n'ont fait que développer le germe de vérité que le Verbe a déposé en eux.

Il est révélateur de noter que là où la sagesse grecque est reconnue et estimée le plus favorablement, c'est précisément dans un système qui lui retire en quelque sorte toute son autonomie. C'est parce que le Verbe aiguillonne la raison des philosophes que ceux-ci arrivent à concevoir certaines vérités. C'est clair, « le Christ est le premier-né de Dieu, son Verbe auquel tous les hommes participent »[2]. Tout ce qui a été dit de juste et fait de bien est fruit de la semence du Verbe, car « il est celui qui est en tout, qui prédit l'avenir par les prophètes et qui de plein gré a épousé notre condition pour nous enseigner ces choses »[3]. Ainsi, « tous les principes justes que les philosophes et les législateurs ont découverts et exprimés, ils les doivent à ce qu'ils ont trouvé et contemplé partiellement du Verbe »[4].

---

1. *Supra*, p 21 sq.
2. I Ap 46, 2.
3. II Ap 10, 8.
4. II Ap 10, 2.

De même si « les stoïciens ont établi en morale des principes justes et les poètes aussi », c'est parce que « la semence du Verbe est innée dans tout le genre humain »[1]. Mais cette semence ne pouvait les conduire qu'à des vérités partielles adaptées à la capacité qu'avait leur esprit de les accueillir. La vérité dans sa totalité ne devait se révéler que dans la venue dans la chair du Logos lui-même. L'accent est donc mis sur le caractère morcelé et limité de ces révélations du Logos aux âmes des païens. Elles leur permirent de saisir des aspects divers de la réalité mais non encore de la concevoir dans toute son ampleur. Chacun des écrivains anciens « voyait en effet, selon sa part du divin Logos séminal, ce qui lui était apparenté, et pouvait s'exprimer justement »[2]. Ils pouvaient, « grâce à la semence du Verbe déposée en eux », voir les choses « d'une façon indistincte »[3], ils ne bénéficiaient pas de la claire vision.

Tel est au contraire le privilège des chrétiens. Ce que la raison habitée par les semences du Verbe n'a pu voir qu'imparfaitement et partiellement, ils le possèdent en totalité en la personne du Christ. Le Verbe, après avoir agi dans l'ensemble des hommes en distribuant ses lumières à la raison s'est fait homme pour se faire connaître d'une manière définitive. Bref, la vérité, c'est Jésus-Christ. « Ce n'est pas seulement chez les Grecs et par la bouche de Socrate que le Verbe a fait entendre ainsi la vérité ; mais les barbares aussi ont été éclairés par le même Verbe qui prit une forme, devint homme et fut appelé Jésus-Christ »[4]. Avec lui, la vérité, jadis fragmentairement perçue, est révélée dans toute sa plénitude : « Tout ce que (les philosophes) ont enseigné de juste nous appartient à nous chrétiens. Car après Dieu nous adorons et nous aimons le Verbe né du Dieu non engendré et ineffable, puisqu'il s'est fait homme pour nous, afin de nous guérir de nos maux en y prenant part »[5]. Car « autre chose est de posséder une semence et une ressemblance proportionnée à ses facultés, autre chose l'objet même de la grâce de qui procède la participation et la ressemblance »[6]. La synthèse est ainsi bouclée : au terme de son économie, le Verbe se manifeste comme l'incarnation de la vérité totale. Les chrétiens qui ont foi en lui contemplent en sa personne et en son mystère la splendeur de la vérité jadis cachée et péniblement entrevue, maintenant ouvertement révélée. La philosophie, si elle reste conforme à la logique propre de son économie, doit donc déboucher sur la foi que

1. II Ap 8, 1.
2. II Ap 13, 3.
3. II Ap 13, 5.
4. I Ap. 5, 4.
5. II Ap. 13, 4.
6. II Ap. 13, 6.

Jésus est le Logos de Dieu. Sinon, elle continuera de suivre le régime des clairs-obscurs et des contradictions parce que les facultés de la raison sont limitées et qu'elle est incapable d'unifier ses conquêtes fragmentaires. « C'est pour n'avoir pas connu *tout* le Verbe qui est le Christ que les (philosophes) se sont contredits eux-mêmes »[1]. Le fait qu'ils se contredisent toujours sur les points essentiels montre qu'ils n'ont pas compris que les lumières dont leur raison bénéficiait n'étaient pas suffisantes ni adaptées à un tel objet. Leur tort est de les prendre pour norme définitive de la connaissance de la vérité. Les efforts de l'intelligence dans le passé n'ont de valeur positive que s'ils débouchent sur la reconnaissance actuelle du Christ-Logos. Justin fait état, pour montrer que les chrétiens sont les héritiers — combien supérieurs il est vrai — de tous ceux qui avant eux recherchaient honnêtement la vérité, d'une autre preuve, très révélatrice à nos yeux de son univers mental. C'est que les vrais philosophes du temps passé qui ont émis des opinions justes ont été, comme le sont les chrétiens maintenant, persécutés pour s'être dressés contre l'erreur ambiante, par exemple Socrate, Héraclite, Musonius chez les Grecs, et d'autres chez les Barbares[2]. Ce sont là évidemment des épisodes de la lutte que les démons livrent de tout temps contre la vérité pour l'empêcher de triompher en ce monde. « Ce sont les démons qui toujours excitent cette haine contre tous ceux qui cherchent en quelque manière à vivre selon le Verbe et à fuir le mal »[3].

2. *Clément d'Alexandrie*

Sous cette même forme, le thème du Logos divin à l'œuvre dans l'esprit des païens se retrouve chez Clément d'Alexandrie où il atteint une résonnance plus grande parce qu'amplifié aux dimensions d'une vision beaucoup plus vaste de l'histoire religieuse de l'humanité[4]. Elle a le Logos pour centre et pour acteur principal. Les étapes de cette histoire, Clément les trace en les articulant dans ses trois œuvres principales. Prenant l'humanité au stade bestial où la tyrannie des démons l'avait ravalée[5], le Logos l'achemine progressivement vers la révélation de la vérité en l'exhortant d'abord à quitter les erreurs du paganisme et à suivre l'appel (le *Protreptique*) ; ensuite en « introduisant » les nouveaux convertis à la vie selon le Christ : c'est le rôle du Logos « *Pédagogue* » ; en leur enseignant

---

1. II Ap. 10, 3.
2. I Ap 46, 3-4 ; II Ap 10, 4 ; 8, 1-2.
3. II Ap 8, 2. Ce thème est dans toute l'apologétique.
4. Cf. Cl. MONDÉSERT, *Clément d'Alexandrie. Introduction à l'étude de sa pensée religieuse à partir de l'Écriture.* Paris, 1944, p. 187-219.
5. Protr. I 4.

enfin la science ou gnose parfaite où le Logos se fera Didascale [1]. Le Logos se propose donc de réaliser un « programme » ou une « économie » pour donner aux hommes l'éducation qui est la sienne. A la *paideia* antique et à son idéal d'humanisme axé sur le respect d'une tradition et sur un genre de vie, est opposé ici le plus nettement la *paideia* du Christ qui consiste d'abord à mener à la foi, et aussi en un *bios*.

Le statut de la tradition culturelle hellénique est naturellement analysé dans le *Protreptique* [2] parmi les obstacles à éviter pour suivre l'appel du Logos. La critique du polythéisme est dans la ligne de condamnation unanime de l'Apologétique antérieure [3]. La philosophie n'est guère plus avancée quand elle fait « adorer » des principes de la matière ou des planètes [4]. Mais des esprits plus éclairés comme Platon, Xénophon, le stoïcien Cléanthe ou les Pythagoriciens [5], ont su parler de Dieu d'une façon juste. De même certains poètes, notamment Orphée. C'est à l'inspiration du Logos qu'ils le doivent, « car tous les hommes, en général, ont reçu quelques gouttes émanant de la source divine ; les plus favorisés sont ceux qui passent leur temps dans l'étude » [6]. De tout temps il leur était présent : « Si, en effet, les Grecs ont recueilli, mieux que les autres, quelques étincelles du Logos divin et ont fait entendre quelques rares vérités, ils témoignent ainsi que la puissance de la vérité n'était pas cachée, mais ils s'accusent eux-mêmes de faiblesse puisqu'ils n'ont pas atteint le but » [7].

Avec plus de précision encore que Justin il oppose la plénitude de connaissance à laquelle a accédé le chrétien qui a reconnu en Jésus le Logos venu dans la chair. Désormais, la philosophie hellénique devient pour lui caduque. Son rôle d'introducteur à la vérité est terminé par la manifestation de la vérité elle-même. « Il s'en suit donc, dit Clément avec force, puisque le Logos lui-même est venu du ciel à nous, que nous ne devons plus aller à aucune école humaine et ne plus nous soucier ni d'Athènes ni du reste de la Grèce, ni non plus de l'Ionie ». Celui qui s'est jadis manifesté dans la création et les prophéties, « ce maître maintenant nous enseigne tout et par le Logos le monde entier est devenu désormais une Athènes et une Grèce. » Les chrétiens se déclarent donc à bon droit les « dépositaires de la seule vraie sagesse, que les plus grands des philosophes ont seulement fait entrevoir et que les disciples du Christ ont reçue et proclamée ! ». Le Christ, sagesse de Dieu, n'est pas venu enseigner une doctrine parmi

---

1. Cf. Protr. I 1,2-3,2.
2. Protr. II-VII.
3. Protr. II-IV.
4. *Id.*, V.
5. *Id.*, VI.
6. *Id.*, VI 68, 2 ; Cf. VI 72, 5.
7. *Id.*, VII 74, 7.

les autres, une vérité partielle ajoutée à des vérités partielles. Il est la vérité dans sa totalité, celle dont la connaissance est le propre de la nouvelle création rachetée. « Le Christ entier n'est pour ainsi dire pas partagé : il n'est ni barbare, ni juif, ni grec, ni homme, ni femme ; c'est l'*homme nouveau*, l'homme transformé par l'Esprit Saint de Dieu »[1].

La perspective de Clément est donc parfaitement claire. Si la philosophie des Grecs a pu dire des choses justes, c'est parce que le Logos de Dieu n'était pas absent du cœur des hommes avant de se manifester dans la chair. Si la philosophie ne reconnaît pas cette ultime révélation, elle sort de son rôle de propédeutique à la foi et prenant la *paideia* qui la fonde pour un absolu, elle usurpe un statut qui dans la *paideia* du Christ ne revenait qu'au Logos. Ceci étant fermement posé, Clément peut insister — et il l'a fait plus qu'aucun autre de nos Apologistes — sur l'utilité de la philosophie et sur son rôle de préparation à la foi. Là encore, c'est parce qu'il l'ordonne à la révélation du Logos qu'il peut reconnaître à la sagesse grecque une réelle valeur. Tout le premier livre des *Stromates* est consacré à cette double question. En érudit et en apologète qu'il est, il reconnaît que le chrétien ne peut se passer de la philosophie qui est une excellente gymnastique intellectuelle[2], qui habitue l'esprit au discernement indispensable[3] et qui « sert à la démonstration de la foi »[4]. Elle est nécessaire ainsi que la dialectique ou les sciences naturelles ne serait-ce que pour exposer la foi aux élites païennes. Clément s'élève contre ceux qui tiennent la foi pour exclusive de toute connaissance qui lui serait étrangère[5]. Exiger une « foi nue » et rejeter une foi cultivée par la science, c'est vouloir « récolter illico les grappes de raisin sans avoir soigné la vigne »[6]. Au contraire, pour comprendre les enseignements proprement dits du Logos, toutes les ressources de la culture profane sont nécessaires[7], car il est impossible de tirer au clair tout l'enseignement de l'Écriture « sans le secours d'un enseignement technique ».

A partir de Clément, le Christianisme ne pouvait plus se contenter d'être une foi simple, il devient une doctrine intellectuellement élaborée. Mais ce qu'il faut noter ici, c'est que Clément ne reconnaît l'utilité de la culture profane que pour la formation intellectuelle et l'équipement de l'esprit qu'elle fournit. Il n'en authentifie le contenu qu'autant qu'elle

---

1. Protr. XI, 112. Le dernier passage est un souvenir de 1 Co 1, 13 ; Ga 3, 28 ; 6, 15 ; Ep 4, 24 ; Col 3, 9-11.
2. Strom. I, VI 33.
3. *Id.*, VI 35, 2.
4. *Id.*, I, II 20, 2.
5. Strom., I, II 18, 2-3 ; I, II 19.
6. Strom., I, IX 43, 1.
7. Strom., I, I 18.

se borne à son rôle de préparation à la foi. C'est parce que le vrai gnostique a la foi qu'il peut voir dans la philosophie « une image évidente de la vérité, un don de Dieu aux Grecs »[1]. Avant le Christ, elle était indispensable aux Grecs pour les conduire jusqu'à lui, car la philosophie « faisait leur éducation, tout comme la Loi celle des juifs, pour aller au Christ... (Elle) est un travail préparatoire ; elle ouvre la route à celui que le Christ rend ensuite parfait »[2]. Bien plus dira-t-il dans le *VI° Stromate*, « la philosophie a été donnée aux Grecs comme un Testament qui leur est propre ; car elle est un marche-pied pour atteindre à la philosophie selon le Christ »[3]. Maintenant que la Vérité est apparue dans toute sa plénitude, la philosophie est encore utile aux croyants car elle fournit à l'esprit soucieux de rendre raison de sa foi, la formation et la sagacité indispensables[4].

LA PAIDEIA DU CHRIST

De cette démonstration, comme de celle de Justin, une constante se dégage. Si la sagesse humaine se ferme à la révélation du Christ qui est le terme logique de sa requête, elle reste sagesse de ce monde, et donc folie. Si par contre elle débouche sur la foi au Christ, toutes ses acquisitions prennent une réelle valeur parce qu'elles apparaissent comme l'œuvre de ce même Logos agissant dans l'humanité et la préparant à recevoir en sa personne incarnée la révélation plénière de la vérité. Dans le fond, ces conclusions se rapprochent de celles que dans leur rigorisme avaient tirées Tatien ou Tertullien. Au moins la sagesse païenne ici n'est pas vue exclusivement comme une œuvre satanique. Elle a une possibilité de se racheter dans la perspective historique d'une éducation progressive de ·l'humanité par le Logos. Mais au fond, les uns et les autres disent la même chose. Qu'ils aient tenté ou non l'effort d'intégrer la *paideia* antique dans l'économie chrétienne, il reste qu'à leurs yeux, c'est cette dernière seule qui est définitive et authentique parce que seule voulue par Dieu de tout temps pour le salut du genre humain. La sagesse des païens, quand elle se met hors de la tension de cette unique économie dans laquelle elle peut trouver sa place, reste confondue avec le schéme de ce monde. Tant qu'elle n'accepte pas d'être déterminée par la vérité qui est le Christ et s'érige en culture autonome, elle fait partie de cet ensemble qu'est le *monde*, création non encore rachetée, qui ne reconnaît pas encore la souveraineté du Christ sur l'intelligence humaine. Que l'éducation intellectuelle telle

---

1. Strom. I, II 20,·1.
2. *Id.*, I, V 28, 4. Voir encore I, XVI 80, 5-6.
3. Strom. VI, VIII 67, 1.
4. *Id.*, V 28, 1 ; 32, 4.

que la pratique la *paideia* antique soit cependant indispensable pour la formation de l'esprit, c'est ce que les plus intransigeants eux-mêmes devront reconnaître[1]. Comme toujours, l'attitude du chrétien face à cet aspect particulier du « monde » est complexe. Il en retient ce qui est compatible avec son être propre, mais en lui donnant un sens nouveau et en modifiant radicalement les perspectives. Confrontés à une tradition humaniste qui se voulait totale, qui pénétrait l'homme jusque dans les fibres de son âme en lui proposant une vision de l'existence où tout est intégré et ordonné, les premiers chrétiens ont proclamé avec une force étonnante — vue la disproportion de leur existence sociale et culturelle face à la puissance de la société impériale — que la vérité ne peut qu'être chrétienne. C'est leur intelligence des choses qui est la vraie. La vision du monde préconisée par l'Antiquité — encore faut-il qu'elle renonce à être dans son genre totalitaire — n'a par rapport à elle que le prix d'une longue et difficile préparation.

L'ARGUMENT CHRONOLOGIQUE

Aussi pour les Apologistes, le débat sur la sagesse grecque est-il clos par l'argument massif de l'emprunt des Grecs, et se ramène finalement à un problème de chronologie. Il s'agit de montrer que la tradition des chrétiens qui remonte à Moïse est plus ancienne que celle des Grecs et que tout ce que ces derniers ont pu dire de juste, ils l'ont emprunté aux prophètes. En soi, cette théorie n'avait rien d'original. Celse l'employait dans le sens exactement inverse contre les chrétiens. Il veut bien leur reconnaître quelques bribes de vérité puisées chez les Grecs, qu'ils ont d'ailleurs « mal comprises et gâtées par l'ignorance »[2]. L'état d'esprit de ces arguments révèle cependant le fond du problème. Les chrétiens sont ceux qui ont accueilli la vérité aux diverses étapes de sa manifestation et maintenant dans son intégralité. Toute parcelle de vérité, où qu'elle soit, ne peut provenir que de cette source unique. Tous les Apologistes à l'exception d'Athénagore attestent cette idée, au risque de paraître quelquefois illogiques avec eux-mêmes. Les auteurs les plus intransigeants, Tatien et Tertullien, affirment que si les Grecs ont puisé à l'Écriture, passionnés uniquement de leur gloire, ils ont voulu dire quelque chose de personnel et ont totalement déformé la vérité sous un amas de rhétorique[3]. Minucius Felix estime, de son côté, qu'ils n'ont pu reproduire que l' « ombre

---

1. Cf. *infra*, p 324-325.
2. Origène, C. Cels. V, 65 ; cf. I, 21.
3. Tatien, Disc. 40 ; Tertullien, Apol. 47, 1-8.

d'une vérité altérée »[1]. Justin[2] et Clément[3] adoptent aussi la théorie
du larcin sans la trouver contradictoire avec leur doctrine du Logos. Mais
c'est Tatien qui a le premier développé l'argument proprement chronologique[4]. Les points de repère sont Moïse et Homère. Il fait appel à
l'histoire des peuples chaldéen, phénicien, égyptien, pour établir le synchronisme Moïse-Amosis-Inachos (premier roi d'Argos : on est encore
loin de la guerre de Troie). Sa conclusion est que « Moïse est plus ancien
que les héros, que les cités, que les divinités. Il faut donc avoir foi à celui
qui l'emporte par l'âge plutôt qu'aux Grecs qui ont puisé à cette source
ses doctrines sans les comprendre »[5]. Théophile de même s'appuie sur
Manéthon pour dire, comme Tatien, que la sortie d'Égypte a eu lieu sous
Amosis, mais arrive à une conclusion légèrement différente quant à la
date de Moïse : neuf cent ou mille ans avant la guerre de Troie[6] (contre
quatre cents chez Tatien[7]). Ainsi, conclut Théophile, « l'on peut voir
l'antiquité des écrits prophétiques et l'origine divine de notre enseignement ; ce n'est pas un enseignement de fraîche date ; nos croyances ne
sont pas — comme d'aucuns se l'imaginent — un ramassis de fables et
de mensonges ; elles sont au contraire des plus anciennes et des plus véri-
diques »[8]. Sur la base du synchronisme Moïse-Amosis-Inachos, Clément
prouve à son tour, « sans contestation possible, que la plus ancienne de
toutes les sagesses est la philosophie hébraïque »[9]. Toute la civilisation
grecque a eu Moïse pour modèle. Il fut le type parfait du « prophète, du
législateur, du tacticien, du stratège, du politique, du philosophe »[10].

Ainsi le cercle est bouclé. L'Apologétique prétend prouver par l'histoire
la haute antiquité dans laquelle la tradition chrétienne plonge ses racines.
Étant la plus antique, elle est aussi la plus vraie. La vérité qu'elle défend
aujourd'hui n'est pas une *novitas* ; elle est un accomplissement et une
restauration sur un plan désormais définitif de cet unique filon de lumière
que le Logos aux différentes étapes de l'histoire a révélé aux hommes et
que les chrétiens d'avant et d'après le Christ ont seuls su recueillir.

1. Oct. 34, 5.
2. Justin, I Ap. 59-60.
3. Clement, Protr. VI 70, 1 ; Strom. I 22 ; 24 ; 25 ; 26 ; 28.
4. Les Juifs alexandrins avaient déjà démontré l'antériorité de Moïse par rapport à la sagesse
grecque. Textes cités par Eus., P.E., IX, 27. Cf. Jos., C. Apion. J. PÉPIN, *Le challenge Homère-
Moïse aux premiers siècles du christianisme*. R.S.R. 29 (1955), p. 105-122, montre l'origine
juive de l'argument chronologique.
5. Disc. 40.
6. Ad Aut. III, 21. Chronologie adoptée aussi par Tertullien, Apol. 19, 2-3.
7. Disc. 30.
8. Ad Aut. III, 29.
9. Strom. I, XXI 101, 1 sq. Cf. Hipp., Philos. X : « Les anciens patriarches... étaient des
hommes pieux et ils sont très antérieurs aux nations qui ont cultivé la philosophie. »
10. Strom. I, XXIV 158, 1.

TROISIÈME PARTIE

LE MONDE RÉNOVÉ

CHAPITRE IX

L'HOMME NOUVEAU

La conscience que les premiers chrétiens ont d'eux-mêmes et de leur rôle éminent dans le monde s'est explicitée dans les choix concrets devant lesquels les a mis leur insertion dans la civilisation impériale. Dans cet état qui se divinise, cet ordre qui se veut définitif, cette culture coupée de la révélation, ce mode de vie à sa façon totalitaire, ils ont décelé des traits de l'Empire de Satan dont la marque est reconnaissable partout où les hommes vivent, s'organisent, pensent selon les critères du « *monde* » qui se veut autonome, indépendant et coupé de toute relation à Dieu. Par les présupposés idéologiques qui la soutendaient, la civilisation impériale se présentait elle-même comme une interprétation du monde et de l'existence. En ce sens, elle se constituait en alternative de la révélation de Dieu d'où les chrétiens prétendaient, eux, tirer leur propre interprétation du monde. Mais nous avons vu que leur refus de vivre selon le monde ne se traduisait jamais par une négation ni un rejet en bloc de toutes les réalisations des hommes. Ce qui est rejeté, c'est l'esprit qui inspire ces réalisations, quand il les érige en absolu dans la conscience des hommes pour les détourner dans des perspectives étrangères à leur véritable destinée. C'est cette vraie destination des choses du monde par rapport à l'homme que les chrétiens ont prétendu restituer, en vivant selon l'interprétation du monde qu'ils trouvaient tracée dans la révélation du Christ. L'attitude chrétienne dans le monde n'a jamais été une condamnation a priori. Elle ne s'est pas non plus traduite par une fuite devant le monde, ni un repli en ghetto. Sachant le rôle particulier qui leur revient dans la phase actuelle de l'histoire du salut, ils cherchent au contraire, sans se diluer dans le monde encore en proie au péché, à vivre selon l'Esprit qui est la vie du monde à venir. Au cœur de ce monde, ils ont la conviction qu'ils sont déjà le germe de la nouvelle création. Ils n'hésitent pas à dire que c'est pour eux, en définitive, que le monde a été créé. Ce sont eux qui forment le nouveau peuple dans lequel l'humanité, juifs et païens, doit confluer. C'est ce peuple-là et non l'*oikouméné* romain que Dieu a fondé. Ce sont eux qui possèdent maintenant la vérité ultime des choses, et non les philosophes grecs malgré leurs emprunts aux prophètes. De plus, c'est à leur prière que le monde subsiste. Et c'est en fonction d'eux que se prolonge ou se raccourcit le temps intermédiaire qu'il reste à l'histoire — leur histoire — à parcourir. L'Église, grandeur à la fois invisible et visible, céleste et terrestre, doit déjà manifester visiblement par son édification interne comme par sa mission dans le monde, la royauté que le Christ exerce sur toute la création. En elle le monde nouveau est déjà inauguré et l'ancienne création résorbée. Soumise à l'action de l'Esprit, elle témoigne un sens nouveau de l'existence dans ce monde provisoire et ce temps intermédiaire, qui se traduit concrètement par de nouvelles formes de vie individuelle et communautaire. La prolongation du délai de la parousie a obligé le Christianisme primitif à prendre conscience des nouveaux fondements de la morale à la lumière de l'évènement sauveur accompli par le Christ. En même temps, il a tenté de donner une nouvelle image de l'homme, ou plus exactement il a cherché à dégager les traits permanents de l'homme nouveau vivant dans le monde. La nouveauté chrétienne doit être totale. Elle saisit l'homme tout entier dans ses dimensions personnelles, collectives et historiques pour en faire une créature régénérée.

Or, le génie propre de cette nouveauté de vie est de prendre forme dans le *cadre actuel* du monde pour le transformer de l'intérieur. Elle est un dynamisme qui part toujours de la conversion du cœur. Comme on l'a vu, les chrétiens, inserrés dans le monde, ne cherchent pas d'abord à modifier le cadre extérieur du siècle présent. Ils veulent seulement y vivre en ne donnant pas prise à l'esprit du mal qui le corrompt encore. Mais ils lui insufflent un nouveau principe de vie sous la poussée duquel ce cadre extérieur se métamorphosera de lui-même. Il ne s'agit pas de vivre la vie ancienne dans des cadres nouveaux, mais de vivre la vie de l'Esprit dans les cadres mêmes de ce monde, sans se laisser absorber en eux, c'est-à-dire en les orientant dans une perspective totalement nouvelle. La nouveauté chrétienne saisit et transforme l'expérience historique par la nouvelle interprétation du monde et de l'histoire qu'elle y introduit. Il faut comprendre les motivations du *bios* que les chrétiens ont adopté dans le monde de la civilisation impériale comme un effet du dynamisme interne de leur vie de « ressuscités ». C'est à cette profondeur que se situe leur action de créature nouvelle transformant le monde. Ce qui nous préoccupe ici, c'est de comprendre la conception que les premiers chrétiens se faisaient du fondement ultime de leur action, en nous demandant s'ils ont illustré par une nouveauté de vie réelle et pratique les convictions dont ils témoignent sur le plan formel.

UNE MORALE CHRISTOCENTRIQUE

Dans la période actuelle de l'histoire du salut il n'y a pas d'autre fondement de la vie morale que l'événement central du salut accompli par le Christ. Nous avons déjà dit que pour les premiers chrétiens, c'est à la seule lumière de cet événement décisif que la volonté salvifique de Dieu est devenue compréhensible, ainsi que son déploiement dans la création et dans le temps depuis les origines jusqu'à la consommation finale. Cette consommation est proche, et les croyants participent déjà à la plénitude de vie divine qui saisira alors toute créature pour un *aiôn* sans fin. La vie que Dieu destinait de tout temps à la création, après avoir été corrompue par le péché et asservie dans la mort, a été restaurée dans celui qui, acceptant de se substituer à l'humanité constituée pécheresse, a triomphé de la mort pour régner désormais sur un monde racheté. Le Christ exalté dans la gloire céleste, et qui doit revenir pour manifester son triomphe en ressuscitant les morts, est le « premier-né » de la nouvelle création. Il est le gage de la résurrection future des croyants et la source de l'effusion actuelle de l'Esprit dont ils vivent déjà. Désormais, dit Paul, « vivre, c'est le Christ »[1]. L'éthique n'a pas d'autre fondement que la foi en celui qui a révélé et rendu possible l'irruption de la vraie vie que Dieu destinait à la création depuis toujours. Elle n'a pas d'autre référence que la réalité des actes que le Sauveur a accomplis au cours de sa mission. Paul n'hésite pas à dire que si la résurrection du Christ était un mythe, rien ne justifierait plus la conduite héroïque des chrétiens. « Si c'est dans des vues humaines que j'ai livré combat contre les bêtes à Ephèse, que m'en revient-il? Si les morts ne ressuscitent pas, poursuit-il en citant *Is 22, 13*, mangeons et buvons, car demain nous mourrons »[2].

Pour les croyants, la justification dernière de leur conduite dans le monde, et les motivations de leur action ont leur source dans les effets actuels de la rédemption. C'est de la conviction qu'il a d'être déjà ressuscité et vivant dans le Christ, que le chrétien tire sa conscience morale. Sachant ce qu'il est, il sait ce qu'il doit encore devenir et agir en conséquence. Mort au péché et vivant pour Dieu, il ne doit plus retomber sous l'antique domination du mal, en renouant avec les œuvres du péché[3]. Greffant sa vie sur le Christ, le chrétien l'intègre du même coup dans l'histoire du

1. Ph 1, 21.
2. 1 Co 15, 32.
3. Rm 6, 11-14 ; Col 3, 1-3.

salut où il accepte de jouer un rôle qui n'appartient qu'à lui. Aussi la conscience du temps intermédiaire qui se hâte vers son accomplissement final devient elle-même déterminante de l'action présente. Le Royaume déjà inauguré est en voie d'accomplissement. Par rapport à cette réalité eschatologique, les anciennes valeurs sont bouleversées. Maintenant ce sont les pauvres, les doux, les faiseurs de paix, les persécutés pour la justice qui recevront en héritage le Royaume qui leur a été préparé[1]. Le temps se fait court, dit Paul à une époque où il pensait encore assister à la parousie de son vivant, ce n'est plus le moment de mettre au premier plan la préoccupation de son état. Que chacun reste dans la condition où il a trouvé la foi : circoncis ou incirconcis, esclave ou libre, marié, célibataire ou veuf. Le souci de son état est secondaire. Ce qui est premier, c'est la foi que le salut est là et que le Seigneur est proche[2].

LA FOI ACCOMPLISSEMENT DE LA LOI MOSAIQUE

La foi au Christ place sous le régime de la grâce et met fin à celui de la Loi. Ce n'est pas l'observance des prescriptions mosaïques qui justifie devant Dieu, mais la foi que le Christ est « le but de la Loi »[3]. De fait, Jésus proclame qu'il est venu non pas abolir la Loi et les Prophètes, mais l'« accomplir pleinement »[4]. L'Ancienne Alliance n'est rendue caduque que parce que le Christ en représente l'achèvement parfait et définitif. Par rapport à lui, elle n'était qu'une forme de la pédagogie divine devant conduire à cette venue centrale[5]. Ce qui est aboli, c'est le légalisme qui était la perversion de la Loi et qui asservissait au prince de ce monde. Mais en Jésus l'intention de la Loi, l'esprit dans lequel elle a été donnée à Moïse sont manifestés de la manière la plus explicite. La foi donne la clef de la Loi parce qu'elle confère l'Esprit qui en interprète la véritable signification. Rester fidèle à cet Esprit est infiniment plus exigeant que d'observer un code de règles extérieures, aussi complexes soient-elles. Devant l'Esprit, la conscience n'est jamais quitte de ses actes ni de ses intentions les plus secrètes. Tout péché sera pardonné, mais non les péchés contre l'Esprit[6]. L'Esprit est la radicalisation de la Loi. Répandu dans le cœur des chrétiens, il est devenu leur critère de jugement, en même temps qu'il est le juge omniprésent de leurs actes. La fidélité à Dieu ne se mesure plus au

---

1. Mt 5, 3-12.
2. 1 Co 7. R. SCHNAKENBURG, *Le message moral du N.T.*, Lyon, 1963, interprète remarquablement les fondements de l'éthique chrétienne dans leur perspective eschatologique.
3. Rm 10, 4.
4. Mt 5, 17sq.
5. Ga 3, 24.
6. Mc 3, 29 par.

respect d'un pacte extérieur, mais dans les actes d'une vie placée tout entière sous la mouvance de l'Esprit.

LA FOI DÉPASSEMENT DE LA « LOI NATURELLE »

De même qu'elle est l'accomplissement de la Loi mosaïque, la vie selon le Christ est l'achèvement et le dépassement de ce que l'on peut appeler la « loi naturelle ». Paul reconnaît que les païens eux-mêmes, sans connaître la Loi, peuvent agir « naturellement » selon la Loi, en écoutant la voix de leur conscience [1]. Si les hommes, en dehors de toute révélation positive, ont gardé les notions essentielles du bien et du mal « gravées dans leur cœur » et ont pu ainsi guider leur action selon un impératif moral donné avec leur conscience même, c'est que la première création de Dieu n'a pas encore été complètement corrompue par le péché. Il lui restait, alors même qu'elle se détournait de plus en plus de sa destination originelle, cette faculté puissante et secrète de juger selon les normes de la justice divine que le Créateur avait imprimées en elle. Au commencement, dit Jean, la « vie » de Dieu elle-même « était la lumière des hommes » ; mais l'aveuglement dans lequel le péché plongea l'humanité devint tel que le monde ne sut plus reconnaître cette « vie » dans le Verbe incarné [2]. Justin écrira de même que Dieu a procuré à tout le genre humain le sens de ce qui est juste et injuste, comme de reconnaître par exemple que « c'est un mal que de se livrer à l'adultère, à la prostitution, au meurtre et à d'autres choses semblables ». Mais la puissance du péché a été telle qu'il a été jusqu'à « éteindre et tenir en suspens... ces notions naturelles » chez ceux qu'ils se sont livrés à son emprise [3]. Ce qui distingue fondamentalement la morale chrétienne de la morale hellénique, c'est que cette dernière est avant tout une éthique de la nature. Pour les chrétiens, de même que le monde n'est pas une nature mais une création, il n'y a pas non plus de nature humaine immuable conçue en dehors des dons que lui communique en permanence le Créateur. Pour les Grecs, l'éthique est conséquente d'une vision du monde conçu lui-même comme l'unique réalité éternelle et subsistante. Vivre selon la nature consiste alors à se conformer à l'ordre du monde en acceptant de prendre sa place dans le rythme de l'harmonie universelle. Pour les chrétiens, tout ce qui existe est suspendu à une volonté créatrice et salvifique de Dieu. Face à lui, il n'y a point de nature dans laquelle il aurait aliéné sa propre souveraineté ; il n'y a que des créatures « charnelles » et mortelles comme le premier Adam, mais régénérées et

1. Rm 2, 14-15.
2. Jn 1, 4. 10.11.
3. Dial. 93, 1.

promises à la résurrection depuis la venue du Christ. La vie du chrétien ne trouve pas de fondements dans les philosophies statiques de la nature ; elle s'inscrit dans la réalité d'une histoire menée par Dieu vers le terme que lui-même lui destine. Elle est toujours fondée sur l'action. Les morales de la nature consistent à conformer l'homme à son modèle archétypal, c'est-à-dire à l'idée qu'il se fait de lui-même intégré dans le cosmos. Il s'agit d'imiter, de reproduire cette image. C'est d'ailleurs à cela que s'emploie la *paideia* hellénistique. Dans cette morale, ce qui prime, ce n'est pas tant l'action que la connaissance et la contemplation. Pour les chrétiens, au contraire, le monde n'est pas une réalité éternelle et immuable ; il est une histoire, dans laquelle le Christ est intervenu d'une manière décisive pour en révéler le sens. Aussi le monde n'est-il pas à contempler mais à transformer en conformité avec les événements du salut qui s'y déroulent d'une manière décisive. Ce que la « nature » conçue comme don de la première création a pu réaliser de bon est dépassé dans la plénitude de grâce qui éclate maintenant dans la nouvelle création. A l'origine de l'une comme de l'autre, il y a la révélation du Verbe. On a bien vu précédemment que si les païens ont pu connaître et vivre une partie de la vérité, c'est que leur intelligence « naturelle » elle-même contenait déjà des semences du Logos. Tout au long de l'économie divine destinée à effacer les œuvres du péché, c'est Dieu qui par son Verbe se révèle au genre humain d'une manière adaptée. Ce que les hommes ont réalisé de bien, ils ne l'ont pas fait sans être déjà placés sous la révélation de l'unique Logos qui culmine dans le Christ. Aussi, vivre selon le Christ, c'est non seulement abandonner la pédagogie légaliste de Moïse, mais encore dépasser la « loi naturelle » jadis imprimée dans les consciences des hommes comme une marque ineffaçable de leur origine divine.

LA LOI DE L'AGAPÈ

Dans la foi, il est maintenant donné aux croyants de vivre déjà selon le principe eschatologique qui transformera la chair mortelle à la fin du monde. Cette vie, elle est déjà une κοινωνία[1] de tous les croyants entre eux et ensemble avec Dieu. Elle anticipe déjà le Royaume à venir où Dieu sera « tout en tous ». « La vie est apparue, dit la *Première Épître* de Jean, nous l'avons vue, et nous en rendons témoignage ». Cette vie, c'est la vie éternelle qui était auprès du Père. L'accueillir, c'est entrer dans la *koinonia* avec les frères qui est elle-même inséparable de la *koinonia* qui

---

1. Voir Hauck, *Koinonia*, TWNT 3, 798-810. H. Seesemann, *Der Begriff Koinonia im Neuen Testament*, Giessen, 1933, conclut que le mot n'est jamais employé dans le sens profane de « société », mais toujours pour désigner la « communauté » unique que forment ceux qui ont part au Christ.

rassemble les croyants avec le Père et le Fils[1]. Or, cette communion est une participation déjà actuelle à la vie d'amour, à l'*agapè* de Dieu. Dans la longue prière qui précède la passion dans le *Quatrième Évangile*, le Christ supplie le Père d'associer les disciples dans la même unité et le même amour qui les relient de toute éternité. Cet amour est maintenant communiqué aux disciples pour qu'à leur tour ils témoignent de l'amour éternel qui a guidé Dieu de tout temps en ses desseins salvifiques. Le Christ en aimant les siens jusqu'à la mort a révélé et incarné l'amour infini de Dieu pour qu'ils le partagent à leur tour « afin que l'amour dont tu m'as aimé soit en eux et moi en eux »[2]. Telle est la véritable dimension de la vie selon le Christ. La source de toute vie morale est maintenant l'amour inépuisable dont Dieu a aimé les hommes de tout temps. Cet amour part de Dieu et retourne à lui en saisissant la multitude des frères qui ont reconnu que le Christ le premier l'a vécu pour les siens « jusqu'au bout »[3]. La loi suprême par laquelle le Christ supplante et l'ancien code de préceptes et la prétendue loi naturelle, c'est la loi d'amour qui est la loi même de l'action de Dieu à l'œuvre dans la création et la rédemption. Le fondement ultime de l'éthique chrétienne, le ressort intime et la justification dernière de ses actes, c'est cet inépuisable amour dont est faite la vie même de Dieu[4]. Dans l'enseignement du Christ, le don de l'*agapè* résume la Nouvelle Alliance parce qu'elle unit indissociablement l'amour de Dieu s'exprimant en actes d'amour du prochain et l'amour du prochain trouvant son fondement dans l'amour de Dieu. Le commandement de l'amour accomplit toute prescription et toute révélation naturelles en ce qu'il n'est pas un contrat que l'on peut satisfaire une fois pour toutes, mais un esprit qui pousse à inventer sans cesse les nouvelles formes concrètes de l'amour du prochain aussi inépuisablement que l'amour de Dieu dont il procède. Cet esprit exige non seulement des actes mais encore que l'intention qui les inspire soit en conformité avec eux. Dans l'*agapè*, il n'y a pas d'acte sans intention ni d'intention sans acte. De même que l'amour de Dieu ne va pas sans l'amour du prochain, de même il n'y a pas de foi qui ne soit vécue dans l'*agapè*. La *koinonia* avec Dieu et les frères n'est possible que là où a été rompu le lien du péché[5]. Or, prétendre rejeter le péché et « être dans la lumière tout en haïssant son frère » est un mensonge. Seul, « celui qui aime son frère demeure dans la lumière »[6]. L'*agapè* est

---

1. 1 Jn 1, 3 ; cf. 1 Co 1, 9 ; Ph 1, 5 ; Rm 8, 17.
2. Jn 17, 20-26.
3. Jn 13, 1.
4. On se reportera aux magistrales analyses de C. SPICK, *Agapè dans le N.T.*, 3 vol., Paris, 1958-59.
5. Cf. 1 Jn 1, 6-7.
6. 1 Jn 2, 9-10.

maintenant le seul critère de jugement moral et le principe unique appli-
cable à toutes les situations particulières, parce qu'en elle la vie nouvelle
du chrétien se traduit en œuvres visibles qui manifestent l'amour de Dieu
éternel et invisible. Dans les nombreux catalogues de vices[1] que le Christianisme primitif a dressé à l'usage de la parénèse, en s'inspirant sans
doute de modèles courants dans le judaïsme tardif, c'est toujours la condition du monde coupé de Dieu qui est décrite. Les vertus[2] en revanche
sont des « fruits de l'Esprit »[3] comme autant de formes diverses que prend
l'*agapè* de Dieu répandue dans les cœurs.

LES ŒUVRES DE L'AGAPÈ

Dans l'éthique chrétienne, les œuvres ne sont jamais séparables de la
foi qui les inspire. La foi se vérifie dans la vie, et la vie qui se déroule dans
l'*agapè* rend témoignage de la foi. Sur ce point, l'*Épître de Jacques* a été
la plus claire : la foi sans les œuvres est comme un corps sans vie[4]. Ce
n'est pas la foi proférée du bout des lèvres qui justifie, mais celle qui s'accompagne par des inventions de la charité[5]. Paul, dans la doctrine de la justification par la foi ne la dissociait pas non plus de sa réalisation dans
l'amour : ce qui compte dans la vie unie au Christ, c'est « la foi agissant
par l'*agapè* »[6]. Il reste à savoir maintenant sous quelle forme concrète
cette nouveauté de vie chrétienne est apparue dans le monde. Présente-t-elle
ou non une nouvelle image de l'homme ? S'accompagne-t-elle extérieurement
de comportements particuliers et d'attitudes nouvelles ? L'action de l'Esprit
signifie-t-elle la fin de toute règle et de toute prescription pratique, ou doit-
elle en entraîner de nouvelles ? C'est dans la réponse à ces questions que
le Christianisme primitif a peu à peu, au milieu de tensions permanentes,
dégagé le visage de l'homme nouveau vivant en ce monde en réinterprétant
en fonction des événements du salut les valeurs attachées à l'existence
présente. Dans les listes des vertus, on trouve un aperçu des qualités qui
doivent illustrer les dimensions et les implications de l'*agapè* chrétienne.
Les plus fréquemment citées, en dehors de la foi et de l'*agapè* sont la paix,

---

1. Rm 1, 29-31 ; 13, 13 ; 1Co 5, 10-11 ; 6, 9-10 ; 2Co 12, 20-21 ; Ga 5, 19-21 ; Ep 4, 31 ; 5, 3-5 ;
Col 3, 5-8 ; 1Tm 1, 9-10 ; 2Tm 3, 2-4 ; Did. 2, 1s ; 5, 1s ; Hermas, Mand. VIII, 3-5. Les catalogues de vices et de vertus appartiennent à un genre littéraire également répandu dans l'hellénisme : A. VOGTLE, *Die Tugend- und Lasterkataloge im Neuen Testament*, Ntl. Abh. 16, 4/5
(1936).
2. Ga 5, 22-23 ; Ep 4, 2-3 ; Col 3, 12-14 ; 1Tm 6, 11 ; 2Tm 2, 22 ; 3, 10 ; 1P 3, 8 ; 2 P 1, 5-7.
3. Ga 5, 25.
4. Jc 2, 26.
5. Jc 2, 14-17 ; cf. 1, 25 ; 3, 13.
6. Ga 5, 6.

la douceur, l'humilité, la patience, la tempérance, la serviabilité, la bonté, la confiance dans les autres. Hermas complètera ces listes par des recommandations qui en conservent parfaitement l'esprit : « Assister les veuves, visiter les orphelins et les indigents, racheter de l'esclavage les serviteurs de Dieu, être hospitalier, ne s'opposer à personne, être calme, se faire l'inférieur de tout le monde, honorer les vieillards, pratiquer la justice, garder la fraternité, supporter la violence, être patient, n'avoir pas de rancune, consoler les âmes affligées, etc. » [1]. Prises comme telles on pourrait trouver ces vertus aussi bien dans un catalogue stoïcien. Mais elles prennent un sens et une portée particuliers dès lors qu'elles sont vécues comme des « fruits de l'Esprit », manifestant dans le monde les dimensions multiples de l'amour que Dieu y a révélé. L'amour universel du prochain ne serait pas praticable en dehors de ces attitudes générales qui le rendent possible. Parce qu'il a pour fondement l'amour de Dieu, il va même jusqu'à l'amour des ennemis. Ici, l'innovation morale du Christianisme, par le motif sur lequel il s'appuie, est totale [2]. Comme Paul saura le dire admirablement, aimer et vouloir du bien à ses propres persécuteurs, c'est briser le cycle infernal de la haïne et du mal, c'est refuser de se laisser vaincre par le mal en devenant vainqueur du mal par le bien [3]. L'amour de Dieu, vécu dans le monde et contre le monde, qui se réalise dans des actions concrètes, se vérifie dans ces attitudes générales de comportement qui en découle et qu'il s'agit maintenant de préciser.

LES MODÈLES DE MORALITÉ HELLÉNIQUES

Pour mieux comprendre en quel sens le Christianisme a créé un nouveau type d'homme et un nouveau type d'agir moral, il convient d'abord de démarquer les modèles grecs et juifs auxquels il était confronté. Précédemment, nous avons déjà dit à quel point l'esprit de la seconde religiosité avait accueilli et mêlé à l'hellénisme les conceptions dualistes des mystères et des philosophies venues des anciennes civilisations orientales. Des éléments de cette nouvelle vision du monde et de l'homme avaient même pénétré le judaïsme hellénisé. La conséquence de ces changements fut considérable sur le plan moral.

Elle est particulièrement frappante dans le néo-platonisme et le stoïcisme commun. L'orientation générale de la philosophie vers les questions de morale pratique est d'ailleurs l'indice que l'homme antique lui aussi est à la recherche d'une nouvelle image de lui-même. On peut dire que la

---

1. Mand. VIII, 10.
2. Mt 5, 44-45 par.
3. Rm 12, 14-21.

conception traditionnelle de la « vie heureuse », qu'elle ait été commandée par l'hédonisme d'Épicure ou l'ataraxie stoïcienne, se basait toujours sur le critère pratique d'un calcul savamment dosé entre la jouissance et son contraire inévitable, la souffrance. Cette conception est maintenant combattue par les systèmes dualistes. Le corps étant la prison de l'âme par laquelle cette parcelle immortelle et céleste est enchaînée au monde de la matière, il convient de le déprécier en l'opprimant sous la discipline de l'ascèse. L'idée est qu'en refusant d'accorder au corps ses satisfactions même les plus légitimes, l'âme est libérée pour la contemplation du divin. Cette morale d'abstinence et de mépris du corps est intimement liée à une anthropologie dualiste. Elle se traduit par des restrictions dans la nourriture ou la vie sexuelle, et aussi par une fuite du monde. Sur ces divers points, l'influence de la sagesse orientale est patente. Apollonius de Tyane qui avait beaucoup voyagé affirmait que la morale indienne était supérieure à la morale grecque. En conséquence il s'était fait lui-même végétarien, s'abstenait de vin, ne se mariait pas, et ne portait que des vêtements grossiers [1]. Les néo-pythagoriciens abondaient dans le même sens. Ils astreignaient en plus leurs novices à une épreuve de cinq années de silence pour leur apprendre à savoir dominer leur langue, source de tous les vices [2].

Ce type de morale, aux I[e] et IIe siècles, n'était guère pratiqué en dehors de quelques cercles d'initiés, les écoles néo-platoniciennes comme les néo-pythagoniciennes tendant à devenir de plus en plus des conventicules d'ascètes. Mais le sens de l'ascèse domine aussi l'idéal stoïcien. Sans tomber dans les excès de rigorisme corporel des précédents, il prône une morale de renoncement. Le bonheur n'est pas dans la possession des biens de ce monde ni dans la tyrannie des passions, mais dans l'âpre satisfaction de se savoir sans désir. Il faut conquérir la sérénité de l'âme par le rejet de tout ce qui l'asservit et la dilapide, se durcir en se situant à sa place, et en accomplissant parfaitement son rôle, dans l'ordre divin du monde. Aussi le stoïcien aime-t-il se recueillir loin du monde et se retirer en lui-même. Le moi reste son dernier refuge devant le tourbillon des plus fous désirs. L'empereur Marc-Aurèle est la figure la plus sublime de ce type de sage. Il avait la puissance et la gloire mais il cherche un autre absolu au fond de lui-même, car il n'y a « nulle retraite plus paisible, plus libre de souci, que celle qu'on fait en son âme » [3]. Se suffire, tel est l'idéal de la perfection ; non seulement dominer ses passions, mais encore n'avoir plus de besoins. Épictète recommandait aux sages de se conformer sur Zeus trouvant sa joie « dans la contemplation de son gouvernement et

---

1. Philostrate, Vie d'Apol. 1, 8 ; 1, 13 ; 2, 7 ; 6, 11 ; 8, 7 ; etc.
2. Cf. Jamblique, Pythag. 15, 72.
3. Pensées IV, 3 ; cf. III, 5.

dans ses conceptions divines » [1]. Conscience de son devoir d'état et distance par rapport à tout ce qui en distrait, tels sont les deux traits de cette sagesse héroïque. Dion Chrysostome a su dire très bien que « le véritable anachorète n'est pas celui qui abandonne ses devoirs d'état, celui-là n'est qu'un fuyard et un lâche... mais celui qui fuit les affaires inutiles, les tracas où il n'a rien à voir, celui qui se retire en soi-même pour ne s'occuper que de sa propre tâche, qu'il soit à Babylone, à Athènes, dans un camp, ou seul dans une petite île » [2]. L'éthique stoïcienne représente sans doute la forme la plus élaborée de la morale antique. Son volontarisme ascétique n'a finalement pas d'autre but que de procurer la paix intérieure en appliquant l'âme à remplir exactement le rôle qui lui revient dans l'harmonie cosmique.

LES MODÈLES DU JUDAISME ASCÉTIQUE

Dans le judaïsme lui-même, divers aspects de ces tendances générales s'étaient aussi acclimatées, particulièrement dans les sectes marginales. Parmi les représentants du culte officiel, les Pharisiens se distinguaient par le respect scrupuleux et littéral de la Loi. Plus tard, ils compteront jusqu'à 613 commandements ! Ils s'attachaient à observer, en fait d'ascèse, les jeunes rituels, les restrictions de nourriture et les normes légales de la pureté, en conformité avec la Loi. Mais le célibat était toujours très mal vu. La continuation de l'espèce est un ordre divin. La polygamie même reste permise. Mais les vues ascètiques dominent l'idéal de ceux qui se disent le petit reste du véritable Israël. Il est lié à leur conscience eschatologique de la venue imminente du Messie. Pour s'y préparer, il exige la conversion préalable du cœur et la rupture avec ceux qui restent les « fils des ténèbres ». Le baptiste Jean annonçait sur les bords du Jourdain un baptême de repentance qui procurait le pardon des péchés. Il disait que le temps eschatologique était inauguré, que « déjà la cognée se trouve à la racine des arbres ». Pour se préparer à la venue prochaine du Messie, il encourageait à la *metanoia* et à la pénitence. Lui-même était vêtu d'une tunique de poils de chameaux et ne se nourrissait que de sauterelles et de miel sauvage [3]. Il recommandait à ses adeptes de produire des « fruits dignes de la repentance », par une vraie transformation morale [4]. La préparation au temps eschatologique par la pénitence est en particulier le but de la secte des Esséniens. Les fils de lumière forment une commu-

---

1. Entret. III, 13.
2. Orat. 20, 1-11.
3. Mc 1, 6.
4. Lc 3, 8-14.

nauté sainte à la tête de laquelle le Messie s'établira pour établir son règne. Coupés du monde, ils forment une école de perfection orientée vers la conversion intérieure par la méditation et les pratiques de pureté rituelle. Pour entrer dans la communauté de Qûmran, un noviciat de deux ans était exigé au cours duquel le nouvel adepte renonçait progressivement à tous ses biens [1]. D'une façon générale, les Esséniens rejetaient certaines activités telles que le commerce et le métier de fabricants d'armes [2] ; mais là où ils innovaient résolument dans la tradition juive, c'est dans l'observation du célibat. Tous ne dédaignaient pas le mariage, nous dit Josèphe et ceux qui le faisaient ne condamnaient pas la continuité de l'espèce, mais ils tenaient la continence pour une plus haute vertu [3]. La communauté des biens, la chasteté, un régime de vie monacal, telles étaient les nouvelles normes morales selon lesquelles ce « petit reste » d'Israël se préparait à entrer dans les derniers temps. Cette tendance générale à l'ascétisme se retrouve d'ailleurs dans ces mystérieux personnages de Philon qu'il appelle les Thérapeutes. Probablement ne sont-ils que la projection fictive du propre idéal de vie que se faisait Philon [4]. Eux aussi renoncent à tous leurs biens, vivent isolés loin des soucis de la vie, livrés à l'étude des Écritures et à la contemplation. Avec eux, il y a d'ailleurs aussi des vierges : mais hommes et femmes vivent séparément dans leurs retraites [5]. Là encore la même tendance dualiste au mépris du corps doublé de l'idéal de la continence, l'*enkrateia*, se fait jour. Philon dit bien : « Ils établissent d'abord dans l'âme comme un fondement la continence, puis ils édifient sur elles les autres vertus ». Et il poursuit : « Personne parmi eux ne prendrait de la nourriture ou de la boisson avant le coucher du soleil ; car ils pensent que la philosophie convient à la lumière, et que les nécessités du corps s'accordent avec les ténèbres : par suite, à l'une ils accordent le jour ; aux autres une partie de la nuit » [6].

LA LETTRE ET L'ESPRIT DANS LE NOUVEAU TESTAMENT

Le Christianisme naissant va-t-il s'inspirer de ces modèles de la vie morale ? Comme on va le voir, il lui était difficile de ne pas en subir les influences, au risque parfois de perdre de vue la vigueur originale de ses propres motivations. Jésus n'avait pas énoncé de préceptes nouveaux.

---

1. CDC VI, 19.20.23 ; cf. Philon, Prob. 77 ; 85-86 ; Josèphe, Bell. jud. 11, 8, 3 ; Pline, Hist. nat. V, 17.

2. Josèphe, Bell. jud. II, 8, 2 ; Philon, Prob. 76-78.

3. Josèphe, Bell. jud. II, 8, 2 ; 8, 13 ; Ant. 18, 1, 21 ; Pline, Hist. nat. 5, 17.

4. Cf. M. J. LAGRANGE, *Le Judaïsme avant J.-C.*, Paris, 1931, p. 586.

5. Philon, De vit. cont. p 105-107 c.

6. *Id.*, p 70-73 c.

Il était venu accomplir les anciens en les restituant dans leur signification originelle et en se donnant lui-même comme le fondement désormais définitif de toute vie morale. Ce que l'ancienne Loi contenait d'imparfait est maintenant porté à son achèvement dans la lumière de l'unique et universel commandement de l'amour. C'est ainsi que Jésus a interprété en les radicalisant les principaux aspects de la Loi, dans les fameuses antithèses du Sermon sur la Montagne[1]. Elles ne contiennent pas de commandements nouveaux, mais indiquent dans quel esprit les données les plus élémentaires de la morale humaine doivent être maintenant vécues et surpassées dans la loi d'amour. Non seulement tuer est un crime, mais aussi traiter son frère avec mépris ou colère, car c'est le tuer en intention. Non seulement il ne faut pas commettre d'adultère en acte, mais il ne faut pas convoiter secrètement la femme d'un autre. Il n'est pas davantage permis de répudier sa femme, même dans les formes dites légales, parce que dans l'intention de Dieu qui est à l'origine de la Loi, l'union conjugale est indissoluble[2]. Au lieu de faire des serments, et de mentir par ailleurs, il vaut mieux ne plus jurer du tout et dire toujours la vérité. Et là où les hommes ont introduit la loi du talion : que le disciple résiste activement par l'amour au mal qu'on lui fait, en brisant une fois pour toutes le cercle infernal de la haine. Et pour être parfait, comme Dieu dans sa propre justice, que l'amour du prochain aille jusqu'à l'amour effectif de ses propres ennemis. Par rapport au Christ et à la loi parfaite de l'amour, les prescriptions de caractère rituel sont relativisées. Tandis que les disciples de Jean-Baptiste et les Pharisiens jeûnaient pour se préparer à la venue du Royaume, Jésus leur demande : « Est-ce que les compagnons de l'époux peuvent jeûner pendant que l'époux est avec eux? »[3]. Ces questions toutes extérieures n'ont plus aucune importance. Ce n'est plus le moment, dit Paul, de s'inquiéter sur des questions de nourriture ou de boisson, de fêtes annuelles ou de sabbats[4]. Et l'auteur de la Lettre à *Timothée* recommande à son correspondant tenté par l'ascétisme de cesser de ne boire que de l'eau et de prendre un peu de vin à cause de ses fréquents malaises[5]. Sur le chapitre de la nourriture, Paul précisera clairement qu'il n'existe pas d'aliment impur. Ici le Christianisme primitif tranche nettement avec le légalisme et le piétisme environnants, en particulier avec

---

1. Mt 5, 21-47.

2. Cf. aussi Mc 10, 2-6 ; Mt 19, 1-9. Les positions du N.T. sur le mariage, le célibat, le divorce, ont été récemment analysées par H. BALTENSWEILER, *Die Ehe im Neuen Testament*, Zurich, 1967.

3. Mc 2, 19 par.

4. Col 2, 16.

5. 1 Tm 5, 23.

les milieux gnosticisants qui enseignaient le mépris de la matière, source de souillure [1]. L'abstention de vin ou de viande sont des pratiques païennes ou juives. Elles sont tout-à-fait dépassées dans l'économie présente. Mais là encore les inventions de la charité vont au-delà de la règle générale. Si certains frères n'ont pas des convictions suffisamment assurées et s'abstiennent de viandes immolées aux idôles [2], ou s'ils croient devoir suivre un régime végétarien [3], qu'on ne les critique pas là-dessus et qu'on ne soit pas non plus pour eux une occasion de scandale en consommant devant eux ce qu'ils répudient comme impur. C'est par égard pour la conscience plus faible de son prochain et pour ne pas être pour lui une occasion de chute que l'on se privera devant lui de certains mets. Dans ce cas seulement, dit Paul, c'est un bien de « s'abstenir de viande et de vin, et de tout ce qui fait buter ou tomber ou faiblir ton frère » [4]. Il faut noter que sous l'influence des judéo-chrétiens, l'Assemblée des Apôtres avait prescrit quelques années auparavant, d'une manière beaucoup plus tranchée, aux païens convertis « de s'abstenir de ce qui a été souillé par les idôles, de l'impudicité, des chairs étouffées et du sang » [5]. Le nouvel esprit dans lequel les valeurs morales sont vécues selon la disposition intime du cœur, ne détermine pas une organisation fixe ou uniforme d'un cadre ni d'un mode de vie.

Il en va de même dans la question du mariage et du célibat. Ni l'un ni l'autre ne sont une forme privilégiée de la vie nouvelle selon l'Esprit. Ce n'est pas le moment pour les époux de cesser leur vie commune, ni de se refuser l'un à l'autre. Et quand on est célibataire et qu'on ne peut « se contenir », il vaut mieux se marier que de « brûler » [6]. Cependant Paul marque sa préférence pour le second état. Il souhaitait, en raison de la proximité de la fin, que tous ceux qui ne sont pas liés par le mariage fassent comme lui et ne cherchent pas à prendre femme. La raison qu'il en donne est que ceux qui sont mariés sont partagés entre les « affaires du monde » et les « affaires du Seigneur », et qu'il voudrait leur épargner cette tension supplémentaire. Car seul le célibat « attache sans partage au Seigneur » [7]. Mais il n'est pas une condition privilégiée dans l'existence présente. Il est plutôt chez ceux qui s'y dédient, un « charisme particulier » [8] qui met leur personne tout entière en disponibilité « en vue du Royaume de Dieu » [9].

---

1. Cf. Col 2, 21-23 ; 1 Tm 4, 1-5.
2. 1 Co 8 ; 10, 14-30 ; Rm 14, 1-3.14.
3. Rm 14, 2.
4. Rm 14, 21.
5. Ac 15, 20-29.
6. 1 Co 7, 1-9. 36-38.
7. 1 Co 7, 7. 26-28.32-35.
8. 1 Co 7, 7.
9. Mt 19, 12.

Pas plus qu'ils n'ont prêché le partage des biens, mais ont conseillé le renoncement aux richesses, Jésus ni l'Église primitive n'ont imposé l'abstinence du mariage ou de certains aliments pour des motifs de pureté religieuse, et encore moins par mépris de la chair et de la matière. Là où ces formes d'ascèse apparaissent, elles sont des libres manifestations des dons divers de l'Esprit, vécus dans la foi ardente que le salut est proche.

LE RETOUR AUX MODÈLES ANCIENS. L'ENCRATISME

Or, il est frappant de constater que dès la génération des Pères Apostoliques [1], et à peu d'exceptions près pendant tout le IIᵉ siècle, le puissant dynamisme de l'*agapè* se sclérose quelque peu dans les moules plutôt rigides et formels du piétisme juif et de l'ascèse hellénique. Ces formes de moralité étaient tellement enracinées dans les esprits que le Christianisme semble avoir beaucoup de difficulté pour leur en substituer d'autres plus appropriées au génie de sa nouveauté [2]. Le message chrétien livrait un esprit qui devait transformer radicalement l'orientation de toute existence. Il restait à ceux qui le recevraient à traduire en formes concrètes cette « conversion » du cœur. Or, on peut dire que judéo-chrétiens et pagano-chrétiens, les uns et les autres s'influençant d'ailleurs réciproquement, ont repris, avec beaucoup plus d'insistance que la première génération, les pratiques d'ascèse et d'abstinence auxquelles leurs milieux étaient accoutumés. Il ne s'agit pas d'une négation du fondement spécifiquement chrétien de l'agir moral, mais d'une insistance plus grande sur les conditions extérieures et parfois négatives de la conversion. Elle se caractérise en particulier par une certaine méfiance à l'égard de tout ce qui touche à la chair et une surenchère sur les restrictions primitives dans l'usage des commodités de la vie. La force des motivations primitives s'y dilue dans les vieilles idées indéracinables de la piété à tendance dualiste des anciennes sagesses.

Un glissement de sens est discernable dans les motifs que l'on invoque maintenant. Ce qui primitivement n'était souvent que l'effet dérivé d'une conversion intime du cœur devient maintenant l'élément prédominant coupé quelquefois de l'esprit qui en donnait tout le sens. Dans le Nouveau

---

1. Cf. L'étude récente de J. LIEBAERT, *Les enseignements moraux des Pères apostoliques*, Gembloux, 1970.

2. J. STELZENBERGER, *Die Beziehungen der frühchristlichen Sittenlehre zur Ethik der Stoa*, Munich, 1933, a fait un relevé de tous les thèmes stoïciens développés dans l'enseignement moral des premiers auteurs chrétiens. M. SPANNEUT, *Le stoïcisme des Pères de l'Église*, 2ᵉ éd., Paris, 1968, conclut clairement, mais en généralisant le cas des Apologistes et des Alexandrins, que « le stoïcisme antique a fourni au christianisme une série de concepts et de théories ; le stoïcisme contemporain lui a dicté — et jusque dans les mots — sa morale pratique » (p. 266).

Testament déjà, on a vu que divers groupes ascétiques avaient lié la foi à leur ancien idéal d'abstinence. Or à l'époque ultérieure, ce principe, appliqué sous toutes ses formes, est à peu près universellement admis comme l'idéal et la source de toute vertu. Cette éthique de l'*encrateia*[1] — ou continence, aboutit non seulement à prôner la supériorité de la chasteté sur le mariage, mais elle s'impose comme une attitude générale dans la vie, jugée nécessaire pour obtenir le salut. Ce retour vers une moralité de type juif ou païen est à mettre en relation avec ce que nous avons dit de l'affaiblissement du sens spécifiquement chrétien de l'eschatologie à la même époque. De même que l'on revient à une conception futuriste et une attente plus ou moins fébrile du Jour du Seigneur, de même on perd un peu de vue la conviction qu'avait la génération apostolique d'être dès maintenant une créature nouvelle, pour qui l'*encrateia* n'était qu'un charisme parmi d'autres. Maintenant, elle est au sommet des vertus.

On peut suivre facilement cette évolution de la pensée. Lorsque Clément de Rome écrit aux Corinthiens, il y avait, comme au temps de Paul, un groupe de continents qui pratiquaient la chasteté. Il leur recommande de ne pas s'en vanter devant les autres et de considérer que leur continence est un don[2]. Mais dans toute l'épître, il met avec insistance la continence et la chasteté au nombre des dons habituels de Dieu[3]. L'*Homélie* du Ps-Clément, de même, recommande la continence à côté de l'amour fraternel et de la bonté, car « seuls les purs dans la chair ont part au corps du Christ qu'est l'Église »[4]. L'auteur accueille sans réticence une spéculation du type gnostique sur la restauration de l'idéal paradisiaque lorsqu'il prétend que le Royaume viendrait quand « l'homme sera avec la femme comme s'il n'y avait ni homme ni femme », c'est-à-dire lorsque l'esprit de continence aura aboli l'attirance réciproque des sexes[5]. On voit dans quel sens cet auteur a fait dévier l'eschatologie primitive. Pour lui, le meilleur moyen de hâter la venue du Royaume et donc la fin du monde est encore de mettre un terme à la génération humaine. De telles spéculations se retrouveront dans diverses sectes hérétiques. Hermas, bien qu'il ne s'écarte pas officiellement de l'orthodoxie, place encore la continence au tout premier plan de ses préoccupations. Elle est la première vertu qu'engendre la foi. Par rapport à elle, la charité ne vient qu'en sixième et dernière position[6]. Lui-même s'appelle le « Hermas le continent ».

---

1. W. Grundmann, *Encrateia,* TWNT 2, 338-340 ; G. Blond, *Encratisme,* D.S. 4, 625 sq. ; H. Chadwick, *Encrateia,* RLACh V, 343-365.

2. Cor. 38, 2.

3. Cor. 30, 3 ; 35, 1-2 ; 62, 2 ; 64.

4. II Clem. 4, 3 ; cf. 15, 1.

5. *Id.* 12, 2-6 ; cf. Ev. Thomas, 42.

6. Vis. III, 8, 7 ; cf. Simil. IX, 15, 2.

Avec sa femme, il a décidé de vivre désormais comme avec une sœur[1]. Ce qui lui fait espérer qu'un second pardon des péchés est à nouveau possible après le baptême, c'est qu'il a su, grâce à la continence, vaincre son âme partagée. A la duplicité qu'engendrent les désirs de ce monde, la continence a substitué la simplicité du cœur[2], ou la foi intègre et sans partage. C'est ainsi qu'il est amené à une définition plus large de son idéal de continence : « Quiconque s'attache à elle est heureux pendant sa vie, parce qu'il s'abstient de toute mauvaise action, car il a confiance que, s'il s'abstient de tout désir pervers, il héritera de la vie éternelle »[3]. L'encrateia, c'est l'abstention des vices et des actions contraires aux « œuvres de bien » qui découlent de la foi[4]. Mais tout est dit si l'on songe qu'à la fin du IIe siècle un platonicien chrétien d'Alexandrie a pu compiler une série de maximes païennes, surtout pythagoriciennes, en les reprenant à son compte au prix de quelques corrections[5]. Le fait que cette collection ait connu, sans soulever de protestations, une très grande vogue dès le temps d'Origène[6], montre à quel point la nouveauté chrétienne avait du mal à se penser en dehors des formes consacrées de la moralité hellénique de type dualiste. L'idéal de l'encratisme dominait largement l'Église post-apostolique. Eusèbe nous apprend que la correspondance de l'évêque Denys de Corinthe avec différentes églises, au temps de Marc-Aurèle, tournait autour de ce thème. Aux églises d'Amestris et du Pont, il donnait plusieurs conseils sur le mariage et la continence. Il réagissait d'ailleurs contre les excès d'ascétisme qui avaient gagné de larges fractions de la chrétienté du second siècle. Ses conseils de modération n'étaient pas toujours accueillis avec empressement. Au contraire, l'évêque de Knossos, Pinytos, à qui il avait recommandé de ne pas imposer à tous les frères comme une nécessité « le lourd fardeau de la chasteté », lui répondit que c'était là des paroles « semblables à du lait » et que les fidèles « sous-alimentés » attendaient une nourriture plus solide[7].

UNE MORALE DE L'ABSTINENCE

Comparé aux déviations franchement hérétiques, l'encratisme moyen représente encore une attitude relativement modérée. D'abord en ce qui concerne les prescriptions alimentaires, on ne comprend plus la sub-

---

1. Vis. 1, 2, 4 ; II, 2, 3.
2. Cf. Mand. IX ; Vis. II, 2, 4 ; II, 3, 2 ; III, 2, 4 ; III, 4, 3 ; III, 7, 1 ; IV, 1, 4, etc.
3. Vis. III, 8, 4.
4. Mand. VIII, 1 sq.
5. Cf. *The Sentences of Sextus*, éd. H. CHADWICK, *Cambr. Univ. Press*, 1959, 194 p.
6. Orig., C. Cels. 8, 30.
7. H.E. IV, 23, 6-7.

tilité ni l'esprit des motivations de Paul. Le précepte mosaïque de s'abstenir de chairs étouffées et de viande saignante s'est généralement imposé partout, car on continue de penser que le sang des animaux est un facteur de souillure[1]. C'est chez les judéo-chrétiens que ces préceptes, ainsi que les anciennes pratiques du jeûne ont été observés sans discontinuité avec les coutumes juives. Pour distinguer les chrétiens des pharisiens qui jeûnaient deux fois par semaine, le lundi et le jeudi, la *Didachè* leur donne pour tout conseil de ne pas faire leurs jeûnes « en même temps que ceux des hypocrites », et d'y consacrer en revanche le mercredi et le vendredi[2]. On a déjà vu comment Jacques passait pour un modèle d'ascétisme. Selon l'historien Hégésippe, « il ne but ni vin, ni boisson enivrante ; il ne mangea rien qui eût vécu ; le rasoir ne passa pas sur sa tête ; il ne s'oignit pas d'huile et ne prit pas de bain »[3]. Le compilateur des *Sentences de Sextus* va dans le même sens, sans être choqué par les déductions qu'il tire de son dualisme typiquement hellénique. Pour imiter Dieu, il faut laisser l'âme se réaliser elle-même, ce qui ne va pas sans le mépris et l'asservissement du corps et de ses pulsions animales. Il faut, pour aimer Dieu, que l'âme s'arrache à l'attrait du monde sensible, non seulement au plaisir des sens[4], mais encore aux nourritures trop abondantes[5], ou à tout ce qui semble procurer au corps une quelconque jouissance. Le végétarisme et l'abstention de vin sont aussi recommandés[6].

Pour lui comme pour nos judéo-chrétiens, « le fondement de la piété, c'est la continence »[7]. Cet esprit de renoncement absolu stipule aussi l'abandon de tout bien personnel. Ceux qui se disent frères doivent mettre tout en commun[8]. On reconnaît aisément sous ces diverses prescriptions l'idéal des sectes néo-pythagoriciennes que notre auteur transplante sans discernement dans le Christianisme. Pour lui, la vie morale véritable ne tolère aucune compromission avec le « monde ». Elle se traduit toujours par un refus systématique des réalités de la chair compromises à ses yeux avec le mal. Cet exemple est révélateur. Dans ces *Sentences*, la perspective spécifiquement chrétienne de toute justification morale est totalement absente. Cette morale dualiste qui concentre le salut sur une problémati-

---

1. Tert., Apol. 9, 13 ; Min., Oct. 30, 6 ; Lettre de l'Église de Lyon, *in* Eus. V, 1, 26 ; Clém. Alex., Strom. 2, 105-106 ; Orig., C. Cels. VIII, 30 ; Sentences Sextus, 109.
2. Did. 8, 1.
3. Eusèbe, H.E. II, 23, 5.
4. Sentences, 68 ; 70 ; 139*b* ; 172 ; 240 ; 276.
5. *Id.*, 108 ; 111 ; 265, etc.
6. *Id.*, 109 ; 268-269.
7. *Id.*, 86 ; 438.
8. *Id.*, 227 ; 228 ; 295-296.

que « âme » au détriment et contre le corps assimilé à la chair et au mal et qui est étrangère au Nouveau Testament, montre la persistance contraignante des schèmes païens au sein même de l'orthodoxie chrétienne. Cette séduction de l'abstinence et de l'ascèse comme type idéal de la moralité se retrouve aussi dans la pensée complexe et quelque peu syncrétisante de Clément d'Alexandrie[1]. Ici encore les motivations stoïciennes l'emportent sur les considérations proprement chrétiennes. Lui aussi observe que « la loi divine encourage surtout l'homme à la continence, tenant celle-ci pour la base des vertus »[2]. Comme le sage stoïcien, le « vrai gnostique » chrétien, saura s'isoler dans sa retraite intérieure en se libérant de la tyrannie des charmes et des voluptés de l'existence[3].

LA VIRGINITÉ PRIVILÉGIÉE

Nous voyons ces mêmes milieux, au second siècle, à l'exception de Clément d'Alexandrie, privilégier l'idéal de virginité par rapport au mariage. Mais à la différence des sectes rigoristes, ils ne condamnent pas pour autant le mariage. Mais on pense que la continence sexuelle rapproche davantage de Dieu. C'est ainsi que l'on apprend par Ignace[4], par Justin, Athénagore, Tertullien, Minucius Félix que chez les chrétiens « beaucoup d'hommes et de femmes »[5] ont préféré vieillir sans se marier, en observant une continence perpétuelle. Mais des raisons plus négatives sont aussi invoquées. Elles ont trait au mépris de la chair en tant que telle[6]. C'est encore aux *Sentences de Sextus* qu'il faut se référer pour avoir une idée du peu d'estime dans lequel ces milieux hellénistes tenaient le mariage. Le mariage et la procréation sont à la rigueur tolérables, à condition qu'on fasse un « combat pour la continence »[7]. On peut citer au moins un cas où un chrétien d'Alexandrie voulut interpréter littéralement le passage de *Mt 19, 12*. Justin est d'ailleurs tout heureux d'en tirer argument pour donner à ses lecteurs païens une idée de l'élévation dans la morale chrétienne[8]. Comment ne pas voir dans ces quelques exemples la persistance à peine déguisée des modèles juifs et païens dans lesquels le Christianisme du IIe siècle semble avoir trouvé, sans la renouveler, la forme adéquate de sa propre morale. Il ne faudrait cependant pas opposer d'une

---

1. Cf. Strom. VII, 32-33 ; Péd. 2, 16, 1 ; 2, 32.
2. Strom. II, 105, 1.
3. *Id.,* II, 108, 4 ; cf. 126, 1.
4. A Polyc. 5, 2.
5. Justin, I Ap. 15, 6 ; Athén., Suppl. 33 ; Tert. Apol. 9, 19 ; Min ; Oct. 31, 5.
6. Cf. Clém., Strom. III, 25-25.
7. Sentences, 239 ; cf. 230*b,* etc.
8. I Ap. 29, 2-3.

manière aussi tranchée l'éthique de la continence du IIe siècle à celle de la joyeuse liberté dans l'Esprit au temps apostolique. Même chez les auteurs les plus formellement hellénisés comme Clément d'Alexandrie, les actions du chrétien restent inspirées par le Logos et n'ont pas d'autre ambition que de se conformer sur celles du Logos [1]. Mais pour lui, comme pour la majeure partie des chrétiens de son temps, on imagine mal comment cette conformité au Christ serait possible si elle n'était pas conditionnée par ce que l'hellénisme avait peu à peu imposé comme un moyen de libération et de purification intérieure et qui s'appelle l'ascétisme. En cédant sur ce point capital à l'esprit de leurs contemporains, alors même qu'ils leur niaient par ailleurs tout accès à la connaissance de la vérité en dehors de la révélation, les chrétiens ont peut-être subi là la plus forte influence du siècle, dans la mesure où les formes extérieures de la vie morale qu'ils ont reçues de lui ne sont pas liées à l'essence même de la foi. L'équivoque est venue à partir du moment où ces manifestations d'ascétisme, d'abstinence, de continence ou tout simplement de pieuse pudibonderie ont paru liées à la qualité même de chrétien. Or sur ce point, on peut dire que tout en tolérant, par rapport aux premières générations, des exagérations évidentes, la grande Église a su garder un juste milieu entre deux types d'excès opposés qui étaient apparus dans des sectes gnostiques et hérétiques.

LES TENDANCES HÉRÉTIQUES

Il y avait d'un côté la tendance laxiste qui était l'apanage de certains milieux gnostiques, à vrai dire assez peu nombreux. Elle était surtout prônée par les écoles de Simon le Magicien et les Valentiniens. L'affranchissement par rapport aux prescriptions de l'ancienne Loi était interprété comme une incitation au plus entier libertinisme moral. Basilide, par exemple, enseignait entre autres qu'il est indifférent de toucher aux idolothytes et de parjurer sa foi en temps de persécutions [2]. Les Valentiniens de même affirmaient que les parcelles pneumatiques par lesquelles ils appartenaient au monde d'En-haut n'étaient point souillées par les actes du corps. Dans leurs initiations, ils pratiquaient, comme certains mystères orientaux, des copulations rituelles pour imiter le mariage spirituel des Eons du Plérôme [3]. D'autres prétendaient que l'émission séminale était un moyen de libérer la lumière divine tenue captive dans la chair [4]. Simon enseignait aussi le libre commerce sexuel à ses disciples en imitation de la

1. Péd. XIII 102, 4.
2. Eusèbe, H.E. IV, 7, 7.
3. Cf. Irénée, Adv. Haer., I, 6, 2-3 ; I, 21, 3 ; cf. Eus., H.E. IV, 11, 5.
4. Cf. Epiphane, Pan. 25, 3.

Grande Puissance fécondant l'Ennoia, pour réaliser « l'agapè parfaite »[1].
Le mépris ou l'indifférence dans lesquels le gnostique tenait la chair pouvait le conduire aussi bien à la fêter dans la luxure des débauches rituelles
qu'à l'opprimer en lui refusant tous ses droits.

Ce second cas était le plus fréquent. Mais dans cette tendance rigoriste
plus conforme à la mentalité de l'hellénisme, les gnostiques avaient été
rejoints par certains dissidents du Christianisme orthodoxe tels que Tatien
et les Encratites, et dans une moindre mesure les Montanistes.
Dans la première catégorie influencée par la gnose, il faut mentionner
les nombreux *Actes* apocryphes d'Apôtres qui prêchaient la séparation
des époux ou l'abstention du mariage comme une condition de la venue
du Royaume de Dieu[2]. Les groupes gnosticisants qui interdisaient le
mariage étaient courants déjà à l'époque du Nouveau Testament[3]. Au
IIe siècle, Marcion, Saturnin, Basilide en faisaient la base de leur enseignement moral. Selon l'*Évangile des Égyptiens* (gnostique), « le temps de la
mort » (c'est-à-dire du monde actuel) durerait aussi longtemps que les
femmes enfanteraient[4]. Dans l'*Évangile de Thomas*, par contre, le
Royaume et la Résurrection sont déjà des réalités entièrement présentes.
En font partie les êtres régénérés que sont les continents et les solitaires
qui ont renoncé à tout commerce sexuel[5]. Saturnin pratiquait de même
la continence absolue. Le mariage et la reproduction sont à éviter en tant
qu'œuvre de Satan, autrement dit du dieu inférieur qui est à l'origine
du monde des corps[6]. Le disciple de Justin, Tatien, pour avoir accueilli
ces doctrines, fut excommunié de l'Église en 172. Il se retira alors en Mésopotamie. Ceux qui se rattachaient à lui se donnèrent le nom d'Encratites.
Selon Irénée, Tatien prêchait que « le mariage était une corruption et
une débauche, semblablement à Marcion et à Saturnin »[7]. D'après Clément, les Encratites liaient leur refus du mariage à leur croyance que la
résurrection avait déjà eu lieu, puisqu'il est écrit que dans le Royaume
on ne prendra plus ni femme ni mari[8]. Mais c'est Hippolyte qui nous
les fait connaître le mieux en insistant qu'ils se séparaient de l'Église,
non pour des questions de doctrine, mais à cause de leur « genre de vie ».
« Ils mettent leur gloire dans des aliments, s'abstenant de tout ce qui a

---

1. Hippolyte, Philos. VI.
2. Cf. Act. Joh. 113; Act. Andreae 5; Act. Thomae 12; 13; 51; 83; 95; 117 Act. Pauli 5;
11; 12; 14.
3. 1 Tm 4, 3.
4. In Clém. Alex., Strom. III, 9, 63.
5. Ev. Thomas 49; 75.
6. Irénée, Adv. Haer. I, 24, 1-2.
7. Adv. Haer. I, 28, 1, *cité* Eus., H.E. IV, 29, 3; cf. Hipp., Philos. 8, 16.
8. Clém. Alex., Strom. III, 6, 48, 1 : cf. Mc. 12, 25.

eu vie et ne buvant que de l'eau ; ils interdisent le mariage et, dans toutes les autres circonstances de la vie, pratiquent une grande austérité. On les prend plutôt pour des cyniques que pour des chrétiens » [1]. Quant aux Montanistes nous avons déjà eu l'occasion de faire allusion à la rigueur de leur discipline [2]. Sans rejeter absolument le mariage, et tout en recommandant le célibat, ils se contentaient d'interdire formellement les secondes noces comme une prescription définitive du Paraclet [3]. Sur ce dernier point, ils avaient fait une loi de ce qui, dans l'Église, était resté un simple conseil [4].

L'EXEMPLE DU MARIAGE

La conclusion de ce qui précède n'est certainement pas triomphale. Il n'y a pas eu en matière d'attitudes pratiques dans le domaine de l'éthique d'innovations spectaculaires de la part des chrétiens. En tentant d'introduire un esprit nouveau dans des comportements culturels ou éthiques invétérés, le Christianisme primitif n'a pas toujours réussi à les faire éclater en un nouveau *bios* plus conforme à son génie. Mais il est incontestable que dans le cas particulier du mariage par exemple [5], les premiers chrétiens ont promu une image nouvelle de la valeur du couple et de la cellule familiale. Dans la société romaine, le mariage était un simple contrat juridique. Les époux ne se liaient pas pour eux-mêmes. Leur union ne vaut que par la famille qu'ils fondent dans l'institution du mariage. Il n'y a pas d'éthique conjugale réciproque. Le stoïcien Musonius Rufus condamnant toute relation sexuelle en dehors du mariage au nom la « concorde » universelle, fait figure de chantre solitaire [6]. On a vu avec quelle facilité se pratiquait le divorce légal ainsi que la proportion que prenait la pratique de l'avortement et de l'exposition des enfants. Dans le judaïsme, le mariage correspondait à une volonté expresse du Créateur. Il était aussi considéré comme un rempart contre les perversions de la sexualité [7]. Mais la loi fournissait à l'homme les plus larges possibilités de recourir au divorce. La polygamie était toujours permise en principe. Ce qui pri-

---

1. Philos. 8, 20.
2. Cf. *supra*, p 80 sq.
3. Cf. Tert., De monog. 3 ; 14 ; Adv. Marc. I, 29 ; De pudic. 1.
4. Par exemple Hermas, Mand. 4, 4. Sauf pour les épiscopes ou presbytres (1 Tm 3, 2-4 ; Tt 1, 6), et les diacres (1 Tm 3, 12).
5. La plupart des matériaux ont été rassemblés par H. PREISKER, *Christentum und Ehe in den drei ersten Jahrhunderten, Berlin*, 1927. Voir aussi A. OEPKE, *Ehe*, RLACh IV, 651-666.
6. Musonius, fr. 12, HENSE.
7. Textes cités par H. STRACK et P. BILLERBECK, *Kommentar zum Neuen Testament aus Talmud und Midrash*, III, Munich, 2e éd., 1954, p. 64-74. Aussi : H. J. NORDIN, *Die eheliche Ethik der Juden zur Zeit Jesu*, Leipzig, 1911.

mait ce n'était pas tant l'union de personnes que la propagation de l'espèce selon l'ordre voulu par Dieu. Or, le Christianisme a, seul dans l'antiquité, proclamé l'indissolubilité absolue du mariage. Par là même, il a subordonné l'institution juridique de la famille au consentement mutuel des époux à un amour permanent. Certes, on peut encore trouver chez Paul l'idée que le mariage est une soupape de sûreté qui éloigne des vices [1]. Mais il est aussi l'image, actualisée dans l'amour réel, de l'union du Christ et de l'Église. L'*agapè* qui relie le Christ à l'Église est donné pour modèle de la valeur inestimable et inaliénable de l'amour humain vécu dans la perspective de la foi. Le mariage n'est plus compris seulement comme une réalité physique, institutionnelle ou sociale : vécu dans le Christ, il est lui-même renouvelé par les effets de la rédemption, en faisant participer les époux unis dans une communion personnelle à l'amour créateur de Dieu. Les Apologétistes ont voulu tirer argument de l'amour fidèle du mariage chrétien pour prouver la supériorité de leur morale. « Un chrétien ne naît homme que pour sa femme », dit Tertullien. Il ne lui est pas nécessaire, comme à Démocrite, de se crever les yeux pour ne plus voir les femmes avec concupiscence : « Tout en conservant ses yeux, il ne voit pas les femmes ; ses dispositions intérieures le rendent aveugle à l'égard des passions » [2]. Il ajoute que les chrétiens mettent « tout en commun, sauf leurs femmes » : « Nous rompons la communauté là précisément où les autres hommes la pratiquent » [3]. Athénagore pousse si loin le caractère unique et indissoluble du mariage qu'il qualifie les secondes noces d'adultère décent ou déguisé [4]. Ces mêmes auteurs affirment unanimement que la finalité du mariage est la procréation des enfants [5]. En elle se réalise l'ordre de Dieu, en même temps qu'elle arrache l'amour à toute perversion égoïste. C'est Clément d'Alexandrie qui est allé le plus loin dans l'appréciation résolument positive du mariage qu'il est la seul à placer au-dessus du célibat [6]. Il dit remarquablement que le propre du mariage est de mener les époux à une « entente selon le Logos » [7], c'est-à-dire à une communion spirituelle où ils se complètent dans l'amour [8]. Les chrétiens n'ont jamais tenu le raisonnement de type gnostique qui voit dans la cessation volontaire de la génération humaine réputée mau-

---

1. Cf. 1 Co 7, 5.9.
2. Apol. 46, 10-11 ; cf. 45, 3 ; Min., Oct. 35, 6.
3. Apol. 39, 11-12.
4. Suppl. 33 ; cf. Théoph., Ad Aut. III, 15 ; Min., Oct. 31, 5.
5. Justin, I Ap. 29, 1 ; Rec. Clem. 6, 12 ; Athénagore, Suppl. 33 ; Clément, Strom. II, 137, 1 ; Strom. VI, 100, 3 ; II, 58, 2 ; II, 107, 3 ; Péd. II, 95, 3 ; II, 83, 1 ; II, 92, 2.
6. Strom. VII, 70, 7-8 ; II, 142, 1.
7. Strom. II, 143, 1.
8. Strom. IV, 121, 1.

vaise la condition de la venue du Royaume de Dieu. Ignace d'Antioche conseillait aux futurs époux de se marier « selon le Seigneur et non selon la concupiscence »[1]. Ici, comme en tout, deux appels se font entendre au chrétien qui interprétent la réalité selon deux esprits contradictoires. Ou l'amour des époux est vécu selon le monde, et il se coupe de la puissance invincible et incorruptible de l'*agapè* divine communiquée par la foi ; ou bien il est placé dans la sphère de cette même *agapè* qui est la force du monde à venir. La perspective proprement chrétienne de l'amour humain s'élargit ainsi aux dimensions de l'histoire du salut dont il tire maintenant toute sa signification et sa justification. C'est à cette profondeur que l'*agapè* chrétienne saisit et transforme l'expérience humaine.

UN SOUFFLE NOUVEAU

Cela les chrétiens le savent. Dans la société antique, ils ont vivement conscience d'être des porteurs d'une nouvelle sève de vie qui éclate dans leurs comportements les plus quotidiens. Il nous est apparu qu'au IIe siècle surtout les chrétiens estimaient difficilement pouvoir vivre les implications pratiques de l'*agapè* sans céder à la mentalité générale et aux modèles éthiques de leur temps. Au risque de perdre le dynamisme de l'Esprit au profit de nouvelles formes figées et légalistes, ils ont souvent renoué soit avec les anciennes prescriptions judaïques, soit en tombant dans l'écueil inévitable des philosophies à caractère dualiste. Mais là n'était pas tout. S'ils ont, par leur forte insistance sur l'idéal général de la continence dans et hors du mariage, donné l'impression d'une éthique assez négative d'abstinence devant les séductions du siècle, on ne doit pas nier, en contrepartie, que la haute idée qu'ils se faisaient de leur supériorité morale sur les païens se justifiait par des comportements et des réalisations particulièrement positifs. La perspective nouvelle dans laquelle ils considéraient le mariage est une de ces acquisitions positives. On y ajoutera la netteté avec laquelle ils se sont dressés contre la barbarie et les cruautés de la société romaine. Ce n'est pas parce qu'ils ont refusé même de voir les crimes de l'amphithéâtre ou l'érotisme vulgaire du théâtre qu'ils ont adopté une position négative de fuite devant le monde. En condamnant énergiquement les aberrations de l'amour corrompu, et ses conséquences : l'avortement et l'exposition des enfants, ils ne se sont pas réfugiés comme certaines sectes gnostiques dans le mépris catégorique de la chair, mais ils l'ont fait en vivant leur propre conception de l'amour humain. Derrière des comportements que l'on aurait tort de juger négatifs parce qu'ils n'entraînent pas de bouleversement spectaculaire, se dessine en réalité le nouveau

1. A Polyc. 5, 2.

type d'homme qu'est le chrétien des deux premiers siècles, suffisamment différencié par rapport à ses antécédants juifs et païens dont il procède et pas encore assimilé au reste de la société romaine au point de se confondra avec elle.

La nouveauté de vie que les chrétiens ont introduite dans le monde est réelle. Mais elle ne se mesure pas selon les critères du monde. Mais c'est dans le monde qu'elle poursuit sa croissance à la fois visible et mystérieuse. Cette transformation n'affecte pas seulement les mœurs en général. On ne saurait pourtant insister assez sur l'importance de cette transformation lorsqu'on songe par exemple, même au risque de forcer la note, au tableau dépravé de la société romaine du temps de Néron qu'un Pétrone nous a laissé dans son *Satyricon*. Mais c'est la motivation même de toute conduite morale qui se trouve totalement changée. La foi a entraîné ce bouleversement des valeurs qui a rendu définitivement caduques les anciennes raisons de vivre. Un souffle nouveau anime le Christianisme naissant au milieu d'un monde qui, tout cherchant ailleurs sa voie, restait congénitalement attaché aux formes culturelles et aux modèles du passé. Il se traduit par une vitalité et une fraîcheur qui tranche avec la routine brillante en surface, mais désabusée dans le fond, de la vie romaine. On a pu s'en rendre compte en lisant la précieuse lettre *A Diognète* où se concentre en quelques lignes le sentiment invincible et ingénu d'une nouvelle poussée de vie dans le vieux monde romain [1]. Ce même sentiment apparaît incontestablement quand Justin écrit aux empereurs : « Autrefois, nous prenions plaisir à la débauche, aujourd'hui la chasteté fait tous nos délices. Nous nous livrions à la magie ; aujourd'hui nous nous consacrons au Dieu bon et inengendré. Nous aimions et nous recherchions plus que tout les richesses et les propriétés, maintenant, tout ce que nous avons, nous le mettons en commun et nous le partageons avec tous ceux qui sont dans le besoin. Les haines et les meurtres nous divisaient ; ... aujourd'hui, après la venue du Christ, nous vivons ensemble, nous prions pour nos ennemis, nous cherchons à gagner nos injustes persécuteurs, afin que ceux qui suivront les sublimes préceptes du Christ puissent espérer la même récompense que nous de Dieu, le maître de tout » [2]. Ces tableaux pour idylliques qu'ils soient n'en expriment pas moins la conscience que par rapport au monde resté la proie du mal, le Christianisme a apporté de nouvelles raisons d'exister. L'*Homélie* judéo-chrétienne du Ps-Clément dit elle aussi qu'avant le Christ, « notre vie tout entière n'était rien autre que mort ; nous étions enveloppés de ténèbres, un voile épais obscurcissait notre vue. Et voilà que nos yeux se sont ouverts ; nous avons dissipé, par son libre vouloir,

---

1. Cf. *supra*, p 197-198.
2. I Ap. 14, 2-3.

le nuage qui nous environnait »[1]. Athénagore dit très justement que la
vie des chrétiens serait incompréhensible si on la séparait de la foi et de
l'espérance qui la constituent[2]. Le comble est que dans les domaines
précis où ils pouvaient arguer de leur supériorité morale sur les païens,
les chrétiens étaient accusés des pires crimes. Théophile n'a pas à chercher
longtemps la réponse : « Bien loin des chrétiens, écrit-il, l'idée de faire
rien de tel, eux chez qui la continence demeure, qui exercent la maîtrise
de soi, qui restent fidèles dans le mariage, qui gardent la pureté, où l'injustice est brisée, la loi accomplie, la piété mise en action, Dieu reconnu »[3].

Il ne faudrait donc pas pour discerner quelques traits du visage que
pouvait présenter le Christianisme aux deux premiers siècles retenir uniquement l'aspect exagérément ascétique qu'il prend par exemple chez
un Tertullien montaniste enseignant que Dieu a voulu « nous châtier,
et même, pour ainsi dire, nous châtrer du siècle »[4] ; mais aussi dans la
sérénité et la joyeuse assurance d'un auteur *A Diognète* affirmant que
jusque dans les châtiments qu'on leur inflige, les chrétiens « sont dans la
joie comme s'ils naissaient à la vie »[5]. L'éthique chrétienne, selon le
Nouveau Testament, ne peut s'accommoder d'aucun dualisme tendant
à mépriser la création de Dieu ou à se lamenter des maux de l'existence
présente, fût-ce en comparaison de la beauté de celle à venir. L'attitude
chrétienne fondamentale est au contraire celle de la certitude que le mal
qui corrompt encore la création a déjà été vaincu par le Christ, et que le
chrétien participe à cette victoire sur le péché en la manifestant concrètement
dans les actes de sa propre vie. En vivant réellement dans le monde les
implications de l'*agapè* divine, il devient cette créature nouvelle que l'Esprit
fait grandir de jour en jour. Le visage de l'homme nouveau ne peut être
celui de la tristesse. C'est ce que le « continent » Hermas lui-même a bien
vu. La tristesse, qui est sœur du doute et la colère « est le plus méchant
de tous les esprits et le plus redoutable pour les serviteurs de Dieu... parce
qu'elle ruine l'homme et chasse l'Esprit-Saint »[6]. Au contraire, l'Esprit-
Saint donné aux chrétiens comme gage du monde à venir, se révèle en
ce qu'il provoque la *joie*. « L'Esprit-Saint... a été donné joyeux à l'homme ».
Ce n'est pas la prière de l'homme triste qui s'élève jusqu'à Dieu, car la
tristesse mène au péché. Mais Dieu se reconnait dans la gaîté des siens,
car « tout homme gai fait ce qui est bon, désire ce qui est bon et méprise

1. II Clem. 1, 6.
2. Suppl. 12 ; 31.
3. Ad. Aut. III, 15.
4. De cultu fem. II, 9.
5. A Diogn. 5, 16.
6. Mand. X, 1, 2.

la tristesse ». Cette tristesse-là est mauvaise parce qu'elle donne prise à l'action de l'Adversaire : elle est une marque de la subtile domination de l'esprit du monde. Pour « vivre à Dieu, le chrétien doit la rejeter et « se revêtir tout de joie »[1]. C'est dans ce même fond de certitude joyeuse que puise l'austère Barnabé lorsqu'il appelle les chrétiens les « *enfants de l'allégresse* »[2]. Cette joie et cette allégresse n'est pas ce que le monde appelle la *vita beata* ; elle n'est pas le résultat de la satisfaction effrénée de tous les désirs, ni d'une technique d'ataraxie individuelle. C'est la même joie qui éclate dans les assemblées eucharistiques, ou dans les récits des martyres[3] comme un don de l'Esprit anticipant la plénitude du bonheur à venir. Elle exprime l'assurance sereine de ceux qui, au milieu du monde déjà rénové, manifestent la victoire du Christ sur tout mal en vivant la vie nouvelle qui triomphera d'une manière définitive dans le Royaume de Dieu.

---

1. Mand. X, 3 ; cf. Ph 4, 4-5 ; 1 Th 5, 16.
2. Barn. 7, 1.
3. Cf. Ignace, Eph. 1, 2 ; Eusèbe, H.E. V, 1, 55 ; V, 2, 7 ; Acta Carp. 39.

CHAPITRE X

LA PATRIE COMMUNE

Cicéron pouvait dire à la suite des stoïciens que le monde est comme « une cité commune aux hommes et aux dieux »[1]. Marc-Aurèle pouvait affirmer : « En tant qu'Antonin, ma cité et ma patrie, c'est Rome ; en tant qu'homme, c'est l'univers »[2]. Pour les chrétiens, et c'est là ce qui les distinguait le plus fondamentalement de leurs contemporains, ni le monde présent, ni la citoyenneté terrestre ne comptaient comme une attache définitive. Leur véritable patrie, ils la situaient dans le Royaume de Dieu à venir, et ils la voyaient dès maintenant anticipée dans l'Église. Par opposition aux hommes qui forment le *monde* coupé de Dieu, les chrétiens ont conscience de constituer l'humanité de la nouvelle création, celle que Dieu, dans ses desseins salvifiques, a voulue de tout temps et dans laquelle il réunit en un nouveau peuple les juifs et les païens pour en faire la troisième et dernière race des hommes[3]. Tant que le monde s'organise en une société humaine qui se conçoit comme un absolu et qui se donne pour sa propre fin, l'Église chrétienne se pose comme l'antitype de cette société. Nous savons que dans l'opinion d'Hippolyte de Rome, l'Église poursuit un but exactement inverse de l'Empire romain persécuteur qui en est une imitation diabolique. Son idée est que face à l'Église, réalité eschatologique et humanité nouvelle des derniers temps. l'Empire qui lutte contre elle et veut lui substituer sa propre conception de l'existence — et de l'existence en société — apparaît comme un instrument de Satan, prince de

---

1. De fin. III, 19, 64 ; cf. De nat. deor. II, 62, 154.
2. Pensées VI, 44.
3. Cf. *supra,* p 171-174.

ce monde et adversaire de Dieu dans l'histoire du salut. Pourtant, nous avons vu que l'Église ne cherche pas à se supplanter à l'état que Dieu a voulu maintenir avec le cadre provisoire de ce monde. Elle ne veut être ni un programme ni une organisation politiques luttant pour une idéologie sur le même terrain que les autres idéologies. Le Christianisme n'a pas voulu se substituer en tant qu'Église à la société telle qu'elle était alors organisée. Mais *dans* l'Église, il a voulu montrer selon quel principe doit maintenant vivre la communauté humaine. Ce qui caractérise l'Église comme anticipation de la cité de Dieu et antitype de la cité terrestre, c'est qu'elle veut organiser la société des hommes de ce temps sur le modèle de la société parfaite du monde à venir, en faisant de la loi d'amour le principe nouveau de toute vie communautaire.

L'ÉGLISE, CORPS DU CHRIST

L'Église, en ces temps eschatologiques est devenue, par ses dimensions propres, la seule patrie faite à la réelle mesure de l'homme, non seulement par son universalité dans l'espace et dans le temps, mais encore par le nouveau fondement sur lequel elle est bâtie et dont elle tire son esprit et sa cohésion : le Christ. Enracinée dans l'histoire où elle est représentée par un petit groupe d'hommes en général d'humble condition, elle pense qu'elle est en réalité l'aboutissement d'une longue disposition divine qui la prépare et aussi la préfiguration du Royaume de Dieu futur [1]. Ces dimensions d'au-delà de l'histoire, Paul les exprime dans sa doctrine de l'Église Corps du Christ, en particulier dans les Épîtres de la captivité. R. Schnackenburg en résume l'économie de la manière suivante : « Le Corps du Seigneur crucifié et ressuscité s'élargit jusqu'à devenir le Corps du Christ ecclésiologique par l'intermédiaire de l'Esprit ; par ce dernier le Seigneur (la « Tête ») se construit son Église (le « Corps ») et réalise avec elle une unité totale. L'Église constitue de cette manière une réalité qui est déjà présente dans le Corps du Christ sur la croix et qui, dans un mouvement de croissance interne et externe à partir de sa « Tête », le Christ, s'édifie et prend possession du Cosmos pour arriver à sa forme parfaite » [2]. L'unique réalité substantielle de l'histoire, vers la constitution de laquelle elle se dirige comme vers son but, c'est le Corps du Christ en plénitude. Les stoïciens appliquaient l'image du corps au cosmos dont tous les membres sont interdépendants [3]. Au Ier siècle, ils pouvaient par analogie se repré-

---

1. Sur cette double dimension de l'Église : E. SCHWEIZER, *Gemeinde und Gemeindeordnung im N.T.*, 2e éd., Zürich, 1962, p. 148-154.
2. R. SCHNAKENBURG et K. THIEME, *La Bible et le Mystère de l'Église*, Desclée, 1964, p. 117.
3. En ce sens aussi : 1 Co 12, 12-27.

senter l'Empire comme un corps dont l'empereur est la tête[1]. Mais on voit à quel point la perspective chrétienne, enracinant l'idée de l'Église comme Corps du Christ sur la notion peuple nouveau et eschatologique de Dieu, est irréductible à la forme comme au contenu de l'idée stoïcienne. La véritable patrie de l'homme, où il se trouve comblé des dons du salut qui font de lui une créature nouvelle, c'est l'Église, réalité à la fois proche et immense, locale et universelle, historique et cosmique parce qu'elle est présente partout où les hommes — et la création qui leur est solidaire — reconnaissent par la foi que le Christ est le fondement nouveau de la communauté humaine s'édifiant et se consolidant selon le principe de l'*agapè*. Telle est au moins sur le plan formel de la foi et de l'espérance, la conviction intime des premiers chrétiens. Eux-mêmes savent bien qu'ils n'ont pas encore tout à fait rompu avec le péché dont le Christ les a délivrés. Mais la conscience de former désormais le peuple définitif de Dieu leur paraissait inséparable de la mise en pratique concrète de tout ce qu'elle impliquait comme rupture avec ces autres normes de la société humaine que défendait le *monde*.

LES « SAINTS ». DÉNOMINATION ET PROGRAMME

Dans la conception des premiers chrétiens, l'Église pérégrinante de la terre, tout comme l'Église bienheureuse du ciel, est une société de « *saints* »[2]. La fréquence, à vrai dire décroissante avec le temps, avec laquelle ils se sont appelés « les saints », révèle quelle devait être à leurs yeux la qualité de tous ceux qui appartenaient à l'Église. Ils ne l'entendaient pas seulement dans un sens formel, mais aussi dans un sens moral réel. L'Église a conscience d'être le peuple eschatologique de Dieu, en qui les promesses faites jadis à Israël se sont enfin réalisées : « une race élue, un sacerdoce royal, une nation sainte, un peuple choisi »[3]. La condition de ce peuple définitif que Dieu s'est acquis est d'être sanctifié par l'Esprit, cette puissance de vie éternelle que le Christ ressuscité communique à l'Église. « Vous êtes le temple de Dieu, dit Paul aux Corinthiens, et l'Esprit de Dieu habite en vous... Le temple de Dieu est saint, et ce temple c'est vous »[4]. Chez Paul, les chrétiens sont le plus couramment désignés comme les « saints ». Ainsi dans l'adresse de la plupart de ses épîtres. Les Corinthiens sont salués comme « ceux qui ont été sanctifiés » et qui sont « appelés à

---

1. Sénèque, De clem., I, 5, 1 ; II, 2, 1.
2. Voir Procksch, *Agios*, TWNT I, 87 sq. L'ecclésiologie des premiers siècles a été étudiée par G. Bardy, *La théologie de l'Église de S. Clément de Rome à S. Irénée*, Paris, 1945 ; et *La théologie de l'Église de S. Irénée au Concile de Nicée*, Paris, 1947.
3. 1 P 2, 9.
4. 1 Co 4, 16-17.

être saints » [1]. La communauté judéo-chrétienne de Jérusalem groupée autour de Jacques semble avoir particulièrement mis en usage cette désignation pour sa signification eschatologique. La collecte que Paul organise dans les églises pagano-chrétiennes est toujours présentée comme « un service en faveur des saints » [2]. Ce qui prouve que cette vie sanctifiée est déjà une participation à la plénitude de la vie à venir, c'est que les anges et les chrétiens déjà morts qui sont « avec le Christ » sont eux aussi appelés « les saints » [3]. D'avoir été admis à partager leur sort, les saints de la terre remercient Dieu [4]. Vie sainte et appartenance à l'Église se conditionnent nécessairement l'une l'autre. Hermas nous paraît révélateur de cet état d'esprit lorsqu'il nous décrit, dans l'allégorie de la tour, les différents degrés de conversion et leur position respective par rapport à l'Église. Parmi les pierres inutilisables pour l'édification de l'Église, il y a ceux qui ont entendu la parole de Dieu et qui ont l'intention de demander le baptême, « seulement, lorsqu'ils se rappellent la sainteté qu'exige la vérité, ils changent d'avis » [5]. On n'entre dans l'Église qu'après s'être converti à la vie selon Dieu pour toujours, et on n'en fait partie qu'aussi longtemps qu'un retour au péché ne remet à nouveau le baptisé lui-même sous la coupe des puissances du mal.

Bien que dans la seconde moitié du IIe siècle le terme technique de *saints* pour désigner les chrétiens, se fasse de plus en plus rare, les Apologistes ont continué à défendre vigoureusement le programme de vie que la première génération avait attaché à ce concept. Ils ont constamment souligné devant leurs lecteurs païens que les vrais chrétiens se distinguaient (par exemple des gnostiques) par la sainteté de leur *bios*. Justin va jusqu'à demander aux autorités de punir ceux qui tout en se prétendant chrétiens de nom ne conforment pas leur vie à ce qu'ils prétendent être. « Ceux qui[ʾ] ne vivent pas selon ces préceptes (du Christ), qu'ils ne soient pas tenus pour chrétiens, quand même ils proclameraient de bouche la doctrine du Christ ; car il a promis le salut non à ceux qui disent, mais à ceux qui font » [6]. C'est Athénagore qui a insisté le plus sur la sainteté réelle exigée des chrétiens qu'il motive d'ailleurs généralement par la perspective du jugement et de la rétribution finale. Il explique aux empereurs qu'il n'est pas raisonnable de penser que des hommes qui règlent leur vie sur le monde futur qu'ils espèrent puissent prendre goût au mal et se mettent à « pécher,

---

1. 1 Co 1, 2.
2. Cf. Rm 12, 13 ; 15, 26.31 ; 16, 2 ; 1 Co 16, 1 ; 2 Co 8, 4 ; 9, 1.12.
3. Col 1, 12 ; 1 Th 3, 13.
4. Col 1, 12.
5. Vis. III, 7, 3.
6. I Ap. 16, 8 ; cf. 16, 14.

même le plus légèrement que ce soit »[1]. Ils sont accablés de calomnies monstrueuses et invérifiables et pourtant, « pas un seul chrétien n'a été convaincu d'injustice »[2]. « Ces hommes, conclut-il, ne tomberont jamais dans la pensée du moindre péché »[3]. Dans la société chrétienne, il ne devrait plus y avoir de vice ni de mal. L'Église, au moins formellement, doit être dans le monde la préfiguration et l'amorce de l'humanité de la nouvelle création où le péché ne s'interposera plus entre Dieu et les hommes. Cette conception est encore attestée par la permanence du thème de l'Église, vierge sainte et immaculée que le Christ s'est fiancée après l'avoir purifiée dans les eaux du baptême[4].

L'EXIGENCE DE LA SAINTETÉ APRÈS LE BAPTÊME

L'Église attend de ses *saints* qu'ils persévèrent dans la vie nouvelle qu'ils ont reçus à leur baptême. Rien ne le prouve plus clairement que l'évolution de la pratique et de l'institution de la pénitence comme nouveau pardon des péchés après le baptême[5]. Vers la fin du IIe siècle et surtout au début du IIIe siècle, un changement assez profond se dessine dans ce domaine, où l'on peut voir, parmi d'autres, l'un des indices d'une mutation dans la conscience que les chrétiens ont de l'Église. Avant cette période, il n'était généralement pas admis qu'un chrétien puisse demeurer membre de l'Église en retombant dans le péché après le baptême. On est saint ou on ne l'est pas. Le pouvoir de remettre les péchés que le Christ avait donné à ses apôtres paraît toujours comme lié au baptême[6]. C'est le baptême qui achève le processus de la conversion en faisant mourir le néophyte au péché et ressusciter à la vie selon l'Esprit. Il était impensable que sa vertu régénératrice, après avoir été démentie par un retour aux pratiques anciennes, pût être réitérée par un nouvel acte de pardon. Pierre résume la conception primitive lorsqu'il dit aux premiers convertis de Jérusalem : « Repentez-vous, que chacun de vous se fasse baptiser au nom de Jésus-Christ pour la rémission de ses péchés et vous recevrez alors le don du Saint-Esprit »[7]. Dès lors, il n'y a plus qu'à mener une vie sainte. L'*Épître aux Hébreux* dit le plus explicitement qu'une seconde *metanoia* est impossible si la pre-

---

1. Suppl. 36 ; cf. 12.
2. *Id.*, 2.
3. *Id.*, 31.
4. Cf. Ep 5, 27 ; Herm. Vis. IV, 2, 1 ; Odes Salom. 33, 5-7 ; Lettre Egl. de Lyon : Eusèbe, H.E., V, 1, 45 ; A Diogn. 12, 8.
5. L'histoire en a été retracée par B. POSCHMANN, *Paenitentia secunda. Die kirchliche Busse im ältesten Christentum bis Cyprian und Origenes,* Bonn, 1940.
6. Cf. Mt 16, 18-20 ; 18, 15-16 ; 28, 18-20 ; Lc 24, 47-49 ; Jn 20, 19-23.
7. Ac 2, 38.

mière a été trahie. « Il est impossible, en effet, pour ceux qui une fois ont été illuminés, qui ont goûté au don céleste, qui sont devenus participants de l'Esprit-Saint, qui ont savouré la belle parole de Dieu et, les *forces de l'aiôn à venir*, et qui néanmoins sont tombés, de les rénover une seconde fois en les amenant à la pénitence, alors qu'ils crucifient pour leur compte le Fils de Dieu et le bafouent publiquement »[1]. Le « péché éternel » pour lequel « il n'y a jamais de rémission »[2] et qui « mène à la mort »[3], c'est le péché contre l'Esprit-Saint par lequel l'être déjà recréé selon le principe de la vie éternelle et qui ne devait plus mourir, se renie lui-même en s'excluant de l'Église des vivants pour redevenir la proie de la corruption et de la mort. La communauté primitive a donc envisagé les conséquences radicales de l'entrée dans l'Église. Elle sait qu'elle représente le peuple eschatologique, saint par vocation et par grâce dans lequel le Corps glorieux du Christ prend forme peu à peu. Mais il est évident que cet aspect formel auquel il faut toujours se référer pour comprendre la spécificité des motivations chrétiennes ne doit pas mettre dans l'ombre le fait que la communauté primitive se savait d'autre part encore vulnérable et accessible au péché. Sainte elle l'était par le don de l'Esprit anticipant la perfection du Royaume à venir, mais toujours appelée à progresser et à se réformer.

Le tableau de l'Église primitive suffisait aux premiers chrétiens eux-mêmes pour se convaincre que la perfection idéale était loin d'être atteinte. Paul dit aux nouveaux convertis de Corinthe qu'ils ont encore beaucoup à faire pour ressembler à des « hommes spirituels » : « Tant qu'il y a parmi vous jalousie et discorde, n'êtes-vous pas charnels et ne vous conduisez-vous pas comme font les autres hommes? »[4]. Quelques décennies plus tard, Clément de Rome leur écrira pour leur reprocher encore les mêmes défauts. Leur mauvaise tenue et leur peu de charité au cours des agapes avait déjà valu les plus sévères avertissements de Paul[5]. Bien des vices païens étaient encore à constater chez les baptisés : ceux qui se disent frères se querellent entre eux et vont porter leurs procès devant les tribunaux du monde[6]; ils continuent à se livrer même à la fornication[7]; les dons charismatiques sont des prétextes à toutes les divisions[8]. A cet égard l'Église elle-même est dans une situation semblable au monde où l'ivraie est inextricablement mêlée au bon grain. Chez Matthieu la para-

---

1. He 6, 4-6 ; cf. 10, 26-27.
2. Mc 3, 29 par.
3. 1 Jn 5, 16-17.
4. 1 Co 3, 1-3.
5. 1 Co 11, 17 s., 1 Th 4, 3 s.
6. 1 Co 6, 1-11.
7. 1 Co 6, 12-20.
8. 1 Co 14.

bole s'applique au monde aussi bien qu'à la situation intérieure de l'Église. Dans le champ du monde, le Fils de l'Homme et le Diable sèment respectivement le froment et l'ivraie. L'un et l'autre croissent et se mélangent jusqu'à la consommation des temps lorsque du Royaume du Christ seront arrachés les fauteurs d'iniquité et de scandale et que les justes en seront définitivement séparés pour être transférés dans le Royaume du Père [1].

Hermas compare encore les hommes qui vivent dans le siècle présent à une forêt en hiver où tous les arbres se ressemblent, qu'ils soient secs et stériles ou vivants et seulement dépouillés de leur feuillage. Quand viendra l'été du monde à venir, les justes seront trouvés verdoyants, tandis que « les païens et les pécheurs » se révèleront comme du bois mort et seront brûlés comme tels [2]. Les fidèles eux-mêmes savent que tout en étant les fils du Royaume, ils peuvent encore, par leurs multiples imperfections tomber au pouvoir du Mauvais. Aussi confessent-ils publiquement et en commun les transgressions qu'ils ont commises pour être dignes de manger le pain et de boire la coupe du Seigneur [3]. Si quelqu'un se rend coupable d'une offense envers un frère il lui demande d'abord pardon pour rétablir la communauté dans l'*agapè* qui est la condition de la vie sainte [4]. « Que le soleil ne se couche pas sur votre colère, recommande Paul, pour ne pas donner prise au Diable » [5]. Les multiples et inévitables manquements dont est émaillée la vie quotidienne et qui peuvent être immédiatement réparés n'entraînent pas l'annulation de la condition fondamentale de sainteté qui est celle du croyant. Ils sont, pour ainsi dire, couverts d'avance par le baptême.

L'EXCOMMUNICATION POUR FAUTE GRAVE

Mais il en va tout autrement dans les cas d'une rechute manifeste dans des péchés particulièrement graves. Ceux qui sont trouvés dans de tels cas sont alors exclus de la communauté. Paul s'emporte avec fougue contre le Corinthien qui vivait avec la (seconde) femme de son père : il faut non seulement le rejeter de la communauté, mais encore le « livrer à Satan » pour que la « chair » ne corrompe pas davantage l'Église aux dépends de l' « Esprit » [6]. Paul étend sa recommandation plus loin. Il faut cesser toute espèce de relation, y compris ne plus prendre de repas avec un frère qui se dirait tel et qui, en réalité, continuerait à être « impudique, cupide,

---

1. Mt 13, 24-30. 36-43.
2. Sim. III, 1-2 ; IV, 1-5.
3. 1 Co 11, 27 ; cf. Did. 14, 1-2.
4. Mt 5, 23-25 ; Did. 4, 14 ; 15, 3.
5. Ep 4, 26-27.
6. 1 Co 5, 1-5.

idolâtre, insulteur, ivrogne ou rapace » [1]. Dans la Première Épître à *Timothée*, nous apprenons aussi que deux personnages ont été « livrés à Satan » pour avoir « blasphémé », sans doute pour avoir affirmé, comme certains gnostiques, que la résurrection des morts a déjà eu lieu [2]. S'exclure de la communauté de ceux qui vivent déjà selon l'Esprit a pour conséquence le retour à la condition mortelle dont la mort charnelle elle-même est quelquefois le signe. Ananie et Saphyre tombent morts instantanément pour avoir menti « à l'Esprit-Saint » et voulu tromper les apôtres par leur semblant de générosité [3]. De même, selon Paul, parmi ceux qui ont participé à l'eucharistie sans s'examiner et se repentir de leurs fautes, « beaucoup sont devenus malades ou infirmes et un bon nombre sont morts » [4]. Peut-être peut-on déjà déceler dans le rôle qu'attribue Polycarpe aux presbytres de juger les injustices commises entre les frères la fonction disciplinaire d'exclure les pécheurs de la communauté [5]. D'après Tertullien, des sentences d'exclusion étaient rendues au cours des assemblées contre ceux qui avaient commis des fautes particulièrement graves. Ceux qui étaient frappés de ce « suprême préjugé du jugement futur » devaient être écartés du commerce des saints [6]. Parmi ces fautes que l'on jugeait irrémissibles il y avait toujours l'apostasie, la fornication et l'adultère, ainsi que l'homicide.

L'INSTITUTION PÉNITENTIELLE ET L'ÉVOLUTION DE L'ÉGLISE

Un premier pas dans le sens de l'assouplissement de la discipline primitive a sans doute été franchi par Hermas. Tout le *Pasteur* tourne autour de la question de savoir si une seconde pénitence et un second pardon des péchés sont possibles après le baptême. Après de longs détours, il arrive à une conclusion qui innovait sans aucun doute par rapport aux usages romains en vigueur. Il reçoit d'ailleurs la mission de transmettre cette bonne nouvelle aux presbytres. Selon lui, il existe un cas, à vrai dire limité, où le chrétien peut être assuré que les fautes relativement graves qu'il a pu commettre après le baptême lui seront pardonnées : une pénitence générale, mais une seule, est possible pour qui a reçu le baptême de longue date. Elle ne vaudra pas pour ceux qui recevront le baptême dans le futur ni pour ceux qui viennent tout juste de le recevoir. « Tous les péchés antérieurs leur seront remis ainsi qu'à tous les saints qui ont

---

1. 1 Co 5, 11.
2. 1 Tm 1, 20 ; 2 Tm 2, 17 ; 4, 14.
3. Ac 5, 1-11.
4. 1 Co 11, 30.
5. Polycarpe, Phil., 6, 1.
6. Apol. 39, 4.

péché jusqu'à ce jour, s'ils se repentent du fond de leur cœur et en arrachent les hésitations »[1]. Ce second pardon est accordé à ceux qui renouent avec la sainteté de vie qu'exige la foi. Il ne s'accompagne pas d'un acte spécial de réconciliation .Il ne renouvelle pas davantage le baptême, mais il est une nouvelle et dernière chance de conversion qui permet de réintégrer la condition première du baptisé. Mais Hermas a soin de préciser que l'idéal reste la persévérance dans cette pureté originelle[2]. Après cette dernière chance, un autre pardon ne sera plus possible. Le chrétien qui a quitté le monde du péché une fois pour toutes ne doit normalement plus revenir sur sa décision, car « les jours de la pénitence sont révolus pour les saints ; mais pour les gentils, la pénitence peut se faire jusqu'au dernier jour »[3]. Ce second pardon, selon Hermas, n'affecte cependant pas « ceux qui ont apostasié et blasphémé le Seigneur »[4]. En reconnaissant que les baptisés pouvaient prétendre à une nouvelle remise de leurs fautes, l'Église commençait à réviser l'idée qu'elle se faisait jusqu'alors de sa qualité de « peuple saint ». Vers la fin du IIe siècle, cette évolution ne fait que s'accentuer Sans doute parce que le terme ne correspondait plus beaucoup à la réalité, l'appellation de « saints » se fait de plus en plus rare. En même temps, une discipline pénitentielle commence à s'organiser proportionnant l'idée de réparation à la gravité des fautes commises. Le pardon est accordé plus fréquemment et plus généreusement qu'auparavant. Cette évolution aboutit à un tournant avec le fameux édit du pape Calliste (217-222). On doit y voir aussi la fin de la conception néotestamentaire de l'Église peuple des saints au sens à la fois eschatologique et éthique du terme. Depuis que les grandes masses commençaient à affluer dans l'Église, il n'était plus possible d'exiger de tous le haut idéal de sainteté dans lequel la première génération avait vu l'un des traits les plus inséparables de sa conscience de l'Église. Calliste réadmettait dans l'Église, d'ailleurs après une longue pénitence, des chrétiens qui s'étaient rendus coupables d'adultère ou de fornication alors que ces fautes avaient été généralement tenues jusque-là pour irrémissibles. Il provoqua la réaction indignée et vigoureuse de Tertullien[5] passé au montanisme et d'Hippolyte qui fait également schisme.

Leur attitude est intéressante, car elle représente une tentative de revenir à la conception primitive de l'Église, non sans faire preuve d'un certain archaïsme. Non sans animosité, Hippolyte reproche à Calliste de cultiver avec prédilection la parabole du froment et de l'ivraie, en prenant prétexte

---

1. Vis. II, 2, 4 ; cf. Sim. IX, 26, 6 ; Vis. III, 5, 5.
2. Mand. IV, 3, 1 sq.
3. Vis. II, 2, 5.
4. Sim. IX, 19, 1.
5. De pudic. 5, 14-15 ; 6, 1 ; 9, 20 ; 12, 11, etc.

pour faire entrer les pécheurs dans l'Église [1]. Pour Hippolyte, l'Église se définit toujours comme « l'ensemble des saints vivant dans la vérité », elle est « la société des justes, le lieu des saints ». « C'est la concorde des saints et leur acheminement vers le même but qui forment l'Église, demeure spirituelle de Dieu, plantée sur le Christ » [2]. Les *saints*, comme dans les tout premiers temps, sont ceux qui ont reçu l'Esprit-Saint par le baptême et qui le conservent par une foi pure. Ceux qui ne pratiquent pas la loi du Christ s'excluent par le fait même de l'Église [3]. Mais un tournant irréversible venait d'être pris. Au milieu du IIIe siècle, une crise analogue se reproduira autour du problème de la réconciliation des nombreux apostats qu'avait faits la persécution de Dèce. Il y eût alors un nouveau schisme, le rigoriste Novatien se dressant contre le pape Corneille et prêchant également un utopique retour à l'ancienne discipline.

Déjà vers la fin de l'époque qui nous occupe, les exigences de l'Église en matière de sainteté s'affaiblissent. Maintenant on n'entre plus dans l'Église à condition d'être saint, mais on s'y présente avec tout le poids des péchés du « vieil homme » pour tâcher de le devenir. La sainteté réelle semble alors de plus en plus être réservée à une élite qui s'efforcera de vivre intégralement la perfection, tandis que pour la masse vivant dans le monde on tolèrera les plus compréhensives compromissions. La conception primitive qui n'admettait pas cette distance entre ce que l'Église est formellement de par son origine divine et ce qu'elle était réellement dans la vie de ses membres, est beaucoup plus conséquente pour la conscience qu'avaient les chrétiens de fonder dans l'Église un nouveau type de société humaine. Si l'Église elle-même ne s'organise pas conformément à la sainteté de vie pour laquelle elle a reçu le don eschatologique de l'Esprit, si les chrétiens ne vivent pas dans le monde selon les exigences de la loi d'amour, ils se diluent en réalité dans le monde pour lequel ils ne sont plus ni lumière, ni sel, ni levain. Ce n'est que lorsque l'Église reste elle-même, c'est-à-dire fidèle à sa vocation de sainteté qu'elle peut prétendre rassembler l'humanité véritable que Dieu s'est préparée de tout temps et sur le modèle de laquelle le monde encore étranger au don du salut devrait être avide de se conformer. Le nouveau type de société humaine qui prend forme dans l'Église ne représente fidèlement l'alternative divine à la société telle que la conçoit le *monde* que dans la mesure où les chrétiens acceptent de ne plus vivre selon les normes ni l'esprit du *monde* encore viciés par le péché, mais selon toutes les implications de l'*agapè* qui est l'Esprit et la logique de Dieu érigés en nouveau principe de la vie communautaire.

---

1. Philos. IX; 12, 22-23.
2. Sur Dan. I, 18, 5-8.
3. Cf. Sur Dan. IV, 38, 1-2.

Mais l'Église chrétienne ne se définit pas seulement par rapport au monde par l'indispensable sainteté de ses membres, mais encore par son organisation et sa structuration interne qui distribuent les rôles et les fonctions exercés par chaque membre selon les dons de l'Esprit. Dans l'Église, toutes les fonctions nécessaires au déroulement de la vie communautaire sont considérées comme l'exercice des *dons* que l'Esprit accorde diversement à chacun de ses particpants. Dans la langue de Paul, les *charismes* sont les dons spéciaux que l'Esprit qui est le principe de la vie de l'Église suscite pour son « édification » interne [1]. C'est ainsi qu' « à chacun est donné la manifestation de l'Esprit en vue de l'utilité commune » [2]. Les services rendus et les actions accomplies sont divers, mais ils sont toujours le fruit du même Esprit qui agit à travers eux et qui « distribue ses dons à chacun en particulier comme il l'entend » [3]. Ce qui est nouveau, c'est que ces aptitudes ne sont plus fondées en dernier ressort sur des critères humains. La communauté est convaincue que là où elles se manifestent, elles sont le signe que l'Église continue d'être prise en possession par l'Esprit. Dans l'économie présente, dit Paul, nous n'avons rien à revendiquer comme venant de nous, « c'est Dieu... qui nous a qualifiés pour être ministres d'une alliance nouvelle » [4]. Les divers ministères exercés dans l'Église n'ont pas d'autre fondement que le pouvoir que leur a confié le Christ [5]. Le plus remarquable est que non seulement les dons les plus exceptionnels comme la glossolalie, don d'exprimer l'inexprimable, la prophétie, le discernement des esprits ou la puissance d'opérer des miracles et des guérisons, sont appelés « charismes », mais même les fonctions permanentes de gouvernement, d'enseignement, d'assistance sont placées sous l'action de l'Esprit [6].

Ces derniers charismes, propres aux ministres de l'Église, sont d'ailleurs conférés par l'imposition des mains [7]. Dans la *Didachè* on retrouve à l'honneur les trois catégories des ministres de la Parole : apôtres, prophètes, docteurs. Ils sont itinérants et exercent leurs dons respectifs en passant d'une

---

1. 1 Co 14, 12.26 ; cf. 1 Co 12, 1.4 ; 14, 1.
2. 1 Co 12, 7.
3. 1 Co 12, 11.
4. 2 Co 3, 5-6.
5. Mt 16, 19 ; 18, 18 ; Jn 21, 15-17.
6. 1 Co 12, 27-29 ; Rm 12, 6-8 ; Ep 4, 11. C'est ce qui a été souligné par E. Schweizer, *op. cit.*, p. 154-171, ainsi que par J. Colson, *Les fonctions ecclésiales aux deux premiers siècles*, Paris, 1956, p. 163.
7. 1 Tm 4, 14 ; 2 Tm 1, 6.

communauté à l'autre. Lorsqu'ils sont partis, les « évêques et les diacres » remplissent leurs fonctions sur place [1]. En faisant fructifier les dons particuliers qu'il a reçus, chaque membre concourt pour sa part « selon le degré de foi que Dieu lui a départi »[2], à la croissance de l'Église entière [3]. Il est indéniable que la communauté primitive avait la conviction, dans toutes ses activités, d'être placée sous la mouvance du Saint-Esprit. Du coup, elle élargissait la perspective de sa mission aux dimensions de l'histoire du salut. Elle reconnaissait dans le rôle particulier de chacun le déploiement d'un don que l'Esprit suscitait pour le profit de tous. En même temps, ceux qui bénéficiaient de grâces plus abondantes, au lieu d'en tirer égoïstement profit, devaient y voir l'appel à un plus grand et plus difficile service. Dans la communauté des chrétiens, c'est l'Esprit qui assure la cohésion et l'unité de ses membres qui reconnaissent qu'ils sont mus par cette unique puissance en vue de parvenir à un terme qui est « la construction du Corps du Christ »[4]. La société chrétienne dans la perspective de cette unique finalité, voit dans l'Esprit qui l'anime et la porte à l'union les prémices de la communauté divine parfaite qui triomphera dans le Royaume de Dieu.

LA LOI SUPRÊME DE L'AGAPÈ

Dans la vie communautaire, les divers charismes particuliers ne sont que des applications du charisme fondamental de l'*agapè*. Sans l'*agapè*, les soi-disantes manifestations de l'Esprit sont vidées de leur substance. Elles peuvent même tourner aux pires désordres et aux pires abus [5]. C'est sur la charité que doivent se régler les dons de l'Esprit. Elle est le seul critère de l'utilité commune. Il ne faut ni « éteindre » l'Esprit[6] en restant sans initiative, ni exercer ses dons de façon intempestive et désordonnée au détriment du bien commun [7]. Cette règle n'a pas toujours été tenue par la suite. Déjà la *Didaché* donnait des conseils pratiques pour distinguer les vrais et les faux charismes d'apôtre et de prophète[8]. D'ailleurs les manifestations charismatiques devenaient de plus en plus rares. Vers le milieu du IIe siècle, Justin constate : « Nous avons chez nous, même encore maintenant des charismes prophétiques... »[9]. L'archaïsant Hippolyte

---

1. Did. 11-15.
2. Rm 12, 3.
3. Cf. Ep 4, 11-12.
4. Ep 4, 12.
5. 1 Co 14, 33.
6. Cf. 1 Th 5, 19.
7. Cf. 1 Co 13-14.
8. Did. 11-12.
9. Dial. 82.

fait allusion à un *Traité des charismes* qu'il aurait composé [1]. Mais au cours du IIe siècle, les excès auxquels avaient abouti les gnostiques et la recrudescence du prophétisme qui caractérisait les églises montanistes provoqua une méfiance croissante vis-à-vis des phénomènes charismatiques extraordinaires. Au lieu de suivre des prophètes ou des docteurs particuliers, on se référa au critère de la tradition qui seule permettait de remonter par la succession des évêques, à l'enseignement des Apôtres [2]. L'élément institutionnel, en particulier l'épiscopat, héritait maintenant des fonctions plus ou moins spontanément exercées par les charismes temporaires ou permanents de quelques fidèles de la première génération. Amenée avec le temps à renforcer sa structure hiérarchique et son organisation visible, l'Église prenait aussi un visage assez différent du libre foisonnement de l'époque primitive. Cette évolution est d'ailleurs parallèle à celle où nous avons vu les chrétiens passer de la conception d'une Église de saints à une Église de candidats à la sainteté. Il n'en reste pas moins que toute activité s'exerçant dans la communauté doit être comprise comme le déploiement des dons divers de l'Esprit où chacun sait qu'il prend sa part à l'œuvre commune qui est de rendre visible au milieu du monde le nouveau principe de vie communauté qui se résume dans l'*agapè*.

LE PARTAGE DES BIENS MATÉRIELS ET SPIRITUELS

Les *saints*, conscients d'être poussés par l'Esprit à former la communauté eschatologique de Dieu, ne se sont pas contentés de ces considérations théoriques. Ils ont tiré la conséquence de l'unique et ultime loi de l'*agapè* dans laquelle ils voyaient l'accomplissement et le dépassement de toute norme possible d'existence communautaire. En s'efforçant d'appliquer ce principe à la réalité pratique, ils ont inventé de nouvelles formes concrètes de vie sociale et promu dans l'Église des deux premiers siècles une image de ce que pouvait être la communauté humaine universelle s'inspirant de la loi de l'*agapè*. Là encore, c'est dans le *cadre* de la société impériale qu'ils ont fait pénétrer un esprit nouveau. Ils ne se sont jamais élevés contre ce cadre comme tel, mais en y vivant selon les valeurs qui leur étaient propres, ils en ont en réalité transformé le contenu. Ce faisant, les chrétiens n'avaient pas l'intention de constituer une société dans la société. La forme nouvelle d'organisation et de rapports communautaires que représentait pour eux l'Église, ils ne la vivaient pas ailleurs que dans la réalité historique de la société romaine, car l'humanité des rachetés qu'elle rassemble prend forme dans le monde des hommes où elle se recrute

---

1. Trad. Apost., 1, prol.
2. Cf. Tertullien, De praescr. 21 ; 22 ; 32 ; Irénée, Adv. Haer. I, 10, 2-3 ; III, 3, 3.

et grandit. Le chrétien cherche à conformer la société humaine à laquelle il ne peut pas ne pas appartenir sur le modèle de la cité future et éternelle à laquelle il croit. C'est pourquoi, bien qu'il ne confonde pas l'Église avec une société politique qui s'offrirait comme une alternative à la société civile dans laquelle il vit, le chrétien reconnaît que l'Église est sa vraie patrie. C'est elle qui, par le principe de l'*agapè* qui l'anime, anticipe la Jérusalem céleste où tous les hommes réconciliés entre eux et avec Dieu, reconnaîtront en Dieu leur Père. Dans cette perspective seulement, les chrétiens peuvent s'appeler « frères » et l'effort qu'ils déploient pour vivre en frères prend tout son sens.

Les premiers chrétiens n'entendaient pas former une *koinonia* [1] dans un sens purement formel. Ils ne concevaient la fraternité que comme un partage de leurs biens spirituels et matériels. L'un ne va jamais sans l'autre. L'unité de l'Esprit conservée dans la manifestation diverse de ses dons est certes indispensable. L'auteur des *Actes* disait à propos de la communauté de Jérusalem que « la multitude des croyants n'avait qu'un cœur et qu'une âme » [2]. A la fin du IIe siècle, Tertullien pouvait encore écrire aux magistrats de l'Empire : « Nous formons un corps par la conscience de partager une même croyance, par l'unité de notre discipline et par le lien d'une même espérance » [3]. Mais on ne se contentait pas de ces sentiments qu'on aurait estimé trahir si on ne les avait mis concrètement en pratique. Dans les sommaires des *Actes* [4], nous sont donnés de brefs tableaux de la communauté primitive. On sait quels étaient les présupposés théologiques de Luc dans le choix de ses matériaux : l'Église, sous la conduite de l'Esprit, réalise toutes les perfections du peuple eschatologique. Ainsi il ne faudrait pas prendre à la lettre la généralisation idéale de la totale mise en commun des biens [5]. Il n'est pas question dans ces textes d'une obligation de renoncer à ses propriétés. Le cas d'Ananie et de Saphire le montrent bien. C'est parce qu'ils ont « menti à l'Esprit-Saint » en voulant tromper les Apôtres sur le prix de leur propriété qu'ils ont été si sévèrement punis. Pierre dit expressément à Ananie qu'il était parfaitement libre de garder son bien et de disposer à son gré du prix lorsqu'il l'aurait vendu [6]. La générosité de Barnabé qui vendit son champ et en apporta l'argent aux Apôtres dut même être exceptionnelle pour mériter d'être mentionnée spécialement [7]. Ce qui semble, en revanche, avoir été la règle, c'est que

1. *Supra,* p 256.
2. Ac 4, 32.
3. Apol. 39, 1.
4. Ac 2, 42-47 ; 4, 32-35 ; 5, 12-16.
5. Ac 5, 4.
6. Ac 2, 45 ; 4,34-35.
7. Ac 4, 36-37.

les croyants mettaient leurs biens personnels à la disposition de tous.
« Nul ne disait sien ce qui lui appartenait, mais entre eux toutes choses
étaient communes »[1]. Ce verset seul suffirait à prouver qu'on ne se dépouil-
lait pas de ses propriétés, mais au lieu d'en jouir égoïstement, on en faisait
profiter toute la communauté. Ce qui était ainsi mis à la disposition de
tous était distribué selon les besoins de chacun par les Apôtres. Le fait
nouveau est qu'on n'imaginait pas pouvoir former le peuple saint rendant
témoignage de la résurrection du Seigneur [2] sans mettre aussi en commun
l'usage des biens matériels.

Ce que l'on peut dire de la communauté de Jérusalem est singulièrement
confirmé par les efforts d'entraide que les églises fondées ultérieurement
ont déployés au profit de l'Église-mère. L'Église de Jérusalem eut particulièrement à souffrir de la famine qui sévit au temps de Claude. Le prophète Agapus descendit à Antioche mettre l'Église au courant de la situation
des frères de Judée. Les chrétiens d'Antioche « décidèrent alors d'envoyer,
chacun selon ses moyens, des secours » à ceux de Judée [3]. Plus importante
encore fut la collecte que Paul organisa plus tard dans ses propres églises
au profit des « saints » de Jérusalem qui étaient toujours dans la pauvreté.
Il en fit une entreprise de grande envergure [4]. Il prescrivait comme règle
aux communautés de Galatie, d'Achaïe et de Macédoine [5] que tous les
dimanches, chacun « mette de côté chez lui ce qu'il aura pu épargner »
pour qu'il n'ait plus qu'à recueillir les dons à son passage [6]. Mais plus
révélatrices sont les motivations qu'il donnait de ce geste. Il y voyait avant
tout un moyen de montrer la solidarité des églises issues du paganisme
avec les judéo-chrétiens récalcitrants de Jérusalem. Il dit aussi qu'il veut
éprouver « la sincérité de la charité » de ces églises. Comme il le dit aux
Corinthiens, ce qu'il souhaite, c'est que l'on sache passer du bon vouloir
aux actes. Il est bien clair, ajoute-t-il, qu' « il ne s'agit pas, pour soulager
les autres, de vous réduire à la gêne ; ce qu'il faut, c'est l'*égalité* »[7]. Et
cette égalité, il pense l'obtenir quand pagano-chrétiens et judéo-chrétiens
se feront mutuellement don de ce qu'ils ont de superflu ; les premiers,
des biens matériels, les seconds leurs prières et leurs actions de grâce [8].
Celui qui est dans le dénuement a droit au superflu de celui qui vit dans
l'abondance. L'égalité telle que Paul la conçoit doit résulter d'un partage

1. Ac 4, 32.
2. Ac 4, 33.
3. Ac 11, 27-30.
4. Cf. Rm 15, 26-28 ; Ga 2, 10 ; 1 Co 16, 1-4 ; 2 Co 8-9 ; Ac 24, 17.
5. Cf. Rm 15, 25-26 ; 1 Co 16, 1.
6. 1 Co 16, 2.
7. 2 Co 8, 8-15.
8. 2 Co 8, 15 ; 9, 8-14.

à la fois des biens matériels et des trésors spirituels dont dispose la communauté, répondant aux besoins particuliers de chacun. Le pauvre a droit à être secouru, en raison même de son indigence. Paul ajoute qu'il y a une raison supplémentaire pour les pagano-chrétiens d'aider les frères de Jérusalem, car c'est de cette Église-mère qu'ils tiennent, en dernière analyse, le trésor de la foi. « Si les païens, commente-t-il aux Romains, ont participé à leurs biens spirituels, ils doivent à leur tour les servir dans les biens temporels »[1].

Il n'est donc pas demandé aux chrétiens d'aliéner leurs anciennes propriétés ni de renoncer à tous leurs biens. On a vu que la communauté de Jérusalem, où cela semble s'être pratiqué le plus, était devenue difficilement viable. Par contre, on retrouve toujours l'idée que les biens que l'on possède en surcroît de ses besoins doivent maintenant servir à l'usage et au soulagement de tous. A l'arrière-plan de ce partage, il y a toujours l'idée que la *koinonia* qui relie les chrétiens entre eux, pour être réelle doit être une entr'aide à la fois spirituelle et matérielle là où un frère en manifeste le légitime besoin. C'est exactement le souci qui préoccupe l'auteur de la *Didaché*, bientôt repris par le Pseudo-Barnabé [2] lorsqu'il recommande la générosité : « Ne repousse pas l'indigent, mets tout en commun avec ton frère et ne dis pas que tu as des biens en propre ; car, si vous vivez en partage des biens immortels, combien plus le devrez-vous pour les biens périssables » [3]. Justin lui-même avait remarqué sur ce point le changement que le chrétien pouvait mesurer par rapport à ses habitudes anciennes. « (Autrefois), nous aimions et nous recherchions plus que tout les richesses et les propriétés, maintenant, tout ce que nous avons, nous le mettons en commun et nous le partageons avec tous ceux qui sont dans le besoin » [4] ; « nous nous soutenons toujours les uns les autres » [5]. Tertullien nous révèle qu'à Carthage l'assistance mutuelle que se prêtaient les « élus » avait conduit à la création d'une caisse commune. Elle était alimentée par une cotisation mensuelle modique que chaque fidèle consentait librement pour venir en aide aux frères les plus nécessiteux. C'est dans cette entr'aide que Tertullien voit se nouer le lien de la fraternité. « Nous sommes frères parce que nous vivons tous sur un même patrimoine familial ». Ici encore la communauté chrétienne vise à associer le plus étroitement possible la conscience de son unité spirituelle au partage spontanément de ses ressources matérielles. « Nous qui sommes unis par l'esprit et par

---

1. Rm 15, 27.
2. Barn. 19, 8.
3. Did. 4, 8.
4. I Ap. 14, 2.
5. I Ap. 67, 1.

l'âme, nous n'hésitons pas à mettre en commun aussi nos biens »[1]. Mais c'est Clément d'Alexandrie, s'inspirant en partie de l'idéal stoïcien de la communauté des biens, qui exprime le mieux la nécessité du partage comme inhérente à la *koinonia* que forment les chrétiens entre eux et avec Dieu. « Dieu lui-même, dit-il, a produit notre race pour qu'elle participe à ses biens propres, ayant le premier partagé et mis à la disposition de tous les hommes, comme un bien commun, son propre Logos, ayant fait tout pour tous ». A plus forte raison les chrétiens ne peuvent-ils plus souffrir qu'au milieu d'eux les uns jouissent égoïstement de leurs richesses tandis que les autres manquent du nécessaire. « Dieu... nous a permis d'user des choses, mais dans les limites du nécessaire et il a voulu que cet usage soit commun à tous ». Dépenser pour satisfaire ses vains désirs ce que l'on possède en surabondance n'est « ni humain, ni sociable ». Ce qui par contre est conforme à l'*agapè*, c'est d'en « faire part à ceux qui en manquent »[2].

LE DROIT DU PAUVRE : VEUVES,
ORPHELINS, PRISONNIERS

L'Église primitive contribue ainsi à améliorer le sort de ceux qui étaient particulièrement délaissés dans la société antique : les orphelins, les veuves, les étrangers, les condamnés des prisons ou des mines que les communautés prenaient à leur charge. Tertullien précise à quoi servaient exactement les fonds rassemblés dans la caisse commune : « nourrir et inhumer les pauvres, secourir les garçons et les filles qui n'ont ni fortune ni parents, et puis les serviteurs devenus vieux, comme aussi les naufragés, et si des chrétiens souffrent dans les mines, dans les îles, dans les prisons, à condition que ce soit pour la cause de Dieu, ils deviennent les nourris de la foi qu'ils ont confessée »[3]. Justin disait déjà de la même façon que les dons recueillis au cours des assemblées étaient remis à celui qui présidait qui à son tour les répartissait entre « les orphelins, les veuves, les malades, les indigents, les prisonniers, les hôtes étrangers, en bref, tous ceux qui sont dans le besoin »[4]. Si l'on remonte plus haut, on remarque que les veuves et les orphelins sont toujours nommés à la première place. Ils étaient aussi les plus démunis et les moins aptes à se procurer eux-mêmes leur subsistance. Les veuves tenaient depuis les origines une grande place dans l'Église au point de constituer un ordre chargé en particulier d'intercéder pour les communautés par la prière et le jeûne. Ce sont celles que Paul appelle « les vraies veuves », qui étant absolument seules, sont prises en charge

---

1. Apol. 39, 5-11.
2. Péd. II 120, 3-6.
3. Apol. 39, 6.
4. I Ap. 67, 6.

par les églises moyennant l'engagement de la prière[1]. Elles étaient tenues en très haute estime. Polycarpe dit qu'elles sont « l'autel de Dieu », à la fois parce que c'est sur l'autel que sont déposées les offrandes des fidèles, et que c'est de l'autel que s'élèvent les prières des bénéficiaires[2]. Dès lors, l'assistance à la veuve et à l'orphelin est toujours signalée en tête des devoirs qu'impose la charité, comme le type même de la nécessité qui a un droit à être secourue. Déjà l'*Épître de Jacques* disait que par opposition à la charité qui se fait en parole, « la dévotion pure et sans tâche devant Dieu le Père consiste à visiter les orphelins et les veuves dans leurs épreuves... »[3]. Dans une de ses visions, il est dit à Hermas que le jeûne non accompagné d'un acte de charité est sans valeur. Aussi le *Pasteur* lui donne ce conseil pratique : « Tu calculeras le prix des aliments que tu aurais pu manger ce jour-là et tu le mettras de côté pour le donner à une veuve, à un orphelin ou à un indigent »[4]. Barnabé trouve une illustration de la « voie des ténèbres » dans « ceux qui ne se dévouent pas à la veuve et à l'orphelin,... qui sont sans pitié pour le pauvre, sans zèle pour secourir les affligés »[5]. Ignace dira qu'à ces critères on peut aussi reconnaître les hérétiques[6]. A l'inverse, Polycarpe recommandait aux presbytres de Philippes de « visiter les malades, sans négliger la veuve, l'orphelin, le pauvre »[7].

L'attention des premiers chrétiens s'est encore beaucoup portée sur ceux de leurs frères qui avaient eu à souffrir la prison ou la déportation à cause de leur foi. Clément de Rome signale des initiatives privées « nombreuses » où des chrétiens se sont volontairement constitués prisonniers pour délivrer des frères ou « se sont vendus comme esclaves pour en faire subsister d'autres avec l'argent »[8]. Plus généralement la visite aux prisonniers figurait sur le catalogue des vertus chrétiennes[9]. Dans les *Actes des martyrs*, on peut voir avec quelle ferveur on accomplissait ces visites auprès des confesseurs de la foi, où l'on tâchait, quand c'était possible, de se concilier la bienveillance des gardiens[10]. Cette générosité envers les condamnés était si proverbiale que des charlatans se disaient volontiers

---

1. I Tm 5, 3-16.

2. Phil. 4, 3 ; cf. Ignace, Smyrn. 13 ; A Polyc. 4, 1 ; Hippolyte, Trad. Apost. 11 ; 25.

3. Jc 1, 27.

4. Sim. V, 56, 7 ; cf. Mand. VIII, 10 ; Sim. IX, 27.

5. Barn. 20, 2.

6. Smyrn. 6.

7. Phil. 6, 1.

8. I Clem. 55, 2.

9. Hermas, Mand. VIII, 10 ; Ignace, Smyrn. 6 ; I Clem. 59, 4 ; Arist. 15 ; Tertullien, Apol. 39, 6 ; Justin, I Ap. 67, 6 ; He 10, 34 ; 13, 3.

10. Cf. Acta Perp. 3, 9 ; Lettre de l'Égl. de Lyon, *in* Eusèbe, H.E., V, 1, 61.

chrétiens pour se faire ainsi entretenir par les communautés[1]. Les églises possédaient les listes de leurs membres placés dans les fers. Le cas le plus célèbre est celui du pape Victor remettant à Marcia, une concubine de Commode qui avait des sympathies pour le Christianisme, la liste des « martyrs » relégués dans les mines de Sardaigne. Elle obtint une lettre de grâce pour la libération de tous les prisonniers[2].

LES PARASITES SONT ÉCARTÉS

Il ne faudrait cependant pas croire que la générosité des communautés favorisait le parasitisme. On examinait soigneusement les cas de ceux qui pouvaient justifier un droit à l'assistance. Ailleurs, sans doute à cause des abus qui s'étaient manifestés dès le début, on se montrait méfiant. La communauté insistait avec une force singulière sur l'obligation du travail. « Si quelqu'un ne veut pas travailler, qu'il ne mange pas non plus »[3]. Paul condamnait déjà sévèrement l'oisiveté de ceux qui prenaient prétexte de la parousie prochaine pour ne plus rien faire. Par rapport au monde antique, le Christianisme primitif se distingue par la haute idée qu'il se fait de la dignité du travail. Pour lui, le travail n'est plus seulement une collaboration à la première création de Dieu, mais il porte déjà ses fruits sur le plan inchoatif de la nouvelle création inaugurée dans l'Église. Désormais tout travail s'inscrit dans la perspective de l'histoire du salut. Même l'esclave ne travaillera plus pour tel ou tel maître mais « pour le Seigneur », se faisant le « serviteur du Christ pour accomplir avec empressement la volonté de Dieu »[4]. Le travail vise non seulement à assurer la subsistance individuelle[5] ; il est encore un moyen de sceller l'amour fraternel dans l'existence communautaire. Il ne se justifie que s'il sert à améliorer ou à soulager les perspectives et les conditions de vie du prochain. C'est cette dernière motivation qui fait que Paul recommande aux anciens parasites de prendre modèle sur lui et de se donner plutôt « la peine de travailler pour qu'il ait de quoi secourir celui qui est dans la nécessité »[6].

La *Didaché* lui fait écho lorsqu'elle dit : « Si tu possèdes quelque chose grâce au travail de tes mains, donne afin de racheter tes péchés »[7]. Ce qui en revanche ne se justifie plus en ce temps eschatologique, c'est de

1. Cf. Tertullien, De jej. 12; Lucien, Peregr. 12; 13; 16.
2. Hippolyte, Philos. IX, 12.
3. 2Th 3, 10-12.
4. Ep 6, 5-8; cf. 1Tm 6, 1-2; Tt 2, 9-10.
5. Ac 20, 34-35.
6. Ep 4, 28.
7. Did. 4, 6.

travailler dans le but exclusif d'amasser des richesses[1]. Paul voudrait que l'on sache se contenter du nécessaire et partager le superflu. Le travail n'est pas une fin en soi. Il ne faut pas davantage en faire un remède contre la peur de l'insécurité du temps présent[2]. Il doit au contraire être un moyen de poursuivre un but qui le dépasse et qui est de déployer les richesses spirituelles et matérielles de l'existence pour les mettre à la disposition de chacun selon ses besoins[3]. Aussi les premiers chrétiens tout en soutenant selon leur droit ceux qui étaient inaptes au travail, rejetaient de leur sein les chômeurs volontaires, même atteints de paresse eschatologique. Lorsqu'il s'en présentait dans les communautés, on cherchait plutôt à leur procurer rapidement du travail. C'est ainsi qu'on lit dans la *Didaché* : « Si un nouveau venu... désire s'établir chez vous et qu'il connaisse un métier, qu'il travaille et qu'il se nourrisse ; mais s'il n'a pas de métier, considérez vous-mêmes avec sagesse qu'un chrétien ne peut vivre oisif parmi vous. S'il ne veut agir de la sorte, c'est un trafiquant du Christ ; gardez-vous de ces gens-là »[4].

L'HOSPITALITÉ

Mais en même temps, l'Église primitive cultivait avec prédilection le sens de l'hospitalité. Quand quelqu'un se présente au nom du Seigneur et qu'il veut demeurer deux ou trois jours dans une communauté, même l'auteur soupçonneux de la *Didachè* recommande de le secourir[5]. Les chrétiens ont repris à leur compte cette vertu orientale antique[6]. Pierre recommande de la pratiquer sans murmurer[7]. La troisième *Épître* de Jean félicite le chrétien Gaïus d'avoir accueilli des frères étrangers en mission. Elle lui conseille même de pourvoir dignement à leur voyage pour cette raison que « nous devons accueillir de tels hommes afin de collaborer à leurs travaux pour la vérité »[8]. Clément de Rome puise dans l'Ancien Testament des modèles dignes d'être imités pour leur foi et leur hospitalité : Abraham, Lot, Rahab[9]. L'hospitalité est une qualité particulièrement exigée des évêques[10]. Hermas place très haut dans son

---

1. 1 Tm 6, 9.
2. Cf. Mt 6, 25-34.
3. Cf. W. BIENERT, art. *Areit*, in *Relig. in Geschich. u. Gegenw.*, I, p. 539 sq.
4. Did. 12, 2-5.
5. *Id.,* 12, 1-2.
6. Cf. Rm 16, 2 ; He 13, 2.
7. 1 P 4, 9.
8. 3 Jn 5-8.
9. I Clem. 10, 7 ; 11, 1 ; 12, 1.
10. 1 Tm 3, 2 ; Tt 1, 8.

estime « les évêques et les gens hospitaliers qui ont toujours reçu avec joie les serviteurs de Dieu, en dehors de toute hypocrisie »[1]. Par l'accueil que les églises faisaient aux chrétiens d'autres communautés, elles renfonçaient le sentiment de leur unité. Un seul mot, *ekklesia*, désigne à la fois l'église locale et l'Église universelle[2]. Les chrétiens répartis dans le monde romain avaient le sentiment très vif de constituer la grande « familia » de Dieu dans laquelle tous pouvaient se reconnaître « frères »[3]. « Pour attester cette unité qui rassemble les diverses églises, dit remarquablement Tertullien, elles se communiquent réciproquement la paix, elles s'échangent le nom de frères, elles se rendent mutuellement les devoirs de l'hospitalité, tous droits qu'aucune loi ne règlemente si ce n'est l'unique tradition d'un même mystère »[4]. A l'échelle universelle, l'Église ressemble à une vaste entreprise d'hospitalité vivant dans la charité réciproque. Vers 170, l'évêque Denys de Corinthe écrivit une lettre à l'Église romaine pour la féliciter de la charité dont elle savait toujours faire preuve, suivant son « usage traditionnel », à l'égard de toutes les églises : « Depuis le commencement en effet, c'est votre usage de faire en diverses manières du bien à tous les frères et d'envoyer des secours dans chaque ville à de nombreuses églises ; vous soulagez ainsi le dénuement des indigents, vous soutenez les frères qui sont aux mines par les ressources que vous envoyez dès le début »[5]. C'est ce même dévouement, dans la conscience de faire de toute l'Église une communauté humaine s'inspirant du principe nouveau de l'*agapè*, qui fait donner raison à Ignace de saluer l'Église de Rome comme celle « préside à l'*agapè* », c'est-à-dire à la société d'amour que forment tous les chrétiens[6].

L'ORGANISATION MATÉRIELLE : LE DIACONAT

La conscience de vivre dès maintenant en *koinonia* avec Dieu et avec les frères s'est traduite par la volonté de la communauté chrétienne de partager réellement entre ses membres le trésor de ses dons spirituels et l'abondance de ses biens matériels conformément à l'utilité de tous. Les *saints* s'efforçant de mettre en pratique toutes les implications de la loi d'amour ont donc tenté de transformer le caractère de la vie sociale qu'ils menaient, intégrés — pour la plupart dans les couches les plus humbles — de la société romaine. Mais en même temps, cette transformation de leurs

1. Sim. IX, 27, 2.
2. Cf. 1 Co 12, 13.28.
3. Cf. Ga 6, 10 ; Ep 2, 19 ; Ac 1, 15 ; Tertullien, De fuga 2.
4. De praescr. 20, 8-9.
5. Eusèbe, H.E., IV, 23, 10.
6. Ignace, Rom., prol.

conditions d'existence et de la signification même qu'ils y attachaient ont conduit à la création d'institutions nouvelles dans l'Église et à l'invention de nouvelles formes de vie communautaire. L'institution du service des indigents et de l'administration matérielle de la communauté est, par excellence, le *diaconat* [1]. Le livre des *Actes* nous fait assister à la création des diacres au moment où les Apôtres décidèrent de se décharger sur « sept hommes de bonne réputation » du soin de servir les pauvres.

Paul les montre pour la première fois assistant les épiscopes dans l'Épître aux *Philippiens* [2]. C'est à eux qu'il revenait de distribuer aux ayants-droit les dons recueillis, de s'occuper des malades et bientôt d'administrer les biens de la communauté. Justin nous dit qu'ils allaient distribuer l'eucharistie aux absents, après les assemblées liturgiques [3]. Dans la *Tradition Apostolique* nous les voyons constitués dans la hiérarchie après les presbytres, mais directement rattachés à l'évêque. Il est bien précisé qu'ils ne sont pas « ordonnés au sacerdoce, mais au service de l'évêque » [4]; aussi doivent-ils « s'empresser autour de lui » [5]. Eux-mêmes sont déjà assistés de sous-diacres [6]. Leur rôle est avant tout administratif. Ils doivent signaler les malades à l'évêque, leur porter, ainsi qu'aux pauvres, leur part des « eulogies », c'est-à-dire des repas communs appelés agapes [7]. Ils ont aussi la fonction d'instruire quotidiennement avec les prêtres les fidèles qui se présentent [8].

Dans ces différentes tâches, ils pouvaient d'ailleurs être secondés par des diaconesses, mais la *Tradition Apostolique* les ignore. Dans la finale de l'Épître aux *Romains*, il est question d'une diaconesse de l'Église de Cenchrée, Phébée, qui semble avoir eu une grande activité [9]. Il est possible que Grapté à qui Hermas reçoit l'ordre de remettre une copie du livre de ses *Visions* soit aussi une diaconesse romaine. Elle s'occupait spécialement des veuves et des orphelins [10]. Quelquefois l'ordre des

---

1. S'il est vrai, comme le montre J. COLSON, *La fonction diaconale aux origines de l'Église*, Paris, p. 143, que la fonction diaconale ne s'est spécifiée que progressivement, il est frappant de remarquer que le nom dont elle hérite — diaconia — est, dans le N.T., le seul employé pour désigner les « services » dans l'Église, toute diaconia procédant de l'Esprit sous l'impulsion d'un charisme. Voir aussi Ph-H. MENOUD, *L'Église et les ministères selon le N.T.*, Neuchâtel-Paris, 1949, p. 35 sq.

2. Ph 1, 1.
3. I Ap 67.
4. Trad. Apost. 9.
5. Id., 30.
6. Id., 14, 30.
7. Id., 26.
8. Id., 33.
9. Rm 16, 2.
10. Vis. II, 4, 3.

veuves, bien qu'établi en principe pour la prière, semble avoir exercé les fonctions des diaconesses [1]. Le rôle des diacres, axé sur l'organisation matérielle et la bonne marche des communautés, est donc représentatif des efforts que les premières Églises chrétiennes ont déployé pour suppléer à l'absence de moyens d'assistance et de secours dont souffrait la société romaine à l'égard de ses membres les plus défavorisés. Il ne faudrait d'ailleurs pas idéaliser la qualité de ces services que l'Église organisait au profit de ses pauvres. Déjà Hermas nous apprend qu'il y avait des diacres bien cupides qui « dérobaient la subsistance des veuves et des orphelins qu'ils avaient reçue pour les secourir » [2]. Malgré ces abus, comme les services de ses ministres avaient un caractère permanent, la communauté les prit le plus souvent en charge. Paul disait déjà que, de même que l'ancien sacerdoce vivait de l'autel, le Seigneur avait « prescrit à ceux qui annoncent l'Évangile de vivre de l'Évangile » [3]. C'est ainsi que la *Didaché* recommandait d'offrir aux prophètes de passage « les prémices » des récoltes ; ce que la *Tradition Apostolique* ordonne aussi de faire au profit de l'évêque, mais c'est surtout pour qu'il les bénisse dans une action de grâce liturgique. On ne saurait ici généraliser. Tertullien, par exemple, ne dit pas expressément si la caisse commune servait à l'entretien des ministres de l'Église à Carthage. Beaucoup durent continuer à travailler pour assurer leur subsistance, comme le fit Paul lui-même durant son long séjour à Ephèse [4].

AGAPES ET INSTITUTIONS CIMITÉRIALES

Par contre, Tertullien nous renseigne sur un autre usage de l'argent de la communauté et qui était l'organisation des agapes. Ces agapes étaient des réunions mi-liturgiques, mi-profanes, au cours desquelles les assistants prenaient un repas en commun. Sans être devenus une institution à proprement parler, ces agapes devaient être en principe un signe de l'union de la communauté, riches et pauvres partageant dans la joie un même festin. C'est d'ailleurs à l'occasion de ces repas communs, qui se déroulaient discrètement chez les particuliers, que les chrétiens s'étaient faits accuser des pires horreurs [5]. Ces assemblées étaient maintenant soigneusement distinguées de l'eucharistie. A l'origine, elles y étaient associées. Paul faisait le reproche aux Corinthiens de faire précéder l'eucharistie d'un repas soi-disant commun. Ces repas étaient devenus pour eux

1. Cf. 1 Tm 5, 10.
2. Sim. IX, 26, 2.
3. 1 Co 9, 13-14 ; cf. Mt 10, 10.
4. Ac 20, 34-35.
5. Cf. *supra,* p 189 sq.

un motif de division. Au lieu de partager ce que tous avaient apporté, chacun prend son propre repas, les plus pauvres regardant les autres s'enivrer. C'est pourquoi Paul les pria de prendre leur repas chez eux avant de se réunir, pour ne pas donner lieu à des excès lors de l'eucharistie[1].

A la fin du IIe siècle, Tertullien, Clément et Hippolyte parlent des agapes. Chez ce dernier, l'agape paraît très règlementée. Les catéchumènes en sont exclus. Il y a toujours la présence de l'évêque, d'un prêtre ou d'un diacre. On retrouve les mêmes recommandations contre les mêmes abus de mauvaise tenue : ne pas aller jusqu'à l'ébriété et à la turbulence par égard pour ses hôtes. On distribuait d'abord du pain béni par l'évêque ou un prêtre qu'on appelait l' « eulogie », puis on passait au vrai repas où l'on partageait le plus souvent ce que chacun avait apporté, en tâchant de ne pas oublier la part des absents. Le repas est terminé par une action de grâce et l'eucharistie proprement dite [2]. Clément nous montre ce qu'étaient devenues les agapes dans les milieux chrétiens d'Alexandrie : des festins mondains sans plus, que l'on décorait toujours sans comprendre, du nom d' « agapè » dont l'évocation seule devait constituer tout un programme de vie communautaire. Aussi Clément commente-t-il, non sans un humour désabusé : « Le pire de tous les échecs, c'est que l'*agapè*, qui ne doit pas faillir, soit jetée à terre du haut du ciel, parmi les sauces ! » [3]. C'est évidemment Tertullien qui présente les agapes sous leur jour le plus favorable pour démentir les calomnies que ses lecteurs païens y avaient attachées. D'abord, dit-il, « notre repas fait voir sa raison d'être par son nom, on l'appelle d'un nom qui signifie amour chez les Grecs ». Peu importe ce qu'il coûte ; la communauté qui s'en charge estime que c'est une dépense bien placée. « Par cette collation nous venons en aide à nos pauvres, non pas à la manière dont vous traitez vos parasites..., mais parce que devant Dieu les humbles jouissent d'une considération plus grande ». Puis il insiste sur l'honnêteté et la frugalité de ces repas, au cours desquels il ne se fait point d'excès, et qui se terminent comme ils ont commencé, dans la prière [4].

Les progrès de l'organisation de l'Église finirent par la mettre, dès la fin du IIe siècle, à la tête de propriétés collectives. Les attestations les plus sûres que nous ayons à ce sujet concernent les cimetières. Jusque-là, les chrétiens de Rome se faisaient enterrer soit dans les cryptes privées que possédaient les familles les plus riches, soit plus généralement dans les cimetières publics au milieu des païens. Or, Hippolyte nous apprend

---

1. 1 Co 11, 17-34.
2. Trad. Apost. 26.
3. Péd. II, 1, 5, 4.
4. Apol. 39, 14-19.

que l'évêque de Rome Zéphyrin (199-217) avait chargé son premier diacre et futur successeur Calliste de l'administration du « cimetière »[1]. Ce cimetière sur la Via Appia semble bien avoir été la propriété corporative de l'Église romaine qui avait pu, profitant de la période de paix relative et de tolérance que fut pour elle le règne de Commode, la faire reconnaître au moins tacitement. Dans la *Tradition Apostolique*, Hippolyte nous dit encore qu'il revenait à l'évêque d'entretenir les ouvriers qui avaient un travail dans ce cimetière, « afin, précise-t-il, qu'ils ne soient pas à charge de ceux qui y viennent » car, s'y faire enterrer décemment « est la chose de tous les pauvres »[2]. De fait, les chrétiens commençaient à attacher une grande importance à l'ensevelissement de leurs morts. Minucius Felix nous dit qu'ils préféraient « l'ancienne et meilleure coutume de l'inhumation » à la pratique païenne d'ailleurs décroissante de l'incinération[3]. Cécilius leur reproche de « réserver l'usage des onguents aux rites funéraires »[4]. Il apparaît en tout cas qu'ils ne négligeaient ni le soin ni le souvenir des « saints » déjà morts, qu'ils entouraient d'une vénération et d'honneurs égaux. Bientôt l'Église possèdera d'autres édifices communs, en particulier des maisons où on se réunira pour le culte. L'institution du cimetière romain reste néanmoins, à l'époque qui nous intéresse, un exemple qui révèle à nos yeux les progrès d'une meilleure organisation intérieure de la communauté chrétienne cherchant, sans se confondre avec le monde, à pourvoir aux nouveaux besoins de tous ses membres.

L'ARBITRAGE DE L'ÉGLISE

La logique de l'existence communautaire fondée sur l'amour fraternel et ses conséquences pour l'Église dans son rapport avec la société païenne vont plus loin encore. On ne saurait attacher assez d'importance au passage où Paul reproche aux chrétiens de Corinthe d'aller régler leurs différends devant les tribunaux païens. Il est impensable, dit-il, qu'un frère traîne un frère en justice pour le faire juger par un infidèle. « Quand l'un de vous a un différent avec un autre, ose-t-il aller en justice devant les injustes, et non devant les *saints*? Ou bien ne savez-vous pas que les *saints* jugeront le *monde...* et les anges... à plus forte raison les affaires de cette vie ! Et quand vous avez des litiges sur ces questions, vous choisissez pour juges des gens que l'Église méprise !... »[5]. Le scandale n'est pas de se

---

1. Hippolyte, Philos. IX, 11.
2. Trad. Apost. 34. Peut-être les « areae sepulturarum » dont parle Tertullien, Ad Scap. 3, font-elles allusion à une institution semblable.
3. Min., Oct., 34, 10.
4. *Id.*, 12, 6 ; cf. Tert., De idol. 11.
5. 1 Co 6, 1-6.

trouver en difficulté avec un frère puisque c'est inévitable, mais c'est de continuer comme auparavant à recourir à la procédure du *monde* qui imposera une décision par la contrainte, aussi équitable qu'elle puisse être d'ailleurs en l'occurence. Cette solution risque de ne pas en être une, car tout en mettant un terme à l'affaire, elle ne reconciliera pas forcément entre elles les deux parties. Le lien de la communion fraternelle dans lequel la communauté chrétienne trouve sa consistance sera rompu, et l'Église disloquée avec lui. Paul met les Corinthiens devant deux conceptions de la justice : ou s'en remettre à une décision toute extérieure qui tranche le débat, ou s'arranger entre eux sous l'arbitrage d'un frère plus sage. Si les chrétiens ont besoin pour s'entendre entre eux des contraintes dont la cité terrestre accompagne sa justice, ils retombent dans la logique du monde qu'ils avaient quittée pour vivre selon la loi supérieure et incoercitive de l'*agapè*. Au contraire, dans le nouveau type de société qu'ils forment, toute relation avec le prochain n'a de valeur que si elle est consentie et non subie. C'est ainsi que Paul trouve une occasion concrète d'appliquer le thème de la correction fraternelle qui se trouve dans l'Évangile et qui existait déjà à Qûmran. Si quelqu'un vient à pécher, qu'il se réconcilie seul à seul avec son frère et l'affaire en restera là. S'il ne veut ou ne peut pas, qu'il s'en remette à l'arbitrage de deux ou trois témoins. S'il ne veut pas les écouter, qu'il porte enfin l'affaire devant l'Église. Et s'il refuse d'écouter même l'Église, il en sera rejeté parce que sa conduite ne diffère pas de celle d'un païen ou un publicain [1]. L'Église situe ses membres sur un autre plan que celui auquel se place la société civile. Elle est seule compétente pour juger les « saints » selon les exigences de la logique de Dieu. Les jugements du monde sont sans portée réelle s'ils ne réconcilient pas intérieurement ceux qui se veulent « frères ». On ne sait pas si les premiers chrétiens s'en tinrent souvent à cette discipline qui est l'un des exemples les plus clairs de la puissance de régénération sociale que contenait virtuellement l'Église. On a même un exemple patent du contraire, si du moins il faut tenir pour vrais tous les détails que nous donne Hippolyte sur le passé de son adversaire, le pape Calliste. Ce dernier avait été l'esclave d'un maître chrétien qui l'avait chargé de créer une banque de dépôt. Mais, à la suite peut-être de la crise monétaire des dernières années de Commode, il fut acculé à la faillite, et, après avoir causé d'autres scandales, traduit devant le préfet de la Ville. Là son maître, non seulement ne le défend pas, mais nie encore qu'il soit chrétien. Le tribunal du préfet condamna Calliste aux mines de Sardaigne sans que son maître semblât y trouver à redire [2]. A cette époque, il est vrai, le Christianisme avait déjà

---

1. Mt 18, 15-18.
2. Cf. Hippolyte, Philos. IX, 12.

tellement envahi la société romaine, qu'il lui devenait paradoxalement de plus en plus difficile de s'en dissocier.

LA NOUVELLE SOCIÉTÉ HUMAINE

La véritable patrie du chrétien, c'est la Jérusalem céleste à laquelle il appartient déjà d'une manière inchoative depuis son entrée dans l'Église. Cette cité éternelle qui n'est autre que le Royaume de Dieu définitivement accompli est l'objet de son espérance, mais aussi le modèle sur lequel il s'efforce de conformer son existence communautaire dans l'Église qui en est l'anticipation. C'est pourquoi les chrétiens ne reconnaissent dans la cité terrestre qui s'érige en absolu ni le lieu ni la loi de leur attache définitive. Ils estiment au contraire qu'ils y participent et y agissent avec une suprême efficacité lorsqu'ils la transforment jusque dans ses racines en vivant réellement selon le principe nouveau de l'*agapè*. Les chrétiens ne se sont pas élevés contre les défauts de la société impériale en adoptant la logique de cette société ; mais ils ont cherché à dépasser le type de rapports humains et sociaux qu'elle fondait, simplement en voulant vivre selon « les lois extraordinaires et vraiment paradoxales de leur république spirituelle »[1]. C'est en se conformant de leur mieux à sa justice parfaite qu'ils estiment mener et organiser l'existence présente d'une manière vraiment humaine, c'est-à-dire selon l'humanité nouvelle et définitive qu'au terme de l'histoire du salut, Dieu s'est acquise dans l'Église. En refusant de s'engager dans la logique d'une société qui prétend s'édifier loin de Dieu, et en pratiquant la loi d'amour dans l'Église, les chrétiens pensent aussi former l'unique société qui soit digne de l'homme, et qui se définit par la *koinonia* qui la relie à Dieu. La conception de l'humanité que le *monde* entend faire triompher subtilement, en réquisitionnant pour cette tâche toutes les énergies des hommes, est précisément à l'opposé de l'humanité véritable telle que Dieu la veut dans l'Église, au terme d'une alliance nouvelle et définitive. Seule est véritablement humaine la société qui trouve son fondement dans la reconnaissance de ses membres d'être radicalement dépendants de Dieu et appelée par lui à une destinée commune. Cette société-là, selon les chrétiens, ne se confond plus avec la cité terrestre prise comme synonyme du *monde* qui se place volontairement hors du dessein d'amour de Dieu ; et elle n'est pas encore, d'autre part, la société parfaite de la nouvelle création vivant pour toujours avec Dieu dans son Royaume. Elle est, entre le monde du péché auquel elle reste mêlée, et le Royaume de la vie incorruptible qu'elle anticipe déjà, l'Église des *saints* de la terre et du ciel, de ceux qui militent, témoignent et souffrent encore, comme de leurs

1. A Diogn. 5, 4.

frères déjà morts qui sont « avec le Christ » dans le partage de sa gloire. C'est de la conviction d'appartenir à l'Église de la nouvelle humanité rachetée que découle la conscience des chrétiens de former sur la terre une « famille » de « frères » constituant « la maison de Dieu ».

Par rapport à cette société qui se groupe autour du Christ qui est sa tête, les hommes qui s'obstinent dans le monde à fonder et à refonder leur société sans Dieu apparaissent aux yeux des premiers chrétiens comme « ceux du dehors »[1]. En se plaçant en dehors de la volonté divine, ils n'ont plus aucun titre pour représenter l'humanité. Car l'humanité véritable telle que Dieu la concevait de tout temps est celle qui, dans le passé, le présent ou l'avenir, d'une manière visible ou invisible, pleine et directe ou simplement participée, se rassemble maintenant dans l'Église. En elle, l'antique cité terrestre liée à l'ancien monde est résorbée. Les chrétiens n'ont pas le choix entre vivre dans le monde ou dans l'Église. C'est, si l'on ose dire, ecclésialement qu'ils ont à vivre dans la société telle qu'elle est, la dépouillant autant que possible de ses tares pour la transformer conformément au principe de l'Esprit, à l'œuvre non seulement dans l'homme individuel, mais aussi par les dons qu'il suscite en vue de l'édification de l'Église.

La citoyenneté céleste et eschatologique que les chrétiens ont affirmée avec tant d'insistance face au monde romain est vécue dès maintenant dans l'Église. Interrogés sur leur origine, leur qualité, leurs activités, les martyrs se contentent toujours de répondre devant les tribunaux de l'Empire avec une surprenante unanimité : « Je suis chrétien »[2]. Cette condition est la seule qu'ils tiennent pour définitive. Par rapport à elle, leur appartenance à la cité terrestre est relativisée. Le récit des martyrs de Lyon dit remarquablement au sujet du diacre de Vienne Sanctus : « A tout ce qu'on lui demandait, il répondait en latin : Je suis chrétien. C'était là ce qu'il confessait successivement à la place de son nom, de sa cité, de sa race, à la place de tout, et les païens n'entendirent pas de lui d'autre parole »[3]. Pour Hippolyte de Rome, posséder la force de l'Esprit et partager la vie des « saints » revient à dire que l'on est « actuellement citoyen de l'Église »[4]. C'est ainsi qu'en réponse aux accusations de Celse de négliger leurs responsabilités dans l'état, en particulier à cause de leur désaffection du service militaire, Origène écrira : « Celse nous exhorte à participer au gouvernement de la patrie puisque cela est nécessaire pour la préservation des lois et de la religion, mais nous connaissons dans chaque

1. 1 Co 5, 12-13 ; Col 4, 5 ; 1 Th 4, 12 ; 1 Tm 3, 7.
2. Acta Carp... 3 ; Acta Just. 3, 4 ; Acta Apol. 2 ; Acta Perp. et Fel. 3.
3. Cf. Eusèbe, H.E., V, 1, 20.
4. Sur Dan. IV, 38, 1-2.

état une autre patrie, avec son organisation propre. Elle est fondée sur la Parole de Dieu » ; puis il se hâte d'ajouter : « Ce n'est pas pour échapper aux devoirs communs de cette existence que les chrétiens se détournent de ces choses, mais afin de se consacrer à un service plus saint et plus nécessaire, celui de l'Église de Dieu »[1].

1. Origène, C. Cels. VIII, 75.

CHAPITRE XI

LE PARADOXE CHRÉTIEN

« AVEC LE GLAIVE DE L'ESPRIT »

La spécificité de l'expérience chrétienne du monde, c'est qu'elle prend conscience, en se déployant au cœur du monde, de se référer à des motivations irréductibles au monde. Pour renover le monde à l'image de la création future incorruptible, les chrétiens n'ont pas cru devoir procéder à la destruction préalable des cadres contingents, culturels, sociaux ou politiques que l'histoire avait donné à ce monde, mais ils ont cherché avant tout à affirmer leur identité, fidèles à leur propre logique, en vivant au milieu des autres hommes leur nouveauté de vie qu'ils croyaient saisie dès l'existence présente par cette puissance de régénération et de résurrection qu'est l'Esprit-Saint. Pour eux, se confondre avec le monde eût équivalu à se renier et à retomber au pouvoir d'un esprit qui interprétait le monde contre Dieu. Dans leur opposition au monde, ils n'ont pas cherché à imiter ce monde, à constituer à côté de lui une réalité antagoniste mais qui lui serait semblable. Les chrétiens n'ont pas enseigné une philosophie contre d'autres philosophies ; ils n'ont pas formé un état dans l'état, prêché une morale parmi les autres morales, formé une société sur le type de n'importe quelle autre société. La foi ne rencontrait point ces réalités humaines au niveau de la contingence historique où elles se plaçaient nécessairement. Lorsqu'elle ne les considérait pas comme un obstacle, elle pouvait les assumer aisément en les intégrant dans la vision de l'économie salvifique qui était son domaine propre. Mais la foi se heurtait de front à ces mêmes réalités quand elles sortaient de leur rôle avec la prétention de se substituer à elle, en venant la combattre sur son propre terrain. Alors elle les rejetait parce qu'elles lui apparaissaient comme une manifestation de l'empire sous lequel Satan continuait de tenir les hommes dans son projet de se supplanter à Dieu. La foi demandait une rupture radicale avec l'esprit qui domine le monde. Soit qu'elle reprît, soit qu'elle rejetât en les remplaçant par d'autres, les formes de vie qui existaient dans le monde, elle les transformait en réalité du tout au tout en leur insufflant un esprit nouveau, et en les assimilant dans la perspective d'une nouvelle raison de vivre.

Pour manifester leur condition de créature nouvelle dans et contre le monde, les premiers chrétiens ne se sont donc pas inspirés des principes qui gouvernent le monde. Conscients d'être la lumière du monde, le sel de la terre ou le levain qui soulève la pâte, ils n'ont pas, pour transformer le monde, choisi entre les solutions que le monde pouvait leur proposer. Pour donner forme aux impulsions de l'Esprit qui est la puissance du monde à venir, ils n'ont pas choisi les moyens que le monde, dans sa logique propre, eût jugé seuls efficaces : s'en prendre au cadre extérieur de la vie sans se préoccuper d'abord de changer la conversion intime de l'esprit qui est à leur source. Ils ont voulu avoir prise sur le monde non pas en s'enfermant dans les arguments et les requêtes du monde tels que le monde les présente, mais en brisant une fois pour toutes le cercle vicieux de sa propre logique. Vivre dans le monde en « homme nouveau », selon la volonté éternelle de Dieu, c'est d'abord saisir le monde et les vrais problèmes de l'existence d'une manière radicalement autre que ne le fait le monde qui s'obstine à ne se comprendre qu'à partir de lui-même. Ce n'est pas davantage faire de la nouveauté chrétienne une idéologie dressée face aux idéologies par lesquelles le monde s'enchaîne lui-même, car ce serait encore s'enfermer dans la logique du monde qui aime à rencontrer son adversaire sur son propre terrain. Changer le monde en adoptant les moyens dont dispose le monde, en invoquant les raisons qui convainquent le monde et en s'adaptant à l'esprit et aux opinions du monde, eût été, aux yeux des premiers chrétiens, se dissoudre dans le monde.

Les moyens que les chrétiens mettaient en œuvre ne pouvaient donc qu'être « spirituels ». « Certes, nous vivons dans la chair, dit Paul, mais nous ne combattons pas selon les armes de la chair. Les armes de notre combat ne sont point charnelles »[1]. Et dans un cliquetis de termes militaires, il recommande aux Ephésiens : « Tenez vos reins ceints de la vérité, revêtez-vous de la cuirasse de la justice..., saisissant le bouclier de la foi..., coiffant le casque du salut, et munis du glaive de l'Esprit qui est la Parole de Dieu »[2].

---

1. 2 Co 10, 3-4.
2. Ep 6, 14-16. Cf. 1 Co 9, 25 ; Ph 3, 14 ; 1 Tm 1, 18 ; 6, 12 ; 2 Tm 4, 7 ; He 12, 1 ; II Clem. 20, 2 ; Clément, Protr. XI, 116, 1-4.

LA NOTION DE MARTYR

Or, le moyen suprême et l'arme invincible par laquelle les chrétiens devaient lutter contre ce monde était devenu pour eux le *martyre*. Dans l'expérience qu'ils ont faite du martyre, ils voyaient comme résumée et révélée dans toutes ses dimensions leur expérience du monde. Acculés à se prononcer d'une part entre la mort pour le Christ dont ils avaient fait le principe de leur vie nouvelle, et d'autre part la vie sauve que leur offrait le monde dans ses efforts pour les arracher à la foi, ils ont trouvé rassemblés dans cette dernière décision tous les éléments qui définissaient pour eux les deux puissances antagonistes de l'histoire du salut dans le conflit desquelles ils avaient vu s'éclairer leur conception du monde actuel. Dans sa volonté de persécution et son agressivité ouverte contre les chrétiens, le monde sort de sa dissimulation habituelle pour manifester clairement ce qu'il est en tant que « *monde* », c'est-à-dire la sphère de l'ancienne créature demeurée hostile aux desseins salvifiques de Dieu. Face à lui, en lui résistant jusqu'à la mort, les chrétiens trouvaient aussi l'occasion unique de révéler ouvertement jusqu'où devait les conduire la logique de Dieu.

Le « martyre » est ainsi la forme la plus parfaite du témoignage que les chrétiens avaient pour mission de donner dans le monde [1]. Du fait des persécutions dont les chrétiens étaient victimes de la part des Juifs d'abord, puis des Romains, le concept du *martyr* [2], témoin de la mort et de la résurrection du Christ, a fini par être associé à l'idée du témoignage scellé dans le sang versé. Dans le Nouveau Testament, en particulier dans le livre des *Actes*, *martyr* n'a pas encore ce sens restreint. Le sens original du mot est celui que lui donne Luc [3]. Dans la fin du *Troisième Évangile* comme au début des *Actes*, le Ressuscité, avant d'être emporté dans le ciel, donne pour mission aux apôtres d'être les « témoins » auprès de toutes les nations et jusqu'aux extrémités de la terre, de tout ce qu'ils ont vu et entendu de la part du Seigneur, à commencer par sa résurrection[4]. Ce témoignage doit être indissociablement donné par la parole dans la prédication et par l'action dans toute la vie des disciples. Selon Luc, il définit la condition même des croyants engagés dans la dernière phase de l'économie de l'aïôn présent. Au second siècle, on assiste à une évolution progressive de la conception du *martyr* qui tend de plus en plus à réserver ce terme à ceux

---

1. Voir M. VILLER, *Martyre et perfection*, Rev. Asc. Myst., 1925, p. 3-25.

2. H. STRATHMANN, *Martys, Martyria*, TWNT 4, 447-519. Sur le sens ultérieur du mot : E. GÜNTHER, *Martys. Die Geschichte eines Wortes*, Gütersloh, 1941.

3. Lc 24, 48 ; Ac 1, 8.

4. Cf. Ac 4, 33 ; 5, 24-32 ; 10, 35-43.

qui étaient appelés à témoigner de leur foi en acceptant de passer par la mort violente. Chez Hippolyte on trouve encore le verbe *martyrein* employé indifféremment au sens courant de témoigner et de verser son sang en subissant le « martyre »[1]. Mais déjà dans le récit que Paul fait de la lapidation d'Étienne, l'idée du témoignage est associée à celle du sang versé[2]. Il en va de même, pour l'*Apocalypse* qui attribue au Christ le même titre de « témoin fidèle »[3] qu'elle donne par ailleurs au chrétien Antipas mis à mort pour sa foi dans la ville de Pergame[4]. Ultérieurement, Étienne sera considéré comme le prototype du martyr. Les martyrs de Lyon l'appelaient le « témoin parfait »[5]. Dès lors on considère que la perfection du témoignage est celle qui est consommée par la mort. Ce sens plus spécifique est déjà nettement attesté dans la Lettre de l'Église de Smyrne relatant le *Martyre de Polycarpe*[6]. Le récit des martyrs de Lyon montre pour la première fois que l'on n'employait plus le terme de *martyr* que dans son acception restreinte. Les auteurs de la Lettre insistent sur l'humilité des martyrs qui refusaient qu'on les salua sous ce titre en insistant qu'ils n'étaient que « de petits et d'humbles confesseurs ». Selon eux, il fallait « réserver le titre de *martyr* au Christ, « le témoin fidèle et véritable, le premier-né d'entre les morts, le Prince de la vie de Dieu », ainsi qu'aux saints déjà morts dans lesquels le Christ avait « daigné graver, par le trépas, le sceau du martyre »[7]. Maintenant que le concept de « martyr » tend à désigner exclusivement ceux qui sont morts pour leur foi sous le coup des persécutions, on appelle « confesseurs » les chrétiens vivants qui font leur acte de foi devant les tribunaux païens. Bref, les confesseurs sont des martyrs en puissance. Dans son *Exhortation aux martyrs*, Tertullien fait passer dans le mot latinisé la même idée de mort violente que la tradition y avait attachée. Ceux qui répandent leur sang pour la foi sont *proprie martyres*[8]. En même temps, confession de foi et martyre tendent à exprimer avec des accentuations différentes deux aspects de la même réalité du témoignage. Les « martyrs » qui ont déjà souffert pour leur foi forment un ordre dans l'Église[9]. De la même manière, lorsque Hippolyte parle des « martyrs » exilés en Sardaigne, il les appelle par ailleurs les « confesseurs de

---

1. Cf. Sur Dan. IV, 12, 1 ; II, 37, 1-6, etc.
2. Ac 22, 20.
3. Ap 1, 5 ; 3, 14.
4. Ap 2, 12-13.
5. *In* Eusèbe, H.E., V, 2, 5.
6. Mart. Polyc. 1, 1 ; 2, 1.2 ; 13, 2 ; 13, 2 ; 15, 2.3 ; 18, 3 ; 19, 1 ; 21, 1.
7. Eusèbe, H.E. V, 2, 3.
8. Cf. Scorp. 6.
9. Cf. De praescr. 3.

la foi » [1]. Il faut attendre Cyprien pour voir fixé définitivement dans la langue chrétienne le sens précis des termes « Confessor » et « Martyr ». Mais auparavant, on trouve déja chez Clément d'Alexandrie une interprétation plus large et spiritualisée de la notion du martyre. Pour lui, le martyre, c'est-à-dire le témoignage parfait ne s'entend pas seulement du « martyre ordinaire » qui se résume dans l'instant où le chrétien fait le sacrifice de sa vie, mais il est le témoignage de toute la vie menée selon le Christ qui cherche à atteindre la perfection. C'est ce qu'il appelle, dans sa terminologie à lui, le « martyre gnostique » [2]. « Si le martyre, dit-il, consiste à confesser Dieu, toute âme qui se conduit avec pureté dans la connaissance de Dieu, qui obéit aux commandements, est martyre dans sa vie et dans ses paroles : de quelque façon qu'elle soit séparée du corps ; elle répand sa foi, à la manière du sang, durant sa vie entière et au moment de son exode » [3].

LES PERSÉCUTIONS AUX I^e ET IIe SIÈCLES

Il n'en reste pas moins que très tôt, l'affrontement avec la mort était apparue aux premiers chrétiens comme l'expression suprême du témoignage qu'ils étaient appelés à donner dans le monde en même temps que le moyen spécifique de leur lutte contre le monde. Nous avons vu plus haut qu'elles étaient les causes et les conditions des vagues de persécution qu'ils eurent à subir à l'époque qui nous occupe [4]. Avant 202, il n'y eût jamais de persécution générale édictée par une volonté expresse du pouvoir romain. Ces assauts avaient toujours un caractère sporadique et local. Le rescrit de Trajan à Pline le Jeune avait fait jurisprudence. Considérés comme formant une association illicite, ils étaient toujours à la merci d'une dénonciation. Si alors ils s'avouaient chrétiens devant les juges de l'Empire, cette seule qualité suffisait à les faire condamner. On peut dire que si, à cette époque, les mesures de persécution n'étaient pas systématiques, l'irrégularité juridique dans laquelle se trouvaient les chrétiens par rapport à l'état, en faisait cependant peser la menace d'une manière permanente. Cet état de choses entretenait par là-même les chrétiens dans le sentiment de la grande précarité de leur existence dans ce monde qui pouvait à chaque instant, suivant l'humeur des populations ou des autorités, les conduire devant les tribunaux romains, où leur compte était réglé d'avance s'ils persistaient à affirmer leur foi. Sans doute, au I^e et au IIe siècle, les cas de condam-

---

1. Réfut. IX, 11.
2. Cf. W. VÖLKER, *Der wahre Gnostiker nach Clemens von Alexandria*, Berlin, 1952.
3. Strom. IV, 4, 15.
4. On pourra aussi se reporter à W.H.C. FREND, *Martyrdom and persecution in the early Church*, Oxford, 1965.

nations à mort qui nous sont attestés sont relativement peu nombreux. En revanche, depuis l'*Apocalypse* jusqu'au *Commentaire sur Daniel* d'Hippolyte de Rome, rares sont les écrits chrétiens qui ne se font pas l'écho de la menace perpétuelle de persécution qui pesait, même aux moments de plus grande tolérance, sur les communautés. Les vagues de persécutions locales que nous connaissons ont fait des martyrs à peu près à toutes les époques sans que l'on puisse dire que leur intensité plus grande sous tel ou tel règne (sauf l'épisode de Néron en 64) soit due à une politique délibérée de l'autorité. On remarque cependant que ce fut sous Marc-Aurèle, quand l'Empire commence à trembler pour sa sécurité, que l'on enregistre le plus grand nombre de martyrs : à Rome, en 165, l'apologiste Justin ; en 167 sans doute, l'évêque de Smyrne Polycarpe. Vers la même époque on possède les *Actes* des trois martyrs asiates Carpus, Papylus et Agathonice ; et enfin, en 177, l'important épisode des martyrs de Lyon. D'autre part, Eusèbe mentionne encore entre autres les martyres de Sagaris, évêque de Laodicée[1], et de Publius, évêque d'Athènes[2]. Dans les premières décennies, ce furent les Juifs qui firent les premiers martyrs chrétiens[3], Étienne et Jacques[4] étant les plus célèbres. Après la flambée de violence que connut l'Église romaine sous Néron et au cours de laquelle furent sans doute martyrisés Pierre et Paul dans des circonstances qui restent encore assez obscures[5], une des figures les plus typiques du martyre est Ignace d'Antioche à l'époque de Trajan[6]. Le tableau doit encore être complété par la mention d'Apolonius, exécuté à Rome sous Commode, ainsi que celle des douze premiers martyrs africains connus, qui furent condamnés à l'amphithéâtre à Scillium en 180. Comme premières victimes des mesures de Septime-Sévère, Félicité et Perpétue subirent le même sort à Carthage en 203. Ces quelques exemples suffisent pour nous donner une idée des dispositions intimes dans lesquelles les chrétiens affrontaient le martyre. La présentation souvent apologétique et parénétique à travers laquelle le genre littéraire particulier des *Actes des martyrs* nous fait connaître ces épisodes est en elle-même extrêmement révélatrice d'un état d'esprit qui corrobore la conception générale qu'ils se font de leur rôle dans le monde[7].

---

1. H.E. IV, 26, 3.

2. Id., IV, 23, 2.

3. Id., IV, 15, 47.

4. Cf. H.E. II, 23.

5. Tacite, Ann. XV, 44 ; I Clem. 5-6.

6. Parmi les autres victimes connues, il faut signaler, sous Trajan, Siméon, deuxième évêque de Jérusalem (H.E. III, 32) ; sous Antonin, l'évêque romain Télesphore (Irénée, Adv. Haer. III, 3, 3) ; les trois chrétiens dont parle Justin, II Ap. II.

7. Cf. H. DELEHAYE, *La passion des martyrs et les genres littéraires*, Bruxelles, 1921.

Dans cette perspective, les persécutions locales souvent limitées, revêtaient tout leur sens : elles avaient été prédites par le Christ comme des épreuves qui accompagneraient ses disciples tout au long de leur pélerinage sur la terre. Les chrétiens savaient que le *monde* devait haïr les disciples autant qu'il avait haï le Maître[1]. L'hostilité du monde au Christ et à ses fidèles est constitutive de l'économie divine. Les prophètes en étaient déjà la préfiguration, et le « petit reste » d'Israël voyait aussi dans la persécution une épreuve providentielle de sa fidélité[2]. La persécution supportée « à cause du Christ » est citée parmi les béatitudes comme une définition du disciple qui par sa résistance aux assauts du monde montre qu'il appartient déjà au Royaume de Dieu[3]. Ce qui le montre le mieux, c'est l'assurance donnée aux disciples dans le Discours missionnaire que dans leur affrontement avec les juges de ce monde, ils n'auront pas à s'inquiéter des réponses qu'ils leur fourniront. C'est l'Esprit, puissance du monde à venir, qui a déjà pris possession de leur personne, qui parlera en eux[4]. Dans la prière de la communauté de Jérusalem, il est dit que les païens et les juifs conspirant contre le Christ, n'ont fait qu'accomplir ce que Dieu dans sa sagesse avait « déterminé par avance »[5].

L'humanité nouvelle, s'édifie au sein même de l'ancienne en devenant toujours plus conforme à son modèle et à son prototype, le Christ. La victoire que le Sauveur a acquise une fois pour toutes sur le péché n'est plus à compléter. La mission des disciples est maintenant de la *manifester* aux yeux du monde en lui prouvant concrètement que la menace de la mort — privée de son aiguillon — n'a même plus de pouvoir sur eux. La manière la plus efficace de vaincre le monde qui veut arracher la foi du cœur du croyant, c'est encore d'accepter de tomber en son pouvoir, comme le Christ lui-même s'est livré au pouvoir de la mort, pour révéler dans l'acte même où les Puissances de la mort se rebellent contre Dieu, que leurs agissements sont frappés d'avance de nullité et privés de toute efficacité réelle.

Justin affirmait que « tout ce que nous souffrons lorsque nous sommes mis à mort par nos proches, il (le Christ) nous a prédit que cela arriverait »[6]. Hippolyte avait vu cette prophétie annoncée dans la figure de Suzanne (l'Église) persécutée à Babylone (le monde) par les deux vieillards

---

1. Cf. Jn 15, 18-25 ; 1 Jn 3, 13 ; Ignace, Rom. 3, 3 ; A Diognète, 6,3.5.
2. Cf. II Macc. 6, 12 sq.
3. Mt 5, 10-12 ; Lc 6, 22-23.
4. Mt 10, 19-20 par.
5. Ac 4, 28, cf. 2 Tm 3, 12 ; Ac 14, 22.
6. Dial. 35.

(les Juifs et les païens)[1], « pour que nous ne trouvions pas étrange ce qui se passe de nos jours dans l'Église »[2]. Mais ce ne sont pas seulement les types de l'Ancien Testament qui attestent que la persécution des justes est une disposition constante de l'économie divine. Les Apologistes vont plus loin : les justes païens eux-mêmes ont eu à souffrir pour avoir dit certaines vérités. Ainsi Socrate qui, pour avoir cherché la vérité « avec plus d'ardeur que personne, nous dit Justin, vit porter contre lui les mêmes accusations que nous »[3]. Athénagore énumère encore les exemples de Pythagore, d'Héraclite, de Démocrite pour conclure que « c'est une coutume bien vieille et non pas inventée de notre temps, une coutume réglée selon une loi et une raison divine, que la méchanceté fasse continuellement la guerre à la vertu »[4]. Tertullien se contente d'observer que « depuis longtemps, pour ne pas dire depuis toujours, la vérité est en butte à la haine »[5] . Ainsi, en résistant aux assauts du monde, à l'arrière-plan desquels ils discernent l'action de Satan, l'Ennemi de toujours, les chrétiens ont conscience d'entrer dans la lutte que l'Adversaire mène contre les desseins de salut de Dieu, depuis le premier Adam. Mais cette lutte ils la poursuivent dans la foulée victorieuse du Christ contre des Puissances qui, même temporairement émancipée, ont en réalité déjà été vaincues avant de connaître, à la fin des temps, leur anéantissement complet.

C'est pourquoi le martyre chrétien[6] revêt une signification plus riche que celui des prophètes ou des hommes justes d'avant le Christ parce qu'il est l'achèvement et l'accomplissement de toutes les formes humaines du témoignage de la vérité. Il est d'abord conçu comme une imitation du Christ. Ce thème a été mis particulièrement en lumière par Ignace d'Antioche dans les lettres à différentes églises qu'il eût le temps d'écrire en se rendant à Rome où l'attendait le supplice. Le récit du martyre de Polycarpe va dans le même sens, s'efforçant à trouver jusque dans les moindres détails des traits de ressemblance avec la passion du Christ. Irénée disait aussi au sujet d'Étienne qu'il « imitait en tout point le Maître qui nous a donné la leçon du martyre »[7]. De même Tertullien n'hésitait pas à dire que « ce qui nous désigne comme chrétiens, c'est justement ce que nous endurons à l'exemple du Christ même »[8]. La spécificité de l'expérience

1. Sur Dan. I, 14.

2. Id., I, 16.

3. II Ap. 10, 5.

4. Suppl. 31.

5. Apol. 14, 7.

6. Sur les différents sens du martyre primitif, voir l'analyse toujours valable de H. VON CAMPENHAUSEN, *Die Idee des Martyriums in der alten Kirche,* Gottingen, 1936.

7. Adv. Haer. III, 12, 14.

8. De praescr. 3, 12.

chrétienne du martyre c'est qu'elle se définit dans sa dépendance par rapport à la mort et à la résurrection du Christ. Ignace exprime son désir du martyre avec des accents surprenants qui ne sont pas exempts par endroits d'une certaine coloration gnostique [1]. Dans sa hâte « d'atteindre Dieu », de s' « unir au Christ », il implore les frères de Rome de ne rien tenter pour l'arracher à la dent des bêtes. Ce qu'il veut, en acceptant de témoigner de sa foi jusque dans la mort, c'est prouver que « ce n'est pas une œuvre de persuasion que le Christianisme, mais une œuvre de puissance, quand il est haï par le monde » [2]. Face au monde se faisant justice par le déploiement de la force brutale, le martyre est la mesure de la puissance de Dieu déployée dans l'esprit et le corps des vrais disciples. Le récit du *Martyre de Polycarpe* est lui aussi tout entier dominé par le thème de l'imitation du Maître [3].

L'AMOUR DE LA VRAIE VIE

Le courage que les chrétiens manifestaient dans la mort n'avait rien de commun avec l'exaltation fanatique que leur prêtait Marc-Aurèle. La sérénité, la lucidité et la profonde paix qui se dégagent de la plupart des récits de martyre ne procède pas du désir de fuir ce monde en courant au-devant de la mort, car la mort en elle-même reste une chose terrible ; mais ces sentiments ont leur source dans la foi que la mort que le monde brandit contre eux comme l'ultime instrument de sa domination, a déjà été vidée de toute sa puissance destructrice. La mort éternelle n'est pas l'événement qui termine la vie présente, mais l'état présent ou futur de ceux qui se refusent à croire. La foi que la vraie vie est celle qui est communiquée comme grâce de la rédemption engendre chez les chrétiens une paix que les menaces impuissantes du monde ne peuvent plus leur ravir. Cette attitude n'a donc rien du refus ou du mépris de la vie. Elle est au contraire un amour positif de la vie comprise d'après les nouveaux critères de la vie et de la mort que le Christ a introduit dans le monde. Les martyrs de Lyon, emprisonnés avec des chrétiens qui avaient apostasié, ont, par leur patience ravivé la foi de leurs frères. « Par les vivants, en effet, dit le texte, étaient vivifiés les morts (les apostats) ; et les martyrs donnaient la grâce à ceux qui n'étaient pas martyrs. Ce fut une grande joie pour la vierge mère (l'Église) de recevoir vivants ceux qu'elle avait rejetés morts de son sein » [4]. Le martyre chrétien n'est pas un attrait morbide de la mort, mais un amour supérieur de la vraie vie.

1. Cf. Rom. 6, 2 ; 7, 2.
2. Rom. 3 3.
3. Mart. Polyc. 1, 1 ; 14, 2 ; 19, 1.
4. Eusèbe, H.E. V, 1, 45.

Cet amour de la vie ressuscitée éclate là-même où il est question des supplices et de la mort. Le paradoxe chrétien voulait que ce fût par attachement à la vie selon l'Esprit qui avait fait d'eux une nouvelle créature qu'ils se sont présentés allégrement devant l'échéance de la mort. Entre la vie purement « charnelle » et la vie incorruptible reçue par la foi, les martyrs ont opté sans regret pour la seconde. Justin en donne la raison : « Nous ne voulons pas vivre une vie de mensonge, dit-il. Mais nous avons le désir de la vie éternelle et pure ; nous préférons passer la vie avec Dieu le Père et le Créateur de l'univers. Et nous avons hâte de confesser notre foi... persuadés que ceux-là pourront atteindre ces biens qui prouveront à Dieu par leurs œuvres qu'ils l'ont suivi en ayant le désir de cette vie auprès de lui et qui ne rencontre plus l'opposition du mal »[1]. Ce qui fortifie le chrétien dans l'épreuve du martyre, c'est autant la foi dans sa condition déjà présente de créature nouvelle que l'espérance que la vie actuellement saisie par l'Esprit ressuscitera incorruptible[2]. La lettre de l'Église de Lyon relate comment les bourreaux s'acharnaient à brûler les cadavres des martyrs et à jeter leurs cendres dans le Rhône « comme s'ils pouvaient vaincre Dieu et priver les morts de la régénération, afin que, comme ils le disaient, les martyrs n'eussent plus l'espoir de la résurrection »[3]. Parce que la mort vaincue ne représente plus un terme de non retour pour le croyant qui en a été délivré dès son baptême, elle ne présente plus son aspect terrifiant. Pour autant, les chrétiens ne la rencontreront pas d'un cœur indifférent. « Certes, nous voulons souffrir, dit Tertullien, mais à la manière dont on supporte la guerre que personne n'aime pour son plaisir, à cause des craintes et des épreuves qu'il faut surmonter »[4]. Mais la vie selon l'Esprit a peu à peu transformé les chrétiens et bouleversé en eux l'ancien système des valeurs et des références auxquel ils avaient été attachés lorsqu'ils jugeaient encore selon le monde. La sagesse de Dieu, qui est folie aux yeux des hommes, a remplacé maintenant ce que le monde avait appelé sa propre sagesse. Dans cette perspective, souffrir la mort par amour pour la vraie vie n'est pas un paradoxe insensé, mais la logique même selon laquelle la nouvelle création prend forme au cœur de l'ancienne. Le martyr Apollonius répond au magistrat qu'il y a différentes façons de mourir. Les chrétiens, eux, se sont entraînés à mourir chaque jour au plaisir, en châtiant leurs désirs par la continence. « Habitués à cette règle de vie, ajoute-t-il, nous ne jugeons pas terrible de mourir pour le vrai Dieu. Car ce que nous sommes, nous le sommes de par Dieu. C'est pourquoi nous supportons tout patiemment, afin d'éviter de mourir

---

1. I Ap. 8, 2.
2. Justin, Dial. 46, 7 ; Acta Just. 5, 2.
3. Eusèbe, H.E. V, 1, 63.
4. Apol. 50, 1.

par le mal. Que nous vivions ou que nous mourions, nous appartenons au Seigneur »[1]. Et comme son juge à bout de persuasion, lui demandait si c'est avec plaisir qu'il envisageait la mort, Apollonius répliqua encore : « Ma joie, c'est de vivre..., mais sans craindre la mort par amour de la vie. Rien n'est plus précieux que la vie, mais c'est de la vie éternelle dont je parle, celle qui représente l'immortalité pour l'âme qui a vécu saintement dans la vie présente »[2].

La vie préconisée par le monde qui se donne à lui-même comme le propre principe de son existence apparaît à l'expérience du martyre sous les traits découverts de son visage irréel et mensonger. Dans la sereine résistance des saints à ce dernier chantage du prince de ce monde, la vie conforme à la volonté de Dieu éclate au contraire, même sous le voile temporaire de la mort charnelle, comme la vraie triomphatrice. Dans le martyre, est réalisé au plus haut degré cet autre paradoxe inhérent à la logique du Royaume : que celui qui veut trouver la vie véritable selon Dieu doit accepter de la perdre à cause de l'Évangile[3]. L'amour que les chrétiens ont pour la vie présente restituée dans sa véritable destination et pour la création en général, ne peut jamais être posé comme une alternative à leur désir de posséder la vie incorruptible dans le monde à venir, car c'est le même amour. Mais il exclut au contraire, comme son antithèse, l'amour de la vie coupée de Dieu qui est la loi du *monde*.

1. *Changer l'esprit et accepter les structures nécessaires*

La menace du martyre a été déterminante pour la vision chrétienne du *monde*, surtout chez des auteurs comme Ignace, Polycarpe, Tertullien ou Hippolyte qui étaient déjà enclins à le juger globalement d'une manière péjorative. Mais il faut souligner que les diverses poursuites dont les chrétiens étaient victimes aux deux premiers siècles, n'avaient qu'un caractère épisodique et ne pouvaient en aucuns cas créer chez eux quelque obsession fataliste du martyre qui les eût empêché d'apprécier sereinement la valeur de la vie terrestre. Les réactions des martyrs eux-mêmes en fournissent la preuve. La lutte que les chrétiens, de par leur vocation, mènent contre le mal n'a trouvé qu'exceptionnellement son expression dans le martyre. Leur combat est à la fois plus continuel et plus subtil. Il s'attache à évacuer de la vie vécue dans le monde tout ce qui porte encore la marque de la corruption. Le paradoxe du chrétien, c'est qu'il est appelé à vivre *dans* ce monde, sans être *de* ce monde. Cette attitude consiste à relativiser

1. Acta Apol. 26-28.
2. *Id.*, 30.
3. Mc 8, 35 par.

les valeurs du monde par rapport au critère que représente maintenant l'ordre définitif du salut. Elle consiste aussi à rompre avec la logique du monde chaque fois qu'elle devient l'antithèse de la logique de Dieu. « Le temps se fait court ! Reste, donc que ceux qui ont femme vivent *comme s'ils* n'en avaient pas ; ceux qui pleurent, *comme s'ils* ne pleuraient pas ; ceux qui sont dans la joie, *comme s'ils* n'étaient pas dans la joie ; ceux qui achètent *comme s'ils* ne possédaient pas ; ceux qui usent de ce monde *comme s'ils* n'en usaient pas véritablement. Car elle passe, la figure de *ce monde* ».

L'EXEMPLE DE LA PROPRIÉTÉ

Un des exemples les plus révélateurs de ce détachement à l'égard des motifs et des valeurs prônées par le monde, nécessaire pour vivre selon la logique du siècle à venir, est l'importance et le sens nouveau que le Christianisme donne à la pauvreté. Comme on l'a déjà dit, il y avait dès l'origine des gens fortunés dans les communautés. Jacques s'élève rigoureusement contre les pratiques discriminatoires de ses lecteurs qui continuaient à traiter les riches dans les assemblées avec toutes sortes d'égards et d'honneur, tout en méprisant les plus pauvres. « Dieu, demande-t-il, n'a-t-il pas choisi les pauvres selon le monde comme riches de la foi et héritiers du Royaume? »[1]. Jacques, comme d'ailleurs aussi Luc, se fait peut-être ici l'écho d'une tendance générale du judéo-christianisme à favoriser une sorte de spiritualité du pauvre. Ce fut en particulier le cas de la communauté de Jérusalem, dont l'idéal fut repris, mais déformé, après 70, par la secte des Ebionites. Mais la pauvreté tient une grande place dans l'enseignement même de Jésus. Chez Matthieu, comme chez Luc, elle est nommée comme la première des béatitudes. C'est aux pauvres que le Royaume appartient en propre[2]. De fait cette béatitude semble avoir été énoncée dans le contexte messianique de l'annonce du Royaume, comme la disposition religieuse intime indispensable à qui veut accueillir le salut. C'est à ceci que la présence du Royaume est déjà actuellement reconnaissable que « l'Évangile est annoncé aux pauvres »[3]. Cette pauvreté, déjà chez les prophètes[4], est celle des hommes qui, ne mettant leur confiance dans aucune de leurs attaches dans le monde, n'attendent de salut que de Dieu. Cette pauvreté consiste avant tout pour la créature à reconnaître son indigence foncière devant le Créateur. Elle doit aussi constituer l'aveu de la vanité radicale des œuvres humaines qui se veulent

---

1. Jc 2, 5.
2. Mt 5, 3 ; Lc 6, 20.
3. Mt 11, 5.
4. Cf. Is 61, 1.

autonomes et leur impuissance à procurer le salut qui est un don. Cette condition fondamentale est d'autant le fait d'une conversion du cœur que d'un détachement réel par rapport à ce que le monde appelle les richesses.

On trouve chez Matthieu et chez Luc des accentuations bien différentes de ce thème. Luc insiste sur le caractère réel, économique, de la pauvreté. Comme Jacques, il s'emporte parfois violemment contre les riches. Opposée point par point à la première béatitude sa première malédiction s'adresse à eux. La vraie richesse, qui porte des fruits incorruptibles et « qui amasse des trésors dans le ciel »[1] est celle de la foi. La tendance générale de Matthieu est au contraire d'interpréter la béatitude en la spiritualisant. Avec l'adjonction de l'expression πνευματι, il montre clairement que pour lui la pauvreté ne doit pas seulement être comprise au sens matériel et économique, mais qu'elle est une attitude générale qui saisit l'esprit même dans lequel vit désormais le croyant. Pour lui, la béatitude s'étend à « ceux qui ont l'esprit de pauvreté », dans un sens à la fois plus large et plus exigeant. La pauvreté évangélique se situe aussi inséparablement dans l'esprit de désappropriation que dans le détachement réel vis-à-vis de ses biens. Le seul critère sûr reste encore l'esprit. La vraie pauvreté ne peut se définir uniquement dans son acception économique. On peut être pauvre et plus farouchement attaché aux quelques biens que l'on possède qu'un homme économiquement riche qui sait garder la distance nécessaire par rapport à ses possessions. On peut être pauvre aussi malgré soi et envier la situation du riche. Selon l'Évangile au contraire, la pauvreté trouve sa racine dans l'intention pour se traduire ensuite dans l'acte de renoncement. Elle est volontairement acceptée à la suite d'un jugement sur le monde qui reconnaît, au-dessus des biens qu'il promet, la priorité de la disposition intérieure qui met l'homme à même d'accueillir le salut de Dieu.

Il reste que l'Évangile insiste sur la pauvreté comme une condition nécessaire pour avoir accès au Royaume de Dieu. L'amour servile des richesses de ce monde est incompatible avec l'espérance du siècle à venir. « Il est plus facile à un chameau de passer par un trou d'aiguille qu'à un riche d'entrer dans le Royaume des Cieux »[2]. L'alternative la plus claire est celle qu'a connue le jeune homme riche : ou bien se dépouiller de tous ses biens, les donner aux pauvres et ainsi « être parfait », ou au contraire leur rester attaché et renoncer à suivre le Messie[3]. L'incompatibilité radicale entre l'attachement à ses richesses et le Royaume s'éclaire d'autant mieux qu'ils réclament l'un et l'autre de l'homme une soumission exclusive. Ils constituent deux appels à deux obédiences contradictoires : « Nul

---

1. Mt 6, 20.
2. Mt 19, 23.
3. Mt 19, 16-22 par.

ne peut servir deux maîtres : ou il haïra l'un et aimera l'autre, ou il s'attachera à l'un et méprisera l'autre. Vous ne pouvez servir Dieu et Mamon »[1], Mamon étant le nom araméen de la Richesse personnifiée. La richesse devient ainsi une idole qui dispute à Dieu le pouvoir de se soumettre l'homme. Le danger de la possession de grands biens est qu'ils possèdent l'homme à leur tour. Entre les mains de l'homme les richesses ne restent pas neutres. Lorsqu'elles ne sont pas possédées avec détachement, elles deviennent l'instrument des puissances diaboliques enchaînant leur propriétaire dans les liens mêmes de ses propriétés. Elles l'y cramponnent fébrilement autant par l'angoisse de les conserver que par le désir insatiable d'en acquérir davantage. Elle a pour conséquence inévitable de détourner de Dieu et du prochain quiconque cède à ses séductions. « Ceux qui veulent amasser des richesses, dit la *Première à Timothée,* tombent dans la tentation, dans le piège, dans une foule de convoitises insensées et funestes, qui plongent les hommes dans la ruine et la perdition ». Et de tirer cette conclusion, que « la racine de tous les maux, c'est l'amour de l'argent »[2]. Telle est bien, aux yeux des chrétiens, la caractéristique des tentations du monde : ceux qui cèdent à leur attrait trompeur se fourvoient en réalité dans le jeu des puissances de mort. « La convoitise, dit encore Jacques,... donne naissance au péché, et le péché, parvenu à son terme, enfante la mort »[3].

Posséder des biens n'est pas en soi un mal, mais ce qui coupe de toute relation à Dieu, c'est, en possédant, de se laisser posséder ; et en jouissant égoïstement de ses richesses, d'ignorer les besoins de ses frères. Dans un passage singulièrement sévère, Irénée s'écrie : « Nous avons tous derrière nous un avoir, grand ou petit, que nous avons acquis par le Mamon de l'iniquité (cf. *Lc 16, 9*). D'où viennent en effet, les maisons où nous habitons, les vêtements que nous portons, les objets dont nous usons, bref, tout ce qui sert à notre vie quotidienne, sinon de ce que nous avons acquis par la cupidité lorsque nous étions païens, ou de ce que nous avons reçu de nos parents, proches ou amis païens qui l'avaient acquis par l'injustice — pour ne rien dire de ce que nous acquérons encore maintenant, alors que nous sommes dans la foi ? »[4]

Dans la logique chrétienne, il s'agit de tenir pour périmés les préjugés du monde qui n'a d'estime et de respect que pour la puissance que confère la richesse. Dans le Royaume de Dieu, les ordres de grandeur sont exactement inversés. Ce sont les derniers, c'est-à-dire les plus pauvres, qui y seront les premiers[5]. Car « ce qui est élevé aux yeux des hommes est

1. Mt 6, 24.
2. 1 Tm 6, 17-18.
3. Jc 1, 15.
4. Adv. Haer. IV, 30, 1.
5. Mt 20, 16.

objet de dégoût aux yeux de Dieu »[1]. Pour autant, il n'est pas question d'abandonner extérieurement ses possessions, comme si la propriété était en elle-même un mal. Mais ce qu'il faut d'abord, c'est se dépouiller de l'esprit de richesse qui entretient l'amour exclusif des biens de ce monde et rend aveugle à tout autre espèce de valeur, en particulier au don du salut. Certaines tendances judéo-chrétiennes ascétiques ont souvent déformé la nature du débat, affirmant sans nuance, comme le Pseudo-Clément, que « la possession est un péché »[2]. Par contre, dans un petit opuscule, *Quis dives salvetur*, Clément d'Alexandrie interprète beaucoup plus profondément la pensée chrétienne. « Vendez ce que vous avez (cf. *Mt 19, 21*). Mais que veulent dire ces paroles? Non point certes ce qu'elles semblent dire d'abord : dépouillez-vous de vos richesses, rejetez-les loin de vous ; mais : arrachez de votre âme les vains jugements que vous formez sur les richesses et cette honteuse plaie de l'avarice ». Et d'ajouter que la pauvreté ne résout rien si l'esprit n'y est pas et si elle ne procure pas l'apaisement et la joie. « Se priver de ses richesses sans acquérir la *vie*, est-ce un sacrifice héroïque qui mérite d'être imité? »[3]. Pour posséder sans être lui-même possédé, il faut avoir la conviction que l'amour des richesses se situe dans un ordre désormais antithétique de Dieu, précisément dans la sphère du *monde*, qui suscite toujours des idôles par lesquelles il asservit les hommes à son empire. L'esprit de pauvreté qui ne reconnaît d'ordre définitif que dans le don de Dieu est, au cœur de la vie du monde, l'antithèse du *monde*. Pour vivre dans le monde, il est indispensable d'user du monde qui, en définitive, ont été créés pour l'homme. Mais dans cette gérance et dans cet *usage* qui est le contraire de la jouissance égoïste, il faut observer ce détachement qui fait que l'on possède ces choses comme si elles ne vous appartenaient pas. Le refus de l'esprit de richesse est par là même le refus d'entrer dans la logique du monde, l'effort de vivre les réalités du siècle présent selon la loi parfaite du siècle à venir.

L'EXEMPLE DE L'ÉDUCATION ET DE L'ART

Face aux aspects tantôt positifs, tantôt négatifs de la civilisation romaine, l'attitude des chrétiens a été toute de nuances. Elle a été aussi éloignée de l'esprit de résignation passive que de l'esprit de négation absolue et dissolvante. Ils n'ont jamais accepté sans discernement les valeurs prônées par le monde. Mais ils ont su aussi reconnaître dans les réalisations du monde, lorsqu'elles remplissaient correctement leur rôle, une expression de la volonté de Dieu pour la période présente de l'histoire du salut. Leur

---

1. 1 Co 7, 29-31.
2. II Clem., 15, 9.
3. Quis dives salvetur, 11.

attitude, dans sa complexité, au contraire, semble avoir été singulièrement courageuse et active, interprétant et assumant toujours selon leurs références propres les données de l'expérience concrète que leur livrait leur insertion dans le monde romain. C'est sur le critère de l'Esprit qui dépouille le monde de ses vices, de sa volonté d'indépendance et d'hostilité à Dieu, qu'ils ont choisi de reprendre à leur compte ou au contraire de rejeter en bloc les formes extérieures de la vie sociale, culturelle ou politique qui, prises en elles-mêmes ne constituaient jamais un obstacle. Quelques exemples suffisent pour éclairer cette attitude qui illustre ce que l'épître *A Diognète* appelait « les lois vraiment paradoxales de notre république spirituelle »[1]. Le cas de l'état est particulièrement probant. Les chrétiens ont accepté l'existence de l'état, en l'occurence l'Empire romain avec son organisation politique, sociale, économique. S'ils refusaient de sacrifier à l'empereur, ils se vantaient en revanche de soutenir l'état par leur contribution sans murmure à l'impôt[2]. Dans le domaine culturel et social, on trouve aussi des exemples très significatifs de leur acceptation du cadre existant du monde.

On a vu avec quelles nuances les premiers chrétiens avaient condamné le contenu de la culture classique, parce que, dans sa prétention, elle était une rivale de la révélation. Mais ils n'ont pu s'empêcher de conserver la forme de l'éducation, de la *paideia* hellénistique, comme la meilleure possible. Ils avaient pourtant l'exemple des juifs, qui avaient constitué des écoles rabbiniques où l'essentiel de l'éducation s'acquérait dans la lecture et le commentaire des Livres Saints. Dans tout l'aire de la culture grecque et latine, les chrétiens n'ont pas cherché à substituer, au niveau primaire et secondaire, d'école rivale de celles du *litterator* et du *grammaticus*[3]. Ils continuèrent à apprendre à lire et à s'exprimer en déchiffrant les noms des dieux de la mythologie, et en analysant les vers d'Homère et de Virgile[4]. Les écoles de niveau supérieur, les *Didascalea*[5], qu'avaient ouvertes Justin, Tatien et surtout les maîtres alexandrins, livraient un enseignement approfondi de doctrine ; elles pouvaient remplacer à la rigueur les chaires de philosophie et de rhétorique, où la compromission avec le paganisme était plus totale. Il reste que certains Apologistes sont de beaux modèles de culture classique. Tertullien lui-même, bien que l'alpha-

---

1. A Diogn. 5, 4.
2. Cf. Tatien, Disc. 4 ; Tertullien, De idol. 15 ; De fuga 12 ; Scorp. 14.
3. Un seul texte de Tertullien pourrait donner à penser le contraire. Mais il est plus une menace qu'une vue réaliste des choses. De spect. 29 : « Pour ceux qui ont du goût pour la science et pour la culture, nous avons nos propres lettres, nos propres vers, nos propres maximes, même des cantiques et des chœurs. Ce ne sont pas des fables, mais la vérité ; non pas des rimes, mais des paroles simples ».
4. Irénée, Adv. Haer. II, 32, 2.
5. Id. 1, 28, 1.

bet soit pour lui une invention de Mercure[1], ne voit pas d'autre moyen d'acquérir la culture qu'en se mettant à l'école profane. « Comment la jeunesse se formerait-elle autrement à la sagesse humaine? Comment apprendrait-elle à penser et à agir; l'éducation littéraire étant un instrument indispensable pendant toute la vie? Comment répudier les études profanes, puisque sans elles les études religieuses ne peuvent exister? »[2] Nous avons vu que la *Tradition Apostolique* d'Hippolyte n'interdisait pas le métier de professeur[3]. En adoptant le type de l'éducation hellénistique, les chrétiens ont aussi gardé les catégories de pensée de l'hellénisme. On a vu comment les Apologistes attestent un premier effort de présentation du message révélé dans un langage intelligible pour les hommes formés à l'école de la Grèce. Vers le milieu du IIe siècle, le judéo-christianisme de facture sémitique, s'exprimant dans les catégories de l'apocalyptique juive, disparaît peu à peu. Déjà certains Pères Apostoliques, comme Clément de Rome avaient été marqués par le stoïcisme commun. Justin le premier a une théologie et une christologie de structure platonicienne[4]. Dès lors le Christianisme ne peut plus se passer de la science profane et tente de réaliser la synthèse de la révélation biblique et de l'hellénisme, non sans y introduire souvent des problématiques dues à des spéculations étrangères au Nouvèau Testament, comme ce sera le cas avec Origène[5]. Au IIe siècle, le plus grand théologien, Irénée, en développant une vigoureuse pensée de caractère typologique et historique, dominée par une vision de l'histoire du salut, reste le plus fidèle au génie propre de pensée biblique, sans la diluer en des catégories mentales qui lui sont étrangères.

Tout aussi significatif est le témoignage du premier art chrétien. A part la *domus ecclesiae* de Doura-Europos qui doit dater des environs de 200, les seuls témoignages artistiques que nous possédons sont funéraires : fresques murales dans les noyaux les plus anciens des catacombes, les cryptes de Priscille, Lucina, Domitille. Cet art est celui de l'époque. Il n'y a pas eu d'art chrétien « primitif ». Les formes, les motifs, les techniques qu'il emploie sont ceux de l'art romain contemporain : des peintures légères et fraîches sur fond clair où se retrouve l'ensemble des motifs à la mode : oiseaux, fleurs, treillis, papillons, saisons personnifiées. Les

1. De corona, 8.

2. De idol. 10; cf. De cor. 7; Apol. 14, 2.

3. Trad. Apost., 16.

4. C. ANDRESEN, *Justin und der mittlere Platonismus.* Z.N.W., 44 (1952), p. 156-195.

5. Sur l'ensemble des Pères grecs avant Nicée, voir J. DANIÉLOU, *Message évangélique et culture hellénistique*, Tournai, 1961. Plus récemment H. CHADWICK, *Early christianity thought and classical tradition*, Oxford, 1966, a présenté une bonne synthèse consacrée principalement à Justin, Clément et Origène.

artistes chrétiens, pour représenter des motifs de l'Ancien et du Nouveau Testament transposent souvent sans beaucoup les modifier les images tirées du répertoire profane : le Bon Pasteur : l'Orphée ; le Christ didascale : le *Mousikos Anèr*. Il en sera de même plus tard dans la sculpture des sarcophages. Pas plus qu'ils n'ont créé une nouvelle forme de culture, ils n'ont créé un art nouveau. « L'art chrétien, écrit A. Grabar, naît vieux, avec sur ses épaules le poids des habitudes millénaires de l'art méditerranéen » [1].

L'ATTITUDE DEVANT L'ESCLAVAGE

Ils ont aussi accepté, comme données avec le cadre de ce monde, les structures sociales romaines et, en particulier, l'*esclavage* [2]. Dans le Christ, les distinctions sociales de l'ancien ordre des choses : hommes libres esclaves sont abolies [3]. Les distinctions sociales n'ont plus de fondement réel. Elles sont relativisées par rapport au don du salut qui est le même pour tous les hommes [4]. C'est en vivant dans leur condition présente la nouveauté de l'Évangile que le mal lié à cette condition tombera de lui-même. Il faut dire que, sous l'Empire, la condition de l'esclave s'était améliorée. Les esclaves publics des cités et, en général, ceux de la *familia urbana* ne sont pas trop malheureux. Des lois interdisent qu'ils fussent en fait traités comme une « res », au caprice du maître. Le stoïcisme avait répandu l'idée qu'après tout ils étaient des hommes comme les autres [5]. Pour Paul, la liberté chrétienne qui consiste à se reconnaître esclave de Dieu [6] peut se passer de la liberté sociale qui est secondaire par rapport à elle. « Que chacun demeure dans l'état où l'a trouvé l'appel de Dieu. Étais-tu esclave, lors de ton appel? Ne t'en soucie pas. Et même si tu peux devenir libre, mets plutôt à profit ta condition d'esclave. Car celui qui était esclave lors de son appel dans le Seigneur est un affranchi du Seigneur ; de même celui qui était libre lors de son appel est un esclave du Christ »[7]. Les chrétiens eux-mêmes ont continué d'avoir des esclaves après leur conversion [8], y compris des

---

1. *Le premier art chrétien*, Gallimard, Paris, 1966, p. 42.
2. W. L. WESTERMANN, *The slave systems of greek and roman antiquity*, Philadelphie, 1957, p. 149-159, présente une synthèse de l'historiographie consacrée à la question de l'esclavage dans le christianisme.
3. Ga 3, 28 ; Rm 10, 12 ; 1 Co 12, 13 ; Col. 3, 11 ; Justin, Dial. 134, 4 ; Irénée, Adv. Haer., IV, 21, 3 ; Tertullien, Apol. 39 ; Minucius, Oct. 37 ; Clément, Péd. III, 6, 34.
4. Rm 12, 4-6 ; 1 Co 12, 14-22.
5. Cf. Sénèque, Ep. 47, 1 « Servi quid sunt? Immo homines. Servi sunt? Immo humiles amici ». Cf. Ep. 95, 53 ; De benef. 3, 19 ; De ira 1, 15 ; 2, 25, 34 ; 3, 5.35 ; De clem. 1, 18.
6. Rm 7, 18.
7. 1 Co 7, 20-22.
8. 1 Tm 6, 1-2 ; Col 3, 22-5 ; Ep. 6, 5 ; Philém. ; 1 Pe 2, 18 ; Athénagore, Suppl. 35, etc.

esclaves chrétiens. En revanche, les exhortations aux maîtres et aux esclaves ne manquent pas. Que les esclaves mettent à profit leur condition et obéissent à leurs maîtres comme au Seigneur lui-même, non pas d'une soumission extérieure, mais consentie, en accomplissant de leur mieux, dans la situation où ils se trouvent, la volonté de Dieu[1]. De l'autre côté, on recommande aux maîtres de traiter leurs esclaves avec justice, par crainte de Dieu[2]. La nouveauté ne consiste pas à changer d'abord le statut social de l'esclave, mais à introduire l'esprit de charité dans les rapports entre les frères. L'apologiste Aristide, au début du IIe siècle, dans une description un peu idyllique des fidèles, écrivait qu' « ils persuadent à leurs esclaves de devenir chrétiens, à cause de l'amour qui règne parmi eux. Et lorsqu'ils le sont devenus, ils les appellent sans distinction leurs frères »[3]. Certes, Paul avait intercédé auprès de Philémon en faveur de son esclave Onésime. Il y eut certainement des cas de rachat d'esclaves par des chrétiens[4]. Mais la chose a dû leur apparaître comme parfaitement secondaire[5]. Tatien déclare : « Si je suis esclave, je supporte la servitude, si je suis libre, je ne m'enorgueillis par de ma condition »[6]. Ignace écrit à Polycarpe : que les esclaves « ne cherchent pas à se faire libérer aux frais de la communauté, pour ne pas être trouvés esclaves de leurs désirs »[7]. Au début du IIIe siècle, un canon de la *Tradition Apostolique* d'Hippolyte de Rome montre que les rapports de maître à esclave ne devaient pas nécessairement être révisés en régime chrétien. Il envisage le cas d'un esclave candidat au baptême. « S'il est l'esclave d'un croyant, y lit-on, et si son maître lui donne la permission, qu'il soit instruit, si son maître ne témoigne pas en sa faveur, qu'on le renvoie. Si son maître est païen, qu'on lui apprenne à plaire à son maître, afin qu'il n'y ait pas de calomnie »[8]. Dans l'état présent du monde, la seule servitude qu'il faut craindre est celle du péché. La seule liberté qui compte est celle qui, dans une parfaite soumission au Christ, libère le chrétien de l'asservissement aux puissances du mal encore à l'œuvre dans le monde[9].

---

1. Ep 6, 5-8 ; Col 3, 22-25 ; Tt 2, 9-10 ; 1 Tm 6, 1-2 ; 1 P 2, 18-25 ; Did. 4, 11 ; Barn. 19, 7 ; Ignace, A Polyc. 4, 3.

2. Ep 6, 9 ; Col 4, 1 ; Did. 4, 10 ; Barn. 19, 7 ; Ignace, A Polyc. 4, 3.

3. Apol. 15, 4.

4. I Clem. 55, 2 ; Hermas, Mand. 8, 10.

5. A. HARNACK, *Mission und Ausbreitung...* 3e éd., I, p. 174, disait déjà qu'il n'y avait aucune conscience d'un « problème esclavagiste » dans l'Église primitive.

6. Disc. 11.

7. A Polyc. 4, 3.

8. Trad. Apost., 16.

9. Cf. La réponse d'Euelpiste au Préfet de la Ville, Acta Just., 3 : « Servus quidem Caesaris sum, sed christianus a Christo ipso libertate donatus ». Aussi Clément, Péd. III.

2. *Refuser d'entrer dans la logique du monde*
LE SERVICE MILITAIRE

Autant ils ont accepté les institutions du monde quand elles ne les empêchaient pas de témoigner de l'Évangile, autant ils les ont rejetées lorsqu'elles poursuivaient une finalité manifestement opposée à la leur. Nous avons vu dans quelle mesure ils voyaient dans l'état romain une disposition de l'économie divine. S'ils n'ont jamais refusé de lui accorder leur soutien par l'impôt, c'est-à-dire ce qui lui est nécessaire pour subsister, ils se sont délibérément refusé à d'autres formes de services chaque fois que la logique de l'état leur paraissait aller à l'encontre de leur propre conception du rôle de cet état. Tel fut le cas du service militaire. Il mérite d'être cité en exemple, car il manifeste clairement comment les chrétiens entendaient mener leur vie dans le monde, tout en montrant à quel point leurs préoccupations étaient éloignées de celles de leurs contemporains païens. Nous assistons ici à une tentative d'application rigoureuse de la nouveauté évangélique à une réalité humaine liée à l'histoire : la guerre[1].

Le problème ne s'est posé dans toute son acuité qu'à partir du troisième quart du IIe siècle. Les documents antérieurs où il est question du métier des armes ne se prononcent ni pour ni contre la licéité du service militaire[2]. La question a dû devenir préoccupante à un moment où un grand nombre de chrétiens devait se trouver effectivement enrôlé dans les légions. L'armée romaine des deux premiers siècles est une armée de métier à recrutement volontaire. Elle a pour principale mission de surveiller et de défendre les frontières. La durée de l'engagement est de trente ans dans les légions, de vingt-cinq dans les troupes auxiliaires. Les chrétiens ne se sont donc

---

1. La question possède une abondante bibliographie, déjà depuis A. HARNACK, *Militia Christi : die christliche Religion und der Soldatenstand in den ersten drei Jahrhunderten*, Tübingen, 1905, qui cite la plupart des textes (p. 93-114), insiste sur l'absence de toute idée de guerre sainte dans le N.T., sur le changement de perspective qui s'est opéré au IVe siècle, en concluant que les premiers chrétiens rejetaient le principe de la guerre et du sang versé (p. 46). Il a été suivi par G. J. HEERING, *Dieu et César*, Paris, 1933 ; H. LECLERCQ, *Service militaire*, DACL I, 1108-1181 ; G. FRITZ, *Service militaire*, DTC 14, 1972-1981. D'autres études sont à utiliser avec plus de précaution : P. BATIFFOL, *L'Église et la guerre*, Paris, 1913, p. 1-23, fait remonter aux origines la subtilité des justifications postérieures et voit dans Tertullien, Idol. 19, un ultra (p. 12). Plus récemment, par contre, l'ouvrage de J. M. HORNUS, *Évangile et labarum. Étude sur l'attitude du christianisme primitif devant les problèmes de l'État, de la guerre et de la violence*, Genève, 1960, constitue un plaidoyer passionné en faveur de l'idée que le christianisme primitif est antimilitariste, pacifiste et non-violent à la différence de l'Église postconstantinienne qui restreindra aux seuls clercs l'interdiction de verser le sang et de porter les armes. Voir la bibliographie raisonnée de J. FONTAINE, *Les chrétiens et le service militaire dans l'Antiquité*, Concilium, n° 7, 1965.

2. Mt 8, 5-13 ; Lc 7, 1-10 ; Ac 10, 1-7 ; 16, 27-34.

pas trouvés devant un état qui les obligerait à accomplir un service armé. A cette époque les mercenaires chrétiens devaient être l'exception. La difficulté se posait surtout pour les soldats qui s'étaient convertis au cours de leur service. Pouvaient-ils sans contradiction avec leur foi continuer à exercer la profession militaire, ou devaient-ils quitter l'armée? C'est qu'à l'armée, l'idolâtrie et le culte impérial étaient plus que partout présents. Toute nouvelle recrue s'engageait envers le souverain, seul *imperator* des armées, par un serment de fidélité, le *sacramentum*, dont elle n'était déliée qu'à l'expiration régulière de son temps de service et à la mort du prince. Il était d'ailleurs renouvelé au début de chaque année, à l'avènement d'un nouvel empereur et à son anniversaire. Un culte était rendu à l'image impériale présente dans chaque légion ainsi qu'au « génie des enseignes », accompagné souvent des sacrifices aux anciens Dii Militares. Il était donc impossible d'être soldat sans être mêlé aux rites et aux pratiques idolâtriques de l'armée. Mais l'idolâtrie n'était pas le seul ni le principal obstacle que le métier militaire représentait pour le chrétien. Ce qui était mis en cause, c'était le principe même du service de l'état par les armes impliquant l'obligation de verser le sang et de perpétuer ainsi la loi d'airain du monde radicalement condamnée par la loi d'amour du Christ.

Le premier document qui relève l'attitude des chrétiens devant le service militaire est le *Discours* de Celse. Dans sa conclusion, où il rappelle aux chrétiens leurs devoirs civiques, Celse les exhorte solennellement à ne plus se dérober au métier militaire et à ne pas hésiter à accepter des commandements dans l'armée [1]. Il faut donc croire que, devenus plus nombreux, leur refus systématique de faire carrière à l'armée pouvait commencer à inquiéter les autorités. « Si tous les hommes faisaient comme vous, rien n'empêchera que l'Empereur ne demeure seul et abandonné et que tous les biens de la terre ne deviennent la proie des Barbares les plus sauvages et les plus iniques » [2]. Sous Marc Aurèle, en effet, l'Empire, pour la première fois depuis Auguste et désormais jusqu'à la fin, s'organisait pour la défensive. La mauvaise volonté d'une partie de plus en plus considérable de ses sujets était de triste augure pour l'état romain. Les tentatives, au IIIe siècle, d'exterminer la race des chrétiens n'auront pas d'autre but que d'éliminer ces ferments de dislocation intérieure alors que l'Empire était de plus en plus menacé par les invasions. Parallélement à cette crainte, on voyait se répandre l'accusation, à vrai dire nouvelle, que les chrétiens étaient la cause des maux dont souffrait l'Empire, non seulement parce qu'ils dédaignaient les dieux protecteurs, mais surtout parce qu'ils se distinguaient par une inadmissible inertie devant le problème le plus urgent

1. Origène, C. Cels. VIII, 71.
2. *Id.*, VIII, 68.

de l'heure : préserver à tout prix la Paix Romaine, défendre religieusement l'Empire et son idéal de civilisation[1].

Qu'il y avait des chrétiens à l'armée à la fin du IIe siècle, la chose est sûre. En énumérant tous les lieux et les activités où les chrétiens étaient présents, Tertullien (il avait intérêt à gonfler la liste), dit qu'ils ont envahi les « camps eux-mêmes : vobiscum militamus »[2]. Une autre attestation de cette évidence est fournie par le *De Corona*. D'après Clément, on voit que la conversion à l'armée ne devait pas être chose rare [3]. Il faut enfin faire mention de la célèbre Légion Fulminante, engagée en 172 en Bohême dans une guerre contre les Sarmates et qui fut sauvée de la mort par la soif grâce à une pluie « miraculeuse » que les Romains attribuaient au démon de la pluie [4], d'autres à un magicien égyptien [5], et les chrétiens à leurs prières [6]. Tertullien n'est pas gêné, en rapportant le fait, d'écrire que « la soif de l'armée de Germanie fut apaisée par une pluie accordée aux prières des soldats *par hasard chrétiens* ». Ce récit sent évidemment l'apologie. Il n'est pas vraisemblable qu'il y eût une légion entièrement composée de soldats chrétiens. Les prises de position catégoriques de Tertullien lui-même donnent à penser le contraire.

Les textes qui nous fixent sur la réaction que provoqua la présence de chrétiens de plus en plus nombreux à l'armée sont à vrai dire du début du IIIe siècle [7]. Ils sont cependant le reflet de principes qui durent être constants, car ils sont concordants, et on les trouve codifiés dans les premiers recueils canoniques [8]. Tertullien consacre tout un traité à l'épisode du soldat chrétien, qui, au camp de Lambèse en 211, refusa de se présenter comme ses camarades avec une couronne de laurier en tête pour recevoir sa part d'un *donativum* spécial. Tertullien lui donne raison. Seul parmi d'autres frères, « il se comporta en chrétien ». Il a rejeté une pratique idolâtrique et tout ce que la vie militaire comporte d'incompatible avec la foi : « Croyez-vous qu'on puisse ajouter un serment humain au serment (sacramentum) divin, demande Tertullien ? Se donner un autre maître après s'être donné au Christ ?... Est-il permis de vivre l'épée au côté alors que le Seigneur déclare que celui qui se servira du glaive périra par le glaive ? Et le fils de la paix ira-t-il au combat, lui à qui est interdit même la dispute ? Et fera-t-il souffrir à d'autres les liens, la prison, la torture,

---

1. Tertullien, Apol. 40, 1-2.
2. Apol. 37, 4 ; 42, 3.
3. Clément, Protr. X 100, fin.
4. Cf. Le bas-relief de la colonne aurélienne : Hist. Aug., Vita Marc. Aur. 24 ; Heliog. 9.
5. Cf. Dion Cass., LXXI, 8-10.
6. Tert., Apol. 5, 6 ; Eusèbe, H.E. V, 5, 3 s. ; Chron. ad annum 173.
7. Le De corona et le De idololatria de Tertullien sont des environs de 211.
8. Hippolyte, Trad. Apost. 16.

les supplices, lui qui ne venge même pas ses injures?... Ayant reçu de Dieu une enseigne va-t-il en demander une autre à César? » [1]. Ce qu'il confirme par ailleurs, en rappelant que « en désarmant Pierre, le Seigneur a dépouillé tous les soldats » [2]. Ainsi se dégage le principe que le chrétien ne peut militer dans les armées sans trahir sa foi. La *Tradition Apostolique* d'Hippolyte précise un premier point : « Si un catéchumène ou un fidèle veut se faire soldat, qu'on le renvoie, car il a méprisé Dieu » [3]. L'Église confirme donc la pratique qui dissuadait aux chrétiens d'adopter librement le métier militaire. Sur un autre point, il s'agit d'imposer une règle aux soldats convertis en cours de service. On leur demande de ne pas tuer, ce qui rend difficile l'exercice du métier : « A un soldat qui se trouve auprès d'un gouverneur, qu'on dise de ne pas mettre à mort. S'il en reçoit l'ordre, qu'il ne le fasse pas. S'il n'accepte pas, qu'on le renvoie (de l'Église) » [4].

L'explication la plus claire de cette désaffectation — au moins dans les principes — du service militaire est certainement la conscience très vive qu'avaient les chrétiens de l'incompatibilité de leur situation avec la logique du « *monde* » sur ce point. Quand ils acceptent le cadre du monde — en l'occurence l'existence de l'état — ils n'entérinent pas pour autant ses déficiences. Par la suite, la position chrétienne changera. Lors des invasions barbares, l'Empire devenu chrétien sera animé d'un sentiment patriotique et aura conscience de défendre la Paix et la civilisation contre les Barbares [5]. Aux deux premiers siècles, la minorité chrétienne n'était pas encore aux prises avec ces dures réalités. Elle pouvait encore tranquillement condamner le mal qui est dans le monde, alors que d'autres se battaient pour lui procurer la sécurité. Ils ont cependant proclamé qu'eux aussi contribuaient, et d'une manière très efficace, au maintien de la paix et donc au service de l'état. Leur arme à eux, c'est la prière. De même que c'est grâce à eux que le monde est maintenu, que la fin est retardée, c'est encore par leurs prières qu'ils fournissent à l'état ce dont il a besoin. Tertullien n'hésite pas à dire que les supplications des chrétiens mettent en fuite les démons qui sont les véritables auteurs des guerres [6]. Hippolyte dans la même ligne affirme que « la prière des saints donne au monde la paix et aux pervers le châtiment », et que le diable empêche les saints de lever leurs mains vers Dieu [7]. Origène enfin développera tous les aspects

1. De corona, 11.

2. De idol. 19.

3. Trad. Apost. 16, repris par Canons d'Hipp. 14 ; Test. de N.S. II, 2.

4. Il en est de même du magistrat qui doit prononcer une peine de mort. Repris dans Can. Hipp. 13 ; Test. N-S., II, 2.

5. Cf. Ambroise, De off. III, 15, 71 ; II, 28, 136 ; III, 13, 14, Augustin, De lib. arbitr. 1, 5, 12.

6. Apol. 37, 9.

7. Sur Dan. III, 24, 7.

de cet argument dans sa réponse à Celse : « Nous aidons en vérité les empereurs quand cela est nécessaire par une aide qui doit être appelée divine, en revêtant toutes les armes de Dieu ». D'ailleurs, chez les païens, il y a bien des prêtres qui sont dispensés du service armé pour garder leurs mains pures de sang en vue d'offrir les sacrifices. A plus forte raison, « alors que les autres servent dans l'armée, les chrétiens, eux, accomplissent leur service militaire en tant que prêtres et serviteurs de Dieu ». Ainsi, « nous combattons pour l'empereur plus que qui que ce soit d'autre. Nous ne servons pas en tant que soldats avec lui, mais nous servons comme soldats pour lui, entraînant les pieuses troupes qui nous sont propres par le moyen de l'intercession de Dieu » [1].

CONCLUSION

Ces explications, pour irréalistes qu'elles puissent paraître, montrent cependant sur quel plan les chrétiens entendent se situer. Ce n'est pas la vie dans le monde en tant que telle qu'ils fuient ; ce sont les normes et les valeurs de l'existence interprétées par le *monde* qu'ils rejettent absolument. En l'occurence, c'est la guerre que le *monde* présente volontiers comme une fatalité inéluctable, qui leur paraît incompatible avec la loi nouvelle de l'*agapè*. Le principe qui inspire l'attitude des chrétiens devant les réalités humaines, politiques, sociales ou culturelles qui font partie du cadre de ce monde se situe sur un autre plan. Refuser l'interprétation que le *monde* donne de la vie, ce n'est pas méconnaître les nécessités réelles de l'existence, comme si la foi et l'agir chrétiens étaient condamnés à tourner à vide, loin des réalités sur lesquelles ils n'auraient pas de prise. La réponse chrétienne évacue tout ce qui dans les visions humaines du monde, de l'histoire, de la société, des mœurs, du pouvoir, de la science, est l'antithèse de la volonté salvifique de Dieu. Sous le régime de la loi d'amour, ceux qui exercent l'autorité le font en « ministres de Dieu », sans détourner leur pouvoir en volonté de puissance pour écraser les faibles ; ceux qui possèdent agissent comme s'ils ne possédaient pas, en gérant leurs biens au profit de la communauté entière, sans devenir l'esclave de leurs richesses ; ceux qui ont la science ne s'en gonflent pas par vanité jusqu'à en faire une « gnose mensongère » qui voudrait se supplanter à la foi, en qui seule est communiquée « la sagesse et l'intelligence spirituelle » des réalités du salut.

Dans un passage remarquable, l'auteur de l'épître *A Diognète* écrit : « Tyranniser son prochain, vouloir l'emporter sur les plus faibles, être riche, user de violence à l'égard des inférieurs, là n'est pas le bonheur... Mais celui qui prend sur soi le fardeau de son prochain, et qui, dans le

---

1. C. Cels. VIII, 73.

domaine où il a quelque supériorité, veut en faire bénéficier un autre moins fortuné, celui qui donne libéralement à ceux qui en ont besoin les biens qu'il détient pour les avoir reçus de Dieu..., celui-là est un imitateur de Dieu ». Et il ajoute à la suite : « Alors, quoique séjournant sur la terre, tu contempleras Dieu régnant dans la cité céleste, tu commenceras à parler des mystères de Dieu..., alors tu condamneras l'imposture et l'égarement du *monde*, quand tu connaîtras ce qu'est vraiment *vivre dans le ciel*, quand tu mépriseras ce qu'ici-bas on appelle la mort, quand tu redouteras la véritable mort... »[1]. C'est ainsi que le chrétien estime devoir être présent au cœur même de la cité des hommes, sans se croire obligé d'adopter en toutes choses les attitudes et les préjugés qu'elle défend. « Que ceux qui usent de ce monde, (fassent) *comme s*'ils n'en usaient pas véritablement, car elle passe la figure de ce monde-ci »[2]. *Comme si... ne pas*, ὡς...μή, telle est la clef du « paradoxe »[3] de l'existence chrétienne inserrée dans le monde, que Paul livrait aux impatients de Corinthe, et dans laquelle O. Cullmann voit à juste titre « la règle de toute éthique qui veut tenir compte de la situation paradoxale créée par l'histoire du salut »[4]. Se conformer à ce principe, c'est précisément se retirer de la sphère du *monde*. Mais ce n'est pas fuir les exigences de la vie, puisque c'est les assumer sur le plan définitif d'une existence restaurée dans sa signification et sa finalité véritables.

1. A Diogn. 10, 5-7.
2. 1 Co 7, 29-31 ; cf. *supra*, p 320.
3. Cf. A Diogn. 5, 4.
4. Le salut dans l'Histoire, Neuchâtel-Paris, 1966, p. 326.

INDEX SÉLECTIF DES SOURCES

I. AUTEURS ANCIENS

II. AUTEURS JUIFS

III. NOUVEAU TESTAMENT

IV. AUTEURS CHRÉTIENS

INDEX DES AUTEURS

TABLE DES MATIÈRES

Chapitre II : LE SIÈCLE PRÉSENT

Chapitre III : L'EMPIRE DE SATAN ET LE RÈGNE DU CHRIST.

Chapitre XI : LE PARADOXE CHRÉTIEN